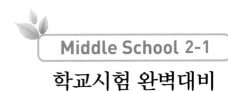

1학기 전과정

적중"100plus

영어 기출문제집

중2

천재 | 이재영

Best Collection

구성과 특징

교과서의 주요 학습 내용을 중심으로 학습 영역별 특성에 맞춰 단계별로 다양한 학습 기회를 제공하여
단원별 학습능력 평가는 물론 중간 및 기말고사 시험 등에 완벽하게 대비할 수 있도록 내용을 구성

Words & Expressions

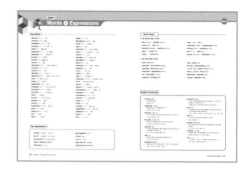

Step1　Key Words 단원별 핵심 단어 설명 및 풀이
　　　　　Key Expression 단원별 핵심 숙어 및 관용어 설명
　　　　　Word Power 반대 또는 비슷한 뜻 단어 배우기
　　　　　English Dictionary 영어로 배우는 영어 단어

Step2　실력평가 단원별 수시평가 대비 주관식, 객관식 문제풀이

Step3　서술형 대비 학업성취도 및 수행능력평가 대비 서술형 문제풀이

Conversation

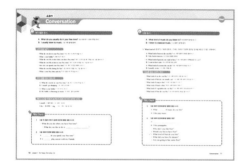

Step1　핵심 의사소통 소통에 필요한 주요 표현 방법 요약
　　　　　핵심 Check 기본적인 표현 방법 및 활용능력 확인

Step2　대화문 익히기 교과서 대화문 심층 분석 및 확인

Step3　교과서 확인학습 빈칸 채우기를 통한 문장 완성 능력 확인

Step4　기본평가 시험대비 기초 학습 능력 평가

Step5　실력평가 단원별 수시평가 대비 주관식, 객관식 문제풀이

Step6　서술형 대비 학업성취도 및 수행능력평가 대비 서술형 문제풀이

Grammar

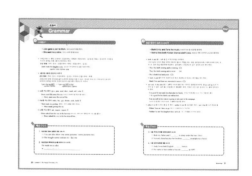

Step1　주요 문법 단원별 주요 문법 사항과 예문을 알기 쉽게 설명
　　　　　핵심 Check 기본 문법사항에 대한 이해 여부 확인

Step2　기본평가 시험대비 기초 학습 능력 평가

Step3　실력평가 단원별 수시평가 대비 주관식, 객관식 문제풀이

Step4　서술형 대비 학업성취도 및 수행능력평가 대비 서술형 문제풀이

Reading

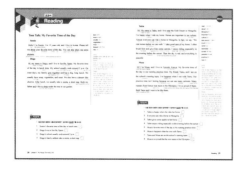

Step1　구문 분석 단원별로 제시된 문장에 대한 구문별 분석과 내용 설명
　　　　　확인문제 문장에 대한 기본적인 이해와 인지능력 확인

Step2　확인학습A 빈칸 채우기를 통한 문장 완성 능력 확인

Step3　확인학습B 제시된 우리말을 영어로 완성하여 작문 능력 키우기

Step4　실력평가 단원별 수시평가 대비 주관식, 객관식 문제풀이

Step5　서술형 대비 학업성취도 및 수행능력평가 대비 서술형 문제풀이
　　　　　교과서 구석구석 교과서에 나오는 기타 문장까지 완벽 학습

Composition

|영역별 핵심문제|

단어 및 어휘, 대화문, 문법, 독해 등 각 영역별 기출문제의 출제 유형을 분석하여 실전에 대비하고 연습할 수 있도록 문제를 배열

|단원별 예상문제|

기출문제를 분석한 후 새로운 시험 출제 경향을 더하여 새롭게 출제될 수 있는 문제를 포함하여 시험에 완벽하게 대비할 수 있도록 준비

|서술형 실전 및 창의사고력 문제|

학교 시험에서 점차 늘어나는 서술형 시험에 집중 대비하고 고득점을 취득하는데 만전을 기하기 위한 학습 코너

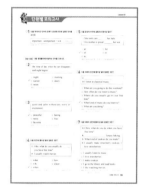

|단원별 모의고사|

영역별, 단계별 학습을 모두 마친 후 실전 연습을 위한 모의고사

교과서 파헤치기

- **단어Test1~3** 영어 단어 우리말 쓰기, 우리말을 영어 단어로 쓰기, 영영풀이에 해당하는 단어와 우리말 쓰기
- **대화문Test1~2** 대화문 빈칸 완성 및 전체 대화문 쓰기
- **본문Test1~5** 빈칸 완성, 우리말 쓰기, 문장 배열연습, 영어 작문하기 복습 등 단계별 반복 학습을 통해 교과서 지문에 대한 완벽한 습득
- **구석구석지문Test1~2** 지문 빈칸 완성 및 전문 영어로 쓰기

Contents

Lesson

1

Off to a Good Start

🎙️ 의사소통 기능

- 의도나 계획 묻고 답하기

  A: What are you planning to do this weekend?

  B: I'm planning to see a movie.

- 충고하기

  A: I'm planning to go to the ballpark.

  B: Why don't you buy tickets first?

🎙️ 언어 형식

- 주격 관계대명사

  I want to have a friend **who** makes me happy.

- 접속사 if

  If it is sunny, I will go to the beach.

교과서
Words & Expressions

Key Words

☐ **achieve**[ətʃíːv] 동 달성하다, 성취하다
☐ **add**[æd] 동 추가하다
☐ **another**[ənʌ́ðər] 형 다른, 또 다른
☐ **app**[æp] 명 앱, 어플리케이션
☐ **beginning**[bigíniŋ] 명 초(반), 시작
☐ **behave**[bihéiv] 동 예의 바르게 행동하다
☐ **between**[bitwíːn] 전 ~ 사이에, ~ 중간에
☐ **birth**[bəːrθ] 명 탄생, 출생
☐ **bored**[bɔːrd] 형 지루한
☐ **carry**[kǽri] 동 들고 있다
☐ **change**[tʃeindʒ] 동 바꾸다, (옷을) 갈아입다
☐ **control**[kəntróul] 명 통제, 규제, 억제
☐ **death**[deθ] 명 죽음, 사망
☐ **dish**[diʃ] 명 요리
☐ **download**[dáunlòud] 동 다운로드하다, 내려받다
☐ **downtime**[dáuntàim] 명 한가한[휴식] 시간
☐ **easily**[íːzili] 부 쉽게
☐ **eco-friendly**[ékou-frɛ̀ndli] 형 친환경적인, 환경 친화적인
☐ **exercise**[éksərsàiz] 동 운동하다
☐ **even**[íːvən] 부 (비교급을 강조하여) 훨씬, 한층
☐ **free**[friː] 형 무료의, 자유로운
☐ **full**[ful] 형 배부른
☐ **goal**[goul] 명 목표
☐ **grade**[greid] 명 성적
☐ **habit**[hǽbit] 명 습관
☐ **hard**[hɑːrd] 형 어려운 부 열심히
☐ **heavy**[hévi] 형 무거운
☐ **historical**[histɔ́ːrikəl] 형 역사적인, 역사상의

☐ **however**[hauévər] 부 하지만, 그러나
☐ **hundred**[hʌ́ndrəd] 명 백, 100
☐ **late**[leit] 형 늦은
☐ **less**[les] 형 더 적은, 덜한 부 더 적게
☐ **light**[lait] 형 가벼운
☐ **list**[list] 명 목록, 명단
☐ **magazine**[mǽgəzìːn] 명 잡지
☐ **manage**[mǽnidʒ] 동 관리하다
☐ **messy**[mési] 형 지저분한
☐ **national**[nǽʃənl] 형 전국적인
☐ **pepper**[pépər] 명 고추, 후추
☐ **perfect**[pə́ːrfikt] 형 완벽한, 완전한
☐ **plant**[plænt] 동 심다 명 식물
☐ **popular**[pápjulər] 형 인기 있는
☐ **reader**[ríːdər] 명 독자
☐ **relax**[rilǽks] 동 휴식을 취하다
☐ **skill**[skil] 명 기술
☐ **someone**[sʌ́mwʌn] 대 어떤 사람, 누구
☐ **still**[stil] 부 여전히, 아직도
☐ **strange**[streindʒ] 형 이상한
☐ **stressful**[strésfəl] 형 스트레스가 많은
☐ **stuff**[stʌf] 명 물건
☐ **text**[tekst] 동 문자 메시지를 보내다
☐ **underpants**[ʌ́ndərpænts] 명 팬티
☐ **useful**[júːsfəl] 형 유용한
☐ **waste**[weist] 명 낭비 동 낭비하다
☐ **webtoon**[wébtuːn] 명 웹툰
☐ **weekly**[wíːkli] 형 매주의, 주간의

Key Expressions

☐ **because of** ~ 때문에
☐ **care for** ~를 돌보다, ~를 좋아하다
☐ **clean up** ~를 치우다[청소하다]
☐ **drive ~ crazy** ~을 미치게 하다
☐ **each other** 서로
☐ **focus on** ~에 집중하다, ~에 주력하다
☐ **for a minute** 잠깐, 잠시 동안
☐ **for an hour** 한 시간 동안
☐ **from now on** 이제부터, 지금부터는
☐ **get off to a start** 시작하다, 출발을 하다
☐ **get some rest** 약간의 휴식을 취하다
☐ **how to**+동사원형 ~하는 방법

☐ **in front of** ~의 앞쪽에[앞에]
☐ **jump rope** 줄넘기하다
☐ **keep one's room clean** 방을 깨끗이 하다
☐ **look down** 우울해 보이다
☐ **middle school** 중학교
☐ **once in a while** 가끔
☐ **on Wednesdays** 수요일마다
☐ **stand in line** 일렬로 서다
☐ **Pretty good.** 아주 좋아.
☐ **Same here.** 나도 그래.
☐ **So so.** 그저 그래.

Word Power

※ 명사에 -ful을 붙여 형용사가 되는 단어

□ **use** (유용) → **useful** (유용한)

□ **hope** (희망) → **hopeful** (희망적인)

□ **color** (색깔) → **colorful** (다채로운)

□ **thought** (생각) → **thoughtful** (사려 깊은)

□ **help** (도움) → **helpful** (도움이 되는)

□ **stress** (스트레스) → **stressful** (스트레스가 많은)

□ **power** (힘) → **powerful** (힘센)

□ **beauty** (아름다움) → **beautiful** (아름다운)

□ **joy** (기쁨) → **joyful** (즐거운)

□ **wonder** (놀라움) → **wonderful** (놀라운)

English Dictionary

□ **achieve** 달성하다, 성취하다
→ to get or reach something by working hard
열심히 일해 뭔가를 얻거나 이루다

□ **beginning** 초(반), 시작
→ the time when something starts; the first part of an event, a story, etc.
어떤 일이 시작되는 시간; 사건, 이야기 등의 첫 부분

□ **behave** 예의 바르게 행동하다
→ to act in the way that people think is correct and proper
사람들이 옳고 적절하다고 생각하는 방식으로 행동하다

□ **death** 죽음, 사망
→ the end of the life of a person or animal
사람이나 동물의 생애의 끝

□ **downtime** 한가한[휴식] 시간
→ the time when someone stops working and is able to relax
누군가 일을 멈추고 쉴 수 있는 시간

□ **eco-friendly** 환경 친화적인
→ not harmful to the environment
환경에 해가 되지 않는

□ **goal** 목표
→ something that you are trying to do or achieve
하려고 하거나 달성하려는 것

□ **habit** 습관
→ something that a person does often in a regular and repeated way
사람이 규칙적으로 또는 반복적으로 자주 하는 행동

□ **messy** 지저분한
→ dirty and not neat
더럽고 깨끗하지 않은

□ **plant** 식물
→ a living thing that grows in the earth and has a stem, leaves and roots
땅에서 자라며 줄기, 잎 그리고 뿌리를 가지고 있는 살아 있는 것

□ **popular** 인기 있는
→ liked or enjoyed by many people
많은 사람이 좋아하거나 즐기는

□ **relax** 휴식을 취하다
→ to spend time resting or doing something enjoyable especially after work
특히 일을 하고 난 후 쉬면서 시간을 보내다

□ **strange** 이상한
→ different from what is usual, normal, or expected
일반적인, 정상적인 또는 예상한 것과 다른

□ **text** 문자 메시지를 보내다
→ to send someone a text message
어떤 사람에게 문자 메시지를 보내다

□ **useful** 유용한
→ helping to do or achieve something
어떤 것을 수행하거나 달성하는 데 도움이 되는

□ **waste** 낭비하다
→ to use more of something than is necessary or useful
필요하거나 유용한 것보다 더 많은 것을 사용하다

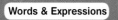
01 다음 중 짝지어진 단어의 관계가 <u>다른</u> 것은?

① end – beginning
② heavy – light
③ full – hungry
④ popular – well-liked
⑤ easy – difficult

서답형

02 다음 우리말에 맞도록 빈칸에 알맞은 말을 쓰시오.

> 어떻게 하면 우리는 좋은 출발을 할 수 있을까?
> ➡ How can we _____ _____ to a good start?

[03~04] 다음 영영풀이에 해당하는 단어를 고르시오.

03

> something that a person does often in a regular and repeated way

① list   ② goal
③ skill   ④ stuff
⑤ habit

04 중요

> to get or reach something by working hard

① waste   ② achieve
③ manage   ④ exercise
⑤ behave

05 중요 다음 빈칸에 들어갈 말이 바르게 짝지어진 것은?

> • You have to clean _____ your room.
> • We need to help and care _____ each other.

① in – of   ② for – about
③ up – for   ④ on – with
⑤ out – over

서답형

06 다음 우리말에 맞도록 빈칸에 알맞은 말을 쓰시오.

> 나는 환경 친화적인 사람이 되고 싶다.
> ➡ I'd like to be an _____ person.

서답형

07 다음 영영풀이에 해당하는 단어를 주어진 철자로 시작하여 쓰시오.

> different from what is usual, normal, or expected
>
> ➡ s_____

08 다음 중 밑줄 친 단어의 의미가 <u>다른</u> 하나는?

① What <u>grade</u> is Minsu in?
② I got a bad <u>grade</u> in art.
③ His <u>grade</u> was in the nineties.
④ My science <u>grade</u> was very low.
⑤ Sue got a high <u>grade</u> in English.

01 다음 짝지어진 두 단어의 관계가 같도록 빈칸에 알맞은 말을 쓰시오.

(1) fast : slow = death : _____
(2) wonder : wonderful = stress : _____
(3) end : beginning = _____ : heavy

02 다음 우리말에 맞게 빈칸에 알맞은 말을 쓰시오.

(1) 너는 가끔 휴식이 필요하다.
➡ You need to relax _____ _____
_____ _____.
(2) 나는 매일 한 시간씩 달릴 계획이다.
➡ I'm planning to run _____ _____
_____ every day.
(3) 나는 매일 줄넘기를 할 것이다.
➡ I'm going to _____ _____ every
day.

03 다음 빈칸에 공통으로 들어갈 말을 〈보기〉에서 골라 쓰시오.

┌─ 보기 ┐
plant   hard   dish
└─────────────┘

(1) • He worked _____ on his farm.
• That question was really _____.
(2) • The _____ is in the sink.
• How do I eat this _____?
(3) • The man is watering the _____.
• We _____ trees on Arbor Day.

04 다음 빈칸에 들어갈 알맞은 말을 〈보기〉에서 골라 쓰시오.

┌─ 보기 ┐
manage   weekly   goal   messy
└──────────────────────┘

(1) My home is a bit _____.
(2) I'm planning to make a _____
schedule.
(3) My _____ for the year is to pass the
Korean History Test.
(4) I'd like to _____ my time better.

05 다음 빈칸에 알맞은 말을 〈보기〉에서 골라 쓰시오.

┌─ 보기 ┐
get some rest / because of / in front of
└──────────────────────┘

(1) My room gets messy _____ my
pet.
(2) Becky is standing in line _____
the cafeteria.
(3) She will stay home and _____.

06 다음 영영풀이에 해당하는 단어를 주어진 철자로 시작하여 쓰시오.

(1) b_____ : to act in the way that people
think is correct and proper
(2) h_____ : something that a person
does often in a regular and
repeated way
(3) u_____ : helping to do or achieve
something
(4) d_____ : the time when someone stops
working and is able to relax

교과서

Conversation

1 의도나 계획 묻고 답하기

A What are you planning to do this weekend? 이번 주말에 뭐 할 계획이니?

B I'm planning to see a movie. 영화를 볼 계획이야.

■ I'm planning to ~.는 '나는 ~할 계획이다.'라는 의미로 미래의 계획이나 의도에 대해 이야기할 때 사용하는 표현으로, to 다음에 동사원형이 온다.

  • A: What are you planning to do tonight? 오늘밤에 뭐 할 계획이니?
    B: I'm planning to watch Snow White. 백설 공주를 볼 계획이야.

의도나 계획 말하기 표현

  • I have a plan to go to his office. 나는 그의 사무실로 갈 계획이야.

  • I'm scheduled to leave this afternoon. 나는 오늘 오후에 떠날 예정이다.

  • I'm going to watch a soccer game. 나는 축구 경기를 볼 예정이다.

  • I'm planning to go camping with my family. 나는 가족과 함께 캠핑을 갈 계획이야.

  • I'm thinking of reading some books. 나는 책을 몇 권 읽을까 생각 중이야.

의도나 계획 묻기 표현

  • What are you planning[going] to do this weekend? 이번 주말에 무엇을 할 계획[예정]이니?

  • What are your plans for this weekend? 이번 주말에 계획이 어떻게 되니?

  • Do you have any plans for this weekend? 이번 주말에 무슨 계획 있어?

  • What will you do this weekend? 이번 주말에 뭐 할 거니?

핵심 Check

1. 다음 우리말과 일치하도록 빈칸에 알맞은 말을 쓰시오.

   (1) **A**: What _____ you _____ _____ eat? (너는 무엇을 먹을 계획이니?)

      B: I'm _____ to eat rice and meat. (밥과 고기를 먹을 계획이야.)

   (2) **A**: _____ are _____ _____ for this weekend? (너는 이번 주말 계획이 뭐니?)

      B: _____ _____ _____ go camping with my family.
      (나는 가족과 함께 캠핑을 갈 계획이야.)

   (3) **A**: Do you _____ _____ _____ tonight? (너는 오늘밤에 계획이 있니?)

      B: I'm _____ _____ seeing a movie. (나는 영화를 볼까 생각 중이야.)

② 충고하기

A I'm planning to go to the ballpark. 나는 야구장에 갈 계획이야.

B Why don't you buy tickets first? 먼저 표를 사는 게 어때?

■ Why don't you+동사원형 ~?은 '~하는 게 어때?'라는 의미로, 상대방에게 충고를 할 때 사용하는 표현이다.

- A: Why don't you ride a bike? 자전거를 타는 게 어때?
  B: A bike? Let's go for a hike. 자전거? 하이킹하러 가자.

충고하기 표현

- How[What] about joining the volunteer club? 자원 봉사 동아리에 가입하는 게 어때?
- I think you should go to bed before 11 o'clock. 11시 전에 잠자리에 드는 게 좋겠다.
- You'd better take an umbrella with you. 우산을 가져가는 게 낫겠다.
- I advise you to go to the dentist. 치과에 가기를 충고한다.
- I suggest you to attend the party. 파티에 참석하는 게 좋겠다.

충고를 구하는 표현

- What should I do? 제가 어떻게 해야 하죠?
- Can you give me some advice? 제게 조언을 좀 해 주실 수 있나요?

핵심 Check

2. 다음 우리말과 일치하도록 빈칸에 알맞은 말을 쓰시오.

(1) **A:** I feel tired. (나는 피곤해.)

   B: You'd _____ rest. (너는 쉬는 게 좋겠다.)

(2) **A:** I broke my mom's favorite jar. (엄마가 가장 좋아하시는 단지를 깨뜨렸어.)

   B: _____ _____ _____ tell your mom you're sorry?

   (엄마에게 죄송하다고 말씀드리는 게 어때?)

(3) **A:** I can't focus when I study at home. _____ _____ _____ _____ ?

   (집에서 공부하면 집중할 수가 없어요. 어떻게 하면 좋을까요?)

   B: You _____ _____ at the library. (도서관에서 공부해야 해.)

A. Communicate: Listen - Listen and Answer Dialog 1

G: Kevin, do you have a special goal for the year?

B: Yeah, ❶I want to win a gold medal in the national swimming contest.

G: ❷Cool!

B: ❸What about you, Minsol?

G: ❹I'd like to manage my time better.

B: How would you achieve your goal?

G: ❺I'm planning to make a daily and weekly schedule.

B: ❻Sounds good.

G: Kevin, 올해의 특별한 목표가 있니?

B: 응. 전국 수영 대회에서 금메달을 따고 싶어.

G: 멋지네!

B: 민솔아, 너는?

G: 난 내 시간을 더 잘 관리하고 싶어.

B: 어떻게 네 목표를 달성할 거니?

G: 나는 일일 계획표와 주간 계획표를 만들 계획이야.

B: 좋은 생각이야.

❶ want to+동사원형: ~하고 싶다 / win a gold medal: 금메달을 획득하다 / national swimming contest: 전국 수영 대회

❷ '멋지네!'라는 의미로 상대방을 칭찬할 때 사용하는 표현이다.

❸ What about you?는 '너는 어때?'라는 의미로 How about you?로 바꿔 쓸 수 있다.

❹ I'd like to+동사원형 ~: 나는 ~하고 싶다. / manage: 관리하다

❺ I'm planning to+동사원형 ~은 '나는 ~할 계획이다.'라는 의미로 의도나 계획을 나타내는 표현이다. / weekly: 주간의

❻ '좋은 생각이야.'라는 의미로 That's a good idea.로 바꿔 쓸 수 있다.

Check(√) True or False

(1) Kevin won a gold medal in the national swimming contest.　　T ☐ F ☐

(2) Minsol wants to manage her time better.　　T ☐ F ☐

B. Communicate: Listen - Listen and Answer Dialog 2

G: ❶Can I talk with you for a minute, Minsu?

B: Sure. ❷What is it?

G: I'm working on my weekly schedule.

B: Really? ❸Good for you, little sister.

G: Here. ❹Have a look and give me some advice.

B: Hmm, you have a lot of study time.

G: Yeah, ❺I'm planning to study hard.

B: ❻Why don't you add some downtime?

G: Downtime?

B: Yeah, ❼I mean you need to relax once in a while.

G: 민수 오빠, 잠깐 얘기 좀 할 수 있을까?

B: 물론. 뭔데?

G: 나는 주간 계획표를 작성하고 있어.

B: 정말? 잘했다, 동생아.

G: 여기 있어. 한번 보고 조언 좀 해 줘.

B: 음. 공부 시간이 많구나.

G: 응. 나는 열심히 공부할 계획이야.

B: '다운타임'을 조금 더 추가하는 게 어때?

G: '다운타임'?

B: 응. 내 말은 넌 가끔 쉬어야 한다는 거야.

❶ Can I+동사원형 ~?은 '~해도 되니?'라는 의미로 허락을 구하는 표현이다. / for a minute: 잠깐

❷ What is it?: 뭔데?

❸ Good for you.: 잘했어.(칭찬하는 표현)

❹ have a look: 한 번 보다 / give me some advice: 나에게 충고를 좀 해주다

❺ I'm planning to+ 동사원형 ~은 '나는 ~할 계획이다.'라는 의미로 의도나 계획을 나타내는 표현이다

❻ Why don't you+동사원형 ~?: ~하는 게 어때?(충고하기 표현) / downtime: 휴식 시간

❼ once in a while: 가끔

Check(√) True or False

(3) The girl is working on her's daily schedule.　　T ☐ F ☐

(4) The girl needs to relax from time to time.　　T ☐ F ☐

Communication: Listen - Listen more

(The phone rings.)

W: Hi, Jongha.

B: Hello, Grandma. ❶I'd like to visit you this Saturday.

W: That'll be great. ❷We can plant some vegetables together.

B: Really? ❸What kind of vegetables?

W: This time, ❹I'm planning to plant some tomatoes and peppers.

B: Wow! That'll be fun.

W: I heard it's going to be sunny this Saturday. ❺You should bring your cap.

B: Okay, I will.

W: ❻Why don't you put on sunscreen before you leave?

B: ❼No problem. I'll see you on Saturday.

W: Okay. Bye.

❶ I'd like to+동사원형 ~.: 나는 ~하고 싶다
❷ can+동사원형: ~할 수 있다 / plant: 심다
❸ what kind of: 어떤 종류의
❹ I'm planning to+동사원형 ~.: 나는 ~할 계획이다(의도나 계획 말하기)
❺ You should+동사원형 ~.: 너는 ~해야 한다(의무 표현)
❻ Why don't you+동사원형 ~?: ~하는 게 어때?(충고하기 표현) / put on: (얼굴·피부 등에) ~을 바르다
❼ No problem. 문제 없어.(충고 또는 제안에 대한 긍정의 응답)

Communicate: Listen - Listen and Complete

M: 1. ❶How would you achieve your goal?
　　2. ❷I'd like to visit you this Saturday.

❶ achieve one's goal: 목표를 성취하다
❷ I'd: I would의 축약형

My Speaking Portfolio

1. **G:** Hello, I'm Nayeon. ❶I'd like to be an eco-friendly person. ❷I'm planning to walk to school every day.

2. **B1:** Hi, I'm Junho. ❸My goal for the year is to pass the Korean History Test. ❹I'm planning to take online classes. I'm also going to watch a lot of historical dramas on TV.

3. **B2:** Hi, I'm Hojin. I have a goal for the year. ❺I want to get good grades in math. ❻I'm planning to review math lessons regularly. I'm also going to solve 20 math problems every day.

❶ an eco-friendly person: 환경 친화적인 사람
❷ I'm planning to+동사원형 ~. = I'm going to+동사원형 ~. = I'm thinking of+동명사 ~. = I have a plan to+동사원형 ~.
❸ to pass: 보어로 쓰인 to부정사의 명사적 용법
❹ take an online class: 온라인 수업을 듣다
❺ get a good grade: 좋은 성적을 받다
❻ review a math lesson: 수학 수업을 복습하다

Wrap Up - Listening ❸

B: ❶What are you going to do this weekend, Mina?

G: I'm planning to visit Yeosu with my aunt.

B: ❷That sounds great. ❸Do you have any plans in Yeosu?

G: Well, we'll visit Yeosu Expo Park and eat some seafood.

B: That'll be fun. Enjoy your weekend.

❶ What are you going to do ~?: 너는 ~에 무엇을 할 거니? (의도나 계획 묻기)
❷ That sounds great.: 상대방을 칭찬하는 표현
❸ Do you have any plans?: 너는 무슨 계획이 있니?(계획 묻기 표현)

Wrap Up - Listening ❹

G: ❶You look down, Yunsu. ❷What's the problem?

B: I have a science project, and I don't have any ideas.

G: ❸Why don't you read science magazines in the library?

B: Science magazines?

G: Sure. ❹You can get some great ideas that way.

❶ look+형용사: ~하게 보이다 / look down: 우울해 보이다
❷ 좋지 않은 상태의 이유를 묻는 표현(= What's the problem?=What's the matter?, What happened (to you)?)
❸ Why don't you+동사원형 ~?: ~하는 게 어때?(충고 표현하기)
❹ that way: 그렇게 하면

● 다음 우리말과 일치하도록 빈칸에 알맞은 말을 쓰시오.

Communicate: Listen - Listen and Answer Dialog 1

G: Kevin, do you have a _____ _____ for the year?

B: Yeah, I want to _____ _____ _____ _____ in the national swimming contest.

G: Cool!

B: _____ _____ you, Minsol?

G: I'd like to _____ my time _____ .

B: _____ would you _____ your goal?

G: I'm _____ _____ make a daily and _____ schedule.

B: _____ good.

Communicate: Listen - Listen and Answer Dialog 2

G: Can I talk with you _____ _____ _____ , Minsu?

B: Sure. _____ is it?

G: I'm _____ _____ my weekly schedule.

B: Really? _____ _____ you, little sister.

G: Here. _____ a look and _____ me some _____ .

B: Hmm, you have _____ _____ _____ study time.

G: Yeah, _____ _____ _____ study hard.

B: _____ _____ _____ add some downtime?

G: Downtime?

B: Yeah, I mean you need to relax _____ _____ _____ _____ .

Communicate: Listen - Listen More

(The phone rings.)

W: Hi, Jongha.

B: Hello, Grandma. I'd _____ _____ visit you this Saturday.

W: That'll be _____ . We _____ _____ some vegetables together.

B: Really? _____ _____ _____ vegetables?

W: This time, I'm _____ _____ _____ some tomatoes and peppers.

B: Wow! That'll _____ fun.

W: I heard it's _____ _____ _____ sunny this Saturday. You _____ _____ your cap.

B: Okay, _____ .

W: _____ _____ you _____ _____ sunscreen before you leave?

B: _____ _____ . I'll see you _____ Saturday.

W: Okay. Bye.

G: Kevin, 올해의 특별한 목표가 있니?
B: 응. 전국 수영 대회에서 금메달을 따고 싶어.
G: 멋지네!
B: 민솔아, 너는?
G: 난 내 시간을 더 잘 관리하고 싶어.
B: 어떻게 네 목표를 달성할 거니?
G: 나는 일일 계획표와 주간 계획표를 만들 계획이야.
B: 좋은 생각이야.

G: 민수 오빠, 잠깐 얘기 좀 할 수 있을까?
B: 물론. 뭔데?
G: 나는 주간 계획표를 작성하고 있어.
B: 정말? 잘했다, 동생아.
G: 여기 있어. 한번 보고 조언 좀 해 줘.
B: 음, 공부 시간이 많구나.
G: 응, 나는 열심히 공부할 계획이야.
B: '다운타임'을 조금 더 추가하는 게 어때?
G: '다운타임'?
B: 응, 내 말은 넌 가끔 쉬어야 한다는 거야.

(전화기가 울린다.)
W: 안녕, 종하구나.
B: 안녕하세요, 할머니. 이번 주 토요일에 할머니를 방문하고 싶어요.
W: 그거 좋겠다. 우리는 함께 채소를 심을 수 있어.
B: 정말요? 어떤 종류의 채소죠?
W: 이번에는 토마토와 고추를 심을 계획이야.
B: 와! 재미있겠는데요.
W: 이번 토요일에 날씨가 맑을 거라고 들었어. 모자를 가져와야 해.
B: 알았어요, 그럴게요.
W: 떠나기 전에 자외선 차단제를 바르는 게 어때?
B: 그럼요. 토요일에 뵙겠습니다.
W: 알았어. 안녕.

Communicate: Listen - Listen and Complete

M: 1. _____ would you _____ your _____ ?

    2. _____ _____ _____ visit you this Saturday.

해석

M: 1. 너는 어떻게 목표를 달성할 거니?
    2. 난 이번 토요일에 너를 방문하고 싶어.

My Speaking Portfolio

1. G: Hello, I'm Nayeon. I'd like to be an _____ person. _____ _____ _____ walk to school every day.

2. B1: Hi, I'm Junho. My goal for the year is _____ _____ the Korean History Test. I'm planning to _____ online _____. I'm also _____ _____ _____ a lot of historical dramas _____ TV.

3. B2: Hi, I'm Hojin. I _____ _____ _____ for the year. I want to get good grades in math. I'm _____ _____ _____ math lessons regularly. I'm also going to _____ 20 math _____ every day.

1. G: 안녕, 나는 나연이야. 나는 환경 친화적인 사람이 되고 싶어. 나는 매일 걸어서 학교에 갈 계획이야.
2. B1: 안녕, 나는 준호야. 올해 나의 목표는 한국 역사 시험을 통과하는 거야. 나는 온라인 강의를 들을 계획이야. 나는 TV에서 역사 드라마도 많이 볼 거야.
3. B2: 안녕, 나는 호진이야. 나는 올해 목표가 있어. 나는 수학에서 좋은 성적을 받고 싶어. 나는 규칙적으로 수학 수업을 복습할 계획이야. 나는 또한 매일 20개의 수학 문제를 풀 거야.

Wrap Up - Listening ❸

B: What _____ you _____ _____ do this weekend, Mina?

G: I'm _____ to visit Yeosu _____ my aunt.

B: That _____ great. Do you _____ _____ _____ in Yeosu?

G: Well, we'll _____ Yeosu Expo Park and _____ some seafood.

B: That'll be _____. _____ your weekend.

B: 미나야, 이번 주말에 뭐 할 거야?
G: 나는 숙모와 함께 여수를 방문할 계획이야.
B: 그거 좋겠다. 여수에서 무슨 계획 있니?
G: 음, 우리는 여수 엑스포 공원에 가서 해산물을 먹을 거야.
B: 그거 재미있겠는데. 즐거운 주말 보내.

Wrap Up - Listening ❹

G: You _____ _____, Yunsu. What's the _____ ?

B: I have a science project, and I _____ _____ any ideas.

G: _____ _____ _____ read science magazines in the library?

B: Science magazines?

G: Sure. You can _____ some great _____ that way.

G: 윤수야, 우울해 보여. 무슨 문제 있니?
B: 나는 과학 프로젝트가 있는데, 아무 생각이 나질 않아.
G: 도서관에서 과학 잡지를 읽는 게 어때?
B: 과학 잡지?
G: 그럼. 그런 식으로 하면 좋은 아이디어를 얻을 수 있어.

01 다음 대화의 밑줄 친 부분의 의도로 알맞은 것은?

> A: What's the matter?
> B: I broke my arm.
> A: You'd better see a doctor.

① 비난하기　② 원인 묻기
③ 변명하기　④ 감정 표현하기
⑤ 충고하기

break 부러지다

02 다음 대화의 밑줄 친 부분과 바꾸어 쓸 수 있는 것은?

> A: Do you have any plans for this weekend?
> B: I'm planning to go shopping with my sister.

① I can　② I must
③ I would　④ I used to
⑤ I'm going to

plan 계획

03 다음 중 의도하는 바가 다른 하나는?

① You should wear a warm jacket.
② How about wearing a warm jacket?
③ You'd better wear a warm jacket.
④ Why did you wear a warm jacket?
⑤ Why don't you wear a warm jacket?

wear (옷 등을) 입다
warm 따뜻한

04 다음 대화의 빈칸에 알맞은 것은?

> A: _____
> B: We are planning to have a surprise party.

① Where are you going?
② What do you want to be?
③ What would you like to have?
④ What are you planning to do?
⑤ When are you having a surprising party?

have a surprise party
깜짝 파티를 열다

[01~08] 다음 대화를 읽고, 물음에 답하시오.

G: Can I talk with you for a minute, Minsu?

B: Sure. What is it?

G: I'm working on my ⓐweek schedule. (①)

B: Really? _____ⓑ_____, little sister.

G: Here. (②)

B: Hmm, you have a lot of study time.

G: Yeah, I'm ⓒplanning to study hard. (③)

B: ⓓWhy don't you add some downtime?

G: Downtime? (④)

B: Yeah, I mean you need to relax once _____ⓔ_____ a while. (⑤)

01 위 대화의 ①~⑤ 중 주어진 문장이 들어갈 알맞은 곳은?

> Have a look and give me some advice.

①   ②   ③   ④   ⑤

서답형

02 위 대화의 밑줄 친 ⓐ를 알맞은 형태로 고쳐 쓰시오.

➡ _____

중요

03 위 대화의 빈칸 ⓑ에 들어갈 말로 적절하지 않은 것은?

① Well done   ② You did well

③ Good for you   ④ That's terrible

⑤ You did a good job

서답형

04 위 대화의 밑줄 친 ⓒ와 바꿔 쓸 수 있는 단어를 쓰시오.

➡ _____

05 위 대화의 밑줄 친 ⓓ와 바꿔 쓸 수 없는 것은?

① How about adding some downtime?

② You never add some downtime.

③ You'd better add some downtime.

④ You should add some downtime.

⑤ What about adding some downtime?

서답형

06 위 대화의 빈칸 ⓔ에 알맞은 말을 쓰시오.

➡ _____

서답형

07 위 대화에서 다음 영영풀이에 해당하는 단어를 찾아 쓰시오.

> the time when someone stops working and is able to relax

➡ _____

서답형

08 위 대화를 읽고, 다음 질문에 영어로 답하시오.

> Q: What is Minsu's little sister planning to do?
>
> A: _____

[09~11] 다음 대화를 읽고, 물음에 답하시오.

G: Kevin, do you have a special goal for the year?
B: Yeah, I want to win a gold medal in the national swimming contest.
G: Cool!
B: ____ⓐ____ about you, Minsol?
G: I'd like to manage my time better.
B: ____ⓑ____ would you achieve your goal?
G: ©I'm planning to make a daily and weekly schedule.
B: Sounds good.

09 위 대화의 빈칸 ⓐ와 ⓑ에 알맞은 말이 바르게 짝지어진 것은?

① What – When ② How – Why
③ How – What ④ What – Where
⑤ What – How

10 위 대화의 밑줄 친 © 대신 쓸 수 있는 말을 모두 고르면? (정답 2개)

① I have a plan to make
② I made
③ I'm going to make
④ I was making
⑤ I should make

11 위 대화의 내용과 일치하지 않는 것은?

① Kevin은 올해의 목표가 있다.
② Kevin은 전국 수영 대회에서 금메달을 따고 싶어 한다.
③ 민솔은 Kevin을 칭찬해 주고 있다.
④ 민솔은 자기의 시간을 더 잘 관리하고 싶어 한다.
⑤ 민솔은 시간을 잘 관리하기 위해 월간 일정표를 만들 계획이다.

[12~15] 다음 대화를 읽고, 물음에 답하시오.

G: You look down, Yunsu. ⓐWhat's the problem?
B: I have a science project, and I don't have any ideas.
G: ⓑWhy don't you read science magazines in the library?
B: Science magazines?
G: Sure. You can get some great ideas ©that way.

12 위 대화의 밑줄 친 ⓐ와 바꿔 쓸 수 있는 것은?

① How come? ② What about you?
③ How are you? ④ What's wrong?
⑤ What's the answer?

13 위 대화의 밑줄 친 ⓑ의 의도로 알맞은 것은?

① 이유 묻기 ② 충고하기
③ 조언 구하기 ④ 비난하기
⑤ 금지하기

서답형

14 위 대화의 밑줄 친 ©가 뜻하는 것을 우리말로 구체적으로 쓰시오.

➡ _____

서답형

15 위 대화를 읽고, 다음 질문에 대한 대답을 완성하시오.

Q: Why does Yunsu look down?
A: Because _____
_____ .

01 다음 대화의 밑줄 친 우리말을 괄호 안의 단어를 이용하여 영작하시오.

> A: 자전거 타는 게 어때? (why / ride)
> B: A bike? Let's go for a hike.

➡ _____

02 다음 대화의 빈칸에 알맞은 말을 〈보기〉에서 골라 쓰시오.

┌─── 보기 ───
- You'd better learn some Chinese words.
- Thank you for your advice.
- Why don't we study together?
└

(1) A: I think you should turn down the heat.
　　B: _____

(2) A: I'm worried about the math test next week.
　　B: _____

(3) A: I'm planning to visit Beijing next month.
　　B: _____

03 다음 우리말과 일치하도록 주어진 단어를 이용하여 빈칸을 채우시오.

(1) 이번 주말에 무슨 계획이 있니? (plan)
　➡ Do you _____ _____ _____
　　 for this weekend?

(2) 나는 부모님을 위해 깜짝 파티를 열까 생각 중이야. (think)
　➡ I'm _____ _____ having a surprise party for my parents.

(3) 나는 가족과 캠핑을 갈 계획이야. (plan)
　➡ I'm _____ _____ _____ camping with my family.

[04~07] 다음 대화를 읽고, 물음에 답하시오.

W: Hi, Jongha.
B: Hello, Grandma. I'd like to visit you this Saturday.
W: That'll be great. We can plant some vegetables together.
B: Really? What ___ⓐ___ of vegetables?
W: This time, I'm planning to plant some tomatoes and peppers.
B: Wow! That'll be fun.
W: I heard it's going to be sunny this Saturday. ⓑYou should bring your cap.
B: Okay, I will.
W: Why don't you put on sunscreen before you leave?
B: No problem. I'll see you on Saturday.

04 위 대화의 빈칸 ⓐ에 다음 영영풀이에 해당하는 단어를 쓰시오.

> a particular variety or type

➡ _____

05 위 대화의 밑줄 친 ⓑ를 다음과 같이 바꿔 쓸 때 빈칸에 알맞은 말을 쓰시오.

> _____ _____ _____ bring your cap?

06 What is Jongha's grandma planning to do this Saturday? Answer the English.

➡ _____

07 What's the weather going to be like this Saturday? Answer the English.

➡ _____

Grammar

1 주격 관계대명사

- I want to have a friend **who** makes me happy. 나는 나를 행복하게 만드는 친구를 가지고 싶다.
- An orange is a fruit **which** has a lot of vitamin C.

  오렌지는 비타민 C를 많이 가지고 있는 과일이다.

- Hold the door open for someone **that** is behind you.

  여러분 뒤에 있는 사람을 위하여 문을 열어 두세요.

■ 관계대명사는 선행사인 명사를 대신하는 일종의 대명사이면서 이 대명사가 이끄는 절을 접속시킨다는 점에서 「접속사+대명사」의 기능을 동시에 갖는다. 관계대명사가 이끄는 관계사절에 의하여 수식받는 명사·대명사를 선행사라 하며, 이때 관계사절은 선행사인 명사를 수식하므로 형용사절이다. 관계대명사는 선행사에 따라 which, who, that 등을 쓴다.

선행사	주격	소유격	목적격
사람	who	whose	whom / who
사물	which	whose / of which	which
사람, 동물, 사물	that	–	that

■ 주격 관계대명사는 관계대명사가 주어의 역할을 하는 경우에 쓰이며, 뒤따르는 동사는 선행사의 수에 일치시킨다.

- The boy **who** is wearing a blue shirt is my little brother. 파란색 셔츠를 입고 있는 소년은 내 남동생이다.
- This is a restaurant **which** is famous for pizza. 이것은 피자로 유명한 식당이다.

■ **주격 관계대명사 who, which, that**

관계대명사가 이끄는 문장에서 주어 역할을 한다. 사람을 설명할 때는 「사람+who+동사」의 형태이고, 사물이나 동물을 설명할 때는 「사물[동물]+which+동사」의 형태이다. that은 사람, 사물, 동물에 모두 쓰인다.

- Mr. Robinson is a teacher **who[that]** is from Australia. Robinson 씨는 호주에서 오신 선생님이다.
- Look at the robots **that[which]** are playing soccer. 축구를 하고 있는 로봇들을 봐.

  cf. 선행사 앞에 all, every, no, any, the same, the only, the+최상급/서수 등이 올 경우, 보통 that을 사용한다.

- She is the only student **that** can speak English. 그녀는 영어로 말할 수 있는 유일한 학생이다.

핵심 Check -------------------------------

1. 다음 괄호 안에서 알맞은 것을 고르시오.

(1) Do you know the boy (who / which) is sitting next to Kevin?

(2) This is the smart phone (who / which) was made in Korea.

(3) The girl (who / which) I met on the street is Jihun's sister.

(4) Mr. White is a teacher (who / which) teaches English.

② 조건을 나타내는 접속사 if

- **If** it is sunny, I will go to the beach. 내일 날씨가 맑으면 난 해변에 갈 것이다.
- **If** it rains tomorrow, I will stay at home. 내일 비가 오면 난 집에 있을 것이다.
- You can catch the train **if** you leave now. 너는 지금 떠나면 열차를 탈 수 있다.

■ 접속사 if는 두 개의 절을 하나로 연결하여 '만일 ~한다면'이라는 조건의 뜻을 나타낸다. 이때 if가 속한 절을 종속절이라 하고, 또 다른 절을 주절이라 한다. 「If+주어+현재시제, 주어+will[can/may]+동사원형」의 어순이다.

　• **If** you speak slowly, I can understand you. 천천히 말하면 네 말을 이해할 수 있어.
　　= I can understand you **if** you speak slowly.

■ if절에서는 실현 가능성이 있는 추측일 경우 현재형으로 미래를 나타낸다.

　• **If** you run, you will get there in time. 뛰어가면 제시간에 거기에 도착할 것이다.
　• **If** you are tired, we will go home. 네가 피곤하면 우린 집에 갈 거야.
　　cf. if절이 명사절로 '~인지 아닌지'의 뜻을 나타낼 때는 미래 시제를 사용한다.
　• Do you know **if** she will come to the party? 그녀가 파티에 올지 안 올지 너는 아니?
　　cf. 명사절을 이끄는 if는 whether로 바꿔 쓸 수 있다.
　• I don't know **if[whether]** he had breakfast. 그가 아침을 먹었는지 안 먹었는지 나는 모른다.

■ if ~ not은 '만약 ~하지 않으면'의 뜻으로, unless로 바꿔 쓸 수 있다.

　• **If** you **don't** follow the school rules, you will be in trouble. 교칙을 따르지 않으면 넌 난처해질 거야.
　　= **Unless** you follow the school rules, you will be in trouble.

핵심 Check

2. 다음 괄호 안에서 알맞은 것을 고르시오.

　(1) (If / Because) you arrive early, you will get a good seat.
　(2) If she (takes / will take) the subway, she will be there on time.
　(3) If I see her, I (give / will give) it to her.
　(4) Unless you (drink / don't drink) water, you will feel very thirsty.

01 다음 두 문장을 한 문장으로 만들 때 빈칸에 알맞은 말을 쓰시오. (that은 쓸 수 없음.)

next to ~ 옆에
necklace 목걸이

(1) Do you know the girl? She is sitting next to Kevin.

➡ Do you know the girl _____ is sitting next to Kevin?

(2) This is the necklace. I got it from Jihun.

➡ This is the necklace _____ I got from Jihun.

(3) My uncle lives in a house. It has a beautiful garden.

➡ My uncle lives in a house _____ has a beautiful garden.

(4) The boy is wearing a blue shirt. He is my little brother.

➡ The boy _____ is wearing a blue shirt is my little brother.

(5) Turkey is a country. It has many interesting things.

➡ Turkey is a country _____ has many interesting things.

02 다음 두 문장을 if를 써서 한 문장으로 나타내시오. (단, 종속절이 주절의 앞에 오는 문장으로 바꿀 것.)

hurry up 서두르다
go on a picnic 소풍가다
finish 끝나다

(1) Hurry up. You will catch the bus.

➡ _____

(2) It will be fine tomorrow. We will go on a picnic.

➡ _____

(3) School finishes early today. Kate will read a book at home.

➡ _____

(4) You are tired. You can sit here.

➡ _____

03 다음 괄호 안에서 알맞은 것을 고르시오.

water 물을 주다
flow 흐르다

(1) There is a boy (who / which) is watering a flower.

(2) Those are the pictures (who / which) were taken by my sister.

(3) I have a friend (which / who) lives in China.

(4) Jane is the girl (that / which) is playing basketball.

(5) The Thames is the river (who / that) flows through London.

01 다음 빈칸에 들어갈 말이 바르게 짝지어진 것은?

- I was late _____ the bus broke down.
- I can finish that work _____ I have three days.

① when – how
② when – where
③ if – because
④ because – that
⑤ because – if

02 다음 대화의 빈칸 ⓐ, ⓑ에 들어갈 말이 순서대로 짝지어진 것은?

A: Do you know the girl ____ⓐ____ is standing under the tree?
B: Yes. She is Kevin's sister. Her hobby is ____ⓑ____ pretty dolls.

① who – collecting
② whom – collecting
③ which – to collect
④ whose – collecting
⑤ whose – to collect

03 다음 문장의 빈칸에 알맞은 것은?

Why don't you cook some soup _____ you're hungry?

① and
② but
③ if
④ where
⑤ because

04 다음 밑줄 친 부분을 어법상 바르게 고쳐 쓰시오.

(1) He's the boy which broke the window.
➡ _____

(2) This is the biggest dog whom I have ever seen.
➡ _____

05 다음 밑줄 친 ①~⑤ 중 어법상 어색한 것은?

My father ①will buy ②me a computer ③if I ④will get a perfect score ⑤in the final exam.

① ② ③ ④ ⑤

[06~07] 다음 문장의 빈칸에 알맞은 것을 고르시오.

06

Do you know the man _____ is running after a dog?

① how
② who
③ whom
④ which
⑤ whose

07

This is the building _____ was built in 1790.

① who
② how
③ what
④ which
⑤ where

서답형

08 다음 두 문장을 한 문장으로 바꿔 쓰시오.

> Susan does not get up now. She will miss the train.

➡ _____

_____

09 다음 빈칸에 알맞은 말이 순서대로 짝지어진 것은?

> • Susan is the girl _____ will go to Europe with me.
> • An orange is a fruit _____ has a lot of vitamin C.

① who – which
② whom – that
③ which – who
④ which – which
⑤ whose – that

10 다음 빈칸에 들어갈 말이 나머지 넷과 다른 것은?

① Mike will stay at home _____ it is cold.
② You can stay at home _____ you're tired.
③ She'll watch TV _____ she finishes her work early.
④ He'll buy a necktie for his dad _____ he goes shopping.
⑤ I think _____ Anderson won't come back.

11 다음 빈칸에 공통으로 알맞은 것은?

> • My dad bought me a bag _____ was black.
> • This is the smart phone _____ I bought last month.

① what
② who
③ whom
④ where
⑤ which

12 다음 두 문장의 의미가 같도록 빈칸에 알맞은 것은?

> I'll show you the picture. It was given to me by Ann.
> = I'll show you the picture _____ was given to me by Ann.

① who
② what
③ whom
④ which
⑤ whose

13 다음 우리말을 영어로 바르게 옮긴 것은?

> 나는 날씨가 좋으면 주말마다 낚시하러 간다.

① I go fishing on weekends because the weather is good.
② The weather is good, so I go fishing on weekends.
③ As the weather is good, I will go fishing on weekends.
④ If the weather will be good, I go fishing on weekends.
⑤ I go fishing on weekends if the weather is good.

서답형

14 다음 문장에서 어법상 어색한 부분을 찾아 바르게 고쳐 쓰시오.

> Look at the boy and his dog which are running in the park.

_____ ➡ _____

15 다음 빈칸에 공통으로 알맞은 것은?

> • You will get one free _____ you buy this.
> • I wonder _____ she is really a middle school student.

① as   ② if
③ that   ④ since
⑤ whether

16 다음 〈보기〉의 밑줄 친 부분과 쓰임이 같은 것은?

┌─ 보기 ─┐
Mr. Parker is a farmer <u>that</u> grows orange trees.
└────────┘

① They can't go <u>that</u> far.
② I'm afraid <u>that</u> he will not come.
③ The climate of Korea is similar to <u>that</u> of Germany.
④ There is a cat <u>that</u> is sleeping on the bench.
⑤ It was really nice weather <u>that</u> day.

서답형

17 다음 문장에서 어법상 어색한 부분을 바르게 고쳐서 문장을 다시 쓰시오

> What do you do if he visits your home tomorrow?

➡ _____

[18~19] 다음 중 어법상 어색한 것을 고르시오.

18 ① I'll phone you if I'll have time.
② If you don't have a ticket, you can't come in.
③ We can be in Seoul by 10 if we catch the first train.
④ If you don't give me my money, I'm going to the police.
⑤ If it is sunny tomorrow, we'll have the party outside.

19 ① Do you know the boy which is running in the park?
② The woman is the only person that loves me.
③ Look at the trees which stand in front of the house.
④ We remember the typhoon that hit the island last year.
⑤ The girl who danced with you is my sister.

20 다음 밑줄 친 부분의 쓰임이 〈보기〉와 같은 것은?

┌─ 보기 ─┐
I want to know <u>if</u> it will rain tomorrow.
└────────┘

① <u>If</u> he comes back, I will tell him about it.
② I won't go there <u>if</u> it is cold tomorrow.
③ <u>If</u> you turn right, you can see the building.
④ You may go home early <u>if</u> you don't feel well.
⑤ I doubt <u>if</u> the baby can understand your words.

01 다음 두 문장을 한 문장으로 만들 때 빈칸에 알맞은 말을 쓰시오.

> The dog has big ears. It is lying over there.
> ➡ The dog _____ is lying over there has big ears.

02 다음 문장에서 어법상 어색한 곳을 찾아 바르게 고쳐 쓰시오.

(1) If I won't be free tomorrow, I'll see you on Saturday.

_____ ➡ _____

(2) You'll be happy if you'll pass the exam.

_____ ➡ _____

03 다음 빈칸에 공통으로 알맞은 말을 쓰시오.

> • Look at the star _____ shines in the night sky.
> • I know the woman _____ is playing the vioin.

04 다음 문장에서 어법상 어색한 부분을 바르게 고쳐 문장을 다시 쓰시오.

(1) If it will rain tomorrow, we won't go hiking.

➡ _____

(2) Unless you don't hurry, you will miss the train.

➡ _____

05 다음 두 문장을 괄호 안의 관계대명사를 이용하여 한 문장으로 고쳐 쓰시오.

(1) The young lady is sitting on the bench. She is our music teacher. (who)

➡ _____
_____

(2) We found a dog. It was running toward us. (which)

➡ _____

(3) This is the firefighter. He saved the baby from the burning building. (that)

➡ _____
_____

(4) This is the only story. It is interesting to read. (that)

➡ _____

06 다음 빈칸에 알맞은 말을 〈보기〉에서 골라 쓰시오. (문장의 앞에 오는 경우 대문자로 쓰시오.)

> ┤ 보기 ├
> when   if   unless

(1) _____ you don't leave now, you will miss the last train.

(2) We had a big party _____ Sarah came home.

(3) _____ you start now, you'll be late for the meeting.

07 다음 두 문장을 관계대명사를 사용하여 한 문장으로 만드시오.

(1) I know the woman. She is standing by the car.

➡ _____

_____

(2) Did you see the car? It has only two doors.

➡ _____

(3) This is a restaurant. The restaurant is famous for its spaghetti.

➡ _____

_____

(4) Mrs. Brown is my English teacher. She lives next door.

➡ _____

_____

08 다음 주어진 단어를 바르게 배열하여 문장을 완성하시오.

(she / will / if / get up / the train /, / she / miss / doesn't / early)

➡ _____

09 다음 우리말을 영어로 옮길 때 빈칸에 각각 알맞은 말을 쓰시오.

어제 발생한 교통사고는 끔찍했다.
➡ The traffic accident _____ happened yesterday _____ terrible.

10 접속사 if를 사용하여 다음 두 문장을 한 문장으로 바꿔 쓰시오. (단, 종속절이 주절의 앞에 오는 문장으로 바꿀 것)

(1) The weather is nice. I always walk to school.

➡ _____

(2) It rains on weekends. We watch TV.

➡ _____

(3) I am late for class. My teacher gets very angry.

➡ _____

11 다음 주어진 단어를 이용하여 우리말을 영어로 옮기시오.

나는 야구를 좋아하는 의사를 알고 있다.
(know)

➡ _____

12 다음 두 문장이 같은 뜻이 되도록 빈칸에 알맞은 말을 쓰시오.

(1) If you don't leave now, you will miss the school bus.

➡ _____ _____ _____ now, you will miss the school bus.

(2) Unless it rains tomorrow, I will go camping.

➡ _____ _____ _____ r a i n tomorrow, I will go camping

Reading

Beginning a New School Year

Beginning a new school year is stressful to many students. How can
동명사 – 주어　　　　　　　　　　동명사가 주어일 때는 단수로 받는다.　　　　　方법을 나타내는 의문부사

we get off to a good start? *Teen Today* asked Raccoon 97, a popular
　　좋은 출발을 하다　　　　　　　　　　　　　　　　동격 관계

webtoon artist, for ideas.
　　　　　　　ask A for B: A에게 B를 묻다

Let's think about things that are hard to change or easy to change.
~하자(간접명령문)　　　　　관계대명사 – 주격　　　형용사를 수식하는 부사적 용법

Things That Are Hard to Change

Your Messy Room_ You clean it up. Then you bring new stuff into
　　　　　　　　　　타동사+목적어(인칭대명사)+부사

it, and it soon gets messy again. But don't worry. Your room is much
= your room　　　get+형용사: ~해지다　　　부정명령문　　　비교급 강조 부사

cleaner than mine.
　　　　　= my room(소유대명사)

Your Family_ There is always someone in your family who drives you
　　　　　～이 있다　빈도부사　　　　　　　주격 관계대명사　drive+목적어+

crazy. Remember that he or she is still a member of your family. You
목적보어: 어떤 상태가 되게 하다　명사절을 이끄는 접속사　아직도, 여전히

just have to live together and care for each other.
　　～해야 한다(=must)　　　　　= look after　서로

Your Name on Your Teacher's List_ If you are late or do not behave,
　　　　　　　　　　　　　　　조건을 나타내는 접속사

your teacher will put your name on his or her list. You cannot easily
　　　　　　　put A on B: B에 A를 올리다　　　　　　　　easy의 부사형

change the list.

---

be stressful to ~에게 스트레스가 되다

get off to a good start
좋은 출발을 하다

webtoon (컴퓨터) 웹툰

artist 예술가, 미술가

clean up 깨끗이 청소하다

messy 지저분한, 엉망인

stuff 것, 것들, 물건

bring A into B A를 B로 가져오다

someone 어떤 사람

drive ~하게 만들다[몰아가다]

crazy 미친 듯이 화가 난

still 여전히

member 일원, 구성원

care for ~을 돌보다, ~을 좋아하다

each other 서로

list 리스트, 목록

behave 예의 바르게 행동하다

easily 쉽게

확인문제

● 다음 문장이 본문의 내용과 일치하면 T, 일치하지 <u>않으면</u> F를 쓰시오.

1　There are a lot of students who are worried about a new school year. ☐

2　Most things are easy to change. ☐

3　Your teacher's list is easy to change. ☐

Things That Are Easy to Change

Your Underpants_ If you change them every day, your mom will not
<small>조건을 나타내는 접속사　　　= underpants　　　　　　　축약형 won't로 바꿀 수 있다.</small>
tell you one hundred and one times.
<small>백한번, 입이 닳도록</small>
"Life is C between B and D." It means "Life is C□□□□□ between
<small>이다　　B와 D 사이의　　앞 문장을 받는 인칭대명사</small>
Birth and Death."

Jean-Paul Sartre

Your Friends_ You can change your friends. Does it sound strange?
<small>～하게 들리다　보어(형용사)</small>
You may think that you have the perfect number of friends. If you add
<small>추측을 나타내는 조동사　　　　　완벽한 수의</small>
a new friend to the list, however, you will feel even better than before.
<small>그러나(접속부사)　　　비교급 강조 부사　good의 비교급</small>

Your Mind_ You thought one thing at first, and now you think another
<small>think의 과거형　　　처음에(이때의 first는 명사)　　또 다른</small>
thing. That is okay. As someone said, "If you can change your mind,
<small>앞 문장을 받는 지시대명사　～한 것처럼　　　～한다면</small>
you can change your life."

"Focus on the things that are easy to change, and try to make
<small>주격 관계대명사　　　　to부정사의 부사적 용법　　～하기 위해 노력하다</small>
today better than yesterday. Good luck!"
<small>good의 비교급　　　　　　　行운을 빌어!</small>

Top 5 Plans for the Year

We asked 200 *Teen Today* readers, "What are your plans for the year?"

---

underpants 팬티

hundred 100, 백

between A and B
A와 B 사이의

choice 선택

birth 탄생

death 죽음

perfect 완벽한, 완전한

add A to B B에 A를 더하다

however 그러나

at first 처음에는

focus on ～에 집중하다

luck 운, 행운

reader 독자

확인문제

● 다음 문장이 본문의 내용과 일치하면 T, 일치하지 <u>않으면</u> F를 쓰시오.

1　Your underpants are easy to change.　☐

2　A new friend is worse than an old friend.　☐

3　It is possible that your thought changes.　☐

4　You had better focus on the things that are hard to change.　☐

● 우리말을 참고하여 빈칸에 알맞은 말을 쓰시오.

1 _____ a new school year is stressful to many students.

2 _____ can we get off _____ a good start?

3 *Teen Today* _____ Raccoon 97, a popular webtoon artist, _____ ideas.

4 _____ *think about things that are* _____ *to change or* _____ *to change.*

5 Things _____ Are Hard to _____

6 Your Messy Room_ You clean _____ _____ .

7 Then you _____ new stuff _____ it, and it soon _____ messy again.

8 But don't _____ .

9 Your room is much _____ _____ mine.

10 Your Family_ There is always someone in your family who _____ you _____ .

11 _____ that he or she is still a _____ of your family.

12 You just _____ _____ live together and _____ _____ each other.

13 Your Name on Your Teacher's List_ If you are late or do not _____ , your teacher will _____ your name _____ his or her list.

1	새 학년을 시작하는 것은 많은 학생들에게 스트레스를 준다.
2	어떻게 하면 우리는 좋은 출발을 할 수 있을까?
3	Teen Today는 유명한 웹툰 작가인 Raccoon 97에게 아이디어를 물었다.
4	바꾸기 어렵거나 쉽게 바꿀 수 있는 것들에 대해 생각해 보자.
5	바꾸기 어려운 것들
6	너의 지저분한 방_ 너는 방을 깨끗이 치운다.
7	그런 다음 새로운 물건을 가져오면 곧 다시 지저분해진다.
8	하지만 걱정하지 마.
9	네 방은 내 방보다 훨씬 더 깨끗해.
10	너의 가족_ 너의 가족 중에는 항상 너를 미치게 하는 사람이 있다.
11	그나 그녀가 여전히 너의 가족 구성원이라는 것을 기억해라.
12	너는 함께 살아야 하고 서로 돌봐야 한다.
13	선생님의 명단에 있는 너의 이름_ 만약 네가 늦거나 예의 바르게 행동하지 않는다면, 너의 선생님은 너의 이름을 그나 그녀의 명단에 올릴 것이다.

14 You cannot easily _____ the _____.

15 Things _____ Are Easy _____ Change

16 Your Underpants_ If you _____ them every day, your mom will not _____ you one _____ and one times.

17 "Life is C _____ B _____ D."

18 It _____ "Life is Choice between _____ and _____."

19 Your Friends_ You can _____ your _____.

20 Does it _____ strange?

21 You _____ think that you have the _____ number of friends.

22 If you _____ a new friend _____ the list, however, you will feel _____ better than _____.

23 Your Mind_ You thought _____ thing at _____, and now you think _____ thing.

24 That is _____. As someone said, "If you can change your _____, you can change your _____."

25 "Focus _____ the things that are _____ to change, and try to make today _____ than yesterday. Good _____!"

26 Top 5 _____ for the Year

27 We _____ 200 *Teen Today* _____, "_____ are your plans _____ the year?"

14 너는 명단을 쉽게 바꿀 수 없다.

15 바꾸기 쉬운 것들

16 너의 팬티_ 만약 네가 매일 팬티를 갈아입으면, 너의 엄마는 너에게 입이 닳도록 말하지 않을 거야.

17 "인생은 B와 D 사이의 C이다."

18 그것은 "인생은 탄생과 죽음 사이의 선택이다."를 의미한다.

19 너의 친구들_ 너는 네 친구들을 바꿀 수 있다.

20 이상하게 들리는가?

21 너는 네가 완벽한 수의 친구들을 가지고 있다고 생각할지도 모른다.

22 하지만 새로운 친구를 목록에 추가하면 이전보다 훨씬 더 기분이 좋아질 것이다.

23 너의 마음_ 너는 처음에는 이런 것을 생각했고, 지금은 또 다른 것을 생각한다.

24 괜찮다. 누군가 말했듯이, "마음을 바꿀 수 있다면, 인생을 바꿀 수 있어."

25 "바꾸기 쉬운 일에 집중하고, 어제보다 오늘을 더 좋게 만들려고 노력해. 행운을 빌어!"

26 올해의 5대 계획

27 우리는 200명의 Teen Today 독자들에게 "올해의 계획은 무엇인가?"라고 물었다.

● 우리말을 참고하여 본문을 영작하시오.

1 새 학년을 시작하는 것은 많은 학생들에게 스트레스를 준다.

➡ _____

2 어떻게 하면 우리는 좋은 출발을 할 수 있을까?

➡ _____

3 Teen Today는 유명한 웹툰 작가인 Raccoon 97에게 아이디어를 물었다.

➡ _____

4 바꾸기 어렵거나 쉽게 바꿀 수 있는 것들에 대해 생각해 보자.

➡ _____

5 바꾸기 어려운 것들

➡ _____

6 너의 지저분한 방_ 너는 방을 깨끗이 치운다.

➡ _____

7 그런 다음 새로운 물건을 가져오면 곧 다시 지저분해진다.

➡ _____

8 하지만 걱정하지 마.

➡ _____

9 네 방은 내 방보다 훨씬 더 깨끗해.

➡ _____

10 너의 가족_ 너의 가족 중에는 항상 너를 미치게 하는 사람이 있다.

➡ _____

11 그나 그녀가 여전히 너의 가족 구성원이라는 것을 기억해라.

➡ _____

12 너는 함께 살아야 하고 서로 돌봐야 한다.

➡ _____

13 선생님의 명단에 있는 너의 이름_ 만약 네가 늦거나 예의 바르게 행동하지 않는다면, 너의 선생님은 너의 이름을 그나 그녀의 명단에 올릴 것이다.

➡ _____

_____

14 너는 명단을 쉽게 바꿀 수 없다.

➡ _____

15 바꾸기 쉬운 것들

➡ _____

16 너의 팬티_ 만약 네가 매일 팬티를 갈아입으면, 너의 엄마는 너에게 입이 닳도록 말하지 않을 거야.

➡ _____

17 "인생은 B와 D 사이의 C이다."

➡ _____

18 그것은 "인생은 탄생과 죽음 사이의 선택이다."를 의미한다.

➡ _____

19 너의 친구들_ 너는 네 친구들을 바꿀 수 있다.

➡ _____

20 이상하게 들리는가?

➡ _____

21 너는 네가 완벽한 수의 친구들을 가지고 있다고 생각할지도 모른다.

➡ _____

22 하지만 새로운 친구를 목록에 추가하면 이전보다 훨씬 더 기분이 좋아질 것이다.

➡ _____

23 너의 마음_ 너는 처음에는 이런 것을 생각했고, 지금은 또 다른 것을 생각한다.

➡ _____

24 괜찮다. 누군가 말했듯이, "마음을 바꿀 수 있다면, 인생을 바꿀 수 있어."

➡ _____

25 "바꾸기 쉬운 일에 집중하고, 어제보다 오늘을 더 좋게 만들려고 노력해. 행운을 빌어!"

➡ _____

26 올해의 5대 계획

➡ _____

27 우리는 200명의 Teen Today 독자들에게 "올해의 계획은 무엇인가?"라고 물었다.

➡ _____

[01~05] 다음 글을 읽고, 물음에 답하시오.

Beginning a new school year is stressful ⓐ_____ many students. ⓑHow can we get off to a good start? *Teen Today* asked Raccoon 97, a popular webtoon artist, for ideas.

Let's think about things ⓒ*that are hard to change or easy to change.*

Things That Are Hard to Change

Your Messy Room_ You clean it up. Then you bring new stuff into it, and it soon gets messy again. But don't worry. Your room is ⓓmuch cleaner than mine.

01 위 글의 빈칸 ⓐ에 알맞은 것은?

① of
② to
③ at
④ for
⑤ with

서답형

02 위 글의 밑줄 친 ⓑ를 우리말로 옮기시오.

➡ _____

중요

03 위 글의 밑줄 친 ⓒ와 같은 용법으로 쓰인 것은?

① It is certain that he will be late.
② She said that she would help me.
③ Look at the house that stands on the hill.
④ It was yesterday that I met Ann.
⑤ The news that he married Ann is true.

04 위 글의 밑줄 친 ⓓ와 바꿔 쓸 수 있는 것은? (2개)

① far
② many
③ lot
④ very
⑤ a lot

05 위 글의 내용과 일치하지 <u>않는</u> 것은?

① 새 학기가 되면 많은 학생들이 스트레스를 느낀다.
② Raccoon 97은 인기 있는 웹툰 작가이다.
③ 바꾸기 어려운 일과 쉬운 일이 있다.
④ 새 물건을 방에 들여놓으면 방이 지저분해진다.
⑤ Raccoon 97의 방은 아주 깨끗하다.

[06~09] 다음 글을 읽고, 물음에 답하시오.

Your Family_ (①) There is always someone in your family who drives you crazy. (②) You just have to live together and care ⓐ_____ each other. (③)

Your Name on Your Teacher's List_ If you are late or do not behave, your teacher will put your name on his or her list. (④) You cannot ⓑeasy change the list. (⑤)

06 위 글의 ①~⑤ 중 다음 주어진 문장이 들어갈 알맞은 곳은?

Remember that he or she is still a member of your family.

①　　　②　　　③　　　④　　　⑤

07 위 글의 빈칸 ⓐ에 알맞은 것은?

① from   ② to

③ for   ④ at

⑤ with

서답형

08 위 글의 밑줄 친 ⓑ를 알맞은 형으로 고치시오.

➡ _____

서답형

09 위 글을 읽고 여러분의 이름이 선생님의 리스트에 오를 수 있는 경우 두 가지를 우리말로 쓰시오.

① _____

② _____

[10~14] 다음 글을 읽고, 물음에 답하시오.

Things That Are Easy to Change

Your Underpants_ ___ⓐ___ you change them every day, your mom will not tell you one hundred and one times.

Your Friends_ You can change your friends. Does ⓑit sound strange? You ⓒmay think that you have the perfect number of friends. If you ___ⓓ___ a new friend to the list, however, you will feel ⓔeven better than before.

중요

10 위 글의 빈칸 ⓐ에 알맞은 것은?

① If   ② As

③ When   ④ While

⑤ Though

서답형

11 위 글의 밑줄 친 ⓑ가 가리키는 것을 우리말로 쓰시오.

➡ _____

중요

12 위 글의 밑줄 친 ⓒ와 같은 용법으로 쓰인 것은?

① You <u>may</u> come in if you wish.

② <u>May</u> she rest in peace!

③ The rumor <u>may</u> be false.

④ <u>May</u> I take a picture here?

⑤ You <u>may</u> stay at this hotel for a week.

서답형

13 위 글의 빈칸 ⓓ에 다음 정의에 해당하는 단어를 쓰시오.

> to put one thing in or on the other thing, to increase, complete, or improve it

➡ _____

14 위 글의 밑줄 친 ⓔ와 바꿔 쓸 수 있는 것은? (2개)

① much   ② very

③ little   ④ a lot

⑤ many

[15~19] 다음 글을 읽고, 물음에 답하시오.

Your Mind_ You thought one thing at first, and now you think ____ⓐ____ thing. ⓑThat is okay. As someone said, "If you can change your mind, you can change your life."
"Focus on the things that are easy to change, and try ⓒto make today better than yesterday. Good luck!"
Top 5 Plans for the Year
We asked 200 *Teen Today* readers, "ⓓ올해의 계획은 무엇인가?"

15 위 글의 빈칸 ⓐ에 알맞은 것은?

① one
② other
③ the other
④ another
⑤ the others

서답형

16 위 글의 밑줄 친 ⓑ가 가리키는 것을 우리말로 쓰시오.

➡ _____

중요

17 위 글의 밑줄 친 ⓒ와 같은 용법으로 쓰인 것은?

① We wished to reach the North Pole.
② I was sad to hear the music.
③ Please give me something to drink.
④ She has no house to live in.
⑤ He must study hard to pass the math exam.

서답형

18 위 글의 밑줄 친 ⓓ를 다음 주어진 말을 이용해서 영어로 옮기시오.

(what, plans, the year)

➡ _____

19 위 글의 내용으로 보아 알 수 없는 것은?

① 사람의 생각은 바뀔 수 있다.
② 생각을 바꾸면 인생도 바꿀 수 있다.
③ 바꾸기 쉬운 일들에 초점을 맞추는 것이 좋다.
④ 바꾸기 어려운 일들에 도전할 필요가 있다.
⑤ 어제보다 더 낮은 오늘을 만들기 위해 노력해라.

[20~23] 다음 글을 읽고, 물음에 답하시오.

Let's think about things that are hard ⓐto change or easy to change.
Things ⓑThat Are Hard to Change
Your Messy Room_ ⓒYou clean up it. Then you bring new stuff into it, and it soon gets messy again. But don't ____ⓓ____. Your room is much cleaner than mine.

20 위 글의 밑줄 친 ⓐ와 용법이 같은 것은?

① We decided to visit the house.
② I need a baseball cap to wear.
③ Do you want to go skating now?
④ He made a promise to come again.
⑤ The house is comfortable to live in.

21 위 글의 밑줄 친 ⓑ 대신 쓸 수 있는 것은?

① Who　　　　② Whose
③ How　　　　④ What
⑤ Which

서답형
22 위 글의 밑줄 친 ⓒ를 어법상 <u>어색한</u> 것을 고쳐 다시 쓰시오.

➡ _____

23 위 글의 빈칸 ⓓ에 문맥상 알맞은 것은?

① clean　　　　② worry
③ help　　　　④ keep
⑤ believe

[24~28] 다음 글을 읽고, 물음에 답하시오.

My Phone Habit

I want to change my phone habit. (①) I use my phone ___ⓐ___ I feel bored. (②) I text my friends or play games on the phone. (③) ⓑFrom now on, I will do two things to break the habit. (④) I will turn ___ⓒ___ my phone after 10 p.m. (⑤) I will also download a phone control app to use my phone less often. If I feel bored, I will talk to my family or read comic books.

24 위 글의 ①~⑤ 중 다음 주어진 문장이 들어갈 알맞은 곳은?

| I know that it is a waste of time. |

①　　　②　　　③　　　④　　　⑤

25 위 글의 빈칸 ⓐ에 알맞은 것은?

① if　　　　② that
③ for　　　　④ when
⑤ though

서답형
26 위 글의 밑줄 친 ⓑ를 우리말로 옮기시오.

➡ _____

27 위 글의 빈칸 ⓒ에 알맞은 것은?

① on　　　　② off
③ to　　　　④ with
⑤ from

28 위 글의 내용으로 보아 대답할 수 <u>없는</u> 질문은?

① What does the writer want to do?
② What does the writer do with his or her phone?
③ What will the writer do to break his or her habit?
④ What apps does the writer usually download?
⑤ What will the writer do when he or she feels bored?

Reading　**37**

[01~04] 다음 글을 읽고, 물음에 답하시오.

Your Family_ There is always someone in your family ____ⓐ____ drives you crazy. Remember that he or she is still a member of your family. You just have to live together and ⓑcare for each other.

Your Name on Your Teacher's List_ ____ⓒ____ you are late or do not behave, your teacher will put your name on his or her list. You cannot easily change the list.

01 위 글의 빈칸 ⓐ에 알맞은 관계대명사를 쓰시오.

➡ _____

02 위 글의 밑줄 친 ⓑ와 같은 뜻이 되도록 빈칸에 알맞은 말을 쓰시오.

look _____

03 위 글의 빈칸 ⓒ에 알맞은 접속사를 쓰시오.

➡ _____

04 What can't you easily change? Answer in English.

➡ _____

[05~08] 다음 글을 읽고, 물음에 답하시오.

Things That Are Easy to Change
Your Underpants_ If you change ⓐthem every day, your mom will not tell you one hundred and one times.

Your Friends_ You can change your friends. ⓑDoes it sound strangely? You may think ____ⓒ____ you have the perfect number of friends. If you add a new friend to the list, however, you will feel even ⓓgood than before.

05 위 글의 밑줄 친 ⓐ가 가리키는 것을 우리말로 쓰시오.

➡ _____

06 위 글의 밑줄 친 ⓑ에서 어법상 틀린 것을 찾아 바르게 고쳐 쓰시오.

_____ ➡ _____

07 위 글의 빈칸 ⓒ에 알맞은 접속사를 쓰시오.

➡ _____

08 위 글의 밑줄 친 ⓓ를 알맞은 형으로 고치시오.

➡ _____

[09~13] 다음 글을 읽고, 물음에 답하시오.

Your Mind_ ⓐYou thought one thing at first, and now you think other thing. That is okay. As someone said, "___ⓑ___ you can change your mind, you can change your life."

"Focus ___ⓒ___ the things that are easy to change, and try to make today better than yesterday. Good ___ⓓ___!"

Top 5 Plans for the Year

We asked 200 *Teen Today* ⓔread, "What are your plans for the year?"

09 위 글의 밑줄 친 ⓐ에서 어법상 <u>어색한</u> 것을 고치시오.

➡ _____ ➡ _____

10 위 글의 빈칸 ⓑ에 알맞은 말을 쓰시오.

➡ _____

11 위 글의 빈칸 ⓒ에 알맞은 말을 쓰시오.

➡ _____

12 위 글의 빈칸 ⓓ에 다음 정의에 해당하는 단어를 쓰시오.

> success or good things that happen to you, that do not come from your own abilities or efforts

➡ _____

13 위 글의 밑줄 친 ⓔ를 알맞은 형으로 고치시오.

➡ _____

[14~18] 다음 글을 읽고, 물음에 답하시오.

ⓐMinsol decided to have some downtime every weekends. She is planning to do some exercise ⓑ(like, alike) inline skating or bike riding. She is also going to see a movie ___ⓒ___ her friends. She will visit the art center to enjoy a free concert on the third Saturday of the month. On some weekends, she will stay home and ⓓget some rest.

14 위 글의 밑줄 친 ⓐ에서 어법상 <u>어색한</u> 것을 고치시오.

➡ _____ ➡ _____

15 위 글의 괄호 ⓑ에서 알맞은 것을 고르시오.

➡ _____

16 위 글의 빈칸 ⓒ에 알맞은 말을 쓰시오.

➡ _____

17 위 글의 밑줄 친 ⓓ와 바꿔 쓸 수 있는 말을 쓰시오.

➡ _____

18 What will Minsol do on the third Saturday of the month? Answer in English.

➡ _____

My Speaking Portfolio - Step 3

"I have two goals for the year. First, I'd like to finish a 10km marathon. To
I'd like to+동사원형 ~: 나는 ~하고 싶다

achieve this goal, I'm planning to run for an hour every day. Also, I'm going to
to부정사의 부사적 용법(목적)   ~할 계획이다   매일   ~할 예정이다

jump rope every day. The other goal is ......"
줄넘기하다

구문해설 • goal: 목표 • finish: 끝내다 • achieve: 성취하다 • also: 또한 • other: 다른

"나는 올해 두 가지 목표가 있다. 먼저 10킬로미터 마라톤을 완주하고 싶다. 이 목표를 달성하기 위해 나는 매일 한 시간씩 달릴 계획이다. 또한, 나는 매일 줄넘기를 할 것이다. 다른 목표는 ......"

My Writing Portfolio

My Phone Habit

I want to change my phone habit. I use my phone when I feel bored. I text my
want to+동사원형: ~하고 싶다   접~할 때   boring(×)

friends or play games on the phone. I know that it is a waste of time. From
전화로   접속사 that   이제부터

now on, I will do two things to break the habit. I will turn off my phone after
                         to부정사의 부사적 용법(목적)   ~을 끄다

10 p.m. I will also download a phone control app to use my phone less often.
                                           to부정사의 부사적 용법(목적)   열등 비교급

If I feel bored, I will talk to my family or read comic books.
접 (만약) ~이라면 feel+형용사: ~하게 느끼다

구문해설 • habit: 습관 • change: 바꾸다 • text: 문자 메시지를 보내다 • waste: 낭비
• download: 다운로드하다[내려 받다] • control: 통제, 규제 • app: 앱, 어플리케이션
• less: 더 적게, 덜

내 전화 습관

나는 전화 습관을 바꾸고 싶다. 나는 지루할 때 전화기를 사용한다. 나는 전화로 친구들에게 문자를 보내거나 게임을 한다. 나는 그것이 시간 낭비라는 것을 안다. 이제부터 나는 그 습관을 없애기 위해 두 가지 일을 할 것이다. 나는 오후 10시 이후에 전화기를 끌 것이다. 나는 또한 내 전화를 덜 자주 사용하기 위해 전화 제어 앱을 다운로드할 것이다. 지루하면 가족과 이야기하거나 만화책을 읽을 것이다.

Wrap up - Reading

Minsol decided to have some downtime every weekend. She is planning to
decide to+동사원형: ~하기로 결정하다   주말마다   ~할 계획이다

do some exercise like inline skating or bike riding. She is also going to see a
                  ~ 같은   be going to: ~할 셈이다

movie with her friends. She will visit the art center to enjoy a free concert on
                                           to부정사의 부사적 용법(목적)   on+요일

the third Saturday of the month. On some weekends, she will stay home and
                                                              집에 머물다

get some rest.
휴식을 좀 취하다

구문해설 • downtime: 휴식 시간 • exercise: 운동 • free: 무료의 • third: 세 번째의

민솔은 주말마다 약간의 휴식 시간을 갖기로 결심했다. 그녀는 인라인 스케이트나 자전거 타기 같은 운동을 할 계획이다. 그녀는 또한 그녀의 친구들과 함께 영화를 볼 것이다. 그녀는 이달 셋째 주 토요일에 무료 콘서트를 즐기기 위해 예술 센터를 방문할 것이다. 어떤 주말에는, 그녀는 집에 머물면서 휴식을 취할 것이다.

영역별 핵심문제

Words & Expressions

01 다음 중 짝지어진 두 단어의 관계가 <u>다른</u> 것은?

① late – early
② full – hungry
③ fast – slow
④ relax – rest
⑤ useful – useless

02 다음 우리말에 맞게 빈칸에 알맞은 말을 쓰시오.

> 그들은 식료품점 앞에 차를 주차시키고 있다.
> ➡ They are parking _____ _____ of the food store.

03 다음 영영풀이에 해당하는 단어는?

> liked or enjoyed by many people

① useful
② popular
③ perfect
④ friendly
⑤ strange

04 다음 중 밑줄 친 부분의 의미가 나머지 넷과 <u>다른</u> 것은?

① How do I eat this <u>dish</u>?
② This <u>dish</u> is the only thing I can cook.
③ He cooked a chicken <u>dish</u> for dinner.
④ They helped themselves from a large <u>dish</u> of pasta.
⑤ This is a popular <u>dish</u> made of raw fish.

05 다음 빈칸에 알맞은 것은?

> I want to focus _____ losing weight.

① in
② on
③ up
④ with
⑤ from

06 다음 빈칸에 들어갈 동사가 바르게 짝지어진 것은?

> • We must _____ in line at a bus stop.
> • There is always someone in your family who _____ you crazy.

① stand – puts
② take – takes
③ take – makes
④ stand – drives
⑤ stand – brings

07 다음 영영풀이에 해당하는 단어를 주어진 철자로 시작하여 쓰시오.

> dirty and not neat

➡ m_____

Conversation

08 다음 대화의 밑줄 친 부분의 의도로 알맞은 것은?

> A: What's the matter?
> B: I broke my arm.
> A: <u>You'd better see a doctor.</u>

① 격려하기
② 비난하기
③ 사과하기
④ 금지하기
⑤ 충고하기

09 다음 대화의 빈칸에 알맞은 것은?

> A: _____
>
> B: We are thinking of having a surprise party.

① Where are you going?
② What do you want to be?
③ What would you like to have?
④ What are you planning to do?
⑤ When are you having a surprising party?

10 다음 대화의 밑줄 친 부분과 의미가 <u>다른</u> 것은?

> A: I have a terrible cold.
> B: <u>You should see a doctor.</u>

① I advise you to scc a doctor.
② How about seeing a doctor?
③ Why don't you see a doctor?
④ You'd better see a doctor.
⑤ You want to see a doctor.

11 다음 짝지어진 대화 중 <u>어색한</u> 것은?

① A: What should I do?
　 B: You should close the door.
② A: What are you going to do tomorrow?
　 B: I'm thinking of going fishing.
③ A: Can you give me some advice?
　 B: You'd better read it more closely.
④ A: What are you going to do next weekend?
　 B: Nothing special. I'm looking forward to it.
⑤ A: Do you have any plans for next weekend?
　 B: Yes. I'll go fishing with my brother.

[12~15] 다음 대화를 읽고, 물음에 답하시오.

> G: Can I talk with you ___ⓐ___ a minute, Minsu?
> B: Sure. What is it?
> G: I'm working on my weekly schedule.
> B: Really? Good ___ⓑ___ you, little sister.
> G: Here. ___ⓒ___ a look and give me some advice.
> B: Hmm, you have a lot of study time.
> G: Yeah, ⓓ나는 열심히 공부할 계획이다.
> B: ⓔWhy don't you add some downtime?
> G: Downtime?
> B: Yeah, I mean you need to relax once in a while.

12 위 대화의 빈칸 ⓐ와 ⓑ에 공통으로 알맞은 것은?

① in　　　　② of
③ for　　　 ④ to
⑤ with

13 위 대화의 빈칸 ⓒ에 알맞은 것은?

① Get　　　② Make
③ Hold　　 ④ Bring
⑤ Have

14 위 대화의 밑줄 친 ⓓ의 우리말을 주어진 단어를 이용하여 영어로 옮기시오.

> (plan / hard)

➡ _____

15 위 대화의 밑줄 친 ⓔ와 같은 의미가 되도록 빈칸에 알맞은 말을 쓰시오.

> You'd _____ add some downtime.

[16~17] 다음 문장의 빈칸에 알맞은 것을 고르시오.

16

Susan is the girl _____ comes from New Zealand.

① who ② what
③ whom ④ which
⑤ whose

17

If you _____, you will be late for the movie.

① hurry ② will hurry
③ don't hurry ④ won't hurry
⑤ aren't

18 다음 빈칸에 공통으로 알맞은 것은?

• Look at the bird _____ is standing with one leg.
• Mike, _____ food do you like better, pizza or hamburgers?

① who ② which
③ that ④ where
⑤ what

19 다음 밑줄 친 부분을 어법에 맞게 고쳐 쓰시오.

Unless I am not busy, I'll go to Disney Land this Sunday.

➡ _____

20 다음 문장의 빈칸에 알맞지 않은 것은?

Everybody stopped to see _____ that were playing together.

① the boy ② the tigers
③ the children ④ a cat and a dog
⑤ a man and a monkey

21 다음 빈칸에 공통으로 알맞은 것은?

• I'm not going to work tomorrow _____ I don't feel well.
• I'm not sure _____ he will enter the speech contest.

① if ② so
③ that ④ since
⑤ whether

22 다음 중 밑줄 친 부분의 쓰임이 나머지 넷과 다른 것은?

① Please tell me which is your notebook.
② Can you see the bird which is flying over there?
③ Look at the castle which stands on the hill.
④ I will give him the vase which is very expensive.
⑤ This is the dictionary which gives me the meaning of words.

23 다음 우리말과 의미가 같도록 빈칸에 알맞은 말을 쓰시오.

> 너는 피곤하다면, 쉬어도 된다.
> ➡ _____ you _____ tired, you may take a rest.

[24~25] 다음 중 어법상 어색한 문장을 고르시오.

24
① He is the only man that can solve the problems.
② Korea is a country which exports cars all over the world.
③ I have a dog which has long ears.
④ There is a man at the door who wants to see you.
⑤ The men who is in front of the house are my friends.

25
① Unless it doesn't rain, we'll go hiking.
② As I'm sick, I can't go out.
③ While I was sleeping, he did the dishes.
④ Although he is usually brave, he is afraid of the dark.
⑤ I won't go to bed until they come back home.

26 다음 두 문장을 한 문장으로 바꿔 쓰시오.

> • What is the name of the tallest boy?
> • He just came in.

➡ _____
_____

[27~30] 다음 글을 읽고, 물음에 답하시오.

Beginning a new school year is stressful to many students. How can we get ___ⓐ___ to a good start? *Teen Today* asked Raccoon 97, a popular webtoon ⓑart, for ideas.
ⓒ*Let's think about things that are hard to change or easy to change.*
Things That Are Hard to Change
Your Messy Room_ You clean it up. Then you bring new stuff into it, and it soon gets messy again. ___ⓓ___ don't worry. Your room is much cleaner than mine.

27 위 글의 빈칸 ⓐ에 알맞은 것은?
① of   ② off
③ for   ④ with
⑤ from

28 위 글의 밑줄 친 ⓑ를 알맞은 형으로 고치시오.
➡ _____

29 위 글의 밑줄 친 ⓒ를 우리말로 옮기시오.
➡ _____

30 위 글의 빈칸 ⓓ에 알맞은 것은?
① And   ② Or
③ But   ④ For
⑤ Because

[31~34] 다음 글을 읽고, 물음에 답하시오.

My Phone Habit

I want to change my phone habit. I use my phone ①when I feel bored. ⓐ나는 전화기로 친구들에게 문자를 보내거나 게임을 한다. I know ②that it is a waste of time. From now on, I will do two things to ⓑ_____ the habit. I will ③turn on my phone after 10 p.m. I will also download a phone control app ⓒto use my phone less often. ④If I feel bored, I will talk to my family ⑤or read comic books.

31 위 글의 밑줄 친 ①~⑤ 중 글의 흐름상 어색한 것은?

①   ②   ③   ④   ⑤

32 위 글의 밑줄 친 ⓐ를 주어진 어구를 이용해 영어로 옮기시오.

(text, play games, on the phone)

➡ _____

33 위 글의 빈칸 ⓑ에 알맞은 것은?

① stop   ② break
③ fix   ④ play
⑤ bring

34 위 글의 밑줄 친 ⓒ와 같은 용법으로 쓰인 것은?

① I have a baseball cap to wear.
② Love is to trust each other.
③ To live without air is impossible.
④ I went to a shopping mall to buy clothes.
⑤ I have some homework to do today.

[35~38] 다음 글을 읽고, 물음에 답하시오.

ⓐMinsol decided having some downtime every weekend. She is planning to do some exercise ⓑlike inline skating or bike riding. She is also going to see a movie with her friends. She will visit the art center to enjoy a ⓒ_____ concert on the third Saturday of the month. On some weekends, she will stay home and get some rest.

35 위 글의 밑줄 친 ⓐ에서 어법상 어색한 것을 고치시오.

_____ ➡ _____

36 위 글의 밑줄 친 ⓑ와 같은 용법으로 쓰인 것은?

① Do you like apples?
② I like to watch baseball on TV.
③ How do you like this movie?
④ I like to walk in the park on Sundays.
⑤ I want to buy a hat like yours.

37 위 글의 빈칸 ⓒ에 다음 정의에 해당하는 단어를 쓰시오.

without paying for something

➡ _____

38 위 글의 내용과 일치하지 <u>않는</u> 것은?

① 민솔은 매주 한가한 시간을 즐겨 왔다.
② 민솔은 인라인 스케이트나 자전거를 탈 계획이다.
③ 민솔은 친구들과 영화를 보러 갈 것이다.
④ 민솔은 매달 세 번째 토요일은 콘서트를 보러 갈 것이다.
⑤ 민솔은 몇몇 주말에는 집에서 휴식을 취할 것이다.

01 출제율 95%

다음 짝지어진 두 단어의 관계가 같도록 빈칸에 알맞은 말을 쓰시오.

> light : heavy = _____ : save

02 출제율 90%

다음 영영풀이에 해당하는 단어는?

> to get or reach something by working hard

① behave   ② relax

③ search   ④ allow

⑤ achieve

03 출제율 100%

다음 빈칸에 공통으로 알맞은 것은?

> • Everyone needs a break once _____ a while.
> • People are standing _____ line to get tickets.

① to   ② of

③ in   ④ with

⑤ for

04 출제율 80%

다음 우리말에 맞게 빈칸에 알맞은 말을 쓰시오. (주어진 철자로 시작할 것)

> 민솔은 주말마다 약간의 휴식 시간을 갖기로 했다.
> ➡ Minsol decided to have some d_____ every weekend.

05 출제율 90%

다음 문장과 바꿔 쓸 수 없는 것을 모두 고르면?

> I'm planning to buy second-hand books.

① I'm going to buy second-hand books.

② I'm thinking of buying second-hand books.

③ I used to buy second-hand books.

④ I should buy second-hand books.

⑤ I'll buy second-hand books.

06 출제율 100%

다음 대화의 밑줄 친 표현과 바꾸어 쓸 수 있는 것은?

> A: I can't get up early in the morning. Can you give me some advice?
> B: You'd better go to bed earlier at night.

① Shall we go to bed earlier at night?

② You may not go to bed earlier at night.

③ How about go to bed earlier at night?

④ Why don't you go to bed earlier at night?

⑤ You should not go to bed earlier at night.

07 출제율 95%

다음 대화의 순서를 바르게 배열하시오.

> (A) You should jump rope every day.
> (B) I want to grow taller. What should I do?
> (C) All right. I'll give it a try.
> (D) You look down. What's wrong?

➡ _____

[08~11] 다음 대화를 읽고, 물음에 답하시오.

W: Hi, Jongha.

B: Hello, Grandma. I'd like to visit you this Saturday.

W: That'll be great. We can plant some vegetables together.

B: Really? What kind of vegetables?

W: This time, ⓐI'm planning to plant some tomatoes and peppers.

B: Wow! That'll be fun.

W: I heard it's going to be sunny this Saturday. ⓑYou should bring your cap.

B: Okay, I will.

W: ⓒWhy don't you put on sunscreen before you leave?

B: No problem. I'll see you on Saturday.

W: Okay. Bye.

08 위 대화의 밑줄 친 ⓐ와 바꿔 쓸 수 있는 것을 <u>모두</u> 고르면?

① I'll
② I must
③ I would
④ I hope to
⑤ I'm going to

09 위 대화의 밑줄 친 ⓑ와 바꿔 쓸 수 <u>없는</u> 것은?

① What about bringing your cap?
② I advise you to bring your cap.
③ How about bringing your cap?
④ You'd better bring your cap.
⑤ Why didn't you bring your cap?

10 위 대화의 밑줄 친 ⓒ의 의도로 알맞은 것은?

① to say hello
② to order some food
③ to give some advice
④ to agree with the boy
⑤ to give thanks

11 위 대화를 읽고, 답할 수 <u>없는</u> 질문은?

① When is Jongha going to visit Grandma?
② What is Grandma planning to do this Saturday?
③ What style of cap does Jongha have?
④ What's the weather going to be like this Saturday?
⑤ What should Jongha put on before he visits Grandma?

12 다음 문장의 빈칸에 알맞은 것을 고르시오.

If it _____ tomorrow, we won't go fishing.

① rain
② rains
③ rained
④ will rain
⑤ would rain

13 다음 두 문장을 한 문장으로 연결할 때 빈칸에 알맞은 것은?

There is a girl. She is sitting on the bench.
➡ There is a girl _____ is sitting on the bench.

① who
② what
③ whom
④ which
⑤ whose

출제율 90%

14 다음 세 문장의 뜻이 같도록 빈칸에 들어갈 말을 순서대로 짝지은 것은?

> Don't touch the button, or you'll be in danger.
> = _____ you touch the button, you'll be in danger.
> = _____ you touch the button, you won't be in danger.

① If − If
② If − Unless
③ Unless − If
④ As − If
⑤ Unless − As

출제율 100%

15 다음 중 밑줄 친 부분의 쓰임이 나머지 넷과 다른 것은?

① I want to know who she is.
② This is the boy who came from Africa.
③ The man who is in the room is my cousin.
④ Do you know the man who is wearing a blue jumper?
⑤ The teacher likes the students who ask many questions.

출제율 85%

16 다음 문장 중 어법상 어색한 것은?

① Unless he is late, we will start on time.
② Don't open the box until he says it's safe.
③ I'll go swimming if it will be sunny.
④ She will be happy when he sends her some flowers.
⑤ I'll wait here until the concert is over.

[17~21] 다음 글을 읽고, 물음에 답하시오.

> **Your Family_** There is always someone in your family ___ⓐ___ drives you crazy. Remember ⓑthat he or she is still a member of your family. You just have to live together and care ___ⓒ___ each other.
> **Your Name on Your Teacher's List_** ___ⓓ___ you are late or do not behave, your teacher will put your name on his or her list. You cannot easily change the list.

출제율 95%

17 위 글의 빈칸 ⓐ에 알맞은 것은? (2개)

① who
② whom
③ whose
④ that
⑤ what

출제율 85%

18 위 글의 밑줄 친 ⓑ와 용법이 같은 것은?

① It is strange that she doesn't come.
② I know that you don't like cats.
③ Look at the trees that stand on the hill.
④ It was here that she first met Mike.
⑤ This is the doll that my mother made for me.

출제율 90%

19 위 글의 빈칸 ⓒ에 알맞은 것은?

① to
② at
③ into
④ for
⑤ with

출제율 95%

20 위 글의 빈칸 ⓓ에 알맞은 것은?

① If　　　　　② As
③ After　　　　④ Till
⑤ Because

출제율 90%

21 위 글의 내용으로 보아 알 수 없는 것은?

① 가족 중에는 여러분과 사이가 좋지 않은 사람이 있다.
② 가족은 함께 살아야 한다.
③ 가족은 서로 돌보아야 한다.
④ 학교에서는 예의 바르게 행동해야 한다.
⑤ 선생님은 학생들의 잘못에 관대하시다.

[22~27] 다음 글을 읽고, 물음에 답하시오.

　Minsol decided ⓐto have some downtime every weekend. She is planning to do some exercise ⓑsuch as inline skating or bike riding. She is also going to see a movie ⓒwith her friends. She will visit the art center to enjoy a free concert ＿ⓓ＿ the third Saturday of the month. On some weekends, she will stay home and ＿ⓔ＿ some rest.

출제율 100%

22 위 글의 밑줄 친 ⓐ와 같은 용법으로 쓰인 것은? (2개)

① He has made a promise to help me.
② We wanted to go fishing in the river.
③ They sent some people to live on the planet.
④ Where do you intend to spend your vacation?
⑤ I awoke to find myself lying on the floor.

출제율 90%

23 위 글의 밑줄 친 ⓑ와 같은 뜻의 한 단어로 바꿔 쓰시오.

➡ ＿＿＿＿＿＿＿＿＿＿＿＿＿＿＿

출제율 85%

24 위 글의 밑줄 친 ⓒ와 같은 의미로 쓰인 것은?

① I often play with my classmates.
② Lucy is the girl with long hair.
③ Don't write with a pencil.
④ Do you agree with him?
⑤ Ben was pleased with the present.

출제율 90%

25 위 글의 빈칸 ⓓ에 알맞은 것은?

① at　　　　　② on
③ in　　　　　④ to
⑤ from

출제율 95%

26 위 글의 빈칸 ⓔ에 알맞은 것은? (3개)

① have　　　　② get
③ make　　　　④ take
⑤ hold

출제율 90%

27 위 글의 내용으로 보아 대답할 수 없는 질문은?

① What did Minsol decide to do?
② How busy was Minsol every weekend?
③ With whom is Minsol going to see a movie?
④ When will Minsol visit the art center?
⑤ Will Minsol stay home on some weekends?

01 다음 대화의 괄호 안에서 알맞은 것을 고르시오.

> A: What did you throw in the trash can?
> B: A juice bottle, Mom.
> A: You (would / should) put it in the recycling box.

02 다음 괄호 안의 단어들을 순서대로 배열하시오.

> A: I'm planning to go to the ballpark this Friday.
> B: (you / glove / why / your / baseball / don't / take)?

➡ _____

03 다음 대화의 빈칸에 공통으로 알맞은 단어를 쓰시오.

> A: I want to grow taller. What _____ I do?
> B: You _____ jump rope every day.

04 다음 밑줄 친 부분과 유사한 표현을 쓰시오. (3문장 이상)

> A: I often get up late.
> B: You'd better go to bed early.

➡ _____

_____

05 다음 우리말과 같도록 빈칸에 알맞은 말을 넣어 대화를 완성하시오.

> A: (1) _____ this Saturday? (너는 이번 토요일에 뭐 할 계획이니?)
> B: (2) _____ baseball with Tim and Nick. (나는 Tim 그리고 Nick과 함께 야구를 할 생각이야.)

06 다음 두 문장을 관계대명사를 써서 한 문장으로 나타내시오.

(1) Dad cooks me a fried egg. It is my favorite.

➡ _____ _____

(2) I have an uncle. He is a math teacher.

➡ _____

(3) She has a bird. It speaks English.

➡ _____

07 다음 우리말을 괄호 안의 단어를 이용하여 영어로 옮기시오.

(1) 열이 있으면 너는 의사의 진찰을 받아야 한다.
(have, you, fever, should, see, doctor)

➡ _____

(2) 내일 비가 오면 난 영화 보러 갈 거야.
(rain, tomorrow, it, go, a movie)

➡ _____

(3) 파란색에 노란색을 더하면 초록색이 된다.
(add, to, blue, green, yellow, you, it, become)

➡ _____

08 다음 문장에서 어법상 <u>어색한</u> 것을 찾아 바르게 고치시오.

(1) The animals that is in cages are not happy.

_____ ➡ _____

(2) Where is the letter who came from Cathy this morning?

_____ ➡ _____

(3) The boy and the dog who fell into the river were saved.

_____ ➡ _____

[09~12] 다음 글을 읽고, 물음에 답하시오.

Your Friends_ You can change your friends. Does ⓐit sound strange? ⓑ여러분은 완벽한 수의 친구를 가지고 있다고 생각할지도 모른다. If you add a new friend ⓒ the list, however, ⓓyou will feel very better than before.

09 위 글의 밑줄 친 ⓐ가 가리키는 것을 우리말로 쓰시오.

➡ _____

10 위 글의 밑줄 친 ⓑ를 주어진 말을 이용하여 영어로 옮기시오.

(may, that, have, perfect, number, friends)

➡ _____

_____

11 위 글의 빈칸 ⓒ에 알맞은 말을 쓰시오.

➡ _____

12 위 글의 밑줄 친 ⓓ에서 어법상 <u>어색한</u> 것을 고치시오.

_____ ➡ _____

[13~15] 다음 글을 읽고, 물음에 답하시오.

Your Mind_ You thought one thing at first, and now you think another thing. ⓐ<u>That</u> is okay. As someone said, "If you can change your ___ⓑ___, you can change your ___ⓒ___." "Focus on the things ⓓthat are easy to change, and try to make today better than yesterday. Good luck!"

13 위 글의 밑줄 친 ⓐ가 가리키는 것을 우리말로 쓰시오.

➡ _____

14 위 글의 빈칸 ⓑ와 ⓒ에 알맞은 것을 다음 〈보기〉에서 골라 쓰시오.

┌─ 보기 ┤
live, mind, think, life
└──────

ⓑ _____ ⓒ _____

15 다음은 위 글의 글쓴이가 주장하는 말이다. 빈칸에 알맞은 말을 넣어 문장을 완성하시오.

Your _____ can _____ . You should _____ to make _____ better than _____ .

01 다음 주어진 단어를 활용하여 예시와 같이 쓰시오.

Teacher	teach, students, school	ex) A teacher is someone who teaches students at a school.
Waiter	serve, food, restaurant	(1)
Zookeeper	look after, animals, zoo	(2)
Dessert	sweet food, serve, after meal	(3)

(1) _____

(2) _____

(3) _____

02 다음 (A)와 (B)에서 의미상 어울리는 것끼리 연결하여 〈보기〉와 같이 한 문장으로 쓰시오.

┌ 보기 ┐

If Mike proposes to her, she will marry him.

(A)	(B)
Andy is free next Sunday my brother doesn't get any better I win the first prize on the test	I take him to the hospital I go to a movie with him my mom buys me an i-Pad

(1) _____

(2) _____

(3) _____

03 다음과 같은 상황이 벌어진다면 어떨지 상상하여 〈보기〉와 같이 쓰시오.

• get an A on the math test	• go to China
• it is sunny tomorrow	• find an abandoned dog on the street

┌ 보기 ┐

If I get an A on the math test, I will be very happy.

(1) _____

(2) _____

(3) _____

단원별 모의고사

01 다음 중 짝지어진 단어의 관계가 <u>다른</u> 것은?

① full – hungry
② easy – difficult
③ messy – dirty
④ different – same
⑤ boring – interesting

02 다음 중 영영풀이가 <u>잘못된</u> 것은?

① free: not costing any money
② change: to put on different clothes
③ birth: the time when a baby is born
④ waste: to spend less money
⑤ goal: something that you are trying to do or achieve

03 다음 빈칸에 알맞은 말이 바르게 짝지어진 것은?

> • Students should focus _____ studying.
> • I don't really care _____ that kind of music.

① at – up   ② in – of
③ with – in   ④ on – for
⑤ for – about

04 다음 빈칸에 공통으로 알맞은 것은?

> • The bag looks heavy, but it is _____.
> • We're planning to leave as soon as it's _____.

① dark   ② cool
③ bright   ④ dull
⑤ light

05 다음 우리말에 맞도록 빈칸에 알맞은 말을 쓰시오.

> 이제부터 나는 물을 낭비하지 않을 거야.
> ➡ From now _____, I will not waste water.

06 다음 대화의 빈칸에 알맞은 것은?

> A: I heard you're going to France. Do you have any special plans in mind?
> B: _____ the Eiffel Tower.

① I saw
② I have seen
③ I'm planning to see
④ I have to climb
⑤ I want to stay

07 다음 대화의 밑줄 친 표현과 바꾸어 쓸 수 있는 것은?

> A: You don't look well. What's wrong with you?
> B: I got a terrible score on the English test.
> A: <u>You should read some English books.</u>
> B: All right. I'll give it a try.

① The English book is very funny.
② I like reading some English books.
③ You'd better buy some English books.
④ You can read some English books loudly.
⑤ How about reading some English books?

[08~11] 다음 대화를 읽고, 물음에 답하시오.

G: Can I talk with you for a minute, Minsu?

B: _____ ⓐ _____ What is it?

G: I'm working on my weekly schedule.

B: Really? Good for you, little sister.

G: Here. Have a look and give me some advice.

B: Hmm, you have a lot of study time.

G: Yeah, I'm planning to study hard.

B: ⓑ(some / don't / add / why / downtime / you)?

G: Downtime?

B: Yeah, I mean you need to relax ⓒ<u>once in a while</u>.

08 위 대화의 빈칸 ⓐ에 들어갈 말로 적절하지 <u>않은</u> 것은?

① Sure.
② Certainly.
③ Of course.
④ No problem.
⑤ Not at all.

09 위 대화의 괄호 ⓑ 안의 단어를 순서대로 배열하시오.

➡ _____

10 위 대화의 밑줄 친 ⓒ와 바꿔 쓸 수 있는 것은?

① these days
② before long
③ in no time
④ in a moment
⑤ now and then

11 위 대화를 읽고, 답할 수 <u>없는</u> 질문은?

① What is the girl doing?
② What is the girl planning to do?
③ How many hours does the girl study?
④ What is Minsu's advice to the girl?
⑤ What does the girl need to do?

[12~13] 다음 문장의 빈칸에 알맞은 것을 고르시오.

12

If it _____, we'll play soccer outside.

① won't rain
② don't rain
③ doesn't rain
④ didn't rain
⑤ hadn't rained

13

_____ she is sick, she won't be absent from school.

① If
② Though
③ When
④ Unless
⑤ Because

14 다음 문장에서 <u>틀린</u> 것을 고치시오.

I have three books that tells us about China.

_____ ➡ _____

15 다음 빈칸에 알맞은 말이 순서대로 바르게 짝지어진 것은?

- Jenny is the famous singer _____ appeared on TV last night.
- I bought a chair _____ was made of wood.

① who – which
② whom – that
③ which – who
④ which – which
⑤ whose – that

16 다음 두 문장이 같은 뜻이 되도록 빈칸에 알맞은 말을 쓰시오.

> If you don't stop shouting, they will call the police.
> = Unless ＿＿＿＿ ＿＿＿＿ shouting, they will call the police.

[17~18] 다음 중 어법상 알맞지 <u>않은</u> 문장을 고르시오.

17 ① If he helps me, I can carry this easily.
② If you don't have breakfast, you will feel hungry soon.
③ If you will leave now, you can get there on time.
④ If she makes a lot of money, she will buy a car.
⑤ If school finishes early today, we'll go to the movies.

18 ① There's a house which has two chimneys.
② Can you see a boy who is running along the river?
③ I visited a town that is famous as a hot spring resort.
④ Mark is the cook who was on TV last night.
⑤ The man who is sitting on the box have a problem.

19 다음 두 문장의 의미가 같도록 빈칸에 알맞은 것은?

> If you don't eat breakfast, you can't focus on your studies.
> = ＿＿＿＿ you eat breakfast, you can't focus on your studies.

① When　　　　② While
③ Because　　　④ Unless
⑤ Although

[20~23] 다음 글을 읽고, 물음에 답하시오.

My Phone Habit
　I want to change my phone habit. I use my phone when I feel bored. I text my friends or play games ＿ⓐ＿ the phone. I know that it is a waste of time. From now ＿ⓑ＿, I will do two things to break the habit. I will turn ＿ⓒ＿ my phone after 10 p.m. I will also download a phone control app to use my phone ＿ⓓ＿ often. If I feel bored, I will talk to my family or read comic books.

20 위 글의 빈칸 ⓐ와 ⓑ에 공통으로 알맞은 것은?

① at　　　　　② on
③ to　　　　　④ till
⑤ after

21 위 글의 빈칸 ⓒ에 알맞은 것은?

① up　　　　　② on
③ off　　　　　④ from
⑤ over

22 위 글의 빈칸 ⓓ에 알맞은 것은?

① much　　　　② many
③ little　　　　④ more
⑤ less

23 위 글의 내용으로 보아 알 수 <u>없는</u> 것은?

① 글쓴이는 전화 습관을 바꾸기를 원한다.
② 글쓴이는 전화기로 친구들에게 문자를 보낸다.
③ 글쓴이는 전화기가 아주 유용하다고 생각한다.
④ 글쓴이는 오후 10시 이후에 전화기를 사용하지 않을 것이다.
⑤ 글쓴이는 심심하면 만화책을 읽을 것이다.

[24~26] 다음 글을 읽고, 물음에 답하시오.

(①) Minsol decided to have some downtime every weekend. (②) She is planning to do some exercise like inline skating or bike riding. (③) She is also going to see a movie with her friends. (④) She will visit the art center to enjoy a ⓐfree concert on the third Saturday of the month. (⑤)

24 위 글의 ①~⑤ 중 다음 주어진 문장이 들어갈 알맞은 곳은?

> On some weekends, she will stay home and get some rest.

①   ②   ③   ④   ⑤

25 위 글의 밑줄 친 ⓐ와 의미가 같은 것은?

① Are you free next Sunday?
② You are free to use my computer.
③ I have two free tickets for the musical.
④ The slaves finally became free.
⑤ I'm free all day today.

26 위 글을 읽고, 다음 질문에 완전한 문장으로 답하시오.

> When will Minsol visit the art center?

➡ _____

[27~30] 다음 글을 읽고, 물음에 답하시오.

Your Mind_ You thought one thing ⓐ first, and now you think another thing. That is okay. ⓑAs someone said, "If you can change your mind, you can change your ⓒlive." "Focus ⓓ the things that are easy to change, and try to make today better than yesterday. Good luck!"

27 위 글의 빈칸 ⓐ에 알맞은 것은?

① at   ② on
③ to   ④ till
⑤ after

28 위 글의 밑줄 친 ⓑ와 같은 의미로 쓰인 것은?

① They treated me as a friend.
② As it was fine, I went outside.
③ Do it as I asked.
④ As he grew older, he became wiser.
⑤ As you know, Julia is leaving soon.

29 위 글의 밑줄 친 ⓒ를 알맞은 형으로 고치시오.

➡ _____

30 위 글의 빈칸 ⓓ에 알맞은 것은?

① to   ② on
③ at   ④ in
⑤ for

Lesson 2

Connecting with the World

🎙 의사소통 기능

- 음식 권하고 답하기
  A: Would you like some *bibimbap*?
  B: Yes, please.

- 표현의 의미 묻고 답하기
  A: What do you mean by "landmarks"?
  B: I mean important places or special buildings.

🎙 언어 형식

- 목적격 관계대명사
  The woman **whom** I love most is my grandma.

- 의문사+ to부정사
  I can't decide **what to eat** first.

Words & Expressions

Key Words

- **admission fee** 입장료
- **appear** [əpíər] 동 나타나다
- **arrive** [əráiv] 동 도착하다
- **audition** [ɔ:díʃən] 명 오디션
- **carefully** [kέərfəli] 부 조심스럽게, 신중히
- **communicate** [kəmjú:nəkèit] 동 의사소통하다
- **country** [kʌ́ntri] 명 나라, 시골
- **culture** [kʌ́ltʃər] 명 문화
- **delicious** [dilíʃəs] 형 맛있는
- **different** [dífərənt] 형 다른
- **enough** [inʌ́f] 형 충분한
- **expression** [ikspréʃən] 명 표현
- **famous** [féiməs] 형 유명한
- **fantastic** [fæntǽstik] 형 환상적인
- **finally** [fáinəli] 부 마침내
- **follow** [fálou] 동 따라가다
- **fortune** [fɔ́:rtʃən] 명 운, 행운
- **growl** [graul] 동 꼬르륵거리다
- **hold** [hould] 동 ~을 들고 있다
- **however** [hauévər] 부 그러나
- **important** [impɔ́:rtənt] 형 중요한
- **information** [infərméiʃən] 명 정보
- **kick** [kik] 동 (발로) 차다
- **knock** [nak] 명 노크[문 두드리는] 소리
- **landmark** [lǽndmɑ̀:rk] 명 주요 지형지물, 랜드마크
- **laugh** [læf] 동 웃다
- **mean** [mi:n] 동 ~을 뜻하다[의미하다]

- **meaning** [mí:niŋ] 명 의미
- **nervous** [nə́:rvəs] 형 긴장한
- **nothing** [nʌ́θiŋ] 대 아무것도 ~ 아니다
- **offer** [ɔ́:fər] 동 제의하다, 권하다
- **official language** 공용어
- **opening hour** 개장 시간
- **pass** [pæs] 동 합격하다
- **radio station** 라디오 방송국
- **remember** [rimémbər] 동 기억하다
- **repeat** [ripí:t] 동 반복하다
- **respond** [rispánd] 동 대답[응답]하다
- **save** [seiv] 동 남겨 두다, 저축하다
- **shout** [ʃaut] 동 외치다, 소리치다
- **special** [spéʃəl] 형 특별한
- **stick** [stik] 명 막대기
- **stomach** [stʌ́mək] 명 위
- **suddenly** [sʌ́dnli] 부 갑자기
- **theater** [θí:ətər] 명 극장
- **thumping** [θʌ́mpiŋ] 형 쿵쾅거리는
- **traditional** [trədíʃənl] 형 전통의, 전통적인
- **translation** [trænsléiʃən] 명 번역, 통역
- **translator** [trænsléitər] 명 번역가, 번역기
- **travel** [trǽvəl] 동 여행하다
- **traveler** [trǽvələr] 명 여행객
- **understand** [ʌndərstǽnd] 동 이해하다
- **way** [wei] 명 길, 방법
- **work** [wə:rk] 동 효력이 있다

Key Expressions

- **be useful for** ~에 유용하다
- **Break a leg!** 행운을 빌어!
- **find out** ~에 대해 알아내다[알게 되다]
- **focus on** ~에 집중하다, ~에 중점을 두다
- **for a while** 잠깐, 잠시 동안
- **for example** 예를 들어
- **hurry up** 서두르다
- **in half an hour** 30분 후에
- **look around** ~을 둘러보다

- **point to** ~을 가리키다
- **right now** 지금 곧, 당장
- **stay behind** 뒤에 남다, 출발하지 않다
- **step onto** ~에 올라타다
- **sound like** ~처럼 들리다
- **sure enough** 아니나 다를까
- **try to** ~하려고 노력하다
- **walk in** ~ 안으로 들어가다
- **what kind of** 어떤 종류의

Words Power

※ 국가명 – 언어명

- □ **Italy**(이탈리아) → **Italian**(이탈리아어)
- □ **Russia** (러시아) → **Russian** (러시아어)
- □ **China** (중국) → **Chinese** (중국어)
- □ **Spain** (스페인) → **Spanish** (스페인어)
- □ **Greece** (그리스) → **Greek** (그리스어)
- □ **Turkey** (터키) → **Turkish** (터키어)

- □ **France** (프랑스) → **French** (프랑스어)
- □ **Vietnam** (베트남) → **Vietnamese** (베트남어)
- □ **Germany** (독일) → **German** (독일어)
- □ **Portugal** (포르투갈) → **Portuguese** (포르투갈어)
- □ **Thailand** (태국) → **Thai** (태국어)
- □ **Japan** (일본) → **Japanese** (일본어)

English Dictionary

- □ **communicate** 의사소통하다
  - → to make your ideas, feelings, thoughts, etc. known to other people so that they understand them
  - 당신의 생각, 감정, 생각 등을 다른 사람들에게 알리고 그들이 그것들을 이해할 수 있도록 하다

- □ **culture** 문화
  - → the customs and beliefs, art, way of life, and social organization of a particular country or group
  - 특정 국가 또는 집단의 관습과 신념, 예술, 생활 방식, 사회 조직

- □ **enough** 충분한
  - → as many or as much as someone needs or wants
  - 누군가 필요하거나 원하는 만큼 또는 많이

- □ **expression** 표현
  - → things that people say, write, or do in order to show their feelings, opinions, and ideas
  - 사람들이 자신의 감정, 의견, 생각을 보여주기 위해 말하거나, 글을 쓰거나 또는 하는 것들

- □ **fortune** 운, 행운
  - → chance or luck, especially in the way it affects people's lives
  - 기회 또는 운, 특히 그것이 사람의 삶에 영향을 미치는 운[행운]

- □ **information** 정보
  - → facts or details about someone or something
  - 누군가 또는 무언가에 대한 사실이나 세부사항

- □ **landmark** 주요 지형물, 랜드마크
  - → an object or structure on land that is easy to see and recognize
  - 눈에 잘 띄고 알아보기 쉬운 지상의 물체나 구조물

- □ **nervous** 긴장한
  - → anxious about something or afraid of something
  - 어떤 것을 걱정하거나 두려워하는

- □ **pass** 합격하다
  - → to achieve the required standard in an exam, a test, etc.
  - 시험 등에서 요구되는 기준을 달성하다

- □ **repeat** 반복하다
  - → to say something again
  - 어떤 것을 다시 말하다

- □ **respond** 대답[응답]하다
  - → to say or write something as an answer to a question or request
  - 질문이나 요청에 대한 응답으로 어떤 것을 말하거나 쓰다

- □ **save** 남겨 두다, 저축하다
  - → to keep something available for use in the future
  - 나중에 사용할 수 있도록 어떤 것을 가지고 있다

- □ **shout** 외치다, 소리 지르다
  - → to say something very loudly, usually because you want people a long distance away to hear you
  - 보통 멀리 떨어져 있는 사람들이 너의 말을 듣기를 원하기 때문에 어떤 말을 아주 크게 말하다

- □ **translation** 번역
  - → words that have been changed from one language into a different language
  - 한 언어에서 다른 언어로 옮겨진 글[말]

- □ **work** 효력이 있다
  - → to have the intended effect or result
  - 의도하는 효과나 결과를 갖다

01 다음 중 짝지어진 단어의 관계가 <u>다른</u> 것은?

① cry – laugh
② full – hungry
③ arrive – depart
④ different – same
⑤ delicious – tasty

서답형
02 다음 우리말에 맞게 빈칸에 알맞은 말을 쓰시오.

입장료는 청소년과 아이들은 3,000원이다.
➡ The _____ fee is 3,000 won for teens and children.

중요
03 다음 영영풀이에 해당하는 단어로 알맞은 것은?

things that people say, write, or do in order to show their feelings, opinions, and ideas

① habit
② meaning
③ information
④ expression
⑤ translation

서답형
04 다음 짝지어진 단어의 관계가 같도록 빈칸에 알맞은 말을 쓰시오.

Russia : Russian = Germany : _____

05 다음 빈칸에 들어갈 말로 적절하지 <u>않은</u> 것은?

• The cookies look _____ .
• Apples are my _____ fruit.
• Our app will be _____ for travelers.
• Kebab is a _____ Turkish food.

① useful
② delicious
③ favorite
④ official
⑤ traditional

서답형
06 다음 빈칸에 알맞은 말을 쓰시오.

그는 시내를 둘러볼 것이다.
➡ He's going to _____ _____ the city.

서답형
07 다음 영영풀이에 해당하는 단어를 주어진 철자로 시작하여 쓰시오.

as many or as much as someone needs or wants

➡ e_____

08 다음 빈칸에 들어갈 말이 바르게 짝지어진 것은?

• What kind _____ sports do you like?
• Students should focus _____ their classes.

① in – at
② of – on
③ on – for
④ for – with
⑤ about – over

01 다음 짝지어진 두 단어의 관계가 같도록 빈칸에 알맞은 말을 쓰시오.

(1) light : heavy = general : _____

(2) full : hungry = same : _____

(3) Thailand : Thai = Spain : _____

(4) Greece : Greek = Turkey : _____

02 다음 우리말에 맞게 빈칸에 알맞은 말을 쓰시오.

(1) 그 기차는 30분 후에 출발할 것이다.
➡ The train will leave in _____ _____ _____.

(2) 컴퓨터는 많은 일을 하는 데 유용하다.
➡ Computers are _____ _____ doing many things.

(3) 서둘러라, 그러면 제시간에 도착할 것이다.
➡ Hurry _____, and you will be in time.

(4) 너는 개장 시간에 대해 알 수 있다.
➡ You can find _____ about opening hours.

03 다음 빈칸에 들어갈 말을 〈보기〉에서 골라 쓰시오.

┌─ 보기 ─┐
landmark   meaning   audition
└────────┘

(1) I had an _____ for the school radio station.

(2) Each color has a different _____.

(3) The Opera House is a _____ in Sydney, Australia.

04 다음 빈칸에 공통으로 들어갈 말을 〈보기〉에서 골라 쓰시오. (필요하면 어형을 바꿀 것)

┌─ 보기 ─┐
work   save   way
└────────┘

(1) • The lady showed the _____ to us.
• What's the best _____ to cook corn?

(2) • His father _____ at a bank.
• The headache medicine didn't _____ at all.

(3) • I'll _____ money little by little.
• We should try to _____ water.

05 다음 빈칸에 알맞은 말을 〈보기〉에서 골라 쓰시오.

┌─ 보기 ─┐
mean by   right now   for example
└────────┘

(1) I'll clean up my room _____.

(2) In India, _____, some coins have square sides.

(3) What do you _____ "FYI"?

06 다음 영영풀이에 해당하는 단어를 주어진 철자로 시작하여 쓰시오.

(1) f_____ : chance or luck, especially in the way it affects people's lives

(2) n_____ : anxious about something or afraid of something

(3) t_____ : words that have been changed from one language into a different language

Conversation

1 음식 권하고 답하기

A Would you like some *bibimbap*? 비빔밥 좀 먹을래?

B Yes, please. 응, 부탁해.

■ Would you like some ~?은 상대방에게 음식을 권할 때 쓰는 표현으로 '~ 좀 드시겠어요?'라고 해석한다.

• A: Would you like some apple pie? 애플파이 좀 먹을래?
B: Thanks, it looks delicious. 고마워. 맛있어 보이는구나.

■ what을 사용하여 먹고 싶은 음식을 구체적으로 물어보는 표현을 나타낼 수도 있다.

• A: What would you like to eat for lunch? 점심식사로 뭘 먹고 싶니?
B: I'd like to eat hamburgers. 햄버거를 먹고 싶어.

음식을 권하는 표현

• Would you like some cookies? 쿠키 좀 드실래요?
• Why don't you have some pizza? 피자 좀 드실래요?
• Do you want some hamburgers? 햄버거 좀 먹을래요?
• Do you want to have[eat] some Chinese food? 중국 요리를 드시고 싶으세요?
• What will you have? 뭐 드실래요?
• How about some dessert? 디저트 좀 드시겠습니까?

음식 권하기에 답하기

(수락) • Yes, please / Yes, thank you. I'll try some. / Thanks, it looks delicious.

(거절) • No, thank you. I'm full. / No, thanks. I'm not hungry. / I've had enough.`

핵심 Check

1. 다음 우리말과 일치하도록 빈칸에 알맞은 말을 쓰시오.

(1) **A:** _____ you like some *bulgogi*? (불고기 좀 먹을래?)

B: Yes, _____. (응, 부탁해.)

(2) **A:** Would you _____ _____ apple pie? (애플파이 좀 드시겠어요?)

B: _____, _____. I'm not hungry. (아니요, 감사합니다. 배고프지 않아요.)

(3) **A:** _____ _____ _____ some more bread? (빵 좀 더 먹을래?)

B: No, thanks. I'm _____. (아니, 괜찮아. 나는 배불러.)

2 표현의 의미 묻고 답하기

A What do you mean by "landmarks"? "landmarks"가 무슨 뜻이에요?

B I mean important places or special buildings. 중요한 장소나 특별한 건물들을 말하는 거야.

■ What do you mean by that?은 '그게 무슨 뜻이니?'라는 뜻으로, 상대방의 말을 제대로 이해하지 못했을 때 무슨 뜻이냐고 물어볼 때 사용하는 표현이다.

- A: The math homework was a piece of cake. 수학 숙제는 누워서 떡먹기였어.
  B: What do you mean by that? 그게 무슨 뜻이니?
  A: It was very easy to do. 수학을 하기 매우 쉬웠단 말이야.

표현의 의미 묻기 표현

- What do you mean (by that)? 그게 무슨 뜻이니?
- What does that mean? 그게 무슨 뜻이니?
- I'm sorry, but could you explain that? 미안하지만 그것을 설명해 주겠니?
- What are you talking about? 무슨 말을 하는 거야?
- What is the meaning of that? 그것의 의미가 뭐니?

- A: What does G9 mean? G9은 무슨 뜻이니?
  B: It means "Good night." "잘 자."라는 뜻이야.

핵심 Check

2. 다음 우리말과 일치하도록 빈칸에 알맞은 말을 쓰시오.

(1) A: _____ _____, everyone. Hit the road! (서둘러, 모두들. Hit the road!)

   B: I'm sorry, _____ what do you _____ by that? (미안하지만, 그게 무슨 뜻이니?)

   A: _____ _____ it's time to start _____. (이제 움직이기 시작할 시간이라는 의미야.)

(2) A: What does THX _____? (THX가 무슨 뜻이야?)

   B: _____ _____ " Thanks." (그건 "고마워."라는 뜻이야.)

(3) A: _____ _____ _____ mean by "Break a leg!"? ("Break a leg!"가 무슨 뜻이니?))

   B: It means "_____ _____!" ("행운을 빌어!"라는 뜻이야.)

A. Communicate: Listen - Listen and Answer Dialog 1

B: ❶It smells nice. What are you cooking, Uncle Abbas?

M: ❷I'm making kebab.

B: Kebab? What is it?

M: It's a traditional Turkish food. ❸We have small pieces of meat and vegetables on a stick.

B: Oh, ❹it sounds delicious.

M: ❺Would you like some?

B: Sure. I'd love some.

M: ❻Here you are.

B: ❼It tastes great. You should open your own restaurant!

M: Thanks. I'm glad you like it.

B: 냄새가 좋네요. Abbas 이모부, 무슨 요리를 하고 계세요?

M: 케밥을 만들고 있어.

B: 케밥이요? 그게 뭐죠?

M: 터키 전통 음식이야. 꼬치에 작은 고기와 채소 조각을 끼워서 먹는 거지.

B: 오, 맛있겠어요.

M: 좀 먹어 볼래?

B: 물론이죠. 좀 주세요.

M: 여기 있어.

B: 맛이 좋네요. 이모부는 직접 식당을 차려야 해요!

M: 고마워. 네가 마음에 든다니 기쁘다.

---

❶ smell+형용사: ~한 냄새가 나다 ❷ be동사의 현재형+-ing: ~하는 중이다 ❸ small pieces of: 작은 ~조각들 / meat: 고기 / stick: 막대기, 꼬치 ❹ sound+형용사: ~하게 들리다 / delicious: 맛있는(= tasty, yummy) ❺ Would you like some?: 좀 먹어 볼래?(음식을 권하는 표현) ❻ Here you are. 는 '여기 있어.'라는 의미로 Here it is.로 바꿔 쓸 수 있다. ❼ taste+형용사: ~한 맛이 나다

Check(√) True or False

(1) Kebab is a traditional Turkish food. T ☐ F ☐

(2) The boy's uncle opened a new restaurant. T ☐ F ☐

B. Communicate: Listen - Listen and Answer Dialog 2

W: ❶What are you going to do today, Kevin?

B: ❷I'm going to look around the city.

W: ❸Do you know how to find your way?

B: Sure. I have a map on my phone!

W: Okay. ❹Try to remember landmarks, too.

B: I'm sorry, but ❺what do you mean by "landmarks"?

W: ❻I mean important places or special buildings.

B: All right. ❼I will try to remember the places that I see.

W: Kevin, 오늘 뭐 할 거야?

B: 저는 시내를 둘러볼 거예요.

W: 길 찾는 방법을 아니?

B: 물론이죠. 전화기에 지도가 있어요!

W: 알았어. landmarks도 기억하도록 해라.

B: 죄송하지만, "landmarks"가 무슨 뜻이에요?

W: 중요한 장소나 특별한 건물들을 말하는 거야.

B: 알겠어요. 저는 제가 보는 장소들을 기억하도록 노력할게요.

---

❶ What are you going to + 동사원형 ~? 너는 ~할 거니?(의도나 계획 묻기) ❷ I'm going to+동사원형 ~.: 나는 ~할 것이다. / look around: 둘러보다 ❸ how to+동사원형: ~하는 방법 ❹ try to+동사원형: ~하려고 노력하다 / remember: 기억하다 / landmark: 주요 지형지물, 랜드마크 ❺ What do you mean by ~?: ~는 무슨 뜻이니?(표현의 의미 묻기) ❻ place: 장소 / special: 특별한 ❼ I will try to ~.: 나는 ~하려고 노력할게. / that: 관계대명사

Check(√) True or False

(3) Kevin knows how to find his way. T ☐ F ☐

(4) Kevin doesn't know what a "landmark" means. T ☐ F ☐

Communicate: Listen - Listen More

G: Hey, Jongha!

B: Hi, Claire. ❶Those cookies look delicious.

G: ❷Would you like some?

B: ❸No, thanks. I'm too nervous.

G: ❹Why are you so nervous?

B: ❺I have my audition for the school radio station in half an hour.

G: Oh, really? ❻Break a leg!

B: *Break a leg?* ❼What do you mean?

G: I mean "Good luck."

B: ❽That's a funny expression. Thanks! ❾Save some cookies for me, okay?

❶ look+형용사: ~하게 보이다 / delicious: 맛있는
❷ 음식 권하기 표현이다. (= Why don't you have ~? = Do you want some ~?)
❸ No, thanks.: 아니, 괜찮아. (음식 권하기에 사양하는 표현)
❹ Why are you ~?: 너는 왜 ~하니? / nervous: 긴장한
❺ station: 방송국 / in half an hour: 30분 후에
❻ break a leg: 행운을 빌다
❼ 표현의 의미를 묻는 표현이다.(=What does that mean?)
❽ expression: 표현
❾ save: 남겨 두다

 Communicate: Listen - All Ears

M: 1. ❶The train will leave in half an hour.
   2. ❷I have a busy schedule this week.

❶ in half an hour: 30분 후에 ❷ have a busy schedule: 일정이 바쁘다

 Communicate: Speak 2

A: ❶Would you like some *bibimbap*?

B: ❷No, thanks. I don't like vegetables.

A: ❸Then how about pizza?

B: ❹Yes, please.

❶ 음식을 권하는 표현이다. (=Why don't you have some ~? = Do you want some ~? = Do you want to have[eat] some ~?)
❷ No, thanks.: 아니, 괜찮아.(음식 권유에 거절하는 표현)
❸ Then how about pizza?: 그러면 피자는 어때?(=Then what about pizza?)
❹ Yes, please.: 응, 부탁해.(음식 권유에 승낙하는 표현)

 My Writing Portfolio - Step 1

G: Look. The name of our app is *Enjoy Paris*!

B: *Enjoy Paris*? ❶Sounds interesting!

G: ❷This app focuses on what to see in Paris.

B: ❸Does it give information on famous museums and theaters?

G: Yes. ❹You can find out about opening hours and admission fees.

B: Fantastic.

G: ❺It also tells you how to get there.

B: Oh, ❻I'll download it right now!

G: ❼I'm sure you'll like it.

❶ sound+형용사: ~하게 들리다
❷ focus on: ~에 중점을 두다 / what to+동사원형: 무엇을 ~할지
❸ it은 this app을 가리킨다. / give information: 정보를 제공하다 / famous: 유명한
❹ find out: ~에 대해 알아내다[알게 되다] / admission fee: 입장료
❺ how to+동사원형: ~하는 방법
❻ download: 다운로드하다 / right now: 지금 바로
❼ I'm sure you'll ~: 나는 네가 ~할 거라고 확신한다.

 Wrap Up - Listening ❺

B: ❶Would you like some sandwiches?

G: ❷What kind of sandwich?

B: Ham and egg sandwich.

G: ❸No, thanks. I don't eat eggs.

B: Then, would you like some apple pie?

G: Okay. ❹Apples are my favorite fruit.

❶ 음식 권하기 표현이다.
❷ what kind of: 어떤 종류의
❸ No, thanks.: 아니, 괜찮아. (음식 권하기에 사양하는 표현)
❹ favorite: 아주 좋아하는

 Wrap Up - Listening ❻

G: ❶Hurry up, everyone. Hit the road!

B: ❷I'm sorry, but what do you mean by that?

G: ❸I mean it's time to start moving.

B: Like, "❹It's time to go"?

G: Yes.

B: Great! ❺Let's hit the road.

❶ hurry up: 서두르다
❷ 표현의 의미를 묻는 표현이다. (=What does that mean? = I'm sorry, but could you explain that?)
❸ I mean (that) 주어 + 동사 ~. 내 말 뜻은 ~라는 거야.
❹ It은 비인칭 주어이다.
❺ Let's ~: ~하자 / hit the road: 출발하다

● 다음 우리말과 일치하도록 빈칸에 알맞은 말을 쓰시오.

Communicate: Listen - Listen and Answer Dialog 1

B: It _____ nice. What are you _____, Uncle Abbas?

M: I'm _____ kebab.

B: Kebab? _____ is it?

M: It's a _____ Turkish food. We have small _____ _____ meat and vegetables on a stick.

B: Oh, it _____ delicious.

M: _____ you _____ some?

B: Sure. I'd _____ some.

M: Here _____ are.

B: It _____ great. You _____ _____ your own restaurant!

M: Thanks. I'm glad you _____ it.

Communicate: Listen - Listen and Answer Dialog 2

W: What _____ you _____ _____ do today, Kevin?

B: I'm going to _____ ___ the city.

W: Do you know _____ _____ find your way?

B: Sure. I have a _____ on _____ phone!

W: Okay. _____ _____ remember landmarks, too.

B: I'm sorry, _____ what do you _____ _____ "landmarks"?

W: I mean _____ places or _____ buildings.

B: All right. I will _____ _____ remember the places _____ I see.

Communicate: Listen - Listen More

G: Hey, Jongha!

B: Hi, Claire. Those cookies _____ _____.

G: _____ you _____ some?

B: No, _____. I'm too _____.

G: _____ are you _____ nervous?

B: I have my _____ for the school radio station _____ _____ _____ _____.

G: Oh, really? _____ a leg!

B: *Break a leg?* _____ do you _____?

G: I mean "_____ _____."

B: That's a funny _____. Thanks! _____ some cookies _____ me, okay?

해석

B: 냄새가 좋네요. Abbas 이모부, 무슨 요리를 하고 계세요?
M: 케밥을 만들고 있어.
B: 케밥이요? 그게 뭐죠?
M: 터키 전통 음식이야. 꼬치에 작은 고기와 채소 조각을 끼워서 먹는 거지.
B: 오, 맛있겠어요.
M: 좀 먹어 볼래?
B: 물론이죠. 좀 주세요.
M: 여기 있어.
B: 맛이 좋네요. 이모부는 직접 식당을 차려야 해요!
M: 고마워. 네가 마음에 든다니 기쁘다.

W: Kevin, 오늘 뭐 할 거야?
B: 저는 시내를 둘러볼 거예요.
W: 길 찾는 방법을 아니?
B: 물론이죠. 전화기에 지도가 있어요!
W: 알았어. landmarks도 기억하도록 해라.
B: 죄송하지만, "landmarks"가 무슨 뜻이에요?
W: 중요한 장소나 특별한 건물들을 말하는 거야.
B: 알겠어요. 저는 제가 보는 장소들을 기억하도록 노력할게요.

G: 이봐, 종하야!
B: 안녕, Claire. 저 쿠키들 맛있어 보인다.
G: 좀 먹어 볼래?
B: 아니, 괜찮아. 너무 긴장돼.
G: 왜 그렇게 긴장하니?
B: 30분 후에 학교 라디오 방송국 오디션이 있어.
G: 아, 정말? Break a leg!
B: Break a leg? 무슨 뜻이지?
G: "행운을 빌어."라는 뜻이야.
B: 그거 재미있는 표현이네. 고마워! 쿠키 좀 남겨줘, 알았지?

Communicate: Listen - All Ears

M: 1. The train will leave in _____ _____ _____.

2. I _____ a busy _____ this week.

Communicate: Speak 2

A: _____ _____ _____ some *bibimbap*?

B: _____, _____. I don't like vegetables.

A: Then _____ _____ pizza?

B: Yes, please.

My Writing Portfolio - Step 1

G: Look. The name of _____ _____ is *Enjoy Paris*!

B: *Enjoy Paris*? _____ interesting!

G: This app focuses on _____ _____ _____ in Paris.

B: Does it _____ _____ _____ famous museums and theaters?

G: Yes. You can _____ _____ about opening hours and _____ _____.

B: Fantastic.

G: It also tells you _____ _____ _____ there.

B: Oh, I'll download it _____ _____!

G: _____ _____ you'll like it.

Wrap Up - Listening ❺

B: _____ you _____ some sandwiches?

G: _____ _____ _____ sandwich?

B: Ham and _____ _____.

G: No, _____. I don't eat eggs.

B: Then, _____ _____ _____ some apple pie?

G: Okay. Apples are my _____ fruit.

Wrap Up - Listening ❻

G: _____ _____, everyone. Hit the road!

B: I'm sorry, but _____ do you _____ _____ that?

G: I mean it's _____ _____ _____ moving.

B: Like, "It's _____ _____ _____"?

G: Yes.

B: Great! _____ hit the road.

[01~02] 다음 대화의 빈칸에 알맞은 것을 고르시오.

01

> **A:** Would you _____ some sandwiches?
> **B:** Sure, I'd love some.

① want   ② take
③ need   ④ like
⑤ have

02

landmark 주요 지형지물, 랜드마크

> **A:** What do you _____ by a "landmark"?
> **B:** I mean an important place like a park.

① do   ② want
③ like   ④ look
⑤ mean

03 다음 대화의 밑줄 친 부분의 의도로 가장 알맞은 것은?

> **A:** Would you like some *bibimbap*?
> **B:** No, thanks. I don't like vegetables.

① 감사하기   ② 사과하기
③ 변명하기   ④ 음식 권유하기
⑤ 음식 거절하기

04 다음 대화의 빈칸에 알맞은 것은?

dictionary 사전

> **A:** She's a walking dictionary.
> **B:** _____
> **A:** She knows about everything.

① What's wrong?   ② What's the matter?
③ What is she doing?   ④ What are you going to say?
⑤ What do you mean by that?

Conversation 시험대비 실력평가

[01~04] 다음 대화를 읽고, 물음에 답하시오.

B: It smells nice. (①) What are you cooking, Uncle Abbas?

M: (②) I'm making kebab.

B: Kebab? What is it?

M: (③) We have small pieces of meat and vegetables on a stick.

B: (④) Oh, it sounds ____ⓐ____.

M: _____ⓑ_____

B: Sure. I'd love some.

M: (⑤) Here you are.

B: It tastes great. You should open your own restaurant!

M: Thanks. I'm glad you like it.

01 위 대화의 ①~⑤ 중 다음 문장이 들어갈 알맞은 곳은?

| It's a traditional Turkish food. |

①   ②   ③   ④   ⑤

02 위 대화의 빈칸 ⓐ에 들어갈 말로 알맞은 것은?

① sour   ② dull

③ cold   ④ terrible

⑤ delicious

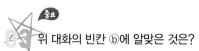

03 위 대화의 빈칸 ⓑ에 알맞은 것은?

① Can you help me?

② Can you do me a favor?

③ May I have some kebab?

④ Would you like some?

⑤ Do you like kebab?

04 위 대화의 내용과 일치하지 않는 것은?

① Uncle Abbas is making kebab.

② Kebab is a traditional Turkish food.

③ We need meat and vegetables to make kebab.

④ Uncle Abbas is going to open a new restaurant.

⑤ Uncle Abbas is glad the boy likes kebab.

[05~06] 다음 대화를 읽고, 물음에 답하시오.

G: Hurry up, everyone. ⓐHit the road!

B: I'm sorry, but ⓑwhat do you mean by that?

G: I mean it's time to start moving.

B: Like, "It's time to go"?

G: Yes.

05 위 대화의 밑줄 친 ⓐ의 의미로 알맞은 것은?

① 출발해라.   ② 차를 타라.

③ 줄을 서라.   ④ 일찍 자라.

⑤ 엎드려라.

06 위 대화의 밑줄 친 ⓑ와 바꿔 쓸 수 있는 것은?

① what are you planning to do?

② what do you think about that?

③ what is the meaning of that?

④ do you know about the idiom?

⑤ have you heard about the idiom?

[07~11] 다음 대화를 읽고, 물음에 답하시오.

G: Hey, Jongha!

B: Hi, Claire. Those cookies look delicious.

G: Would you like some?

B: ___ⓐ___ (①) I'm too nervous.

G: Why are you so nervous?

B: (②) I have my audition for the school radio station ___ⓑ___ half an hour. (③)

G: Oh, really? ©Break a leg!

B: *Break a leg?* (④) What do you mean?

G: I mean "Good luck."

B: (⑤) Thanks! Save some cookies for me, okay?

07 위 대화의 ①~⑤ 중 다음 문장이 들어갈 알맞은 곳은?

> That's a funny expression.

①   ②   ③   ④   ⑤

08 위 대화의 빈칸 ⓐ에 들어갈 말로 적절한 것은?

① Yes, please.   ② Sure, thanks.
③ Okay, I'll try it.   ④ No problem.
⑤ No, thanks.

09 위 대화의 빈칸 ⓑ에 들어갈 말로 가장 적절한 것은?

① to   ② in
③ on   ④ off
⑤ about

서답형
10 위 대화의 밑줄 친 ©가 의미하는 것을 우리말로 쓰시오.

➡ _____

서답형
11 위 대화를 읽고, 다음 질문에 대한 답을 완성하시오.

> Q: Why is Claire so nervous?
> A: Because _____
> _____ .

[12~14] 다음 대화를 읽고, 물음에 답하시오.

W: What are you going to do today, Kevin?

B: I'm going to look around the city. (①)

W: Do you know ___ⓐ___ to find your way?

B: Sure. I have a map on my phone! (②)

W: Okay. (③)

B: I'm sorry, but what do you ___ⓑ___ by "landmarks"?

W: I ___©___ important places or special buildings. (④)

B: All right. I will try to remember the places that I see. (⑤)

12 위 대화의 ①~⑤ 중 다음 문장이 들어갈 알맞은 곳은?

> Try to remember landmarks, too.

①   ②   ③   ④   ⑤

13 위 대화의 빈칸 ⓐ에 문맥상 알맞은 것은?

① why   ② how   ③ what
④ when   ⑤ where

14 위 대화의 빈칸 ⓑ와 ©에 공통으로 알맞은 것은?

① put   ② mean   ③ learn
④ follow   ⑤ understand

01 다음 대화의 빈칸에 들어갈 문장을 〈보기〉의 단어들을 이용해 완성하시오.

┌─── 보기 ───┐
what   mean
└──────────┘

A: She is all ears.
B: _____
A: She is listening very carefully.

02 다음 대화의 밑줄 친 우리말을 괄호 안의 단어를 이용하여 영작하시오. (필요하면 단어의 형태를 바꿀 것.)

(1) A: 너 피자 좀 먹을래? (would, like, some)
    B: Yes, please. I love pizza.

    ➡ _____

(2) A: Do you want some bread?
    B: 아닙니다, 괜찮습니다. (thank)

    ➡ _____

03 다음 대화의 문맥상 알맞은 말을 주어진 철자로 시작하여 쓰시오.

A: I have my audition for the school radio station in half an hour.
B: Oh, really? B_____ a l_____!
A: B_____ a l_____? What do you mean?
B: I mean "Good luck."

04 다음 대화의 순서를 바르게 배열하시오.

(A) Yes, please.
(B) No, thanks. I don't like vegetables.
(C) Then how about pizza?
(D) Would you like some *bibimbap*?

➡ _____

[05~08] 다음 대화를 읽고, 물음에 답하시오.

W: What are you going to do today, Kevin?
B: I'm going to look around the city.
W: Do you know how (A)[finding / to find] your way?
B: Sure. I have a map on my phone!
W: Okay. Try (B)[remembering / to remember] landmarks, too.
B: I'm sorry, but what do you mean by "landmarks"?
W: I mean important placcs or special buildings.
B: All right. I will try to remember the places (C)[that / what] I see.

05 What is Kevin going to do today? Answer the English.

➡ _____

06 위 대화의 괄호 (A)~(C)에서 어법상 알맞은 것을 골라 쓰시오.

(A) _____ (B) _____ (C) _____

07 What is the meaning of "landmarks"? Answer the Korean.

➡ _____

08 What will Kevin use to find his way?

➡ _____

Grammar

① 목적격 관계대명사

- The woman **whom** I love most is my grandmother. 내가 가장 사랑하는 여인은 나의 할머니이시다.
- The book **which** I read on the bus was a movie magazine.
  내가 버스에서 읽은 책은 영화 잡지였다.
- The snack **that** I ate at night was Hawaiian pizza. 내가 밤에 먹은 간식은 하와이안 피자였다.

■ 관계대명사는 선행사와 뒤에 이어지는 문장을 연결해 주는 역할을 하며, 문장 내에서의 역할에 따라 주격, 목적격, 소유격으로 나뉜다.

	사람	사물/동물	사람/사물/동물
주격	who	which	that
목적격	who(m)	which	that

■ 목적격 관계대명사는 선행사가 뒤에 이어지는 문장(관계대명사절)에서 목적어 역할을 할 때 쓰며, 생략할 수 있다. 선행사가 사람이면 who(m) 또는 that을, 사물이나 동물이면 which 또는 that을 쓴다. 일반적으로 선행사가 사람일 때 whom보다는 who를 더 많이 쓴다.

- Ann was the person. I met her on the way home.

  → Ann was the person **who[whom, that]** I met on the way home.
  Ann은 내가 집에 오늘 길에 만난 사람이었다.

■ 선행사가 최상급이거나 서수, -thing으로 끝나는 경우, 또는 the very, the only가 선행사를 수식하는 경우에는 which 대신 that을 쓸 때가 많다.

- This is the biggest dog **that** I have ever seen. 이것은 지금까지 내가 본 가장 큰 개다.

■ 관계대명사가 전치사의 목적어로 쓰일 때는 who(m)이나 which 대신 that을 전치사와 함께 사용할 수 없다.

- The bed in **which** I slept was comfortable. (○) 내가 잔 침대는 편안했다.

  The bed in that I slept was comfortable. (✕)

핵심 Check

1. 다음 괄호 안에서 알맞은 것을 고르시오.
   (1) I know the doctor (which / that) everyone likes.
   (2) That is the very problem (that / what) I wanted to solve.
   (3) The man to (whom / that) you spoke is my homeroom teacher.
   (4) This is the book (who / which) I read yesterday.
   (5) Police found the knife with (which / that) the man killed her.

② 의문사+to부정사

- Please tell me **when to help** you. 너를 언제 돕는게 좋을지 내게 말해라.
- Jake has to decide **where to shop**. Jake는 어디에서 쇼핑을 할 것인지 결정해야 한다.

■ 의문사 바로 뒤에 to부정사를 써서 '~해야 하는지, ~하는 것이 좋을지'라는 의무의 뜻을 나타낼 수 있다. 이때 「의문사+to부정사」는 문장 안에서 보통 동사의 목적어 역할을 한다. 또, 의문사 대신 접속사 whether를 쓸 수도 있다.

- Will you advise me **whether to help** her **or not**? 그녀를 도와주어야 할지 말아야 할지 충고해 주겠니?
- Decide **what to do** when you plan a trip. 여행 계획을 할 때 무엇을 해야 할지 결정해라.

■ 의문사와 to부정사 사이에 명사가 오면 의문사와 함께 하나의 의문사구를 형성한다.

- She decides **what time to wake** up according to a class schedule.
  그녀는 시간표에 따라 몇 시에 일어날지를 정한다.

의문사+to부정사		의문사+명사+to부정사	
what to do where to go when to start which to choose how to swim	무엇을 해야 하는지 어디에 가야 하는지 언제 출발해야 하는지 어느 것을 골라야 할지 어떻게 수영해야 할지	what book to read which way to go what time to get up how many books to read	어떤 책을 읽어야 할지 어느 길로 가야 할지 몇 시에 일어나야 할지 얼마나 많은 책을 읽어야 할지

■ 「의문사+to부정사」는 조동사 should를 써서 「의문사+주어+should+동사원형」 구문으로 바꿔 쓸 수 있다. 이때 의문사절의 주어는 주절의 주어와 일치시킨다.

- I don't know **what to make** next. 다음에 무엇을 만들어야 할지 모르겠다.
  → I don't know what I should make next.

핵심 Check

2. 다음 괄호 안에서 알맞은 것을 고르시오.

(1) I want to travel this summer, but I don't know (where / when) to go.
(2) The doctor told me (what / when) to take medicine.
(3) Please tell him (why / where) to buy the doll.
(4) He doesn't know (which / how) to play chess.
(5) I asked him (which / where) book to buy.

Grammar 시험대비 기본평가

01 다음 괄호 안에서 알맞은 것을 고르시오.

(1) Can you tell me (when / what) to leave?

(2) They showed me (how / who) to bake the cake.

(3) This is the boy (whom / which) I play basketball with every weekend.

(4) I am reading the letter (whom / which) you gave me yesterday.

> bake 굽다

02 다음 우리말과 일치하도록 빈칸에 알맞은 말을 쓰시오.

(1) 그는 김치 만드는 법을 알고 싶어 한다.

➡ He wants to know _____ _____ _____ kimchi.

(2) 우리는 중국 식당에서 무엇을 먹을지 얘기하고 있다.

➡ We're talking about _____ _____ _____ at the Chinese restaurant.

(3) 우체국에 어떻게 가는지 알려 줄래요?

➡ Could you tell me _____ _____ _____ to the post office?

(4) 그들은 휴가를 어디로 가야 하는지에 대해 이야기하고 있다.

➡ They are talking about _____ _____ _____ on a vacation.

> make kimchi 김치를 만들다
> restaurant 식당
> post office 우체국

03 다음 빈칸에 알맞은 말을 〈보기〉에서 골라 쓰시오. (한 단어를 중복해서 쓸 수 없음.)

┌─ 보기 ─
│   that   which   whom   who
└

(1) Look at the boy _____ is watering a flower.

(2) You are the only friend with _____ I can talk.

(3) I need a knife with _____ I can cut the rope.

(4) Money is the only thing _____ he wants.

[01~02] 다음 문장의 빈칸에 알맞은 것을 고르시오.

01

> The gentleman _____ I met yesterday was a teacher.

① which ② who
③ at which ④ with who
⑤ with that

02 중요

> She wants to learn _____ to play the guitar.

① how ② what
③ which ④ whom
⑤ who

03 다음 두 문장이 같은 뜻이 되도록 빈칸에 알맞은 것은?

> I don't know what to say about it.
> = I don't know what I _____ say about it.

① will ② should
③ would ④ need
⑤ could

서답형
04 다음 문장에서 어법상 어색한 곳을 찾아 바르게 고쳐 쓰시오.

(1) He is an engineer which my father knows very well.

_____ ➡ _____

(2) The village in that I live is very small.

_____ ➡ _____

서답형
05 다음 문장의 빈칸에 공통으로 알맞은 말을 쓰시오.

> • I can't decide what _____ do.
> • Can you show me how _____ use this washing machine?

[06~07] 다음 중 어법상 어색한 문장을 고르시오.

06 ① This is the pen I lost yesterday.
② I will give you everything that you need.
③ I forgot to bring the homework which I did yesterday.
④ The music which we listened is by Mozart.
⑤ The car which I bought last month already has engine problems.

07 중요
① Can you tell me what to do first?
② She decided what to eat lunch.
③ They showed him how to make it.
④ I didn't know where to find her.
⑤ Jack explains them how to finish it quickly.

서답형
08 다음 문장과 뜻이 같도록 빈칸에 알맞은 말을 쓰시오.

> He didn't tell them what to read.
> = He didn't tell them what _____ _____ read.

중요

09 다음 두 문장에서 생략된 말이 바르게 짝지어진 것은?

> • He ate the food everyone hated.
> • The tree I cut yesterday was very big.

① who – who
② who – that
③ that – who
④ what – which
⑤ that – which

서답형

10 다음 문장의 빈칸에 공통으로 알맞은 말을 쓰시오.

> • The building _____ I visited yesterday is a museum.
> • The man _____ everyone knows well built this house for himself.

11 다음 두 문장의 빈칸에 공통으로 알맞은 것은?

> • Can you show me how _____ make *gimbap*?
> • They knew what _____ buy at the mall.

① to
② on
③ for
④ must
⑤ should

서답형

12 다음 우리말과 일치하도록 주어진 단어를 바르게 배열하시오.

> 그 남자는 자기가 갖고 있는 모든 돈을 내게 주었다.
> (he / gave / had / the / man / me / money / all / that / the)

➡ _____

13 다음 밑줄 친 ①~⑤ 중 어법상 어색한 것은?

> ①Before winter comes, many different ②kinds of birds ③head south. How do they know ④when to migrate? How do they know ⑤where should go?

①   ②   ③   ④   ⑤

중요

14 다음 중 밑줄 친 부분의 쓰임이 옳은 것은?

① The man which I met yesterday will call me this afternoon.
② I can give you the textbook what I bought last week.
③ The rumor who Jeff told me was very interesting.
④ This is the pen with which he wrote the novel.
⑤ Thanks to the textbooks whom you gave me, I could pass the exam.

15 다음 문장의 빈칸에 알맞은 말이 바르게 짝지어진 것은?

> • She didn't decide _____ to wear that morning.
> • Can you tell me _____ to cook it?

① what – why
② how – who
③ what – how
④ when – which
⑤ where – what

서답형

16 다음 두 문장이 같은 의미를 지니도록 빈칸에 알맞은 말을 써 넣으시오.

> The teacher told us when to begin the test.
> = The teacher told us when we _____ _____ the test.

서답형

17 다음 문장에서 어법상 어색한 부분을 찾아 바르게 고쳐 쓰시오.

(1) The girl which I like will leave this town.

_____ ➡ _____

(2) The knife with which I cut these apples were very sharp.

_____ ➡ _____

중요

18 다음 밑줄 친 부분 중 생략할 수 없는 것은?

① This is the piano which Mozart played.
② The boy who is throwing a ball is my brother.
③ Rome is the place that I really want to visit again.
④ These are the gifts which she gave me on my birthday.
⑤ I'm going to return the book that I borrowed last week.

19 다음 중 어법상 올바른 문장을 모두 고른 것은?

> ⓐ Please show me how to solve this problem.
> ⓑ They decided what to do after school.
> ⓒ We want to know where to go next time.
> ⓓ Do you know who to tell me about it?
> ⓔ Let me tell you when to finish it tomorrow.

① ⓐ   ② ⓐ, ⓑ
③ ⓐ, ⓑ, ⓒ   ④ ⓐ, ⓑ, ⓒ, ⓓ
⑤ ⓐ, ⓑ, ⓒ, ⓔ

중요

20 다음 중 밑줄 친 that의 쓰임이 나머지와 다른 하나는?

① It is true <u>that</u> we were a little late.
② This is the bag <u>that</u> I bought yesterday.
③ This is the hotel <u>that</u> I stayed at last time.
④ Do you know the boy <u>that</u> I met yesterday?
⑤ This is the tree <u>that</u> I planted five years ago.

21 다음 중 밑줄 친 부분의 문장 성분이 다른 하나는?

① He told me <u>where to go</u>.
② The important thing is <u>what to read</u>.
③ I don't know <u>which book to buy</u>.
④ I didn't know <u>whether to take</u> this bus or not.
⑤ I have no idea about <u>how to solve</u> this problem.

01 다음 두 문장을 관계대명사를 써서 한 문장으로 바꿔 쓰시오.

(1) I know the man. You are looking for the man.

➡ _____

(2) This is the bag. I got it from Nancy.

➡ _____

(3) He is the boy. I meet him at the bus stop every morning.

➡ _____

_____

02 다음 빈칸에 알맞은 말을 〈보기〉에서 골라 쓰시오. (한 단어를 중복해서 쓸 수 없음)

┌─── 보기 ───┐
what   where   which   how
└──────────────┘

(1) Jim learned _____ to ride a bike.

(2) I wanted to know _____ time to start.

(3) I asked her _____ book to read.

(4) Can I ask you _____ to write my name?

03 다음 빈칸에 공통으로 알맞은 말을 쓰시오.

┌─────────────────────────┐
• This is the hat _____ Ann bought yesterday.
• I know the girl _____ is playing the drums.
└─────────────────────────┘

04 다음 문장을 should를 써서 같은 의미의 문장으로 바꿔 쓰시오.

(1) My brother doesn't know where to go.

➡ _____

(2) Alice doesn't know what to cook.

➡ _____

(3) Please tell me when to help you.

➡ _____

05 다음 빈칸에 공통으로 알맞은 말을 쓰시오. (대·소문자 무시)

┌─────────────────────────┐
• _____ is your birthday?
• I don't know _____ to meet him.
└─────────────────────────┘

06 다음 주어진 문장을 어법에 맞게 고쳐 쓰시오.

(1) I bought my sister a blouse who was made in France.

➡ _____

_____

(2) Do you know the boy whom I met him on the street yesterday?

➡ _____

(3) This is the city that are famous for its beautiful buildings.

➡ _____

_____

07 다음 문장에서 어색한 부분을 찾아 바르게 고쳐 쓰시오.

(1) I can't decide what will buy for my mother's birthday.

➡ _____

_____

(2) Bill didn't tell us where to staying.

➡ _____

08 다음 우리말과 일치하도록 빈칸에 알맞은 말을 쓰시오.

(1) 이 아이가 내 남동생이 지난밤에 만난 소년이다.
➡ This is the boy _____ my brother met last night.

(2) 이것이 나의 부모님이 나에게 사 주신 자전거이다.
➡ This is the bike _____ my parents bought for me.

09 다음 주어진 단어를 바르게 배열하여 문장을 완성하시오.

(1) (didn't, leave, I, to, when, know).

➡ _____

(2) (do, how, know, the guitar, play, to, you)?

➡ _____

(3) (to, I, her, where, meet, know, don't).

➡ _____

10 다음 두 문장을 관계대명사를 이용하여 한 문장으로 쓰시오.

(1) I saw a man and his dog. They looked very tired.

➡ _____

(2) John is the best player in this town. I played tennis with him yesterday.

➡ _____

_____

(3) This bike is my treasure. My father bought it for me last year.

➡ _____

_____

(4) My sister ate the ice cream. My mother bought it for me.

➡ _____

_____

(5) The house was in Incheon. We lived in it two years ago.

➡ _____

_____

11 다음 우리말과 의미가 같도록 문장을 완성하시오.

(1) 어디서 노래 연습을 해야 할지 선생님에게 물어보자.
➡ Let's ask our teacher _____ _____ _____ singing songs.

(2) 나는 언제 서울을 방문해야 할지 결정하지 못했다.
➡ I didn't decide _____ _____ _____ Seoul.

(3) 너는 누구와 그곳에 가야 하는지 아니?
➡ Do you know _____ _____ _____ there with?

(4) 나는 무엇을 사야 할지 몰랐다.
➡ I didn't know _____ _____ _____.

Reading

교과서

The Translation App

Jaden's family is in Florence, Italy. They are visiting Ms. Gambini, his mother's friend. Today his parents are going to museums, but Jaden wants to stay behind. He thinks the translation app on his phone will help him communicate.

His stomach growls, so he enters the kitchen. When Ms. Gambini sees Jaden, she says "Buon giorno. Vuoi un pezzo di pane e un bicchiere di latte?" Jaden does not know how to respond. Then the app says, "Good morning. Would you like a piece of bread and a glass of milk?" Jaden answers, "Yes, please."

There is a knock on the door, and a woman whom Ms. Gambini invited walks in. The two women begin speaking Italian very fast. So the translator does not understand.

Jaden turns off the phone and leaves it on the table. He goes out to enjoy the sunny morning. He follows a thumping sound and finds a girl who is kicking a soccer ball against a wall. She turns to him and says, "Buon giorno."

Glossary

stay behind 뒤에 남다. 출발하지 않다
translation 번역
communicate 의사소통을 하다
stomach 위. 배
growl 꼬르륵거리다
enter ~에 들어가다
respond 응답하다
translator 번역기
turn off ~을 끄다
thump 쿵쾅거리다
sound 소리
kick 차다
turn to ~으로 몸을 돌리다

확인문제

● 다음 문장이 본문의 내용과 일치하면 T, 일치하지 않으면 F를 쓰시오.

1 Jaden wants to visit museums. ☐

2 Jaden goes into the kitchen as he is hungry. ☐

3 Jaden thinks he can communicate thanks to the translation app. ☐

4 The two women spoke Italian very slowly. ☐

5 Jaden saw a girl kicking a soccer ball against the wall. ☐

His phone is in the kitchen, so Jaden does not know what to say. He
just repeats the words that the girl said, "Buon giorno." The girl kicks
the ball to him. Jaden needs no translator for that. For a while, the
two play with the ball. Finally, the girl points at herself and says, "Mi
chiamo Rosabella." "My name is Jaden," he responds.

Suddenly Rosabella says, "Arrive l'autobus." Jaden understands the
words that sound like *bus* and *arrive*. Sure enough, a bus appears.
Kids in soccer uniforms shout from the windows, "Ciao, Rosabella!"
As Rosabella steps onto the bus, Jaden says, "Good luck." She does
not understand. So Jaden thinks and says, "Buon, buon ...." He points
to the soccer ball that she is holding in her hand.

Rosabella shouts, "Fortuna! Buona fortuna!" Fortuna sounds like
fortune. "Buona fortuna!" he shouts. Rosabella and her friends shout
back, "Molte grazie!" The bus rolls away.

Jaden goes back to the kitchen. He says into the translation app,
"Learning from people is more fun. Can you teach me some Italian,
Ms. Gambini?"

Ms. Gambini says, "Si," and laughs.

---

respond 응답하다

sure enough 물론. 아니나 다를까

appear 나타나다

onto ~로

fortune 운. 행운

shout 소리치다

roll 구르다

fun 재미있는

laugh 웃다

확인문제

● 다음 문장이 본문의 내용과 일치하면 T, 일치하지 <u>않으면</u> F를 쓰시오.

1 Jaden's phone is in his hand. ☐

2 The girl's name is Rosabella. ☐

3 Jaden sees children in school uniforms. ☐

4 Jaden wants to learn some Italian from Ms. Gambini. ☐

• 우리말을 참고하여 빈칸에 알맞은 말을 쓰시오.

1 Jaden's _____ is _____ Florence, Italy.

2 They are _____ Ms. Gambini, his mother's _____.

3 Today his parents are _____ to museums, but Jaden _____ to stay _____.

4 He _____ the translation app _____ his phone will help him _____.

5 His _____ growls, _____ he enters the kitchen.

6 _____ Ms. Gambini sees Jaden, she _____ "Buon giorno. Vuoi un pezzo di pane e un bicchiere di latte?"

7 Jaden does not _____ how to _____.

8 Then the app says, "Good morning. _____ you like a _____ of bread and a _____ of milk?"

9 Jaden answers, "Yes, _____."

10 There is a _____ on the door, and a woman _____ Ms. Gambini invited _____ in.

11 The two women _____ speaking Italian very _____.

12 So the _____ does not _____.

13 Jaden turns _____ the phone and _____ it on the table.

14 He goes _____ to enjoy the _____ morning.

15 He follows a thumping _____ and finds a girl _____ is kicking a soccer ball _____ a wall.

16 She turns _____ him and _____, "Buon giono."

---

1 Jaden의 가족은 이탈리아 플로렌스에 있다.

2 그들은 그의 어머니의 친구인 Gambini 씨를 방문하고 있다.

3 오늘 그의 부모님은 박물관에 갈 예정이지만, Jaden은 집에 남고 싶어 한다.

4 그는 자신의 전화기에 있는 번역 앱이 의사소통을 하는 데 도움이 될 것이라고 생각한다.

5 그는 배가 꼬르륵거려서 부엌으로 들어간다.

6 Gambini 씨가 Jaden을 보자, 그녀는 "Buon giorno. Vuoi un pezzo di pane e un bicchiere di latte?"라고 말한다.

7 Jaden은 어떻게 대답해야 할지 모른다.

8 그러자 앱이 "좋은 아침입니다. 빵 한 개와 우유 한 잔 드시겠어요?"라고 말한다.

9 Jaden은 "네, 부탁해요."라고 대답한다.

10 문을 두드리는 소리가 들리고 Gambini 씨가 초대한 한 여자가 안으로 들어온다.

11 두 여자는 아주 빨리 이탈리아어를 말하기 시작한다.

12 그래서 번역 앱은 이해하지 못한다.

13 Jaden은 전화기를 끄고 그것을 탁자 위에 둔다.

14 그는 화창한 아침을 즐기기 위해 밖으로 나간다.

15 그는 쿵쾅거리는 소리를 따라가다 벽에 축구공을 차고 있는 소녀를 발견한다.

16 그녀는 그에게 돌아서서 "Buon giorno."라고 말한다.

17 His phone is in the kitchen, _____ Jaden does not know _____ to say.

18 He just _____ the words _____ the girl said, "Buon giorno."

19 The girl _____ the ball _____ him.

20 Jaden _____ no translator for _____.

21 For a _____, the two play with the _____.

22 _____, the girl points at _____ and says, "Mi chiamo Rosabella."

23 "My name is Jaden," he _____.

24 _____ Rosabella says, "Arrive l'autobus."

25 Jaden _____ the words that _____ like *bus* and *arrive*.

26 Sure _____, a bus _____.

27 Kids _____ soccer uniforms _____ from the windows, "Ciao, Rosabella!"

28 _____ Rosabella steps onto the bus, Jaden says, "Good _____."

29 She does not _____.

30 So Jaden _____ and says, "Buon, buon ...."

31 He points _____ the soccer ball that she is _____ in her hand.

32 Rosabella _____, "Fortuna! Buona fortuna!"

33 Fortuna _____ like *fortune*.

34 "Buona fortuna!" he _____.

35 Rosabella and her friends shout _____, "Molte grazie!"

36 The bus _____ away.

37 Jaden goes _____ to the kitchen.

38 He says _____ the translation app, "_____ from people is more fun. Can you _____ me some Italian, Ms. Gambini?"

39 Ms. Gambini says, "Si," and _____.

17 그의 전화기는 부엌에 있어서 Jaden은 뭐라고 말해야 할지 모른다.

18 그는 단지 소녀가 말한 말들인 "Buon giorno"를 반복한다.

19 소녀는 그에게 공을 찬다.

20 Jaden은 그것 때문에 번역 앱이 필요하지 않다.

21 잠시 동안, 두 사람은 공을 가지고 논다.

22 마침내, 그 소녀는 자신을 가리키며 "Mi chiamo Rosabella." 라고 말한다.

23 "내 이름은 Jaden이야."라고 그가 대답한다.

24 갑자기 Rosabella가 "Arrive l'autobus."라고 말한다.

25 Jaden은 '버스'와 '도착하다'라는 단어와 비슷한 소리가 나는 단어를 알아듣는다.

26 아니나 다를까, 버스 한 대가 나타난다.

27 축구 유니폼을 입은 아이들이 창문에서 "Ciao, Rosabella!"라고 외친다.

28 Rosabella가 버스에 오를 때, Jaden은 "행운을 빌어."라고 말한다.

29 그녀는 이해하지 못한다.

30 그래서 Jaden은 생각하고 "Buon, buon ...."이라고 말한다.

31 그는 그녀가 손에 들고 있는 축구공을 가리킨다.

32 Rosabella가 "Fortuna! Buona fortuna!"라고 소리친다.

33 Fortuna는 '행운'처럼 들린다.

34 "Buona fortuna!"라고 그가 소리친다.

35 Rosabella와 그녀의 친구들은 "Molte grazie!"라고 다시 외친다.

36 버스가 굴러간다.

37 Jaden은 부엌으로 돌아간다.

38 그는 번역 앱에 말한다. "사람들에게서 배우는 것이 더 재미있습니다. 이탈리아어 좀 가르쳐 주실 수 있나요, Gambini 씨?"

39 Gambini 씨는 "Si,"라고 말하고는 웃는다.

● 우리말을 참고하여 본문을 영작하시오.

1 Jaden의 가족은 이탈리아 플로렌스에 있다.

➡ _____

2 그들은 그의 어머니의 친구인 Gambini 씨를 방문하고 있다.

➡ _____

3 오늘 그의 부모님은 박물관에 갈 예정이지만, Jaden은 집에 남고 싶어 한다.

➡ _____

4 그는 자신의 전화기에 있는 번역 앱이 의사소통을 하는 데 도움이 될 것이라고 생각한다.

➡ _____

5 그는 배가 꼬르륵거려서 부엌으로 들어간다.

➡ _____

6 Gambini 씨가 Jaden을 보자, 그녀는 "Buon giorno. Vuoi un pezzo di pane e un bicchiere di latte?"라고 말한다.

➡ _____

_____

7 Jaden은 어떻게 대답해야 할지 모른다.

➡ _____

8 그러자 앱이 "좋은 아침입니다. 빵 한 개와 우유 한 잔 드시겠어요?"라고 말한다.

➡ _____

9 Jaden은 "네, 부탁해요."라고 대답한다.

➡ _____

10 문을 두드리는 소리가 들리고 Gambini 씨가 초대한 한 여자가 안으로 들어온다.

➡ _____

11 두 여자는 아주 빨리 이탈리아어를 말하기 시작한다.

➡ _____

12 그래서 번역 앱은 이해하지 못한다.

➡ _____

13 Jaden은 전화기를 끄고 그것을 탁자 위에 둔다.

➡ _____

14 그는 화창한 아침을 즐기기 위해 밖으로 나간다.

➡ _____

15 그는 쿵쾅거리는 소리를 따라가다 벽에 축구공을 차고 있는 소녀를 발견한다.

➡ _____

16 그녀는 그에게 돌아서서 "Buon giorno."라고 말한다.

➡ _____

17 그의 전화기는 부엌에 있어서 Jaden은 뭐라고 말해야 할지 모른다.
➡ _____

18 그는 단지 소녀가 말한 말들인 "Buon giorno"를 반복한다.
➡ _____

19 소녀는 그에게 공을 찬다.
➡ _____

20 Jaden은 그것 때문에 번역 앱이 필요하지 않다.
➡ _____

21 잠시 동안, 두 사람은 공을 가지고 논다.
➡ _____

22 마침내, 그 소녀는 자신을 가리키며 "Mi chiamo Rosabella."라고 말한다.
➡ _____

23 "내 이름은 Jaden이야."라고 그가 대답한다.
➡ _____

24 갑자기 Rosabella가 "Arrive l'autobus."라고 말한다.
➡ _____

25 Jaden은 '버스'와 '도착하다'라는 단어와 비슷한 소리가 나는 단어를 알아듣는다.
➡ _____

26 아니나 다를까, 버스 한 대가 나타난다.
➡ _____

27 축구 유니폼을 입은 아이들이 창문에서 "Ciao, Rosabella!"라고 외친다.
➡ _____

28 Rosabella가 버스에 오를 때, Jaden은 "행운을 빌어요."라고 말한다.
➡ _____

29 그녀는 이해하지 못한다.
➡ _____

30 그래서 Jaden은 생각하고 "Buon, buon ...."이라고 말한다.
➡ _____

31 그는 그녀가 손에 들고 있는 축구공을 가리킨다.
➡ _____

32 Rosabella가 "Fortuna! Buona fortuna!"라고 소리친다.
➡ _____

33 Fortuna는 '행운'처럼 들린다.
➡ _____

34 "Buona fortuna!"라고 그가 소리친다.
➡ _____

35 Rosabella와 그녀의 친구들은 "Molte grazie!"라고 다시 외친다.
➡ _____

36 버스가 굴러간다
➡ _____

37 Jaden은 부엌으로 돌아간다.
➡ _____

38 그는 번역 앱에 말한다. "사람들에게서 배우는 것이 더 재미있습니다. 이탈리아어 좀 가르쳐 주실 수 있나요, Gambini 씨?"
➡ _____
_____

39 Gambini 씨는 "Si,"라고 말하고는 웃는다.
➡ _____

[01~04] 다음 글을 읽고, 물음에 답하시오.

Jaden's family is in Florence, Italy. They are visiting Ms. Gambini, his mother's friend. Today his parents are going to museums, ____ⓐ____ Jaden wants to stay behind. He thinks the translation app on his phone will help him communicate.

His stomach growls, ____ⓑ____ he enters the kitchen. When Ms. Gambini sees Jaden, she says "Buon giorno. Vuoi un pezzo di pane e un bicchiere di latte?" Jaden does not know ____ⓒ____ to respond. Then the app says, "Good morning. ⓓWill you like a piece of bread and a glass of milk?" Jaden answers, "Yes, please."

01 위 글의 빈칸 ⓐ에 ⓑ에 알맞은 것으로 짝지어진 것은?

① and – so
② but – so
③ but – or
④ and – for
⑤ but – for

02 위 글의 빈칸 ⓒ에 알맞은 것은?

① how
② why
③ what
④ when
⑤ which

서답형
03 위 글의 밑줄 친 ⓓ에서 어법상 어색한 것을 고치시오.

_____ ➡ _____

04 위 글의 내용으로 보아 대답할 수 없는 질문은?

① Where is Jaden's family now?
② Who is Ms. Gambini?
③ Why doesn't Jaden want to go to museums?
④ What does Jaden think will help him communicate?
⑤ Why does Jaden enter the kitchen?

[05~09] 다음 글을 읽고, 물음에 답하시오.

(①) There is a knock on the door, and a woman ____ⓐ____ Ms. Gambini invited walks in. (②) The two women begin speaking Italian very fast. (③) Jaden turns ____ⓑ____ the phone and leaves it on the table. (④) He goes out to enjoy the sunny morning. (⑤) He follows a thumping sound and finds a girl who is kicking a soccer ball ⓒagainst a wall. She turns to him and says, "Buon giorno."

05 위 글의 ①~⑤ 중 다음 주어진 문장이 들어갈 알맞은 곳은?

So the translator does not understand.

①　　②　　③　　④　　⑤

06 위 글의 빈칸 ⓐ에 알맞은 것은? (3개)

① who
② what
③ whom
④ that
⑤ which

07 위 글의 빈칸 ⓑ에 알맞은 것은?

① on   ② off

③ to   ④ for

⑤ from

08 위 글의 밑줄 친 ⓒ와 같은 의미로 쓰인 것은?

① Ted played <u>against</u> the champion.

② We are <u>against</u> the war.

③ She is <u>against</u> seeing him.

④ The rain beat <u>against</u> the windows.

⑤ His red clothes stood out clearly <u>against</u> the snow.

서답형

09 Why does Jaden go out? Answer in English.

➡ _____

[10~14] 다음 글을 읽고, 물음에 답하시오.

    ⓐHis phone is in the kitchen, so Jaden does not know what to say. He just repeats the words ____ⓑ____ the girl said, "Buon giorno." The girl kicks the ball to him. Jaden needs no translator for ⓒthat. For a while, the two play with the ball. Finally, the girl points at ⓓher and says, "Mi chiamo Rosabella." "My name is Jaden," he responds.

중요

10 위 글의 밑줄 친 ⓐ와 문형이 같은 것은?

① Mike likes music very much.

② The man is strong.

③ Birds fly in the sky.

④ The news made her glad.

⑤ Jane sent me a birthday card.

11 위 글의 빈칸 ⓑ에 알맞은 것은? (2개)

① who   ② what

③ whom   ④ that

⑤ which

서답형

12 위 글의 밑줄 친 ⓒ가 구체적으로 가리키는 것을 우리말로 쓰시오.

➡ _____

서답형

13 위 글의 밑줄 친 ⓓ를 알맞게 고치시오.

➡ _____

14 위 글의 내용과 일치하지 <u>않는</u> 것은?

① Jaden의 전화기는 부엌에 있다.

② Jaden은 전화기가 없어서 소녀의 말에 대답할 수 없다.

③ 소녀와 Jaden은 잠시 공을 가지고 논다.

④ Jaden은 소녀와 이야기하기 위해 번역 앱이 필요하다.

⑤ Jaden은 소녀의 이름이 Rosabella라는 것을 알았다.

[15~19] 다음 글을 읽고, 물음에 답하시오.

Suddenly Rosabella says, "Arrive l'autobus." Jaden understands the words that sound ⓐ(like, alike) *bus* and *arrive*. Sure enough, a bus ___ⓑ___ .

Kids in soccer uniforms shout from the windows, "Ciao, Rosabella!" ⓒAs Rosabella steps onto the bus, Jaden says, "Good luck." She does not understand. So Jaden thinks and says, "Buon, buon ...." He points ___ⓓ___ the soccer ball that she is holding in her hand.

서답형

15 위 글의 괄호 ⓐ에서 알맞은 것을 고르시오.

➡ _____

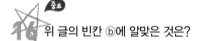

위 글의 빈칸 ⓑ에 알맞은 것은?

① happens ② starts
③ enters ④ presents
⑤ appears

17 위 글의 밑줄 친 ⓒ와 같은 의미로 쓰인 것은?

① Leave the papers <u>as</u> they are.
② <u>As</u> she grew older, she gained in confidence.
③ She may need some help <u>as</u> she's new here.
④ <u>As</u> you know, Julia is leaving soon.
⑤ Don't read a book <u>as</u> you walk.

18 위 글의 빈칸 ⓓ에 알맞은 것은?

① in ② for
③ to ④ with
⑤ upon

19 위 글의 내용으로 보아 알 수 없는 것은?

① Rosabella는 버스가 온다고 말했다.
② Jaden은 Rosabella가 말한 것을 이해했다.
③ 버스에 탄 아이들은 축구 유니폼을 입고 있다.
④ Rosabella가 버스를 탈 때 Jaden은 행운을 빌어 주었다.
⑤ Rosabella는 축구팀의 주장이다.

[20~23] 다음 글을 읽고, 물음에 답하시오.

Rosabella shouts, "Fortuna! Buona fortuna!" Fortuna sounds ⓐlike *fortune*. "Buona fortuna!" he shouts. Rosabella and her friends shout back, "Molte grazie!" The bus ___ⓑ___ away. Jaden goes back to the kitchen. He says into the translation app, "Learning from people is more fun. ⓒCan you teach me some Italian, Ms. Gambini?" Ms. Gambini says, "Si," and laughs.

중요

위 글의 밑줄 친 ⓐ와 쓰임이 같은 것은?

① Do you <u>like</u> their new house?
② This soap smells <u>like</u> a rose.
③ I didn't <u>like</u> to watch TV.
④ At weekends I <u>like</u> to sleep late.
⑤ We'd <u>like</u> you to come and visit us.

서답형

21 위 글의 빈칸 ⓑ에 다음 정의에 해당하는 단어를 쓰시오.

> to move along a surface

➡ _____

서답형

22 위 글의 밑줄 친 ⓒ와 같은 뜻이 되도록 다음 문장의 빈칸에 알맞은 말을 쓰시오.

> Can you teach some Italian _____ me

서답형

23 Jaden이 Gambini 씨에게 이탈리아어를 가르쳐 달라고 말한 이유를 우리말로 간단히 쓰시오.

➡ _____

[24~29] 다음 글을 읽고, 물음에 답하시오.

Gestures can have different meanings in different cultures. _____ ⓐ example, the "OK sign" means "okay" or "all right" in many countries. (①) ⓑThe gesture means something good. (②) It means "money" in some cultures. (③) ⓒThat is also something good. (④) It means there is nothing, _____ ⓓ it is not a very happy gesture. (⑤) When we travel, we should use gestures carefully.

24 위 글의 ①~⑤ 중 다음 주어진 문장이 들어갈 알맞은 곳은?

> The same sign, however, means "O" in France.

①　　　②　　　③　　　④　　　⑤

25 위 글의 빈칸 ⓐ에 알맞은 것은?

① To　　　　　　② For
③ In　　　　　　④ From
⑤ With

서답형

26 위 글의 밑줄 친 ⓑ를 우리말로 옮기시오.

➡ _____

서답형

27 위 글의 밑줄 친 ⓒ가 가리키는 것을 영어로 쓰시오.

➡ _____

28 위 글의 빈칸 ⓓ에 알맞은 것은?

① so　　　　　　② or
③ but　　　　　　④ for
⑤ when

29 위 글의 요지로 가장 알맞은 것은?

① 제스처는 사용되는 문화에 따라 여러 의미가 있다.
② OK 사인은 보통 좋다는 것을 의미한다.
③ OK 사인은 어떤 문화들에서는 돈을 의미한다.
④ OK 사인은 프랑스에서는 제로를 의미한다.
⑤ 우리는 여행할 때 제스처를 주의 깊게 사용해야 한다.

[01~04] 다음 글을 읽고, 물음에 답하시오.

Jaden's family is in Florence, Italy. They are visiting Ms. Gambini, his mother's friend. ⓐ Today his parents are going to museums, but Jaden wants to stay behind. He thinks the translation app on his phone will help him communicate.

His ___ⓑ___ growls, so he enters the kitchen. When Ms. Gambini sees Jaden, she says "Buon giorno. Vuoi un pezzo di pane e un bicchiere di latte?" ⓒJaden does not know how to respond. Then the app says, "Good morning. Would you like a piece of bread and a glass of milk?" Jaden answers, "Yes, please."

01 위 글의 밑줄 친 ⓐ를 우리말로 옮기시오.

➡ _____

_____

02 위 글의 빈칸 ⓑ에 다음 정의에 해당하는 말을 쓰시오.

the organ inside your body where food is digested before it moves into the intestines

➡ _____

03 위 글의 밑줄 친 ⓒ와 같은 뜻이 되도록 빈칸에 알맞은 말을 쓰시오.

Jaden does not know _____ he _____ respond.

04 What does Jaden think will help him communicate? Answer in Korean.

➡ _____

_____

[05~07] 다음 글을 읽고, 물음에 답하시오.

ⓐThere is a knock on the door, and a woman whom Ms. Gambini invited walks in. The two women begin ⓑspeak Italian very fast. So the translator does not understand.

Jaden turns off the phone and leaves it on the table. He goes out to enjoy the sunny morning. He follows a thumping sound and finds a girl ⓒwho is kicking a soccer ball against a wall. She turns to him and says, "Buon giorno."

05 위 글의 밑줄 친 ⓐ와 같은 뜻이 되도록 다음 문장의 빈칸에 알맞은 말을 쓰시오.

Someone _____ _____ the door

06 위 글의 밑줄 친 ⓑ를 알맞은 형으로 고치시오.

➡ _____

07 위 글의 밑줄 친 ⓒ 대신 쓸 수 있는 말을 쓰시오.

➡ _____

[08~12] 다음 글을 읽고, 물음에 답하시오.

ⓐHis phone is in the kitchen, so Jaden does not know what to say. He just repeats the words ⓑthat the girl said, "Buon giorno." The girl kicks the ball to him. Jaden needs no translator for that. ____ⓒ____ a while, the two play with the ball. Finally, the girl points at herself and says, "Mi chiamo Rosabella." "My name is Jaden," he responds.

Suddenly Rosabella says, "Arrive l'autobus." ⓓJaden은 bus와 arrive처럼 들리는 단어들을 이해한다. Sure enough, a bus appears.

08 위 글의 밑줄 친 ⓐ를 우리말로 옮기시오.

➡ _____

_____

09 위 글의 밑줄 친 ⓑ 대신 쓸 수 있는 말을 쓰시오.

➡ _____

10 위 글의 빈칸 ⓒ에 알맞은 말을 쓰시오.

➡ _____

11 위 글의 밑줄 친 ⓓ를 주어진 단어를 이용해서 영어로 옮기시오.

(words, that, sound)

➡ _____

_____

12 Why doesn't Jaden need a translator?

➡ _____

[13~16] 다음 글을 읽고, 물음에 답하시오.

Kids ____ⓐ____ soccer uniforms shout from the windows, "Ciao, Rosabella!" As Rosabella ____ⓑ____ onto the bus, Jaden says, "Good luck." She does not understand. So Jaden thinks and says, "Buon, buon ...." ⓒ그는 그녀가 손에 들고 있는 축구공을 가리킨다.

Rosabella shouts, "Fortuna! Buona fortuna!" Fortuna sounds ____ⓓ____ fortune. "Buona fortuna!" he shouts. Rosabella and her friends shout back, "Molte grazie!" The bus rolls away.

13 위 글의 빈칸 ⓐ에 알맞은 전치사를 쓰시오.

➡ _____

14 위 글의 빈칸 ⓑ에 다음 정의에 해당하는 말을 쓰시오. (필요하면 어형을 바꿀 것.)

to put your foot on something or move your foot in a particular direction

➡ _____

15 위 글의 밑줄 친 ⓒ를 주어진 단어를 이용해서 영어로 옮기시오.

(point to, that, hold)

➡ _____

_____

16 위 글의 빈칸 ⓓ에 알맞은 말을 쓰시오.

➡ _____

교과서

구석구석

My Writing Portfolio - Step 1

Our Travel App

"The name of our app is *Enjoy Paris*. It focuses on what to see in Paris. It
~~~~~~~~~~~~~~~~~~~~~~~ = our app　　　what to+동사원형: 무엇을 ~할지
gives information on opening hours and admission fees of museums and
정보를 제공하다　　　　　 개장 시간　　　　　　　 입장료
theaters. It also tells you how to get there. Our app will be useful for travelers.
　　　　　　　　　　　　 how to+동사원형: ~하는 방법　= to museums and theaters　~에 유용하다

구문해설 ・travel: 여행　・app: 앱, 어플리케이션　・focus on: ~에 초점을 맞추다
・museum: 박물관　・theater: 극장　・traveler: 여행객

Wrap Up - Reading

Gestures can have different meanings in different cultures. For example, the
　　　　　　　　　　　　　　　　　　 다른 문화에서　　 예를 들면(= For instance)
"OK sign" means "okay" or "all right" in many countries. The gesture means
　　　　　　　　　　　　 괜찮다
something good. It means "money" in some cultures. That is also something
something+형용사　　 = the OK sign
good. The same sign, however, means "O" in France. It means there is nothing,
　　　　　　　　　 그러나
so it is not a very happy gesture. When we travel, we should use gestures
그래서　　　　　　　　　　　　　　　　 접 ~할 때　　　　　 ~해야 한다
carefully.

구문해설 ・gesture: 제스처, 몸짓　・different 다른　・meaning: 의미　・mean: 의미하다
・travel: 여행하다　・use: 사용하다　・carefully: 신중하게

Reading for Fun 1

A Different Day　색다른 하루

"Same, same–　　　 "같아, 같아–
SAME," I say.　　　똑같아" 나는 말한다.
Today I want a　　　오늘 나는
Different Day!　　　색다른 하루를 원해!

Walking–NO!　　　걸어가는 것.–아니야!
I jump and run.　　 나는 뛰고 달린다.
Bag on my head,　　가방을 머리에 이고.
I have some fun.　　난 즐겁다.

Notes in blue?　　　파란색으로 필기?
No, no–PINK!　　　아니지, 아니야–분홍색
　　　　　　　　　으로!
Hello in Spanish,　안녕은 스페인어로
Is "Hola," I think.　"Hola." 나는 그렇게 생각해.

Different snack,　　 색다른 간식
Old friends and new.　오랜 친구들과 새로 사귄
　　　　　　　　　친구들
We laugh and ask,　우리는 웃으며 묻는다.
"What shall we do?"　"우리 무얼 할까?"

"Throw a ball?　　　"공을 던질까?
play a game?"　　　놀이를 할까?"
I'm tired but happy,　나는 피곤하지만 행복해.
It's not the same.　　똑같지가 않아.

"Fun, fun–　　　　"재미있어, 재미있어–
FUN," I say.　　　 진짜 재미있어," 나는 말한다.
Today I had an　　　오늘 나는
exciting day!　　　 신나는 하루를 보냈어!

해석

우리의 여행 앱

우리 앱의 이름은 "파리를 즐겨라"이다. 그것은 파리에서 무엇을 볼 것인가에 초점을 맞추고 있다. 그것은 박물관과 극장의 개장 시간과 입장료에 대한 정보를 제공한다. 그것은 또한 그곳에 가는 방법을 알려준다. 우리 앱은 여행객들에게 유용할 것이다.

제스처는 다른 문화에서 다른 의미를 가질 수 있다. 예를 들어, 'OK 사인'은 많은 나라에서 '좋다' 또는 '괜찮다'를 의미한다. 그 제스처는 좋은 것을 의미한다. 그것은 어떤 문화에서는 '돈'을 의미한다. 그것 또한 좋은 것이다. 그러나 같은 사인이 프랑스에서는 '제로'를 의미한다. 그것은 아무것도 없다는 것을 의미하기 때문에, 별로 행복한 제스처가 아니다. 우리는 여행할 때, 신중하게 제스처를 사용해야 한다.

---

92 Lesson 2. Connecting with the World

영역별 핵심문제

Words & Expressions

01 다음 두 단어의 관계가 같도록 빈칸에 알맞은 말을 쓰시오.

France : French = Turkey : _____

02 다음 중 짝지어진 단어의 관계가 나머지 넷과 <u>다른</u> 것은?

① wrong – right
② delicious – tasty
③ appear – disappear
④ forget – remember
⑤ important – unimportant

03 다음 우리말과 같도록 빈칸에 알맞은 말을 쓰시오.

예를 들면, 나는 사과, 포도 그리고 딸기를 좋아한다.
➡ _____ _____, I like apples, grapes and strawberries.

04 다음 중 영영풀이가 <u>잘못된</u> 것은?

① repeat: to say something again
② mean: to have a particular meaning
③ kick: to hit something with your foot
④ save: to use more of something than is necessary
⑤ enough: as many or as much as someone needs or wants

05 다음 우리말과 같도록 빈칸에 알맞은 말을 쓰시오.

스페인어는 이 나라의 공용어이다.
➡ Spanish is the _____ _____ of the country.

06 다음 빈칸에 공통으로 알맞은 것은?

• The movie will start _____ half an hour.
• As the door was open, Jenny walked _____.

① at   ② in
③ on   ④ for
⑤ after

07 다음 영영풀이에 해당하는 단어를 주어진 철자로 시작하여 쓰시오.

words that have been changed from one language into a different language

➡ t_____

Conversation

08 다음 대화의 밑줄 친 부분과 바꾸어 쓸 수 있는 것은?

A: <u>Would you like some more cake?</u>
B: Yes, please.

① Can you make the cake?
② Can you put this cake on the plate?
③ Did you eat the cake?
④ How about having some more cake?
⑤ Why don't you make the cake?

09 다음 대화의 빈칸에 알맞은 것은?

A: She's a busy bee.
B: What do you mean by that?
A: _____

① She's very beautiful.
② She's a busy worker.
③ She likes bees very much.
④ She knows about everything.
⑤ She paid too much money for it.

10 다음 대화의 순서를 바르게 배열하시오.

(A) How do you like it?
(B) Yes, please.
(C) Oh, it's delicious.
(D) Would you like some *bibimbap*?

➡ _____

11 다음 대화의 빈칸에 공통으로 알맞은 것은?

A: What does it _____ by "A.S.A.P" at the end of the invitation card?
B: It _____s "as soon as possible."

① put   ② follow
③ mean   ④ repeat
⑤ understand

12 다음 질문의 응답 중 의도가 나머지와 다른 것은?

Would you like to have some cake?

① No, thank you.
② I'm not hungry.
③ I've had enough.
④ Thanks, it looks delicious.
⑤ I'd love to, but I'm full.

[13~17] 다음 대화를 읽고, 물음에 답하시오.

G: Hurry ____ⓐ____, everyone. Hit the road!
B: I'm sorry, but _____ⓑ_____?
G: I mean it's time to start moving.
B: ____ⓒ____, "ⓓIt's time to go"?
G: Yes.
B: Great! ⓔLet's hit the road.

13 위 대화의 빈칸 ⓐ에 알맞은 단어를 쓰시오.

➡ _____

14 위 대화의 빈칸 ⓑ에 알맞은 것은?

① you know what
② do you understand
③ what does it like
④ can you guess what it is
⑤ what do you mean by that

15 위 대화의 빈칸 ⓒ에 알맞은 것은?

① By   ② With
③ From   ④ Like
⑤ Through

16 위 대화의 밑줄 친 ⓓ와 쓰임이 다른 것은?

① It is dark outside.
② It rains a lot in summer.
③ It is two o'clock now.
④ How far is it from here to the subway station?
⑤ I cleaned the room, but it is a mess again.

17 위 대화의 밑줄 친 ⓔ를 우리말로 쓰시오.

➡ _____

Grammar

[18~19] 다음 문장의 빈칸에 알맞은 것을 고르시오.

18
This is the ring _____ my best friend Yujin gave me.

① who ② how
③ what ④ which
⑤ where

19
You'll never forget how _____ a bicycle once you have learned.

① ride ② to ride
③ riding ④ to riding
⑤ about riding

20 다음 두 문장을 한 문장으로 만들 때 빈칸에 알맞은 말을 쓰시오.

You are the only friend. I can tell you a secret.
➡ You are the only friend to _____ I can tell a secret.

[21~22] 다음 중 어법상 어색한 문장을 고르시오.

21
① Can you tell me when to get up?
② They told me where to go.
③ Jack decided what to eat in the morning.
④ Will you tell me who to invite Jack?
⑤ I learned how to make lemonade.

22
① The woman with whom I went there is my aunt.
② The man with whom she is talking is Mr. Allen.
③ I have no friends with whom I can talk about it.
④ The people whom I work are all very kind.
⑤ Those whom he lived with respected him.

23 다음 두 문장의 뜻이 같도록 빈칸에 알맞은 말을 쓰시오.

We could not agree as to where we should go.
= We could not agree as to _____ _____ _____.

24 다음 〈보기〉의 밑줄 친 부분과 쓰임이 다른 하나는?

보기
Do you know the boy that you saw at the library?

① Meryl Streep is a famous actress that I like a lot.
② He is the smartest boy that I've ever met.
③ The tomato pasta that we ate for lunch was a little spicy.
④ I thought that I had to finish my homework.
⑤ The pants that I'm wearing are very comfortable.

25 다음 우리말을 영어로 옮길 때 빈칸에 알맞은 말을 쓰시오.

> 내 여동생은 자신의 머리를 갈색으로 염색할 것인지 말 것인지를 결정하는 데 어려움을 겪고 있다.
> ➡ My sister is having trouble deciding
> _____ _____ dye her hair brown or not.

26 다음 중 밑줄 친 부분의 쓰임이 바르지 <u>않은</u> 것은?

① I know the girl <u>whom</u> you met at the store.

② The woman <u>whom</u> we saw on the street is a famous singer.

③ This is the house in <u>that</u> she was born.

④ Do you know the doctor <u>who</u> I visited last night?

⑤ I cannot find the watch <u>which</u> I bought last week.

27 다음 중 빈칸에 들어갈 말이 나머지 넷과 <u>다른</u> 것은?

① What _____ learn in youth is very important.

② I want you to decide where _____ go first.

③ We discussed who _____ take the resposibility.

④ She completely forgot how _____ make a paper crane.

⑤ I will tell you what _____ see in London.

[28~31] 다음 글을 읽고, 물음에 답하시오.

Today Jaden's parents are going to museums, but Jaden wants ⓐ<u>to stay</u> behind. He thinks the translation app on his phone will help him ⓑ _____ . ⓒ<u>His stomach growls, so he enters into the kitchen.</u> When Ms. Gambini sees Jaden, she says "Buon giorno. Vuoi un pezzo di pane e un bicchiere di latte?" ⓓ<u>Jaden does not know how to respond.</u>

28 위 글의 밑줄 친 ⓐ와 같은 용법으로 쓰인 것은? (2개)

① We wished <u>to reach</u> the North Pole.

② He made a promise <u>to come</u> again.

③ Kate was excited <u>to see</u> the scenery.

④ The boy grew up <u>to be</u> a poet.

⑤ We decided <u>to go</u> shopping at the mart.

29 위 글의 빈칸 ⓑ에 알맞은 것은? (2개)

① communicate ② communicates

③ communicating ④ to communicate

⑤ to communicating

30 위 글의 밑줄 친 ⓒ에서 어법상 어색한 것을 고쳐 다시 쓰시오.

➡ _____

31 위 글의 밑줄 친 ⓓ와 같은 뜻이 되도록 다음 문장의 빈칸에 알맞은 말을 쓰시오.

> Jaden does not know _____ _____ _____ respond.

[32~34] 다음 글을 읽고, 물음에 답하시오.

April 10

Today I had an ___ⓐ___ for the school radio station. Claire offered me some cookies, ___ⓑ___ I couldn't eat. She said, "ⓒBreak a leg!" and it worked! I passed!

32 위 글의 빈칸 ⓐ에 다음 정의에 해당하는 단어를 쓰시오.

> a short performance given by an actor, dancer, or musician so that a director or conductor can decide if they are good enough to be in a play, film, or orchestra

➡ _____

33 위 글의 빈칸 ⓑ에 알맞은 것은?

① so   ② but
③ for   ④ and
⑤ that

34 위 글의 밑줄 친 ⓒ가 의도하는 것은?

① 칭찬하기   ② 변명하기
③ 비난하기   ④ 기원하기
⑤ 축하하기

[35~39] 다음 글을 읽고, 물음에 답하시오.

Our Travel App

The name of our app is *Enjoy Paris*. ⓐIt focuses on ___ⓑ___ to see in Paris. It gives information on opening hours and ___ⓒ___ fees of museums and theaters. It also tells you how to get there. Our app will be ⓓuse for travelers.

35 위 글의 밑줄 친 ⓐ가 가리키는 것을 영어로 쓰시오.

➡ _____

36 위 글의 빈칸 ⓑ에 알맞은 것은?

① how   ② who
③ what   ④ where
⑤ which

37 위 글의 빈칸 ⓒ에 다음 정의에 해당하는 단어를 쓰시오.

> the act of entering a place

➡ _____

38 위 글의 밑줄 친 ⓓ를 알맞은 형으로 옮기시오.

➡ _____

39 위 글의 내용과 일치하지 <u>않는</u> 것은?

① 우리 앱의 이름은 '파리를 즐겨라'이다.
② 우리의 앱은 파리의 볼 장소들에 대한 정보를 알려준다.
③ 우리의 앱을 이용하면 파리의 박물관들과 극장의 개관 시간을 알 수 있다.
④ 우리의 앱은 파리의 박물관들과 극장에 가는 방법을 알려준다.
⑤ 우리의 앱은 주로 파리 시민들이 많이 이용한다.

01 출제율 95%

다음 중 단어의 성격이 나머지와 다른 것은?

① Thai ② Russian
③ Spanish ④ Germany
⑤ Portuguese

02 출제율 85%

다음 우리말과 같도록 할 때 빈칸에 알맞은 것은?

그들은 기차에 올라타고 있다.
➡ They are stepping _____ the train.

① in ② to
③ up ④ at
⑤ onto

03 출제율 90%

다음 영영풀이에 해당하는 단어로 알맞은 것은?

to have the intended effect or result

① need ② work
③ hold ④ change
⑤ match

04 출제율 100%

다음 빈칸에 공통으로 알맞은 단어를 쓰시오. (대·소문자 무시)

• I need to relax _____ a while.
• _____ example, people like to talk about the leisure time.

➡ _____

05 출제율 95%

다음 빈칸에 들어갈 말로 적절하지 않은 것은?

• Let's _____ the road.
• I know how to _____ there.
• What do you _____ by that?
• The boy is kicking a ball _____ a wall.

① get ② hit
③ mean ④ against
⑤ understand

06 출제율 90%

다음 대화의 밑줄 친 말의 문맥상 의미로 알맞은 것은?

A: I will buy this cell phone. It's a steal.
B: What do you mean by that?
A: It's very cheap.

① 그것은 훔친 거야.
② 그것은 불량품이야.
③ 그것은 너무 비싸.
④ 그것은 최신형이야.
⑤ 그것은 공짜나 다름없어.

07 출제율 85%

다음 대화의 빈칸에 들어갈 말로 알맞지 않은 것은?

A: Would you like some *bibimbap*?
B: _____

① No, thanks. I'm full.
② No, thanks. I'll try some *bibimbap*.
③ No, thank you. I had enough.
④ Yes, please. It smells nice.
⑤ Yes, please. It looks wonderful.

[08~12] 다음 대화를 읽고, 물음에 답하시오.

> B: It smells nice. What are you cooking, Uncle Abbas?
> M: I'm making kebab.
> B: Kebab? What is it?
> M: It's a traditional Turkish food. We have small pieces of meat and vegetables on a stick.
> B: Oh, it sounds delicious.
> M: ⓐWould you like some?
> B: Sure. _____ⓑ_____
> M: ⓒ여기 있어.
> B: It tastes great. You should open your own restaurant!
> M: Thanks. I'm glad you like it.

08 위 대화의 밑줄 친 ⓐ를 다음과 같이 바꿔 쓸 때 빈칸에 알맞은 말을 쓰시오.

_____ _____ you have some?

09 위 대화의 빈칸 ⓑ에 알맞은 것은?

① I'm full. ② I had enough.
③ I'm not hungry ④ I don't like kebab.
⑤ I'd love some.

10 위 대화의 밑줄 친 ⓒ의 우리말을 세 단어로 쓰시오.

➡ _____

11 위 대화에서 다음 영영풀이에 해당하는 단어를 찾아 쓰시오

> being part of the beliefs, customs, or way of life of a particular group of people, that have not changed for a long time

➡ _____

12 위 대화를 통해 알 수 있는 것은?

① Uncle Abbas lives in Turkey.
② The boy likes Turkish food a lot.
③ The boy has never eaten kebab before.
④ The boy loves Turkey.
⑤ Uncle Abbas hopes to run a restaurant.

13 다음 빈칸에 공통으로 알맞은 말은?

> • I like the doll _____ my mom made.
> • Do you know the man _____ Jane wants to meet?

① how ② who
③ whom ④ which
⑤ that

14 다음 문장에서 어법상 어색한 것을 고치시오.

> When you read, you will often find words you don't know them.

_____ ➡ _____

15 다음 중 어법상 어색한 문장은?

① Does she know when to start?
② I don't know how use this camera.
③ We don't know which bus to get on.
④ They had no idea where to go.
⑤ I'm wondering what to buy for my mother's birthday.

단원별 예상문제 **99**

출제율 95%

16 다음 중 밑줄 친 관계대명사가 잘못 쓰인 것은?

① Jack needs a car which he can drive.
② I need a man that can speak English.
③ I know the girl which you are looking for.
④ This is the book which I bought two days ago.
⑤ They saw the old man and his dog that were running in the park.

출제율 85%

17 다음 우리말을 영어로 바르게 옮긴 것은?

> 나는 내 남동생에게 중국어 읽는 법을 가르쳤다.

① I taught my brother how to read Chinese.
② I taught my brother where to read Chinese.
③ I taught my brother why to read Chinese.
④ I taught my brother what to read Chinese.
⑤ I taught my brother how he can read Chinese.

출제율 90%

18 다음 문장의 밑줄 친 부분 중 생략할 수 없는 것은?

① This is the story that Kevin wrote.
② The dress which she is wearing is pink.
③ This is the table which his father made.
④ The man whom I saw yesterday was Mr. Brown.
⑤ The man who lives in Seoul will come tomorrow.

[19~23] 다음 글을 읽고, 물음에 답하시오.

> Jaden does not know how to respond. Then the app says, "Good morning. Would you like a ⓐ of bread and a ⓑ of milk?" Jaden answers, "Yes, please."
> ⓒ누군가 문을 노크한다, and a woman ⓓ Ms. Gambini invited walks in. The two women begin ⓔspeak Italian very fast. So the translator does not understand.

출제율 95%

19 위 글의 빈칸 ⓐ와 ⓑ에 알맞은 말이 바르게 짝지어진 것은? (2개)

① piece – glass   ② piece – cups
③ pair – cup   ④ pair – glasses
⑤ slice – glass

출제율 85%

20 위 글의 밑줄 친 ⓒ를 주어진 말을 이용해 영어로 옮기시오.

> (there, knock, on)

➡ _____

출제율 95%

21 위 글의 빈칸 ⓓ에 알맞지 않은 것은? (2개)

① who   ② what
③ that   ④ which
⑤ whom

출제율 100%

22 위 글의 밑줄 친 ⓔ를 알맞은 형으로 고치시오.

➡ _____

출제율 90%

23 위 글의 내용으로 보아 대답할 수 <u>없는</u> 질문은?

① Why doesn't Jaden know how to respond?

② What helps Jaden respond?

③ Who knocks on the door?

④ Who is the woman Ms. Gambini invited?

⑤ Why doesn't the translator understand?

[24~29] 다음 글을 읽고, 물음에 답하시오.

Jaden turns ____ⓐ____ the phone and leaves it on the table. He goes out to enjoy the sunny morning. He follows a thumping sound and finds a girl ⓑ<u>who</u> is kicking a soccer ball against a wall. She turns to him and says, "Buon giorno."

(①) ⓒ<u>His phone is in the kitchen, so Jaden does not know what to say.</u> (②) He just repeats the words that the girl said, "Buon giorno." (③) Jaden needs no translator for that. (④) For a while, the two play with the ball. (⑤) ⓓ<u>Finally, the girl points at her and says</u>, "Mi chiamo Rosabella." "My name is Jaden," he responds.

출제율 90%

24 위 글의 ①~⑤ 중 다음 주어진 문장이 들어갈 알맞은 곳은?

> The girl kicks the ball to him.

①   ②   ③   ④   ⑤

출제율 100%

25 위 글의 빈칸 ⓐ에 알맞은 말을 쓰시오.

➡ _____

출제율 95%

26 위 글의 밑줄 친 ⓑ 대신 쓸 수 있는 것을 쓰시오.

➡ _____

출제율 90%

27 위 글의 밑줄 친 ⓒ와 같은 뜻이 되도록 바꿔 쓸 때 빈칸에 알맞은 것으로 짝지어진 것은?

> Jaden does not know what he _____ say _____ his phone is in the kitchen.

① would – for   ② would – as

③ might – because   ④ should – though

⑤ should – because

출제율 100%

28 위 글의 밑줄 친 ⓓ에서 어법상 어색한 것을 고치시오.

_____ ➡ _____

출제율 90%

29 위 글의 내용과 일치하지 <u>않는</u> 것은?

① Jaden은 전화기를 테이블에 놓는다.

② Jaden은 화창한 아침을 즐기기를 원한다.

③ Jaden은 벽에 축구공을 차고 있는 소녀를 발견한다.

④ Jaden은 소녀와 대화하기 위해 번역 앱이 필요하다.

⑤ 소녀와 Jaden은 서로의 이름을 말한다.

01 다음 주어진 단어를 바르게 배열하시오.

> A: Bonjour.
> B: (that / does / what / mean / ?)
> A: It's means "Hello," in French.

➡ _____

02 다음 밑줄 친 부분과 바꿔 쓸 수 있는 표현을 두 가지 이상 쓰시오.

> A: <u>Do you want some juice?</u>
> B: No, thanks. I'm full.

➡ _____

_____

03 다음 대화의 빈칸에 알맞은 말을 넣어 대화를 완성하시오.

> A: Hurry up, everyone. Hit the road!
> B: _____
> A: It means it's time to start moving.

➡ _____

_____

04 다음 대화의 밑줄 친 우리말을 영어로 옮길 때 빈칸에 알맞은 말을 쓰시오.

> A: What is "Hello," in Spanish?
> B: It is "Hola." <u>독일어로 "고맙습니다,"를 어떻게 말하니?</u>
> A: "Danke."

____ ____ ____ ____

"Thank you," in German?

05 다음 괄호 안에 주어진 단어를 배열하여 문장을 완성하시오.

(1) Mr. Brown is a teacher (everyone, class, my, whom, in) respects.
➡ Mr. Brown is a teacher _____
_____ respects.

(2) The movie (I, to, watch, want, which) is *Shrek*.
➡ The movie _____ is *Shrek*.

06 다음 〈조건〉에 맞게 괄호 안의 단어를 이용하여 우리말을 영어로 옮기시오.

> ┤ 조건 ├
> 1. 주어진 단어를 모두 이용할 것.
> 2. 필요시 어형을 바꾸거나 단어를 추가할 것.
> 3. '의문사+to부정사'를 이용할 것.
> 4. 대·소문자 및 구두점에 유의할 것.

(1) 나는 어느 것을 골라야 할지 결정할 수 없었다. (make / which / mind / choose / can / my / up)
➡ _____

(2) 그는 언제 공부하고 언제 놀아야 할지 알지 못한다. (when / play / and / he / know / does / study)
➡ _____

_____

07 다음 문장에서 어법상 어색한 부분을 찾아 바르게 고쳐 쓰시오.

> I have a pen what my father gave me.

_____ ➡ _____

08 다음 〈보기〉에서 알맞은 것을 골라 문장을 완성하시오.

┌─ 보기 ─┐
when   what   where

(1) Birds know _____ to fly without a compass.
(2) I don't know _____ to go. Should I go now, or in two hours?
(3) The problem is _____ to do first.

[09~13] 다음 글을 읽고, 물음에 답하시오.

ⓐSudden Rosabella says, "Arrive l'autobus." Jaden understands the words ⓑ sound like *bus* and *arrive*. Sure enough, a bus appears. Kids ⓒ soccer uniforms shout from the windows, "Ciao, Rosabella!" As Rosabella steps onto the bus, Jaden says, "Good luck." She does not ⓓ . So Jaden thinks and says, "Buon, buon ...." He points to the soccer ball that she is holding in her hand.

09 위 글의 밑줄 친 ⓐ를 알맞은 형으로 고치시오.

➡ _____

중요
10 위 글의 빈칸 ⓑ에 알맞은 말을 쓰시오.

➡ _____

11 위 글의 빈칸 ⓒ에 알맞은 전치사를 쓰시오.

➡ _____

12 위 글의 빈칸 ⓓ에 다음 정의에 해당하는 말을 쓰시오.

to know what someone means

➡ _____

13 What is Rosabella holding in her hand? Answer in English.

➡ _____

[14~16] 다음 글을 읽고, 물음에 답하시오.

Rosabella shouts, "Fortuna! Buona fortuna!" Fortuna sounds ⓐ *fortune.* "Buona fortuna!" he shouts. Rosabella and her friends shout back, "Molte grazie!" The bus rolls away.
Jaden goes back ⓑ the kitchen. He says into the translation app, "Learning from people is more fun. Can you teach me some Italian, Ms. Gambini?"
Ms. Gambini says, "Si," and laughs.

중요
14 위 글의 빈칸 ⓐ에 알맞은 말을 쓰시오.

➡ _____

15 위 글의 빈칸 ⓑ에 알맞은 말을 쓰시오.

➡ _____

16 What can Ms. Gambini teach to Jaden? Answer in English.

➡ _____

창의사고력 서술형 문제

01 다음 대화문을 읽고, 여행 앱을 소개하는 글을 완성하시오.

> G: Look. The name of our app is *Enjoy Paris*!
> B: Enjoy Paris? Sounds interesting!
> G: This app focuses on what to see in Paris.
> B: Does it give information on famous museums and theaters?
> G: Yes. You can find out about opening hours and admission fees.
> B: Fantastic.
> G: It also tells you how to get there.
> B: Oh, I'll download it right now!
> G: I'm sure you'll like it.

> The name of our app is _____. It focuses on _____ in Paris. It gives information on _____ and _____ of museums and theaters. It also tells you _____ there. Our app will be useful for travelers.

02 「의문사+to부정사」 구문을 이용하여 〈보기〉와 같이 자신의 입장에서 문장을 만드시오.

┌─── 보기 ───┐
I know how to swim.

(1) _____
(2) _____
(3) _____
(4) _____

03 다음 빈칸에 자신이 원하는 것을 써 넣은 후, 문장을 완성하시오.

> • 사고 싶은 것: _____   • 보고 싶은 영화: _____
> • 먹고 싶은 음식: _____   • 만나고 싶은 사람: _____

(1) The thing that I want to buy is _____.
(2) The movie that I _____.
(3) The food _____.
(4) The person who(m) _____.

단원별 모의고사

01 다음 짝지어진 단어의 관계가 같도록 빈칸에 알맞은 단어를 쓰시오.

important : unimportant
= appear : _____

02 다음 영영풀이에 해당하는 단어로 알맞은 것은?

an object or structure on land that is easy to see and recognize

① admission　　② building
③ department　　④ landmark
⑤ information

03 다음 빈칸에 공통으로 알맞은 것은?

• The computer still doesn't _____.
• She said, "Good luck!" and it _____ed.

① need　　② turn
③ pass　　④ work
⑤ follow

04 다음 영영풀이에 해당하는 단어를 주어진 철자로 시작하여 쓰시오.

to make your ideas, feelings, thoughts, etc. known to other people so that they understand them

➡ c_____

05 다음 중 밑줄 친 부분의 뜻풀이가 잘못된 것은?

① He is going to step onto a bus.
　　～쪽으로 걸어가다
② The concert starts in half an hour.
　　　　30분 후에
③ You'd better hurry up and decide.
　　　　　서두르다
④ The woman is pointing to the man.
　　　　～을 가리키다
⑤ Go outside and look around the city.
　　　　　～을 둘러보다

06 다음 짝지어진 대화 중 어색한 것은?

① A: Do you want some hamburgers?
　 B: Yes, please. I love them.
② A: What is "Hello," in Spanish?
　 B: It is "Hola."
③ A: Would you like some cheese?
　 B: No, I'm on a diet.
④ A: What's "끝" in English, Minsu?
　 B: It means no more; it's the end.
⑤ A: What would you like to eat?
　 B: I ate some pizza.

07 다음 대화의 순서를 바르게 배열한 것은?

(A) Hey, Kate, would you like to have some rice cake?
(B) Yes, thank you.
(C) Yes, please. Oh! It's delicious.
(D) Would you like some more?

① (A) – (C) – (D) – (B)
② (A) – (D) – (B) – (C)
③ (C) – (D) – (A) – (B)
④ (D) – (C) – (A) – (B)
⑤ (D) – (B) – (A) – (C)

[08~11] 다음 대화를 읽고, 물음에 답하시오.

> W: What are you going to do today, Kevin?
> B: I'm going to look ____ⓐ____ the city.
> W: Do you know ____ⓑ____ to find your way?
> B: Sure. I have a map on my phone!
> W: Okay. Try to remember landmarks, (A)[too / either].
> B: I'm sorry, but ____ⓒ____ do you mean by "landmarks"?
> W: I mean ____ⓓ____.
> B: All right. I will try to remember the places (B)[what / that] I see.

08 위 대화의 빈칸 ⓐ에 '~을 둘러보다'라는 의미가 되도록 빈칸에 알맞은 말을 쓰시오.

➡ _____

09 위 대화의 빈칸 ⓑ와 ⓒ에 알맞은 말이 바르게 짝지어진 것은?

① when – how
② how – why
③ where – what
④ what – why
⑤ how – what

10 위 대화의 빈칸 ⓓ에 들어갈 말로 가장 적절한 것은?

① pictures or charts
② houses in the country
③ interesting and valuable things
④ an opinion or way of thinking
⑤ important places or special buildings

11 위 대화의 괄호 (A)와 (B)에서 알맞은 것을 골라 쓰시오

(A) _____ (B) _____

12 다음 빈칸에 공통으로 알맞은 것은?

> • My dad bought me a bag _____ was black.
> • I know the man _____ you are looking for.

① how
② who
③ that
④ whom
⑤ which

13 다음 중 밑줄 친 부분이 어색한 것은?

① Can you show me how to cook it?
② I didn't know what to wear.
③ They decided where to go first.
④ Jack explained them how to make next.
⑤ She told me when to start the work.

14 다음 중 밑줄 친 that의 쓰임이 나머지와 다른 하나는?

① He is the man that I can trust.
② That is the dog that I really love.
③ I know the man that is singing a song.
④ I like the car that you bought yesterday.
⑤ She is wearing a sweater that she bought yesterday.

15 다음 두 문장의 뜻이 같도록 빈칸에 알맞은 말을 쓰시오.

> I want to learn cooking.
> = I want to learn _____ _____ _____.

16 다음 문장의 빈칸에 알맞은 것은? (2개)

> Javalon's father got a new job in Korea, so his family moved to Seoul three months ago. Let's look at the writings _____ Javalon posted on his blog.

① who   ② whom

③ what   ④ that

⑤ which

17 다음 중 빈칸에 들어갈 말이 나머지와 다른 하나는?

① Can you tell me what _____ buy at the mall?

② They didn't know where _____ go.

③ Let me know how _____ cook *bulgogi*.

④ He is _____ short to touch the ceiling.

⑤ I can't decide what _____ wear today.

18 다음 중 어법상 알맞지 않은 문장은?

① It is the same shirt that Tom has.

② I know a girl whom name is Nancy.

③ This is the bicycle that I lost yesterday.

④ She bought a bag that I really wanted to have.

⑤ He is the man who likes playing baseball.

19 다음 밑줄 친 부분 중 생략할 수 있는 것은?

① I know a boy <u>whose</u> name is Mark.

② He bought me a bag <u>which</u> was red.

③ I don't like the boy <u>who</u> makes a noise.

④ The cake <u>that</u> he baked was very nice.

⑤ Do you know the man <u>who</u> is playing with a ball?

20 다음 문장에서 어색한 곳을 찾아 바르게 고쳐 쓰시오.

> That is the most interesting movie which I have ever seen.

_____ ➡ _____

[21~25] 다음 글을 읽고, 물음에 답하시오.

(①) There is a knock on the door, and a woman ⓐ<u>whom</u> Ms. Gambini invited walks in. (②) The two women begin speaking Italian very fast. (③)

Jaden turns off the phone and leaves it on the table. (④) He goes out to enjoy the ⓑ<u>sun</u> morning. (⑤) He follows a thumping sound and finds a girl ___ⓒ___ is kicking a soccer ball against a wall. She turns to him and says, "Buon giorno."

21 위 글의 ①~⑤ 중 다음 주어진 문장이 들어갈 알맞은 곳은?

> So the translator does not understand.

①   ②   ③   ④   ⑤

22 위 글의 밑줄 친 ⓐ 대신 쓸 수 있는 것은? (2개)

① who   ② what

③ which   ④ that

⑤ whose

23 위 글의 밑줄 친 ⓑ를 알맞은 형으로 고치시오.

➡ _____

24 위 글의 빈칸 ⓒ에 알맞은 것은? (2개)

① who   ② what
③ which   ④ that
⑤ whose

25 위 글의 내용으로 보아 대답할 수 <u>없는</u> 질문은?

① Who is knocking on the door?
② Whom did Ms. Gambini invite?
③ What language does the two women begin speaking?
④ Why does Jaden go out?
⑤ Who is the girl kicking a soccer ball against a wall?

27 위 글의 빈칸 ⓐ에 알맞은 것은?

① At   ② On
③ To   ④ For
⑤ With

28 위 글의 빈칸 ⓑ와 ⓒ에 알맞은 것으로 짝지어진 것은?

① for – If   ② or – If
③ so – When   ④ so – Though
⑤ for – When

29 위 글의 밑줄 친 ⓓ를 알맞은 형으로 고치시오.

➡ _____

[26~30] 다음 글을 읽고, 물음에 답하시오.

Gestures can have different meanings in different cultures.   ⓐ   example, ①<u>the "OK sign"</u> means "okay" or "all right" in many countries. ②<u>The gesture</u> means something good. ③<u>It</u> means "money" in some cultures. ④<u>That</u> is also something good. ⑤<u>The same sign</u>, however, means "O" in France. It means there is nothing,   ⓑ   it is not a very happy gesture.   ⓒ   we travel, we should use gestures ⓓ<u>care</u>.

30 위 글의 내용과 일치하지 <u>않는</u> 것은?

① 제스처는 문화에 따라 다르다.
② OK 사인은 많은 나라에서 okay를 의미한다.
③ OK 사인은 몇몇 나라에서는 돈을 의미한다.
④ OK 사인은 프랑스에서는 좋은 의미로 쓰인다.
⑤ 외국에 여행할 때는 제스처의 사용에 신중해야 한다.

26 위 글의 밑줄 친 ①~⑤ 중 가리키는 대상이 <u>다른</u> 것은?

①   ②   ③   ④   ⑤

Lesson 3

Healthy Life, Happy Life

 의사소통 기능

- 증상 묻고 답하기
  A: What's wrong with you?
  B: I have a toothache.

- 약속 정하기
  A: Can you make it at three?
  B: That's fine with me.

언어 형식

- 가주어 it
  It is good **to exercise** regularly.

- to부정사의 형용사적 용법
  I need something **to eat** for lunch.

교과서
Words & Expressions

Key Words

☐ **actually**[ǽktʃuəli] 부 실제로, 정말로
☐ **against**[əgénst] 전 ~에 붙여[맞아], ~에 반대하여
☐ **antibody**[ǽntibadi] 명 항체
☐ **appointment**[əpɔ́intmənt] 명 약속
☐ **attack**[ətǽk] 동 공격하다 명 공격
☐ **bacteria**[bæktíəriə] 명 박테리아, 세균
☐ **bad breath** 입 냄새
☐ **balanced**[bǽlənst] 형 균형 잡힌, 안정된
☐ **break**[breik] 동 부러지다
☐ **cell**[sel] 명 세포
☐ **copy**[kápi] 동 복제하다, 복사하다
☐ **creature**[kríːtʃər] 명 생물
☐ **dangerous**[déindʒərəs] 형 위험한 (↔ safe)
☐ **defend**[difénd] 동 방어하다 (↔ attack)
☐ **defense**[diféns] 명 방어
☐ **different**[dífərənt] 형 다른 (↔ same)
☐ **digest**[didʒést] 동 소화하다, 소화시키다
☐ **everywhere**[evriwer] 부 모든 곳, 어디나
☐ **exercise**[éksərsàiz] 동 운동하다
☐ **fever**[fíːvər] 명 열
☐ **finally**[fáinəli] 부 마지막으로, 마침내 (= at last)
☐ **flu**[fluː] 명 독감
☐ **form**[fɔːrm] 명 형태
☐ **germ**[dʒəːrm] 명 세균, 미생물
☐ **happen**[hǽpən] 동 발생하다, 일어나다
☐ **hard**[haːrd] 형 어려운 (↔easy)
☐ **healthy**[hélθi] 형 건강한
☐ **hiccup**[híkʌp] 명 딸꾹질

☐ **hurt**[həːrt] 동 다치게 하다, 아프다
☐ **impossible**[impásəbl] 형 불가능한 (↔ possible)
☐ **invade**[invéid] 동 침입하다
☐ **luckily**[lʌkili] 부 다행히도
☐ **macrophage**[mǽkrəfèidʒ] 명 대식 세포
☐ **major**[méidʒər] 형 주요한, 중대한
☐ **medicine**[medsn] 명 약
☐ **multiply**[mʌltəplài] 동 증식[번식]하다
☐ **necessary**[nésəsèri] 형 필요한
☐ **regularly**[régjulərli] 부 규칙적으로
☐ **remember**[rimémbər] 동 기억하다 (↔ forget)
☐ **scratch**[skrætʃ] 동 긁다, 할퀴다
☐ **several**[sévərəl] 형 몇의
☐ **shot**[ʃot] 명 주사
☐ **skin**[skin] 명 피부
☐ **sore throat** 인후염
☐ **spot**[spat] 명 (특정한) 곳[장소/자리]
☐ **step**[step] 명 단계
☐ **stomachache** 명 위통, 복통
☐ **success**[səksés] 명 성공
☐ **terrible**[térəbl] 형 끔찍한, 소름끼치는
☐ **through**[θruː] 전 ~을 통하여
☐ **trick**[trik] 동 속이다
☐ **victim**[víktim] 명 피해자, 희생자
☐ **virus**[váiərəs] 명 바이러스
☐ **white blood cell** 백혈구
☐ **zone**[zoun] 명 지역

Key Expressions

☐ **at last** 마침내, 드디어
☐ **be famous for** ~으로 유명하다
☐ **be good for** ~에 좋다
☐ **be ready to** ~할 준비가 되어 있다
☐ **be thinking of** ~을 생각하고 있다
☐ **by the way** 그런데
☐ **catch a cold** 감기에 걸리다
☐ **give up** 포기하다

☐ **go well** 잘되어 가다
☐ **in a few days** 며칠 후에
☐ **make it** (모임 등에) 가다[참석하다]
☐ **plenty of** 많은
☐ **protect A from B** A를 B로부터 보호하다
☐ **show up** 나타나다
☐ **such as** ~와 같은
☐ **watch out** 조심하다

Word Power

※ 동사에 **-er**, **-or**을, 명사에 **-ist**를 붙여서 행위자를 나타내는 단어

□ **act** (연기하다) → **actor** (배우)

□ **paint** (그리다) → **painter** (화가)

□ **invent** (발명하다) → **inventor** (발명가)

□ **write** (쓰다) → **writer** (작가)

□ **science** (과학) → **scientist** (과학자)

□ **visit** (방문하다) → **visitor** (방문객)

□ **translate** (번역[통역]하다) → **translator** (번역가, 통역사)

□ **direct** (감독하다) → **director** (감독)

□ **art** (미술, 예술) → **artist** (미술가, 예술가)

□ **cartoon** (만화) → **cartoonist** (만화가)

English Dictionary

□ **appointment** 약속
→ an agreement to meet with someone at a particular time 특정한 때에 어떤 사람을 만나기로 하는 약속

□ **bacteria** 박테리아, 세균
→ any one of a group of very small living things that often cause disease
흔히 질병을 일으키는 아주 작은 생물 무리의 하나

□ **balanced** 균형 잡힌
→ having good or equal amounts of all the necessary parts of something
필요한 요소를 빠짐없이 잘 또는 고르게 갖춘

□ **cell** 세포
→ any one of the very small parts that together form all living things
모든 생물을 구성하는 아주 작은 부분들의 어느 하나

□ **defend** 방어하다
→ to fight in order to keep someone or something safe
누군가 또는 어떤 것을 안전하게 지키기 위해 싸우다

□ **digest** 소화하다, 소화시키다
→ to change food that you have eaten by a biological process into simpler forms that can be used by the body
섭취한 음식물을 신체가 사용할 수 있도록 생리 과정을 거쳐 더 단순한 형태로 변화시키다

□ **flu** 독감
→ an infectious disease like a very bad cold, which causes fever, pains, and weakness
고열, 통증, 약화를 일으키는 매우 심한 감기 같은 전염병

□ **germ** 세균, 미생물
→ a very small living thing that causes disease
병을 일으키는 아주 작은 생물

□ **invade** 침입하다
→ to enter or be in a place where you are not wanted
남이 원하지 않는 곳에 들어가거나 있다

□ **luckily** 다행히도
→ used to say that something good or lucky has happened
좋은 일이나 다행스러운 일이 일어났다고 말할 때 사용되는

□ **major** 주요한, 중대한
→ very important
매우 중요한

□ **multiply** 증식[번식]하다
→ to increase in number by reproducing
번식해서 수가 증가하다

□ **scratch** 긁다
→ to rub your skin with your fingernails because it feels uncomfortable
불편해서 손톱 같은 날카로운 것으로 피부를 긁다

□ **shot** 주사
→ an act of putting something such as medicine or vaccine into the body with a needle
약이나 백신 같은 어떤 것을 바늘로 몸 안에 주입하는 일

□ **success** 성공
→ the fact of getting or achieving wealth, respect, or fame
부, 존경 또는 명성을 얻거나 달성함

□ **victim** 피해자, 희생자
→ a person who has been attacked, injured, robbed, or killed by someone else
다른 누군가에게 공격받거나 다치거나 강탈당하거나 죽임을 당한 사람

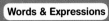

01 다음 중 단어의 성격이 다른 하나는?

① writer
② danger
③ traveler
④ director
⑤ invader

 중요

02 다음 빈칸에 알맞은 말이 바르게 짝지어진 것은?

- Mary didn't show _____ for the meeting yesterday.
- Eating too many snacks is not good _____ your health.

① into – at
② up – for
③ on – in
④ out – with
⑤ off – over

중요

03 다음 영영풀이에 해당하는 단어로 알맞은 것은?

to increase in number by reproducing

① defend
② scratch
③ invade
④ multiply
⑤ protect

서답형

04 다음 짝지어진 단어의 관계가 같도록 빈칸에 알맞은 말을 쓰시오.

hard : easy = defend : _____

05 다음 우리말에 맞게 빈칸에 알맞은 것은?

너는 다음 월요일에 참석할 수 있니?
➡ Can you _____ it next Monday?

① do
② take
③ get
④ have
⑤ make

서답형

06 다음 영영풀이에 해당하는 단어를 쓰시오.

any one of the very small parts that together form all living things

➡ _____

서답형

07 다음 우리말에 맞게 빈칸에 알맞은 말을 쓰시오.

그런데, 너는 누구와 함께 갔니?
➡ _____ _____ _____, who did you go with?

08 다음 빈칸에 공통으로 알맞은 것은?

- I like films with plenty _____ action.
- I can't think _____ her name at the moment.

① in
② of
③ up
④ about
⑤ at

01 다음 짝지어진 두 단어의 관계가 같도록 빈칸에 알맞은 말을 쓰시오.

(1) paint : painter = act : _____

(2) art : artist = cartoon : _____

(3) invent : _____ = write : writer

02 다음 우리말에 맞게 빈칸에 알맞은 말을 쓰시오.

(1) 바이러스는 독감과 같은 질병을 일으킨다.
➡ Viruses cause diseases _____ _____ the flu.

(2) 그녀는 그녀의 독특한 그림으로 유명하다.
➡ She _____ _____ _____ her unique paintings.

(3) 며칠 후에, 너는 기분이 좋아지기 시작한다.
➡ In a _____ _____, you start to feel better.

03 다음 빈칸에 들어갈 알맞은 말을 〈보기〉에서 골라 쓰시오.

┌─ 보기 ┐
digest balanced germs multiply
└────────────────────────┘

(1) When _____ enter your body, they can make you sick.

(2) When we eat, our bodies _____ food.

(3) Bacteria _____ quickly in warm food.

(4) A _____ diet will keep your body strong and healthy.

04 다음 괄호 안의 말을 문맥에 맞게 고쳐 쓰시오.

(1) I hope you are always _____ and happy. (health)

(2) _____, we arrived there on time. (luck)

(3) Some robots do _____ jobs for humans. (danger)

05 다음 빈칸에 알맞은 말을 〈보기〉에서 골라 쓰시오.

┌─ 보기 ──────────────────┐
plenty of   good for
show up   catch a cold
└──────────────────────────┘

(1) Still, Jane does not _____.

(2) Fruits are _____ your health.

(3) That store has _____ customers.

(4) If you _____, you will cough a lot.

06 다음 영영풀이에 해당하는 단어를 주어진 철자로 시작하여 쓰시오.

(1) s_____ : to rub your skin with your fingernails because it feels uncomfortable

(2) v_____ : a person who has been attacked, injured, robbed, or killed by someone else

(3) b_____ : any one of a group of very small living things that often cause disease

Conversation

1 증상 묻고 답하기

A What's wrong with you? 무슨 일이니?

B I have a toothache. 이가 아파.

■ What's wrong with you?는 '무슨 일이니?'의 뜻으로 상대방이 몸이 아파 보이거나 우울해 보일 때 사용하는 표현이다.

• A: What's wrong with you, Jake? 너 왜 그래, Jake?
  B: I have a terrible headache. 머리가 몹시 아파.

증상을 묻는 표현

• What's wrong (with you)?

• What's the matter (with you)?

• What happened (to you)?

• What's the problem (with you)?

• What seems to be the problem?

증상 묻기에 답하기

• I have a cold. 감기에 걸렸어.

• I have a stomachache. 배가 아파.

• I have a sore throat. 목이 아파.

• I cut my finger. 손가락을 베었어.

• I broke my leg. 다리가 부러졌어.

• I have a toothache. 이가 아파.

• I have a runny nose. 콧물이 나와.

• I have a headache. 머리가 아파.

• I have a fever. 열이 나.

핵심 Check

1. 다음 우리말과 일치하도록 빈칸에 알맞은 말을 쓰시오.

(1) **A:** What's _____? (무슨 일이야?)

  B: I have a _____. (배가 아파.)

(2) **A:** What's the _____? You look worried. (무슨 일이야? 걱정돼 보인다.)

  B: I have a _____ _____. (콧물이 나와.)

(3) **A:** _____ seems to be the _____? (무슨 문제가 있니?)

  B: I _____ _____ _____. (이가 아파.)

② **약속 정하기**

> **A** Can you make it at three? 3시에 올 수 있니?
>
> **B** That's fine with me. 난 괜찮아.

■ Can you make it at three?는 '3시에 올 수 있니?'라는 뜻으로 약속을 정할 때 쓰는 표현이다. make it 은 '해내다, 성공하다'라는 의미를 갖고 있지만, 시간이나 장소의 표현과 함께 쓰여 '시간에 맞춰 가다' 또는 '도착하다'라는 의미를 갖는다.

약속 정하기 표현

- Can we meet at six? 6시에 만날까?
- Why don't we meet at six?
- How[What] about meeting at six?
- Shall we meet at six?
- Let's meet at six.

약속 정하기에 답하는 표현

승낙하기 • That's fine with me. / No problem. / Why not? / Sure, I'd love to. / That's a good idea. / (That) Sounds great.

거절하기 • I'm sorry, I can't. / I'm afraid not. / I'd love to, but I can't. / Not this time, thanks. / Maybe next time.

핵심 Check

2. 다음 우리말과 일치하도록 빈칸에 알맞은 말을 쓰시오.

(1) **A:** Can you _____ _____ at five at the bus stop? (너는 5시에 버스 정류장에 올 수 있니?)

　　 B: _____. See you _____. (물론이지. 그때 보자.)

(2) **A:** _____ _____ _____ to the movie theater tomorrow?

　　 (우리 내일 영화관에 가는 게 어때?)

　　 B: No _____. (문제없어.)

(3) **A:** _____ _____ basketball this Saturday. (이번 토요일에 농구하자.)

　　 B: _____, _____ _____. (미안하지만, 못하겠어.)

Communicate: Listen - Listen and Answer Dialog 1

B: ❶Can I go home early, Ms. Song? I don't feel so good.

W: ❷What seems to be the problem?

B: ❸I have a terrible stomachache. ❹It really hurts.

W: ❺Why don't you get some medicine at the nurse's office?

B: I already did. But it didn't help.

W: Okay. ❻You can go. ❼Go see a doctor, okay?

B: ❽Sure. Thanks.

B: 송 선생님, 집에 일찍 가도 될까요? 몸이 너무 안 좋아요.

W: 무슨 문제가 있니?

B: 배가 너무 아파요. 정말 아파요.

W: 양호실에서 약을 좀 먹는 게 어떠니?

B: 벌써 먹었어요. 하지만 도움이 되지 않았어요.

W: 알겠다. 가도 돼. 병원에 가봐. 알았지?

B: 물론이죠. 고맙습니다.

❶ Can{May] I + 동사원형 ~?: 내가 ~해도 될까?(상대방에게 허락을 구할 때 쓰는 표현) ❷ What seems to be the problem?: 어디가 안 좋으니? (증상을 물을 때 쓰는 표현) ❸ have a terrible stomachache: 배가 너무 아프다 ❹ hurt: 아프다 ❺ Why don't you + 동사원형 ~?: ~하는 게 어때? / get some medicine: 약을 좀 먹다 / nurse's office: 양호실 ❻ can: ~해도 좋다, ~해도 된다(허락의 의미를 나타냄) ❼ go see a doctor = go and see a doctor = go to see a doctor / 명령어, okay?: ~해라, 알았지? (제안, 권유하는 표현) ❽ 제안이나 권유에 승낙하는 표현이다.

Check(√) True or False

(1) The boy has a terrible stomachache.   T ☐ F ☐

(2) The boy got some medicine at the hospital.   T ☐ F ☐

Communicate: Listen - Listen and Answer Dialog 2

(*The phone rings.*)

B: Hello, Sora.

G: Hi, Jongha. ❶I heard you were sick. ❷Are you okay now?

B: Yes, ❸I went to the doctor, and I feel better now.

G: Good to hear that. ❹By the way, I called you to talk about our science project.

B: Yeah, we should meet. ❺Can you make it tomorrow?

G: Okay. ❻Let's meet at Simpson's Donuts at nine.

B: At nine? That's too early. I sleep late on the weekend.

G: ❼How about 10 then?

B: ❽That sounds fine.

(전화벨이 울린다.)

B: 여보세요, 소라야.

G: 안녕, 종하야. 아프다고 들었어. 이제 좀 괜찮니?

B: 응, 병원에 갔었는데, 이제 좀 나아졌어.

G: 다행이구나. 그런데, 우리 과학 프로젝트에 대해 얘기하려고 전화했어.

B: 그래, 우리 만나야겠다. 내일 만날 수 있니?

G: 좋아. 9시에 Simpson's Donuts에서 만나자.

B: 9시? 너무 일러. 난 주말에 늦잠을 자.

G: 그럼 10시는 어때?

B: 괜찮아.

❶ I heard (that) + 주어 + 동사 ~: 나는 ~라고 들었어.(들은 사실을 말할 때 쓰는 표현) ❷ 상대방이 안 좋아 보일 때 사용하는 표현이다. ❸ go to the doctor: 의사의 진찰을 받다, 병원에 가다 / feel better: 몸이 나아지다 ❹ by the way: 그런데, 그건 그렇고(화제를 바꿀 때 사용하는 표현) / to talk: to 부정사의 부사적 용법(목적) ❺ Can you make it ~?: ~에 만날 수 있니? (약속 시간을 제안하는 표현) ❻ Let's meet + 동사원형 ~: ~에서 만나자 ❼ How about ~?: ~은 어때? ❽ 약속 제안에 승낙하는 표현이다.

Check(√) True or False

(3) Sora called Jongha to talk about their science project.   T ☐ F ☐

(4) Sora and Jongha will meet at nine.   T ☐ F ☐

Communicate: Listen - Listen More

M: Hi, Minsol. ❶What's wrong with your dog?

G: ❷She keeps scratching herself. ❸Actually, she lost some hair.

M: When did she first have the problem?

G: ❹About three days ago.

M: ❺Let me see. (*pause*) She has a virus on her skin. ❻I'll give you some medicine.

G: Thank you.

M: I need to check your dog again. Can you make it next Monday?

G: ❽That's fine with me.

M: Okay. See you.

❶ What's wrong with ~?: ~에게 무슨 문제가 있니?

❷ keep -ing: 계속해서 ~하다

❸ actually: 사실 / lose some hair: 털이 좀 빠지다

❹ about three days ago: 약 3일 전에

❺ Let me see.: 어디 보자

❻ give + 간접목적어 + 직접목적어 = give + 직접목적어 + to + 간접목적어: ~에게 …을 주다

❼ Can you make it ~?: ~에 올 수 있니?

❽ That's fine with me.: 전 괜찮아요.

Communicate: Listen - All Ears

W: 1. ❶Can you make it next Friday?
  2. ❷What's wrong with your cat?

❶ Can you make it ~?: ~에 만날까?

❷ What's wrong with ~?: ~에게 무슨 문제가 있니?

Communicate: Speak 2 - Talk in pairs

A: ❶What's wrong with you?

B: ❷I have a sore throat.

A: ❸That's too bad. ❹You should drink some water.

B: ❺Okay, I will.

❶ What's wrong with you?: 무슨 일 있니? = What's the matter? = Is something wrong? = What's the problem? = What happened (to you)?

❷ have a sore throat: 목이 아프다

❸ That's too bad.: 안됐구나. (동정하는 표현)

❹ You should + 동사원형 ~.: 너는 ~해야 해. (충고하는 표현)

❺ 충고에 수락하는 표현이다.

Communicate: Speak 2 - Talk in groups

A: ❶Let's play basketball this Saturday.

B: ❷Sure, why not?

A: ❸Can you make it at ten?

B: That's fine with me. ❹Where should we meet?

A: ❺Let's meet at the school gym.

B: ❻Okay. See you there.

❶ Let's ~: ~하자

❷ 제안에 수락하는 표현이다. / Why not?: 좋고말고.

❸ Can you make it at ~?: ~에 만날 수 있니?

❹ 약속 장소를 정할 때 사용하는 표현이다.

❺ Let's meet at ~: ~에서 만나자.(약속 장소를 정할 때 쓰는 표현) / school gym: 학교 체육관

❻ Okay.: 좋아. (제안을 수락하는 표현) = Sure. = Of course. = No problem. = Why not? 등

Wrap Up - Listening ❺

B: Mom, ❶I don't feel well.

W: ❷What seems to be the problem?

B: ❸I think I have a fever.

W: Really? Let me see. Umm, ❹you do have a fever. ❺I'll get you some medicine.

B: Thank you, Mom.

❶ I don't feel well: 몸이 좋지 않아.

❷ What seems to be the problem?: 어디가 안 좋으니?

❸ have a fever: 열이 나다

❹ do: 동사를 강조하는 do

❺ get + 간접목적어 + 직접목적어 = get + 직접목적어 + for + 간접목적어: ~에게 …을 갖다 주다

Wrap Up - Listening ❻

G: ❶I'm thinking of going to the Comics Museum tomorrow. ❷Will you come with me?

B: I really want to go.

G: ❸Can you make it at 11?

B: ❹That's fine with me.

G: Okay. ❺Let's meet at the subway station.

❶ I'm thinking of -ing ~: 나는 ~할 생각이다

❷ Will you + 동사원형 ~?: ~할 거니?

❸ Can you make it at ~?: ~에 만날 수 있니?

❹ That's fine with me. 난 괜찮아. (제안에 수락하는 표현) = Sure. = Of course. = No problem. = Why not? 등

❺ Let' meet at + 장소: ~에서 만나자. / subway station: 지하철역

● 다음 우리말과 일치하도록 빈칸에 알맞은 말을 쓰시오.

Communicate: Listen - Listen and Answer Dialog 1

B: _____ I go home _____, Ms. Song? I _____ _____ so good.

W: What _____ _____ be the problem?

B: I _____ a terrible _____. It really _____.

W: _____ _____ you get some _____ at the nurse's office?

B: I _____ did. But it _____ _____.

W: Okay. You _____ go. _____ _____ a doctor, okay?

B: _____. Thanks.

Communicate: Listen - Listen and Answer Dialog 2

(*The phone rings.*)

B: Hello, Sora.

G: Hi, Jongha. I _____ you were sick. Are you _____ now?

B: Yes, I went to _____ _____, and I _____ _____ now.

G: Good _____ _____ that. _____ _____ _____, I called you _____ _____ about our science project.

B: Yeah, we _____ _____. Can you _____ _____ tomorrow?

G: Okay. _____ _____ at Simpson's Donuts _____ nine.

B: At nine? That's too _____. I sleep _____ on the weekend.

G: _____ _____ 10 then?

B: That _____ fine.

Communicate: Listen - Listen More

M: Hi, Minsol. What's _____ _____ your dog?

G: She keeps _____ herself. Actually, she _____ some _____.

M: When did she first _____ _____ _____?

G: _____ three days _____.

M: _____ me _____. (*pause*) She _____ _____ _____ _____ on her skin. I'll give you some medicine.

G: Thank you.

M: I _____ _____ _____ your dog again. _____ you _____ it next Monday?

G: That's _____ _____ me.

M: Okay. _____ you.

해석

B: 송 선생님, 집에 일찍 가도 될까요? 몸이 너무 안 좋아요.

W: 무슨 문제가 있니?

B: 배가 너무 아파요. 정말 아파요.

W: 양호실에서 약을 좀 먹는 게 어떠니?

B: 벌써 먹었어요. 하지만 도움이 되지 않았어요.

W: 알겠다. 가도 돼. 병원에 가봐, 알았지?

B: 물론이죠. 고맙습니다.

(전화벨이 울린다.)

B: 여보세요, 소라야.

G: 안녕, 종하야. 아프다고 들었어. 이제 좀 괜찮니?

B: 응. 병원에 갔었는데, 이제 좀 나아졌어.

G: 다행이구나. 그런데, 우리 과학 프로젝트에 대해 얘기하려고 전화했어.

B: 그래, 우리 만나야겠다. 내일 만날 수 있니?

G: 좋아. 9시에 Simpson's Donuts에서 만나자.

B: 9시? 너무 일러. 난 주말에 늦잠을 자.

G: 그럼 10시는 어때?

B: 괜찮아.

M: 안녕, 민솔. 너의 개에게 무슨 문제가 있니?

G: 계속 자기 몸을 긁어요. 사실, 털이 좀 빠졌어요.

M: 너의 개는 언제 처음으로 문제가 생겼니?

G: 약 3일 전에요.

M: 어디 보자. (잠시 멈춘다) 피부에 바이러스가 있어. 약을 좀 줄게.

G: 감사합니다.

M: 네 개를 다시 확인할 필요가 있어. 다음 주 월요일에 올 수 있니?

G: 좋아요.

M: 알겠다. 나중에 보자.

Communicate: Listen - All Ears

M: 1. Can you _____ it next Friday?

2. What's _____ with your cat?

Communicate: Speak 2 - Talk in pairs

A: _____ _____ with you?

B: I _____ a _____ _____.

A: That's too _____. You _____ _____ some water.

B: Okay, I _____.

Communicate: Speak 2 - Talk in groups

A: _____ play basketball this Saturday.

B: Sure, _____ _____?

A: _____ _____ _____ it at ten?

B: That's fine _____ me. Where _____ we _____?

A: _____ meet _____ the school gym.

B: Okay. _____ _____ there.

Wrap Up - Listening ❺

B: Mom, I _____ _____ well.

W: _____ seems to be the _____?

B: I think I _____ _____ _____.

W: Really? _____ _____ _____. Umm, you _____ have a fever. I'll _____ _____ _____ _____.

B: _____ you, Mom.

Wrap Up - Listening ❻

G: I'm _____ _____ going to the Comics Museum tomorrow. Will you _____ _____ me?

B: I really want _____ _____.

G: Can you _____ _____ _____ 11?

B: That's _____ _____ me.

G: Okay. _____ meet _____ the subway station.

[01~02] 다음 밑줄 친 말과 바꾸어 쓸 수 있는 것을 고르시오.

01

> A: What time should we meet tomorrow?
> B: Can you make it at five?

① Let's go there.　　　　② Let's meet tomorrow.
③ Let's meet at five.　　④ How about meeting together?
⑤ I can't make it at five.

02

> A: What's wrong?
> B: I have a terrible headache.

① Why not?　　　　② What's that?
③ How are you?　　④ What's the problem?
⑤ What are you doing?

[03~04] 다음 대화의 빈칸에 알맞은 것을 고르시오.

03

> A: Let's go see a movie tomorrow.
> B: Good idea!
> A: _____
> B: Okay. Let's meet at 5 o'clock.

① Where can we meet?　　② When can you come?
③ How would you like it?　④ Can you make it at 5?
⑤ What time shall we meet?

04

> A: _____
> B: Well, I have a sore throat.

① How come?　　　　② What's wrong?
③ How are you?　　④ How do you do?
⑤ What are you doing?

[01~05] 다음 대화를 읽고, 물음에 답하시오.

B: Can I go home early, Ms. Song? I don't feel so good.

W: ⓐWhat seems to be the problem?

B: I have a terrible stomachache. It really hurts.

W: ⓑWhy don't you get some medicine at the nurse's office?

B: I already did. But it didn't help.

W: Okay. You ⓒcan go. Go see a doctor, okay?

B: Sure. Thanks.

위 대화의 밑줄 친 ⓐ와 바꿔 쓸 수 있는 것은?

① What's your opinion?

② How's it going?

③ How did it happen?

④ Why is it a problem?

⑤ What's the matter with you?

02 위 대화의 밑줄 친 ⓑ를 다음과 같이 바꿔 쓸 때 빈칸에 알맞은 말을 쓰시오.

> _____ _____ _____ some medicine at the nurse's office?

위 대화의 밑줄 친 ⓒ와 쓰임이 같은 것은?

① The child can't walk yet.

② He can speak German very well.

③ Can the rumor be true?

④ You can go out and play outdoors.

⑤ Can you speak any foreign languages?

04 위 대화에서 다음 영영풀이에 해당하는 단어를 찾아 쓰시오.

> pain in or near your stomach

➡ _____

05 위 대화의 내용과 일치하지 <u>않는</u> 것은?

① 소년은 몸이 좋지 않다.

② 소년은 배가 약간 아프다.

③ 소년은 약을 먹었지만 소용이 없었다.

④ 송 선생님은 소년이 집에 가는 것을 허락해 주었다.

⑤ 소년은 병원에 갈 것이다.

[06~09] 다음 대화를 읽고, 물음에 답하시오.

A: Let's play basketball this Saturday.

B: _____ ⓐ _____

A: ⓑCan you make it at ten?

B: That's fine with me. _____ ⓒ _____

A: Let's meet at the school gym.

B: Okay. See you there.

위 대화의 빈칸 ⓐ에 알맞지 <u>않은</u> 것은?

① Of course.

② No problem.

③ That's a good idea.

④ I'm afraid I can't.

⑤ Sure, why not?

07 위 대화의 밑줄 친 ⓑ를 다음과 같이 바꿔 쓸 때 빈칸에 알맞은 말을 쓰시오.

> Can we _____ at ten?

08 위 대화의 빈칸 ⓒ에 알맞은 것은?

① When can you come?

② Where should we meet?

③ How would you like it?

④ Who can play with us?

⑤ What time shall we meet?

09 위 대화를 읽고, 다음 질문에 완전한 문장으로 답하시오.

Q: What time and where will "A" and "B" meet?

A: _____

[10~15] 다음 대화를 읽고, 물음에 답하시오.

(*The phone rings.*)

B: Hello, Sora.

G: Hi, Jongha. I heard you were sick.

_____ⓐ_____

B: Yes, I went to the doctor, and I feel better now.

G: Good to hear that. ⓑ그런데, I called you to talk about our science project.

B: Yeah, we should meet. ⓒCan you make it tomorrow?

G: Okay. _____ⓓ_____ meet at Simpson's Donuts at nine.

B: At nine? That's too early. I sleep ___ⓔ___ on the weekend.

G: How about 10 then?

B: That sounds fine.

10 위 대화의 빈칸 ⓐ에 알맞은 것은?

① Are you busy now?

② Do you feel sad?

③ Are you okay now?

④ What are you doing?

⑤ Did you take your medicine?

11 위 대화의 밑줄 친 ⓑ의 우리말을 세 단어로 쓰시오.

➡ _____

12 위 대화의 밑줄 친 ⓒ와 바꿔 쓸 수 <u>없는</u> 것은?

① Let's meet tomorrow.

② Shall we meet tomorrow?

③ How about meeting tomorrow?

④ Will you meet tomorrow?

⑤ Why don't we meet tomorrow?

13 위 대화의 빈칸 ⓓ에 알맞은 것은?

① You can   ② Let's

③ I'd like to   ④ We will

⑤ You have to

14 위 대화의 빈칸 ⓔ에 다음 영영풀이에 해당하는 단어를 쓰시오.

after the usual or expected time

➡ _____

15 위 대화를 읽고, 답할 수 <u>없는</u> 질문은?

① Why did Jongha go to the doctor?

② Why did Sora call Jongha?

③ Where will Sora and Jongha meet?

④ What time will they meet?

⑤ Until when should they finish their science project?

[01~02] 다음 대화를 읽고, 물음에 답하시오.

A: _____ ⓐ _____
B: Well, I have a headache.
A: That's too bad. ⓑ좀 쉬는 게 어때?
B: OK, I will.

01 위 대화의 빈칸 ⓐ에 들어갈 말을 2가지 이상 쓰시오.

➡ _____

_____

02 위 대화의 밑줄 친 ⓑ의 우리말을 괄호 안의 단어를 이용하여 영어로 쓰시오.

> (why, get, rest)

➡ _____

[03~05] 다음 대화를 읽고, 물음에 답하시오.

A: Let's play basketball this Saturday.
B: Sure, why not?
A: ⓐCan you make it at ten?
B: That's fine with me. ⓑ우리 어디서 만날까?
A: Let's meet at the school gym.
B: Okay. See you ⓒthere.

03 위 대화의 밑줄 친 ⓐ를 다음과 같이 바꿔 쓸 때 빈칸에 알맞은 말을 쓰시오.

> How about _____ at ten?

04 위 대화의 밑줄 친 ⓑ의 우리말을 주어진 단어를 이용하여 영작하시오. (4 words)

> (should)

➡ _____

05 위 대화의 밑줄 친 ⓒ가 가리키는 말을 영어로 쓰시오.

➡ _____

[06~09] 다음 대화를 읽고, 물음에 답하시오.

M: Hi, Minsol. ⓐWhat's wrong with your dog?
G: She keeps (A)[scratching / to scratch] herself. Actually, she lost some hair.
M: When did she first have the problem?
G: About three days (B)[before / ago].
M: Let me see. (*pause*) She has a virus on her skin. I'll give you some medicine.
G: Thank you.
M: I need to check your dog again. ⓑ다음 월요일에 올 수 있니?
G: That's fine with me.
M: Okay. See you.

06 위 대화의 밑줄 친 ⓐ를 다음과 같이 바꿔 쓸 때 빈칸에 알맞은 말을 쓰시오.

> What's the _____ with your dog?

07 위 대화의 밑줄 친 ⓑ의 우리말을 주어진 단어를 이용하여 영작하시오.

> (make)

➡ _____

08 위 대화의 (A)~(B)에서 어법상 알맞은 것을 골라 쓰시오.

(A) _____ (B) _____

09 위 대화를 읽고, 민솔이네 개의 증상을 우리말로 모두 쓰시오.

➡ _____

Grammar

① 가주어 it

- **It** is not easy **to take** good care of a pet. 애완동물을 잘 돌보는 것은 쉽지 않다.
- **It** is fun **to learn** to swim. 수영을 배우는 것은 재미있다.
- **It** will be nice **to become** a musician. 음악가가 되는 것은 멋질 거야.

■ **가주어 it**

to부정사구가 문장 안에서 주어로 쓰일 경우, to부정사구를 문장의 뒤로 보내고 그 자리에 it을 쓴다. 이때의 it은 아무런 의미가 없는 주어로 '가주어'라고 하고, to부정사구를 '진주어'라고 한다.

- To master English in a month is impossible. 영어를 한 달 동안에 습득하는 것은 불가능하다.

  → **It** is impossible **to master** English in a month.
     가주어   진주어

cf. to부정사 이외에도 진주어로 명사절이 쓰일 때가 있다. 이때 명사절을 이끄는 접속사는 보통 that이 쓰인다.

- **It** is a bad habit **that** people read in bed. 침대에서 독서하는 것은 나쁜 버릇이다.

■ **to부정사의 의미상의 주어**

to부정사의 의미상 주어가 문장의 주어와 일치하지 않는 경우, 일반적으로 「for+목적격」의 형태로 진주어 앞에 쓴다. kind, foolish, wise, honest, polite 등과 같이 사람의 성격을 나타내는 형용사가 보어로 쓰이면 의미상의 주어로 「of+목적격」의 형태를 쓴다.

- **It** is natural **for** your parents **to get** angry. 너의 부모님이 화를 내시는 것은 당연하다.
- **It** is very kind **of** you **to help** me. 나를 도와주다니 넌 참 친절하다.

핵심 Check

1. 다음 괄호 안에서 알맞은 것을 고르시오.

(1) It is hard (understanding / to understand) his words.

(2) (It / That) is interesting to watch basketball.

(3) It is good for your health (to exercise / exercise) every day.

(4) It is honest (for / of) you to say so.

(5) It is not easy (for / of) us to learn foreign languages.

2 to부정사의 형용사적 용법

- Jay has the ability **to make** people happy. Jay는 사람들을 행복하게 만드는 능력이 있다.
- They need something **to drink**. 그들은 마실 것이 필요하다.
- I have a lot of homework **to do** tonight. 나는 오늘밤 해야 할 숙제가 많다.

■ to부정사의 형용사적 용법은 명사나 대명사 뒤에서 '~하는, ~할'의 뜻으로 쓰인다. 이 때 앞의 명사는 to부정사의 주어 또는 목적어 역할을 한다.

- I have no money **to give** you. (목적어) 나는 너에게 줄 돈이 없다.
  = I have no money that I can give you.

- He had no friends **to help** him. (주어) 그는 자기를 도와줄 친구가 하나도 없었다.
  = He had no friends who would help him.

■ to부정사의 수식을 받는 명사가 전치사의 목적어일 경우, to부정사 뒤에 전치사가 온다.

- Ann has elderly parents **to look** after. Ann은 돌보아야 할 나이 드신 부모가 있다.

- I want a small room **to live** in by myself. 나는 혼자 살 작은 방을 원한다.

■ -thing으로 끝나는 부정대명사는 「-thing+(형용사+)to부정사」의 어순을 따른다.

- I want something cold **to drink**. 나는 차가운 마실 것을 원한다.

- You think that you have nothing **to wear**. 너는 입을 것이 아무것도 없다고 생각한다.

핵심 Check

2. 다음 괄호 안에서 알맞은 것을 고르시오.

(1) It's time (going / to go) to school.

(2) Jack has a lot of friends (helping / to help).

(3) Give me a pen (to write / to write with).

(4) Would you like something (to cold drink / cold to drink)?

01 다음 괄호 안에서 알맞은 것을 고르시오.

travel 여행하다
solve 풀다

(1) (It / That) is fun to travel to some countries in Asia.

(2) Do you have anything (to do / doing) this evening?

(3) There are many places (visit / to visit) in Jeju.

(4) It is hard (of / for) me to solve this problem.

(5) It is very kind (of / for) you to help me.

02 다음 우리말과 일치하도록 빈칸에 알맞은 말을 쓰시오.

schedule 일정
offer 제공하다
shade 그늘

(1) 우리는 일정을 바꿀 시간이 없다.

➡ We have no time _____ _____ the schedule.

(2) 그는 우리나라를 방문한 최초의 미국인이었다.

➡ He was the first American _____ _____ our country.

(3) 우리에게 그늘을 드리워줄 나무가 전혀 없었다.

➡ There were no trees _____ _____ us shade.

03 다음 문장에서 어법상 틀린 것을 찾아 바르게 고쳐 쓰시오.

exercise 운동하다
impossible 불가능한
save 구하다

(1) It's difficult exercise every day.

_____ ➡ _____

(2) It is impossible finish this work in an hour.

_____ ➡ _____

(3) That is very important to learn a foreign language.

_____ ➡ _____

(4) It was brave for him to save the child.

_____ ➡ _____

(5) It was easy of me to answer all the questions.

_____ ➡ _____

01 다음 중 밑줄 친 부분의 쓰임이 나머지 넷과 다른 것은?

① He is always the first to come.

② He has nothing to write with.

③ He went to England to study English.

④ There are a lot of things for him to do.

⑤ He was looking for an apartment to live in.

[02~03] 다음 문장의 빈칸에 알맞은 것을 고르시오.

02

> It is good for the health _____ early.

① get up   ② got up

③ to get up   ④ to getting up

⑤ to be getting up

03 중요

> Do you have anything _____ ?

① read   ② reads

③ reading   ④ to read

⑤ to be reading

서답형

04 다음 두 문장의 뜻이 같도록 빈칸에 알맞은 말을 쓰시오.

> I have a lot of letters _____ _____.
> = I have a lot of letters that I should write.

서답형

05 다음 두 문장의 뜻이 같도록 빈칸에 알맞은 말을 쓰시오.

> To change the schedule is very difficult.
> = _____ is very difficult _____ the schedule.

06 중요

다음 중 밑줄 친 부분의 쓰임이 〈보기〉와 같은 것은?

> ┤ 보기 ├
> I have lots of books to read by next month.

① Jina has no chair to sit on.

② My hobby is to listen to music.

③ She is glad to get a letter from Ted.

④ He wants to play baseball after school.

⑤ I went to the market to buy some eggs.

07 다음 우리말과 같도록 할 때, 빈칸에 알맞은 말이 바르게 짝 지어진 것은?

> 자전거를 탈 때는 헬맷을 쓰는 것이 안전하다.
> = _____ is safe _____ a helmet when you ride a bike.

① It − to wear   ② This − wear

③ It − wears   ④ It − wear

⑤ That − to wear

서답형

08 다음 우리말과 일치하도록 주어진 단어를 바르게 배열하여 문장을 완성하시오.

> 너 뭐 좀 먹을래?
> (anything, you, want, do, eat, to)

➡ _____

_____

09 다음 밑줄 친 it의 쓰임이 나머지 넷과 다른 하나는?

① It's important to be kind to others.
② Is it fun to play computer games?
③ It is not surprising for him to say so.
④ It's hard to believe, but it's a flower.
⑤ It's not easy to understand other cultures.

중요

10 다음 중 어법상 어색한 문장은?

① It's almost time to go to bed.
② It's time to get aboard a plane.
③ It is time to eat dinner.
④ It's time for the children to going to bed.
⑤ It's time for my dad to buy a new car.

서답형

11 다음 괄호 안에 주어진 말을 사용하여 우리말을 영작하시오.

> 그 기계를 고치는 것은 어렵다.
> (it, difficult, fix, machine)

➡ _____

12 다음 빈칸에 알맞은 말이 바르게 짝지어진 것은?

> • It is very kind _____ you to say so.
> • It is natural _____ a baby to cry.

① of – of   ② of – for
③ for – for   ④ for – of
⑤ for – with

중요

13 다음 빈칸에 공통으로 알맞은 것은?

> • It was honest _____ you to tell the truth.
> • It is wise _____ her to make such a decision.

① of   ② for
③ with   ④ at
⑤ upon

14 다음 빈칸에 들어갈 동사의 형태로 적절한 것은?

> It's necessary _____ on time.

① to be   ② is
③ be   ④ are
⑤ will be

서답형

15 다음 빈칸에 공통으로 알맞은 말을 쓰시오.

> • You don't have _____ worry about it.
> • I have no reason _____ be angry at you.

16 다음 문장의 빈칸에 to를 쓸 수 <u>없는</u> 것은?

① It is natural for your mom _____ get angry.
② She hopes _____ visit her uncle.
③ He is kind enough _____ help us.
④ It is easy _____ speak English.
⑤ She made me _____ wash the dishes.

17 다음 문장에서 어법상 <u>어색한</u> 부분을 찾아 바르게 고쳐 쓰시오.

> I need a chair to sit.

_____ ➡ _____

18 다음 중 밑줄 친 부분의 쓰임이 나머지 넷과 <u>다른</u> 것은?

① <u>It</u> will soon be a new year.
② Is <u>it</u> easy to use this camera?
③ <u>It</u> is a lot of fun to ski in winter.
④ <u>It</u> isn't difficult to use the computer.
⑤ <u>It</u> is interesting to read English books.

19 다음 밑줄 친 부분의 쓰임이 바르지 <u>않은</u> 것은?

① There is no chair <u>to sit on</u>.
② I have no money <u>to give</u> you.
③ Judy has a lot of friends <u>to talk</u>.
④ She doesn't have a house <u>to live in</u>.
⑤ Do you have a pen <u>to write with</u>?

20 다음 중 밑줄 친 to부정사의 쓰임이 나머지와 <u>다른</u> 하나는?

① It is important <u>to try</u> your best.
② My dream is <u>to be</u> a singer.
③ I want a house <u>to live</u> in.
④ I decided <u>to study</u> Spanish.
⑤ It is very kind of you <u>to help</u> me.

21 다음 주어진 어구를 이용하여 〈보기〉와 같이 문장을 쓰시오.

> ┤ 보기 ├
> boring, watch news on TV
> → It is boring to watch news on TV.

> pleasant, listen to music
> ➡ _____

22 다음 빈칸에 들어갈 말이 바르게 짝지어진 것은?

> • It's time for our children _____ to bed.
> • You don't have _____ an umbrella with you.

① go – take   ② to go – taken
③ going – taking ④ going – to take
⑤ to go – to take

23 다음 문장에서 어법상 <u>어색한</u> 부분을 찾아 바르게 고쳐 쓰시오.

> It is necessary for you going there as soon as possible.

_____ ➡ _____

01 다음 빈칸에 공통으로 알맞은 말을 쓰시오.

> • Mike had no time _____ do his homework.
> • We are going to buy some paper _____ write on.

02 다음 두 문장의 뜻이 같도록 빈칸에 알맞은 말을 쓰시오.

> To cook French food is difficult.
> = _____ is difficult _____ cook French food.

03 다음 주어진 단어를 바르게 배열하여 문장을 완성하시오.

(1) (difficult / it / learn / is / to / English)
➡ _____

(2) (a magazine / on / he / read / the train / bought / to)
➡ _____

04 다음 밑줄 친 단어를 알맞은 형태로 고쳐 쓰시오.

> It is strange for her receive fan letters.

➡ _____

05 다음 괄호 안에 주어진 말을 사용하여 우리말을 영작하시오. (가주어 – 진주어 구문을 사용할 것.)

(1) 주말마다 그를 방문하는 것은 쉽지 않았다.
(visit, easy, every)

➡ _____

(2) 다른 나라에서 사는 것은 재미있는 경험이다.
(it, exciting, live, another)

➡ _____
_____

06 다음 괄호 안에 주어진 단어를 이용하여 우리말을 영어로 옮기시오.

(1) 그녀는 가수가 되려는 강한 욕망을 갖고 있다.
(strong desire, be, singer)

➡ _____

(2) 우리는 이야기할 것이 있었다.
(something, talk about)

➡ _____

(3) 나는 쓸 종이를 한 장 원한다.
(want, write)

➡ _____

(4) 제게 뜨거운 마실 것을 좀 주십시오.
(please, something, drink)

➡ _____

07 다음 문장에서 어법상 어색한 곳을 찾아 바르게 고쳐 쓰시오.

(1) He doesn't have time play with his friends.

_____ ➡ _____

(2) It is important of you to study hard.

_____ ➡ _____

08 다음 빈칸에 알맞은 말을 〈보기〉에서 골라 쓰시오. (중복해서 사용할 수 없음)

보기

to   on   with   it

(1) _____ is hard to follow good advice.
(2) Do you have anything to write _____?
(3) I need a knife to cut the rope _____.
(4) I have a lot of things _____ do today.

09 다음 두 문장의 뜻이 같도록 빈칸에 알맞은 말을 쓰시오

나는 같이 놀 친한 친구가 필요하다.
= I need my best friend _____
_____ _____.

10 다음 빈칸에 공통으로 들어갈 알맞은 말을 쓰시오.

• It's time for my father _____ come home.
• You don't have _____ water the flowers.

11 다음 두 문장이 같은 뜻이 되도록 빈칸에 알맞은 말을 쓰시오.

To learn to ride a bike was not difficult.
= _____ was not difficult _____
_____ to ride a bike.

12 다음 문장에서 어법상 어색한 곳을 찾아 바르게 고쳐 쓰시오.

(1) It was stupid for you to believe the rumor.

_____ ➡ _____

(2) It isn't necessary of you to come here today.

_____ ➡ _____

13 다음 주어진 단어를 이용하여 우리말을 영어로 옮기시오.

그곳은 24시간 동안 많은 물건들을 파는 장소이다.
(it's, a place, to sell, things)

➡ _____

Reading

Germs: The War Inside

Germs are everywhere, but it is impossible to see them with your eyes.

There are two major kinds of germs: bacteria and viruses. Bacteria are very small creatures. Some are good. They can help you digest the food that you eat. Others are bad and can make you sick. Viruses are germs that can only live inside the cells of other living bodies. They cause diseases such as the flu.

"Bad" germs can enter your body through your skin, mouth, nose, and eyes. What happens when they invade?

The germs multiply in the body. Your body becomes a war zone. You start to feel tired and weak.

Luckily, your body has an army of defense. The T cells sound the alarm! The B cells arrive to fight the germs with antibodies. The macrophage cells show up and eat the germs. Together, this army is called the white blood cells. If all goes well, they win the fight. In a few days, you start to feel better.

germ 세균	everywhere 도처에
impossible 불가능한	major 주요한
bacteria 박테리아	virus 바이러스
creature 생물	digest 소화하다
inside ~ 안에서	cell 세포
body 신체, 몸	cause 일으키다, 야기하다
disease 병	such as ~와 같은
flu 독감	skin 피부
happen 일어나다	invade 침략하다
multiply 증식하다	zone 지역
army 부대, 군대	defense 방어
antibody 항체	

확인문제

● 다음 문장이 본문의 내용과 일치하면 T, 일치하지 않으면 F를 쓰시오.

1 We can see germs with our eyes. ☐

2 Bacteria and viruses are two major germs. ☐

3 Most bacteria are bad. ☐

4 Viruses cause diseases like the flu. ☐

5 Our body has an army of defense. ☐

The body remembers the invader, so it cannot make copies of itself
again. But the germs are smart, too. They can change form and trick
the body. There are several ways to protect yourself from germs. First,
wash your hands with soap and warm water. A balanced diet will keep
your body strong and healthy. It is also important to exercise regularly
and get plenty of sleep. Finally, get the necessary shots. They are the
best defense against germs. If you follow these steps, you will not be a
victim of "bad" germs.

 Watch out! This is my spot! Hands off! Time to attack! Make more
copies of me. It's my job to defend the body. That was a nice meal! Are
there any more germs to eat? Next year, I'll send in my cousin. He'll
see you then for another fight! I'm ready to fight any germs. We give
up. We can't make you sick.

invader 침입자
copy 복사, 복제
smart 영리한
form 형태
trick 속이다
several 몇 개의
protect 보호하다
soap 비누
balanced 균형 잡힌
diet 다이어트, 식단
heathy 건강한
important 중요한
regularly 규칙적으로
plenty of 충분한
finally 마지막으로
necessary 필요한
shot 주사
step 단계, 조치
victim 희생자

확인문제

● 다음 문장이 본문의 내용과 일치하면 T, 일치하지 <u>않으면</u> F를 쓰시오.

1 The invader can make copies of itself again though the body remembers it. ☐

2 The germs are smart enough to trick the body. ☐

3 You should wash your hands with soap and warm water to protect yourself from
   germs. ☐

4 The shots are not the best defense against the germs ☐

● 우리말을 참고하여 빈칸에 알맞은 말을 쓰시오.

1 Germs are _____, but it is impossible to _____ them with your eyes.

2 There are two major _____ of germs: _____ and viruses.

3 Bacteria are very small _____.

4 _____ are good.

5 They can help you _____ the food _____ you eat.

6 _____ are bad and can _____ you sick.

7 Viruses are germs _____ can only live _____ the cells of other _____ bodies.

8 They _____ diseases _____ as the flu.

9 "Bad" germs can _____ your body _____ your skin, mouth, nose, and eyes.

10 What _____ when they invade?

11 The germs _____ in the body.

12 Your _____ _____ a war _____.

13 You _____ to feel tired and _____.

14 Luckily, your _____ has an army of _____.

15 The T cells _____ the alarm!

16 The B cells _____ to fight the _____ with antibodies.

17 The macrophage cells _____ up and _____ the germs.

18 Together, this army is _____ the white blood _____.

19 If all _____ well, they win the _____.

20 In a _____ days, you start to _____ better.

---

1 세균은 어디에나 있지만 눈으로 세균을 보는 것은 불가능하다.

2 세균에는 두 가지 주요한 종류가 있다: 박테리아와 바이러스이다.

3 박테리아는 매우 작은 생물이다.

4 어떤 것들은 좋다.

5 그것들은 당신이 먹는 음식을 소화하는 데 도움을 줄 수 있다.

6 다른 것들은 나쁘고 당신을 아프게 할 수 있다.

7 바이러스는 다른 살아 있는 몸의 세포 안에서만 살 수 있는 세균이다.

8 그들은 독감과 같은 질병을 일으킨다.

9 '나쁜' 세균은 피부, 입, 코, 눈을 통해 몸에 들어갈 수 있다.

10 그들이 침입하면 어떻게 되는가?

11 세균은 몸속에서 증식한다.

12 당신의 몸은 전쟁 지역이 된다.

13 당신은 피곤하고 약해지는 것을 느끼기 시작한다.

14 다행히도, 당신의 몸은 방어 부대를 가지고 있다.

15 T세포가 경보를 발한다!

16 B세포는 항체로 세균과 싸우기 위해 도착한다.

17 대식 세포가 나타나서 세균을 먹는다.

18 이 군대는 함께 백혈구라고 부른다.

19 모든 것이 잘되면 싸움에서 이긴다.

20 며칠 후면 당신은 회복되기 시작한다.

21 The body remembers the _____, so it cannot make _____ of _____ again.

22 But the germs are _____, too.

23 They can _____ form and _____ the body.

24 There are _____ ways to _____ yourself from germs.

25 First, _____ your hands with soap and _____ water.

26 A balanced _____ will keep your body strong and _____.

27 It is also important to _____ regularly and get _____ of sleep.

28 _____, get the necessary _____.

29 They are the best _____ against _____.

30 If you follow these _____, you will not be a _____ of "bad" germs.

31 Make more _____ of me.

32 It's my job to _____ the body.

33 That was a nice _____!

34 Are _____ any more germs to _____?

35 _____ year, I'll _____ in my cousin.

36 He'll _____ you then for _____ fight!

37 What _____ I do now?

38 I'm _____ to fight _____ germs.

39 We give _____.

40 We can't _____ you sick.

21 몸은 침입자를 기억하므로 침입자는 다시 복제할 수 없다.

22 하지만 세균들도 영리하다.

23 그들은 형태를 바꿀 수 있고 몸을 속일 수 있다.

24 세균으로부터 당신 자신을 보호하는 몇 가지 방법이 있다.

25 먼저 비누와 따뜻한 물로 손을 씻어라.

26 균형 잡힌 식단은 당신의 몸을 튼튼하고 건강하게 해줄 것이다.

27 규칙적으로 운동하고 충분한 잠을 자는 것도 중요하다.

28 마지막으로 필요한 주사를 맞아라.

29 그것들은 세균을 막는 최고의 방어이다.

30 만약 당신이 이 단계를 따른다면, 당신은 "나쁜" 세균의 희생자가 되지 않을 것이다.

31 나를 더 복제해 줘.

32 몸을 지키는 게 내 일이야.

33 정말 맛있는 식사였어!

34 먹을 세균이 더 있니?

35 내년에는 내 사촌을 보낼게.

36 그때 그가 또 싸우려고 널 보게 될 거야!

37 지금 내가 무엇을 할 수 있을까?

38 나는 어떤 세균과도 싸울 준비가 되어 있어.

39 우리는 포기한다.

40 우리는 널 아프게 할 수 없어.

● 우리말을 참고하여 본문을 영작하시오.

1 세균은 어디에나 있지만 눈으로 세균을 보는 것은 불가능하다.
➡ _____

2 세균에는 두 가지 주요한 종류가 있다: 박테리아와 바이러스이다.
➡ _____

3 박테리아는 매우 작은 생물이다.
➡ _____

4 어떤 것들은 좋다.
➡ _____

5 그것들은 당신이 먹는 음식을 소화하는 데 도움을 줄 수 있다.
➡ _____

6 다른 것들은 나쁘고 당신을 아프게 할 수 있다.
➡ _____

7 바이러스는 다른 살아 있는 몸의 세포 안에서만 살 수 있는 세균이다.
➡ _____

8 그들은 독감과 같은 질병을 일으킨다.
➡ _____

9 '나쁜' 세균은 피부, 입, 코, 눈을 통해 몸에 들어갈 수 있다.
➡ _____

10 그들이 침입하면 어떻게 되는가?
➡ _____

11 세균은 몸속에서 증식한다.
➡ _____

12 당신의 몸은 전쟁 지역이 된다.
➡ _____

13 당신은 피곤하고 약해지는 것을 느끼기 시작한다.
➡ _____

14 다행히도, 당신의 몸은 방어 군대를 가지고 있다.
➡ _____

15 T세포가 경보를 발한다!
➡ _____

16 B세포는 항체로 세균과 싸우기 위해 도착한다.
➡ _____

17 대식 세포가 나타나서 세균을 먹는다.
➡ _____

18 이 군대는 함께 백혈구라고 부른다.
➡ _____

19 모든 것이 잘되면 싸움에서 이긴다.
➡ _____

20 며칠 후면 당신은 회복되기 시작한다.
➡ _____

21 몸은 침입자를 기억하므로 다시 복제할 수 없다.
➡ _____

22 하지만 세균들도 영리하다.
➡ _____

23 그들은 형태를 바꿀 수 있고 몸을 속일 수 있다.
➡ _____

24 세균으로부터 여러분 자신을 보호하는 몇 가지 방법이 있다.
➡ _____

25 먼저 비누와 따뜻한 물로 손을 씻어라.
➡ _____

26 균형 잡힌 식단은 당신의 몸을 튼튼하고 건강하게 해줄 것이다.
➡ _____

27 규칙적으로 운동하고 충분한 잠을 자는 것도 중요하다.
➡ _____

28 마지막으로 필요한 주사를 맞아라.
➡ _____

29 그것들은 세균을 막는 최고의 방어이다.
➡ _____

30 만약 당신이 이 단계를 따른다면, 당신은 "나쁜" 세균의 희생자가 되지 않을 것이다.
➡ _____

31 나를 더 복제해 주세요.
➡ _____

32 몸을 지키는 게 내 일이야.
➡ _____

33 정말 맛있는 식사였어!
➡ _____

34 먹을 세균이 더 있니?
➡ _____

35 내년에는 내 사촌을 보낼게.
➡ _____

36 그때 그가 또 싸우려고 널 보게 될 거야!
➡ _____

37 지금 내가 무엇을 할 수 있을까?
➡ _____

38 나는 어떤 세균과도 싸울 준비가 되어 있어.
➡ _____

39 우리는 포기한다.
➡ _____

40 우리는 널 아프게 할 수 없어.
➡ _____

[01~06] 다음 글을 읽고, 물음에 답하시오.

> Germ 1: Watch ___ⓐ___ !
> Germ 2: This is my spot!
> Germ 3: ⓑHands off!
> Germ 4: Hey!
> (①) Germs are everywhere, ___ⓒ___ it is impossible to see them with your eyes. (②)
> There are two major kinds of germs: bacteria and viruses. (③) Bacteria are very small creatures. (④) They can help you digest the food ⓓthat you eat. (⑤) Others are bad and can make you sick.

01 위 글의 ①~⑤ 중 다음 주어진 문장이 들어갈 알맞은 곳은?

> Some are good.

①   ②   ③   ④   ⑤

02 위 글의 빈칸 ⓐ에 알맞은 것은?

① on   ② out
③ at   ④ for
⑤ with

서답형
03 위 글의 밑줄 친 ⓑ를 우리말로 옮기시오.

➡ _____

중요
04 위 글의 빈칸 ⓒ에 알맞은 것은?

① and   ② or
③ but   ④ for
⑤ because

중요
05 위 글의 밑줄 친 ⓓ와 바꿔 쓸 수 있는 것은?

① who   ② whom
③ what   ④ where
⑤ which

06 위 글의 내용과 일치하지 않는 것은?

① 균은 어디에나 있다.
② 균을 눈으로 볼 수 없다.
③ 박테리아와 바이러스는 균이다.
④ 박테리아는 아주 작은 생명체다.
⑤ 박테리아는 대부분 몸에 해롭다.

[07~10] 다음 글을 읽고, 물음에 답하시오.

> Germ 1: I'm in! Time to ___ⓐ___ !
> Germ 2: Yay! Success!
> Germ 3: Make more copies of me. Now!
> Viruses are germs ___ⓑ___ can only live inside the cells of other living bodies. They cause diseases ⓒsuch as the flu.
> "Bad" germs can enter your body through your skin, mouth, nose, and eyes. What happens when they invade? The germs ___ⓓ___ in the body. Your body becomes a war zone. You start to feel tired and weak.

07 위 글의 빈칸 ⓐ에 알맞은 것은?

① attack   ② eat
③ die   ④ escape
⑤ repair

08 위 글의 빈칸 ⓑ에 알맞은 것은? (2개)

① who
② that
③ what
④ why
⑤ which

09 위 글의 밑줄 친 ⓒ를 한 단어로 바꿔 쓰시오.

➡ _____

10 위 글의 빈칸 ⓓ에 다음 정의에 해당하는 단어를 쓰시오.

to increase greatly in number or amount

➡ _____

[11~15] 다음 글을 읽고, 물음에 답하시오.

A: We have an ⓐinvade! Come quickly.
B: It's my job to ___ⓑ___ the body.
C: That was a nice meal! Are there any more germs to eat?

Luckily, your body has an army of defense. The T cells sound the alarm! The B cells arrive ⓒto fight the germs with antibodies. The macrophage cells show ___ⓓ___ and eat the germs.

Together, this army is called the white blood cells. If all goes well, they win the fight. In a few days, you start to feel better.

11 위 글의 밑줄 친 ⓐ를 알맞은 형으로 바꿔 쓰시오.

➡ _____

12 위 글의 빈칸 ⓑ에 알맞은 것은?

① defend
② attack
③ live
④ fix
⑤ fight

13 위 글의 밑줄 친 ⓒ와 같은 용법으로 쓰인 것은?

① My hope is to become a doctor.
② It's time to go to bed now.
③ My job is to report the news.
④ He tried to find the lost key.
⑤ Kathy came to Korea to be a K pop singer.

14 위 글의 빈칸 ⓓ에 알맞은 것은?

① on
② up
③ off
④ with
⑤ from

15 위 글의 내용으로 보아 대답할 수 없는 질문은?

① What did 'C' eat?
② What does our body have?
③ Why does B cells arrive?
④ How does the T cells sound the alarm?
⑤ What is the army called?

[16~21] 다음 글을 읽고, 물음에 답하시오.

The army of defense: Game ___ⓐ___ .

Germ: Fine. Next year, I'll send ___ⓑ___ my cousin. He'll see you then for ⓒ(other, another) fight!

ⓓThe body remembers the invader, so it cannot make copies of it again. But the germs are smart, too. ⓔThey can change form and trick the body.

16 위 글의 빈칸 ⓐ에 알맞은 것은?

① Up   ② On
③ Over   ④ Off
⑤ From

중요

17 위 글의 빈칸 ⓑ에 알맞은 것은?

① on   ② to
③ off   ④ in
⑤ for

서답형

18 위 글의 괄호 ⓒ에서 알맞은 것을 고르시오.

➡ _____

서답형

19 위 글의 밑줄 친 ⓓ에서 어법상 어색한 것을 고치시오.

_____ ➡ _____

서답형

20 위 글의 밑줄 친 ⓔ를 우리말로 옮기시오.

➡ _____

21 위 글의 내용에서 언급되지 않은 것은?

① 방어 군대가 전쟁에서 승리했다.
② 균들은 내년에 다시 올 것이다.
③ 균들은 자신들이 침입한 몸을 기억하고 있다.
④ 한 번 침입한 균들은 자신을 복제할 수 없다.
⑤ 균들은 형태를 바꿀 수 있다.

[22~24] 다음 글을 읽고, 물음에 답하시오.

Germ: Oh, no! I can't hold on.
What can I do now?
There are several ways ⓐprotect yourself ___ⓑ___ germs. First, wash your hands ⓒwith soap and warm water.

서답형

22 위 글의 밑줄 친 ⓐ를 알맞은 형태로 고쳐 쓰시오.

➡ _____

23 위 글의 빈칸 ⓑ에 알맞은 것은?

① of   ② from
③ in   ④ off
⑤ with

중요

24 위 글의 밑줄 친 ⓒ와 같은 의미로 쓰인 것은?

① That's all right with me.
② What's the matter with you?
③ Cut the bread with this knife.
④ Do you agree with him?
⑤ Ann was in bed with the flu.

[25~28] 다음 글을 읽고, 물음에 답하시오.

A: I'm ready to ___ⓐ___ any germs.
B: Me, too. ⓑBring it on.
  ⓒA balanced diet will keep your body strong and healthy. ⓓIt is also important to exercise regularly and get plenty of sleep.

25 위 글의 빈칸 ⓐ에 알맞은 것은?

① lose
② win
③ fight
④ hit
⑤ follow

26 위 글의 밑줄 친 ⓑ를 우리말로 옮기시오.

➡ _____

27 위 글의 밑줄 친 ⓒ와 문형이 같은 것은?

① These shirts are very small.
② The song made me sad.
③ There are some apples in the basket.
④ She made us some cookies.
⑤ My grandfather planted some trees.

28 위 글의 밑줄 친 ⓓ가 가리키는 것을 우리말로 쓰시오.

➡ _____

[29~33] 다음 글을 읽고, 물음에 답하시오.

Germ 1: What? ⓐIt's "Game Over" for my cousins, too?
Germ 2: We give ___ⓑ___.
Germ 3: We can't make you sick.
  ⓒFinal, get the necessary shots. They are the best defense ___ⓓ___ germs. ___ⓔ___ you follow these steps, you will not be a victim of "bad" germs.

29 위 글의 밑줄 친 ⓐ를 우리말로 옮기시오.

➡ _____

30 위 글의 빈칸 ⓑ에 알맞은 것은?

① on
② in
③ for
④ up
⑤ over

31 위 글의 밑줄 친 ⓒ를 알맞은 형으로 고치시오.

➡ _____

32 위 글의 빈칸 ⓓ에 알맞은 것은?

① to
② with
③ over
④ across
⑤ against

33 위 글의 빈칸 ⓔ에 알맞은 것은?

① If
② As
③ While
④ Since
⑤ Though

[01~04] 다음 글을 읽고, 물음에 답하시오.

Germm 1: ⓐ조심해!
Germm 2: This is my spot!
Germm 3: Hands off!
Germm 4: Hey!

Germs are everywhere, ⓑbut it is impossible to see them with your eyes.

There are two major kinds of germs: bacteria and viruses. Bacteria are very small creatures. Some are good. They can help you digest the food that you eat. _____ⓒ_____ are bad and can make you sick.

01 위 글의 밑줄 친 ⓐ와 같은 뜻이 되도록 빈칸에 알맞은 말을 쓰시오.

_____ out!

02 위 글의 밑줄 친 ⓑ와 같은 뜻이 되도록 빈칸에 알맞은 말을 쓰시오.

but you _____ see them with your eyes.

03 위 글의 빈칸 ⓒ에 알맞은 말을 쓰시오.

➡ _____

04 How do good bacteria help you? Answer in Korean.

➡ _____

[05~08] 다음 글을 읽고, 물음에 답하시오.

Germm 1: I'm in! Time to attack!
Germm 2: Yay! Success!
Germm 3: Make more copies _____ⓐ_____ me. Now!

Viruses are germs that can only live inside the cells of other living bodies. They cause diseases such as the flu. ⓑ"Bad" germs can enter into your body through your skin, mouth, nose, and eyes. What happens when ⓒthey invade? The germs multiply in the body. Your body becomes a war zone. You start to feel tired and weak.

05 위 글의 빈칸 ⓐ에 알맞은 말을 쓰시오.

➡ _____

06 위 글의 밑줄 친 ⓑ에서 어법상 어색한 것을 고치시오.

_____ ➡ _____

07 위 글의 밑줄 친 ⓒ가 가리키는 것을 우리말로 쓰시오.

➡ _____

08 Why does your body become a war zone? Answer in English.

➡ _____

[09~13] 다음 글을 읽고, 물음에 답하시오.

A: We have an invader! Come quickly.

B: It's my job to defend the body.

C: That was a nice meal! ⓐ먹을 균들이 좀 더 있 냐?

Luckily, your body has an army of ⓑ defend. The T cells sound the alarm! The B cells arrive to fight the germs with antibodies. The macrophage cells show up and eat the germs.

ⓒTogether, this army is calling the white blood cells. If all goes well, they win the fight. ⓓIn a few days, you start to feel better.

09 위 글의 밑줄 친 ⓐ와 같은 뜻이 되도록 주어진 단어를 써서 영어로 옮기시오.

(there, any, germs, eat)

➡ _____

10 위 글의 밑줄 친 ⓑ를 알맞은 형으로 고치시오.

➡ _____

11 위 글의 밑줄 친 ⓒ에서 어법상 어색한 것을 고치시오.

_____ ➡ _____

12 위 글의 밑줄 친 ⓓ를 우리말로 옮기시오.

➡ _____

13 What do the T cells do for the body?

➡ _____

[14~18] 다음 글을 읽고, 물음에 답하시오.

Every day you use your hands to touch ⓐdiffer things. You touch your phone and computer. You open and close doors with your hands, too. There are germs on everything ____ⓑ____ you touch. If you eat ____ⓒ____ with your hands, the germs on your hands can get into your body. Then what should you do? Wash your hands __ⓓ__ soap!

14 위 글의 밑줄 친 ⓐ를 알맞은 형으로 고치시오.

➡ _____

15 위 글의 빈칸 ⓑ에 알맞은 관계대명사를 쓰시오.

➡ _____

16 위 글의 빈칸 ⓒ에 다음 정의에 해당하는 단어를 쓰시오. (필요하면 어형 변화를 할 것.)

a simple meal that is quick to cook and to eat

➡ _____

17 위 글의 빈칸 ⓓ에 알맞은 말을 쓰시오.

➡ _____

18 위 글의 내용으로 보아 손으로 음식을 먹으면 안 되는 이유 를 우리말로 간단히 쓰시오.

➡ _____

해석

My Writing Portfolio - Step 1

Sit Less, Move More

- It is dangerous to play online games too much.
  「가주어 It. 진주어 to부정사」 구문
- It is time to go out and exercise.
  밖에 나가다

Stay Healthy

- Eating too many snacks is not good for your health.
  동명사 주어(동사는 단수 취급)
- It is important to eat enough fruit and vegetables.

구문해설
- less: 더 적게, 덜하게 · dangerous: 위험한 · exercise: 운동하다 · healthy: 건강한
- be not good for: ~에 좋지 않다 · important: 중요한 · enough: 충분한
- vegetables: 채소

덜 앉고, 더 움직여라
- 온라인 게임을 너무 많이 하는 것은 위험하다.
- 이제 외출해서 운동할 시간 이다.
건강을 유지해라
- 과자를 너무 많이 먹는 것은 건강에 좋지 않다.
- 과일과 채소를 충분히 먹는 것이 중요하다.

Words in Action - B

1. Frida Kahlo was a Mexican painter[artist]. She is famous for her unique paintings.
   ~으로 유명하다

2. Charles Schulz was a cartoonist who created the famous character Charlie Brown.
   주격 관계대명사(선행사: a cartoonist)

3. Park Gyeongri was a great Korean writer. She spent 25 years writing *Toji*.
   spend time -ing: ~하면서 시간을 보내다

4. James Cameron is the director of the movie, *Avatar*.
   the movie와 Avatar는 동격 관계

5. Jang Yeongsil was a(n) inventor[scientist] who created water clocks.
   주격 관계대명사

구문해설
- painter: 화가 · unique: 독특한 · painting: 그림 · cartoonist: 만화가
- create: 창조하다 · director: 감독 · inventor: 발명가 · water clock: 물시계

1. Frida Kahlo는 멕시코 화가[예술가]였다. 그녀는 독특한 그림으로 유명하다.

2. Charles Schulz는 유명한 캐릭터인 Charlie Brown을 만든 만화가였다.

3. 박경리는 위대한 한국 작가였다. 그녀는 토지를 쓰는 데 25년이 걸렸다.

4. James Cameron은 영화 '아바타'의 감독이다.

5. 장영실은 물시계를 만든 발명가[과학자]였다.

Wrap Up - Reading

Every day you use your hands to touch different things. You touch your phone
매일　　　　　　　　　to부정사의 부사적 용법(목적)
and computer. You open and close doors with your hands, too. There are
　　　　　　　　　　　　　　　~으로　　　There are + 복수명사 ~: ~이 있다
germs on everything that you touch. If you eat snacks with your hands, the
　　　　　　목적격 관계대명사　조건을 나타내는 접속사 if: (만약) ~이면
germs on your hands can get into your body. Then what should you do? Wash
　　　　　　　　~에 들어가다　　　　　　　　　　　　명령문: 동사원형 ~: ~해라
your hands with soap!

구문해설
- use: 사용하다 · touch: 만지다 · different: 다른 · close: (문을) 닫다
- too: ~도 (또한) · everything: 모든 것 · germ: 세균 · wash: 씻다 · soap: 비누

여러분은 매일 다른 것들을 만지기 위해 손을 사용한다. 여러분은 여러분의 전화기와 컴퓨터를 만진다. 여러분은 또한 손으로 문을 열고 닫는다. 여러분이 만지는 모든 것에는 세균이 있다. 만약 여러분이 손으로 과자를 먹는다면, 손에 있는 세균은 여러분의 몸으로 들어갈 수 있다. 그럼 어떻게 해야 할까? 비누로 손을 씻어라!

영역별 핵심문제

01 다음 중 짝지어진 단어의 관계가 나머지 넷과 <u>다른</u> 것은?

① write – writer
② paint – painter
③ act – actor
④ science – scientist
⑤ direct – director

02 다음 빈칸에 들어갈 말로 적절하지 <u>않은</u> 것은?

- This is a very _____ problem.
- The key to _____ is hard work.
- The old bill is too easy to _____.
- She has a virus on her _____.

① skin
② hard
③ germ
④ copy
⑤ success

03 다음 두 단어의 관계가 같도록 빈칸에 알맞은 말을 쓰시오.

easy : difficult = safe : _____

04 다음 빈칸에 들어갈 말이 바르게 짝지어진 것은? (대·소문자 무시)

- _____ the way, what should we eat?
- Watch _____! There's a car coming!

① in – on
② on – off
③ by – out
④ for – after
⑤ from – for

05 다음 영영풀이에 해당하는 단어는?

any one of the very small parts that together form all living things

① shot
② cell
③ germ
④ virus
⑤ spot

06 다음 문장의 밑줄 친 부분과 바꿔 쓸 수 있는 것은?

<u>At last</u>, the guests began to arrive.

① Usually
② Finally
③ Actually
④ Extremely
⑤ Especially

07 다음 우리말에 맞게 빈칸에 알맞은 말을 쓰시오.

왜 너는 기타 치는 걸 포기했니?
➡ Why did you _____ _____ playing the guitar?

08 다음 대화의 빈칸에 알맞지 <u>않은</u> 것은?

A: _____
B: Well, I have a stomachache.

① What's wrong?
② Is something wrong?
③ What's the problem?
④ What did you eat for lunch?
⑤ What seems to be the problem?

09 다음 대화의 빈칸에 알맞은 말을 쓰시오.

A: Can you make it at two?
B: No _____. Let's meet at the park.

➡ _____

10 다음 대화의 빈칸에 알맞은 것은?

A: Let's go to the history museum. How about 12 o'clock?
B: _____ Why don't we meet at 2 o'clock?
A: Sure, no problem.

① Of course.
② That's a good idea.
③ What time will they meet?
④ Good, I am so excited.
⑤ I'm sorry. I will meet my friend at that time.

11 다음 대화의 순서를 바르게 배열하시오.

(A) I have a sore throat.
(B) Okay, I will.
(C) What's wrong with you?
(D) That's too bad. You should drink some water.

➡ _____

12 다음 대화의 빈칸에 알맞은 말은?

A: Let's go to the movies this afternoon.
_____
B: I'm sorry, I can't.

① Can you make it at 5?
② Are you interested in films?
③ Do you go to the movies often?
④ Would you like to see the movie?
⑤ What kind of movies do you like?

[13~16] 다음 대화를 읽고, 물음에 답하시오.

B: Can I go home early, Ms. Song? I don't feel so good.
W: ⓐWhat seems to be the problem?
B: I have a terrible stomachache. It really hurts.
W: Why don't you get some medicine at the nurse's office?
B: I already did. But ⓑit didn't help.
W: Okay. You can go. _____ⓒ_____
B: Sure. Thanks.

13 위 대화의 밑줄 친 ⓐ와 바꿔 쓸 수 <u>없는</u> 것은?

① What's wrong?
② What's the problem?
③ Is something wrong?
④ Why are you so upset?
⑤ What's the matter?

14 위 대화의 밑줄 친 ⓑ가 의미하는 것을 우리말로 구체적으로 쓰시오.

➡ _____

15 위 대화의 빈칸 ⓒ에 알맞은 것은?

① Do exercise, okay?
② Ride a bike, okay?
③ Go see a doctor, okay?
④ Play basketball, okay?
⑤ Have some pizza, okay?

16 위 대화를 읽고, 다음 질문에 완전한 문장으로 답하시오.

Q: What's the problem with the boy?
A: _____

Grammar

[17~18] 다음 문장의 빈칸에 알맞은 것을 고르시오.

17

Do you have anything _____ this evening?

① do
② did
③ doing
④ to do
⑤ to doing

18

It is dangerous _____ swim in this river.

① to
② in
③ of
④ for
⑤ with

19 다음 빈칸에 공통으로 알맞은 것은?

- It was stupid _____ you to believe him.
- It is clever _____ him to solve the problem.

① at
② of
③ for
④ from
⑤ with

20 다음 대화의 빈칸에 알맞은 말을 쓰시오.

A: I think _____ _____ difficult to find the things I want to buy.
B: You know, they have the information desk.

21 다음 중 어법상 어색한 것은?

① She doesn't have a pen to write with.
② She wants someone to travel with.
③ She wants interesting something to read.
④ She kept her promise to enter a university.
⑤ She was the first woman to land on the moon.

22 다음 밑줄 친 부분의 쓰임이 나머지 넷과 다른 것은?

① It is necessary for you to study hard.
② It is too cold to go swimming in the lake.
③ It's good to try to solve the problem.
④ It is difficult for us to achieve the goal.
⑤ It is dangerous to walk alone at midnight.

23 다음 중 밑줄 친 부분의 쓰임이 〈보기〉와 다른 것은?

┤ 보기 ├
I have a lot of work to do today.

① I need somebody to talk to.
② He must be crazy to quit his job.
③ I don't have time to chat with you.
④ She couldn't find any chairs to sit on.
⑤ Do you know the way to get to City Hall?

24 다음 문장에서 어법상 <u>어색한</u> 부분을 찾아 바르게 고쳐 쓰시오.

> I need a ball point to write.

_____ ➡ _____

25 다음 우리말을 영어로 바르게 옮긴 것은?

> 냉장고에는 먹을 음식이 많이 있다.

① There are a lot of food to eat in the refrigerator.
② There are a lot of food eating in the refrigerator.
③ There is a lot of food eating in the refrigerator.
④ There is a lot of foods to eat in the refrigerator.
⑤ There is a lot of food to eat in the refrigerator.

26 다음 두 문장이 같은 뜻이 되도록 빈칸에 알맞은 말을 쓰시오.

> To read this book is important.
> = _____ is important _____ read this book.

27 다음 단어를 바르게 배열하여 알맞은 문장을 만드시오.

> to / anything / myself / I / do / make / slimmer / look / will

➡_____

[28~32] 다음 글을 읽고, 물음에 답하시오.

Germ 1: I'm in! Time to ___ⓐ___ !
Germ 2: Yay! Success!
Germ 3: Make more copies of me. Now!
  Viruses are germs that can only live inside the cells of other ⓑ<u>live</u> bodies. (①) They cause diseases such as the flu. (②) "Bad" germs can enter your body through your skin, mouth, nose, and eyes. (③) What happens ___ⓒ___ they invade? (④) The germs multiply in the body. (⑤) You start to feel tired and weak.

28 위 글의 ①~⑤ 중 다음 주어진 문장이 들어갈 알맞은 곳은?

> Your body becomes a war zone.

① ② ③ ④ ⑤

29 위 글의 빈칸 ⓐ에 알맞은 것은?

① play ② attack
③ rest ④ defend
⑤ advise

30 위 글의 밑줄 친 ⓑ를 알맞은 형으로 고치시오.

➡ _____

31 위 글의 빈칸 ⓒ에 알맞은 것은?

① that ② till
③ when ④ since
⑤ which

32 위 글의 내용과 일치하지 <u>않는</u> 것은?

① 균은 자신을 복제할 수 없다.
② 바이러스는 다른 살아 있는 몸의 세포 안에서만 살 수 있다.
③ 바이러스는 병을 유발한다.
④ 나쁜 균은 피부, 입, 코, 눈을 통해 신체로 들어온다.
⑤ 균은 몸 안에서 번식한다.

[33~35] 다음 글을 읽고, 물음에 답하시오.

The army of defense: Game Over
Germ: Fine. Next year, I'll send in my cousin. ⓐHe'll see you then for another fight!
The body remembers the invader, _____ⓑ_____ it cannot make copies of itself again. But the germs are smart, too. They can change form and _____ⓒ_____ the body.

33 위 글의 밑줄 친 ⓐ를 우리말로 옮기시오.

➡ _____

34 위 글의 빈칸 ⓑ에 알맞은 것은?

① or   ② so
③ but   ④ for
⑤ though

35 위 글의 빈칸 ⓒ에 알맞은 것은?

① save   ② live
③ trick   ④ fix
⑤ protect

[36~39] 다음 글을 읽고, 물음에 답하시오.

Every day you use your hands to touch different things. (①) You touch your phone and computer. (②) There are germs on everything that you touch. (③) If you eat snacks with your hands, the germs _____ⓐ_____ your hands can get into your body. (④) Then what should you do? (⑤) Wash your hands with _____ⓑ_____!

36 위 글의 ①~⑤ 중 다음 주어진 문장이 들어갈 알맞은 곳은?

You open and close doors with your hands, too.

①   ②   ③   ④   ⑤

37 위 글의 빈칸 ⓐ에 알맞은 것은?

① on   ② to
③ at   ④ in
⑤ over

38 위 글의 빈칸 ⓑ에 다음 정의에 해당하는 단어를 쓰시오.

a substance that you use with water for washing yourself or sometimes for washing clothes

➡ _____

39 Where are germs? Answer in English.

➡ _____

01 다음 중 짝지어진 단어의 관계가 나머지 넷과 <u>다른</u> 것은?

① defend : attack
② remember : forget
③ different : same
④ hard : difficult
⑤ dangerous : safe

02 다음 빈칸에 공통으로 알맞은 것은?

> • I won't give _____ easily.
> • He didn't show _____ for the appointment.

① in
② up
③ out
④ off
⑤ onto

03 다음 짝지어진 두 단어의 관계가 같도록 빈칸에 알맞은 말을 쓰시오.

> paint : painter = invent : _____

04 다음 중 영영풀이가 <u>잘못된</u> 것은?

① easy: not hard to do
② major: very important
③ fever: a body temperature that is higher than normal
④ germ: a very small living thing that causes disease
⑤ safe: involving possible injury, harm, or death

05 다음 우리말에 맞게 빈칸에 알맞은 말을 쓰시오.

(1) 우리는 하루 이틀 뒤에 떠날 준비를 하고 있어야 해.
  ➡ We should _____ _____ _____ leave in a day or two.

(2) 콧물이 나고 목도 아프고 기침도 납니다.
  ➡ I have a _____ _____, _____ _____ and a cough.

06 다음 대화의 빈칸에 알맞은 말이 바르게 짝지어진 것은?

> A: What's wrong?
> B: I have _____.
> A: That's too bad. Why don't you _____?
> B: OK. I will.

① a bad cold — see a doctor
② a pet — get some fresh air
③ a lot of homework — go to sleep
④ some stress — go to see a dentist
⑤ long hair — take some medicine

07 다음 대화의 빈칸에 알맞은 것은?

> A: Let's go to the concert this Saturday.
> B: Sounds good. _____
> A: Fine with me.

① Can I join you?
② May I go to the concert?
③ How about going to the concert?
④ Do you like the concert?
⑤ Can you make it at 3?

[08~10] 다음 대화를 읽고, 물음에 답하시오.

B: Hello, Sora.
G: Hi, Jongha. I heard you were sick. Are you okay now?
B: (①) Yes, I went to the doctor, and I feel better now.
G: (②) By the way, I called you to talk about our science project.
B: (③) Yeah, we should meet. _____ⓐ
G: Okay. ⓑLet's meet at Simpson's Donuts at nine.
B: At nine? That's too early. I sleep late on the weekend.
G: (④) How about 10 then?
B: (⑤) That sounds fine.

출제율 90%
08 위 대화의 ①~⑤ 중 다음 주어진 문장이 들어갈 알맞은 곳은?

> Good to hear that.

①   ②   ③   ④   ⑤

출제율 100%
09 위 대화의 빈칸 ⓐ에 들어갈 말을 주어진 단어를 바르게 배열하여 완성하시오.

> (it / you / tomorrow / can / make)

➡ _____

출제율 95%
10 위 대화의 밑줄 친 ⓑ를 다음과 같이 바꿔 쓸 때 빈칸에 알맞은 말을 쓰시오.

> _____ _____ _____ meet at Simpson's Donuts at nine?

출제율 85%
11 다음 빈칸에 들어갈 동사의 형태로 적절한 것은?

> It's necessary for you _____ the piano every day.

① practice   ② practiced
③ practicing   ④ to practice
⑤ to practicing

출제율 95%
12 다음 빈칸에 알맞은 말이 바르게 짝지어진 것은?

> • It was wise _____ you to agree to the proposal.
> • It is impossible _____ us to win the game.

① of – of   ② of – for
③ for – for   ④ for – of
⑤ for – with

출제율 90%
13 다음 문장에서 어법상 어색한 부분을 찾아 바르게 고쳐 쓰시오.

> I need some paper to write.

_____ ➡ _____

출제율 100%
14 다음 두 문장의 뜻이 같도록 빈칸에 알맞은 말을 쓰시오.

> To finish this homework is hard.
> = _____ is hard _____ finish this homework.

15 다음 중 어법상 <u>어색한</u> 문장은? 출제율 85%

① I need a chair to sit.
② Columbus was the first man to discover the American continent.
③ We have no house to live in.
④ He has a wish to become a pilot.
⑤ She forgot to bring something to write with.

16 다음 중 〈보기〉의 밑줄 친 it과 쓰임이 같은 것은? 출제율 90%

┌─ 보기 ┐
It is bad to use cell phones in class.
└──────┘

① It is very hot in this room.
② It is not my lost puppy.
③ It is fun to play soccer with my friends.
④ It rained a lot yesterday morning.
⑤ It was built by Koreans.

17 다음 우리말을 영어로 바르게 옮긴 것은? 출제율 85%

┌────────────────────────┐
한국에는 방문할 장소가 많이 있다.
└────────────────────────┘

① There is many places visit in Korea.
② There are visiting many places in Korea.
③ There are many places visiting in Korea.
④ There are to visit many places in Korea.
⑤ There are many places to visit in Korea.

18 다음 밑줄 친 부분의 쓰임이 <u>다른</u> 하나는? 출제율 100%

① There's nothing <u>to be</u> afraid of any more.
② Ann is coming to Seoul <u>to visit</u> us.
③ I'm going to the park <u>to walk</u> my dogs.
④ Paul drove very quickly <u>to get</u> there on time.
⑤ I went to the post office <u>to send</u> the parcel.

[19~21] 다음 글을 읽고, 물음에 답하시오.

A: ⓐI'm ready to fight any germs.
B: Me, too. Bring it ____ⓑ____.
  A balanced diet will keep your body strong and healthy. It is also important to exercise ⓒregular and get plenty of sleep.

19 위 글의 밑줄 친 ⓐ를 우리말로 옮기시오. 출제율 90%

➡ _____

20 위 글의 빈칸 ⓑ에 알맞은 것은? 출제율 85%

① in   ② on
③ to   ④ for
⑤ from

21 위 글의 밑줄 친 ⓒ를 알맞은 어형으로 고치시오. 출제율 90%

➡ _____

[22~26] 다음 글을 읽고, 물음에 답하시오.

Every day you use your hands ⓐto touch different things. You touch your phone and computer. You ___ⓑ___ and close doors with your hands, too. ⓒ여러분이 손대는 모든 것에 균들이 있다. ___ⓓ___ you eat snacks with your hands, the germs on your hands can get ___ⓔ___ your body. Then what should you do? Wash your hands with soap!

출제율 90%

22 위 글의 밑줄 친 ⓐ와 같은 용법으로 쓰인 것은?

① My hope is to work as a doctor in Africa.
② It's time to go to bed now.
③ My job is to report the news.
④ The boys hoped to find the hidden treasure.
⑤ Kevin came to Korea to be a K pop singer.

출제율 100%

23 위 글의 빈칸 ⓑ에 알맞은 단어를 쓰시오.

➡ _____

출제율 90%

24 위 글의 밑줄 친 ⓒ를 주어진 단어를 써서 영어로 옮기시오.

there, germs, on, touch

➡ _____

출제율 85%

25 위 글의 빈칸 ⓓ에 알맞은 것은?

① But   ② If
③ Since   ④ Though
⑤ Because

출제율 90%

26 위 글의 빈칸 ⓔ에 알맞은 것은?

① at   ② to
③ into   ④ from
⑤ out of

[27~30] 다음 글을 읽고, 물음에 답하시오.

Germ 1: ⓐWhat? It's "Game Over" for my cousins, too?
Germ 2: We give up.
Germ 3: We can't ___ⓑ___ you sick.
  Finally, get the necessary shots. ⓒThey are the best defense against germs. If you follow these steps, you will not be a ___ⓓ___ of "bad" germs.

출제율 90%

27 위 글의 Germ 1이 밑줄 친 ⓐ를 말한 이유를 우리말로 간단히 쓰시오.

➡ _____

출제율 100%

28 위 글의 빈칸 ⓑ에 알맞은 것은?

① make   ② get
③ do   ④ let
⑤ become

출제율 90%

29 위 글의 밑줄 친 ⓒ를 우리말로 옮기시오.

➡ _____

출제율 85%

30 위 글의 빈칸 ⓓ에 다음 정의에 해당하는 단어를 쓰시오.

someone who has been hurt or killed

➡ _____

[01~02] 다음 대화를 읽고, 물음에 답하시오.

A: ⓐWhat's wrong with you?

B: ⓑ나는 목이 아파.

A: That's too bad. You should drink some water.

B: Okay, I will.

01 위 대화의 밑줄 친 부분과 바꿔 쓸 수 있는 표현을 두 가지 쓰시오.

➡ _____

_____

_____

02 위 대화의 밑줄 친 우리말을 영어로 쓰시오. (5 words)

➡ _____

03 다음 우리말과 같도록 빈칸에 알맞은 말을 넣어 대화를 완성하시오.

A: _____ go to the library this Saturday.
(우리 이번 토요일에 도서관에 가자.)

B: Sounds good. Can you _____ _____ at 9? (좋아. 너는 9시에 시간 되니?)

A: I'm _____ I can't. _____ about 10? (난 안 될 것 같아. 10시는 어떠니?)

B: Okay. _____ you then. (좋아. 그때 보자.)

04 다음 대화의 순서를 바르게 배열하시오.

(A) OK, I will.

(B) What's wrong?

(C) Well, I have a toothache.

(D) That's too bad. Why don't you go see a dentist?

➡ _____

05 다음 우리말 의미에 맞도록 주어진 표현을 이용하여 영작하시오.

(1) 언덕을 내려가는 것은 쉽지 않다.
(it, easy, go down)

➡ _____

(2) 나는 내 남동생이 찍는 사진들을 좋아한다.
(photographs, which, takes)

➡ _____

_____

06 다음 〈조건〉에 맞게 괄호 안의 단어를 이용하여 우리말을 영어로 옮기시오.

┤ 조건 ├
1. 주어진 단어를 모두 이용할 것.
2. 필요시 관사를 붙이거나 단어를 추가할 것.
3. It으로 시작할 것.
4. 대·소문자 및 구두점에 유의할 것.

(1) 내가 자동차를 주차하기는 어렵다.
(difficult, me, park, car)

➡ _____

(2) 헬멧을 쓰고 자전거를 타는 것이 안전하다.
(safe, ride, bike, with, helmet)

➡ _____

(3) 다른 나라에서 사는 것은 흥미진진한 경험이다.
(exciting, experience, live, another, country)

➡ _____

07 다음 하루 일과표를 보고 빈칸에 알맞은 내용을 쓰시오.

8:00 a.m.	school
12:10 p.m.	lunch
5:00 p.m.	playground
6:30 p.m.	homework

(1) It's 8 a.m. It's time _____.

(2) It's 12:10 p.m. It's time _____.

(3) It's 5 p.m. It's time _____.

(4) It's 6:30 p.m. It's time _____.

[08~11] 다음 글을 읽고, 물음에 답하시오.

Germ: Oh, no! I can't hold on.
___ⓐ___ can I do now?

There are several ways to protect ⓑyou from germs. First, wash your hands ___ⓒ___ soap and warm water.

08 위 글의 빈칸 ⓐ에 알맞은 말을 쓰시오.

➡ _____

09 위 글의 밑줄 친 ⓑ를 알맞은 형으로 고치시오.

➡ _____

10 위 글의 빈칸 ⓒ에 알맞은 말을 쓰시오.

➡ _____

11 위 글의 Germ이 밑줄 친 부분과 같이 말한 이유를 본문에서 유추하여 답하시오.

➡ _____

[12~15] 다음 글을 읽고, 물음에 답하시오.

Germ 1: What? It's "Game Over" for my cousins, too?

Germ 2: ⓐ우리는 포기한다.

Germ 3: We can't make you sick.

Finally, get the necessary shots. ⓑThey are the best ⓒdefend against germs. ⓓIf you follow these steps, you will not be a victim of "bad" germs.

12 위 글의 밑줄 친 ⓐ와 같은 뜻이 되도록 빈칸에 알맞은 말을 쓰시오.

We give _____.

13 위 글의 밑줄 친 ⓑ가 가리키는 것을 영어로 쓰시오.

➡ _____

14 위 글의 밑줄 친 ⓒ를 알맞은 형으로 고치시오.

➡ _____

15 위 글의 밑줄 친 ⓓ를 우리말로 옮기시오.

➡ _____

창의사고력 서술형 문제

01 다음 주어진 상황에 맞게 to부정사와 괄호 안의 단어를 이용하여 〈보기〉처럼 문장을 완성하시오.

> 보기
> I'm hungry. I need some food to eat.(eat)

(1) I'm very thirsty. _____ (drink)

(2) There's no chair here. _____ (sit)

(3) Tony feels lonely. _____ (talk)

02 다음 어구들을 연결하여 〈보기〉와 같이 한 문장으로 쓰시오.

• happy	• him	• to visit	• his hometown
• kind	• foreigners	• to watch	• Korean
• exciting	• us	• to play	• the work on time
• boring	• her	• to finish	• the poor
• possible	• you	• to help	• basketball games
• difficult	• me	• to learn	• the game

> 보기
> It is happy for him to visit his hometown.

(1) _____

(2) _____

(3) _____

(4) _____

(5) _____

03 Jessica의 이번 주 일정표를 보고, 내용에 맞도록 문장을 완성하시오.

Mon.	Tue.	Wed.	Thu.	Fri.
a movie / watch	a piano lesson / take	a baseball game / watch	a piano lesson / take	four comic books / read

(1) Jessica has _____ this Monday.

(2) Jessica has _____ on TV this Wednesday.

(3) Jessica has _____ on Tuesday and Thursday.

(4) Jessica has _____ on Friday.

단원별 모의고사

01 다음 영영풀이에 해당하는 단어로 알맞은 것은?

> to change food that you have eaten by a biological process into simpler forms that can be used by the body

① multiply　　　② scratch
③ invade　　　④ digest
⑤ exercise

02 다음 중 우리말 뜻이 잘못된 것은?

① at last: 마침내
② feel better: 몸이 좋아지다
③ go well: 잘되어 가다
④ watch out for: ～을 구경하다
⑤ can't hold on: 견뎌낼 수 없다

03 다음 빈칸에 공통으로 알맞은 것은?

> • The nurse gave him a flu _____ .
> • Taylor scored with a low _____ into the corner of the net.

① mask　　　② zone
③ way　　　④ shot
⑤ spot

04 다음 짝지어진 두 단어의 관계가 같도록 빈칸에 알맞은 말을 쓰시오.

> art : artist = cartoon : _____

05 다음 빈칸에 공통으로 들어갈 말을 쓰시오.

> • It is important to get plenty _____ sleep.
> • I'm thinking _____ going to Greece this summer.

➡ _____

[06~08] 다음 대화를 읽고, 물음에 답하시오.

A: Let's play basketball this Saturday.
B: _____ ⓐ _____
A: ⓑCan you make it at ten?
B: That's fine with me. Where should we meet?
A: Let's meet at the school gym.
B: Okay. See you there.

06 위 대화의 빈칸 ⓐ에 알맞은 것은?

① No, thanks.　　　② I'm afraid not.
③ It doesn't matter.　　④ Sure, why not?
⑤ Sorry, but I can't.

07 위 대화의 밑줄 친 ⓑ와 바꿔 쓸 수 없는 것은?

① Let's meet at ten.
② Do you meet at ten?
③ Shall we meet at ten?
④ What about meeting at ten?
⑤ Why don't we meet at ten?

08 위 대화의 내용과 일치하도록 빈칸에 알맞은 말을 쓰시오.

> "A" and "B" will meet at _____ _____ at _____ o'clock this Saturday to _____ _____ .

[09~11] 다음 대화를 읽고, 물음에 답하시오.

G: I'm thinking ____ⓐ____ going to the Comics Museum tomorrow. Will you come with me?
B: I really want to go.
G: Can you ____ⓑ____ it at 11?
B: That's fine ____ⓒ____ me.
G: Okay. ⓓLet's meet at the subway station.

09 위 대화의 빈칸 ⓐ와 ⓒ에 알맞은 말이 바르게 짝지어진 것은?

① at – by
② about – to
③ of – with
④ in – on
⑤ on – to

10 위 대화의 빈칸 ⓑ에 알맞은 단어를 쓰시오.

➡ _____

11 위 대화의 밑줄 친 ⓓ를 다음과 같이 바꿔 쓸 때 빈칸에 알맞은 말을 쓰시오.

_____ _____ meeting at the subway station?

[12~14] 다음 문장의 빈칸에 알맞은 것을 고르시오.

12 He has many things _____ tonight.

① do
② does
③ doing
④ to do
⑤ to be doing

13 I'm looking for a friend to travel _____.

① at
② in
③ with
④ on
⑤ for

14 Alice and Ken are going to enter Berkeley. They need a dormitory _____.

① live
② to live
③ to live in
④ to live with
⑤ to living

15 다음 밑줄 친 부분의 쓰임이 〈보기〉와 같은 것은?

| 보기 |
I have nothing special to eat in my bag.

① She packed her bag to go home.
② I was happy to find my cell phone.
③ He needs someone to look after his cat.
④ To eat breakfast is good for your brain.
⑤ We went to the store to buy some snacks.

16 다음 괄호 안에 주어진 단어의 알맞은 형태를 쓰시오.

Is it possible _____ the project by tomorrow? (finish)

[17~18] 다음 중 어법상 알맞지 <u>않은</u> 문장을 고르시오.

17 ① It's hard to climb the tree.
② It's great fun skate on ice.
③ It's exciting to watch a baseball game.
④ It's important for us to study English.
⑤ It's interesting to take a trip to strange lands.

18 ① Let me get you a chair to sit on.
② She has no house to live in.
③ There's nothing to worry about.
④ Give me a pen to write with.
⑤ You seem to have important something to tell me.

19 다음 밑줄 친 ⓐ, ⓑ를 어법상 올바른 형태로 쓰시오.

> I think shopping on the Internet is good.
> It's easy ⓐfind the things I want to buy.
> It's also easy ⓑfind good prices.

ⓐ _____ ⓑ _____

20 다음 괄호 안의 단어 형태가 바르게 짝지어진 것은?

> • I have something (tell) you.
> • Do you have anything (read)?

① tell – read
② tell – to read
③ to tell – read
④ telling – read
⑤ to tell – to read

[21~24] 다음 글을 읽고, 물음에 답하시오.

> **Germ 1:** Watch out!
> **Germ 2:** This is my spot!
> **Germ 3:** Hands off!
> **Germ 4:** Hey!
>   Germs are everywhere, but it is ⓐpossible to see them with your eyes.
>   There are two major kinds of germs: bacteria and viruses. Bacteria are very small creatures. ____ⓑ____ are good. They can help you ____ⓒ____ the food that you eat. ____ⓓ____ are bad and can make you sick.

21 위 글의 밑줄 친 ⓐ를 알맞은 어형으로 고치시오.

➡ _____

22 위 글의 빈칸 ⓑ와 ⓓ에 알맞은 것으로 짝지어진 것은?

① Any – Other
② Any – Others
③ Some – Others
④ Some – Other
⑤ Some – The others

23 위 글의 빈칸 ⓒ에 알맞은 것은? (2개)

① digest   ② digestion
③ digesting   ④ to digest
⑤ to digesting

24 위 글의 내용으로 보아 알 수 <u>없는</u> 것은?

① 균들은 도처에 있다.
② 박테리아와 바이러스는 균이다.
③ 박테리아는 아주 작은 생물체이다.
④ 박테리아 중에는 이로운 것들이 있다.
⑤ 바이러스는 박테리아보다 더 해롭다.

[25~28] 다음 글을 읽고, 물음에 답하시오.

A: We have an invader! Come quickly.

B: It's my job to defend the body.

C: That was a nice meal! Are there any more germs ___@___?

Luckily, your body has an army of defense. The T cells sound the alarm! (①) The B cells arrive to fight the germs with antibodies. (②) The macrophage cells ⓑshow up and eat the germs. (③)

Together, this army is ⓒcall the white blood cells. (④) In a few days, you start to feel better. (⑤)

25 위 글의 ①~⑤ 중 다음 주어진 문장이 들어갈 알맞은 곳은?

> If all goes well, they win the fight.

①   ②   ③   ④   ⑤

26 위 글의 빈칸 @에 알맞은 것은?

① eat   ② eating
③ to eat   ④ for eat
⑤ to eating

27 위 글의 밑줄 친 ⓑ와 뜻이 같은 것은?

① seem   ② turn
③ get   ④ become
⑤ appear

28 위 글의 밑줄 친 ⓒ를 알맞은 형으로 고치시오.

➡ _____

[29~31] 다음 글을 읽고, 물음에 답하시오.

The army of defense: Game Over.

Germ: Fine. Next year, I'll send in my cousin. He'll see you then for ___@___ fight!

The body remembers the invader, so it cannot make copies of itself again. But the germs are smart, too. They can change form and trick the body.

29 위 글의 빈칸 @에 알맞은 것은?

① other   ② another
③ others   ④ the other
⑤ the others

30 위 글의 내용과 일치하지 <u>않는</u> 것은?

① The army of defense won the fight.
② The germ's cousin will come next year.
③ The invader can't make copies of itself again.
④ The body will remember the germ's cousin.
⑤ The germs can change form.

31 Why can't the invader make copies of itself again? Answer in English.

➡ _____

Earth, Our Only Home

🎙 의사소통 기능

- 허락 구하기
  A: Is it okay to put up a poster?
  B: Sure, go ahead.

- 금지하기
  A: Can I feed the animal?
  B: No, you're not supposed to do that.

🎙 언어 형식

- 수동태
  This shirt **was designed** by my sister.

- as ~ as ...
  Grandma is **as** old **as** that tree.

Words & Expressions

Key Words

- **allow** [əláu] 동 허락하다(= permit)
- **almost** [ɔ́:lmoust] 부 거의
- **artificial** [ὰːrtəfíʃəl] 형 인공의, 인위적인(↔ natural)
- **bright** [brait] 형 밝은(↔ dark)
- **bulletin board** 게시판
- **careful** [kέərfəl] 형 주의 깊은(↔ careless)
- **carefully** [kέərfəli] 부 주의 깊게
- **cause** [kɔːz] 동 ~을 야기하다[초래하다]
- **clearly** [klíərli] 부 분명히
- **create** [kriéit] 동 창조[창작]하다
- **dark** [da:rk] 형 어두운(↔ bright)
- **disturb** [distə́:rb] 동 방해하다
- **effect** [ifékt] 명 영향, 결과
- **enough** [inʌ́f] 부 충분히 형 충분한
- **environment** [inváiərənmənt] 명 환경
- **especially** [ispéʃəli] 부 특히, 특별히
- **everywhere** [evriwer] 부 모든 곳에서
- **famous** [féiməs] 형 유명한(= well-known)
- **feed** [fi:d] 동 먹이를 주다
- **follow** [fάlou] 동 ~을 따르다
- **human** [hjú:mən] 명 인간, 사람
- **lastly** [lǽstli] 부 마지막으로
- **lay** [lei] 동 (알을) 낳다
- **leash** [li:ʃ] 명 가죽 끈[줄]
- **leftover** [leftouvər] 명 남은 음식
- **light** [lait] 명 빛 형 가벼운(↔ heavy)
- **migrate** [máigreit] 동 이동하다, 이주하다
- **natural** [nǽtʃərəl] 형 자연의, 자연적인(↔ artificial)
- **ocean** [óuʃən] 명 바다
- **painting** [péintiŋ] 명 그림
- **pick** [pik] 동 (꽃을) 꺾다
- **pollution** [pəlú:ʃən] 명 오염
- **protect** [prətékt] 동 보호하다
- **recent** [rí:snt] 형 최근의
- **report** [ripɔ́:rt] 명 보고, 보고서
- **rhythm** [ríðm] 명 리듬
- **rule** [ru:l] 명 규칙
- **serious** [síəriəs] 형 심각한
- **sleep** [sli:p] 명 잠, 수면
- **solve** [salv] 동 해결하다
- **starry** [stά:ri] 형 별이 총총한
- **threaten** [θrétn] 동 위협하다, 위태롭게 하다
- **toothbrush** [tuθbrəʃ] 명 칫솔
- **trash** [træʃ] 명 쓰레기(= waste)
- **volume** [válju:m] 명 음량, 볼륨
- **volunteer** [vὰləntíər] 동 자원 봉사로 일하다 명 자원 봉사자
- **wildlife** [waildlaif] 명 야생 동물
- **wrong** [rɔ́:ŋ] 형 잘못된, 틀린(↔ right)

Key Expressions

- **according to** ~에 따르면
- **be familiar with** ~에 익숙하다, ~을 잘 알다
- **be over** 끝나다
- **because of** ~ 때문에
- **be not supposed to** ~해서는 안 된다
- **care about** ~에 관심을 가지다
- **feel proud** 긍지를 느끼다
- **have an effect** 영향을 주다
- **in danger** 위험에 처한
- **in fact** 사실
- **look up** 올려다보다, 쳐다보다
- **make a fire** 불을 붙이다
- **millions of** 수백만의
- **most of** ~의 대부분
- **suffer from** ~로 고통 받다
- **take action** 조치를 취하다
- **take care of** ~을 처리하다, ~을 돌보다
- **throw away** ~을 버리다
- **turn down** (볼륨을) 줄이다
- **wander off** ~에서 벗어나다

Word Power

※ 명사에 -ful, -y 등을 붙여 형용사가 되는 단어

- □ luck(행운) → lucky(운이 좋은)
- □ care(주의) → careful(주의 깊은)
- □ help(도움) → helpful(도움이 되는)
- □ harm(해) → harmful(해로운)
- □ wonder(경이) → wonderful(경이로운)
- □ beauty(아름다움) → beautiful(아름다운)

- □ cloud(구름) → cloudy(흐린)
- □ wind(바람) → windy(바람이 부는)
- □ star(별) → starry(별이 총총한)
- □ thirst(갈증) → thirsty(갈증이 나는)
- □ mess(엉망인 상태) → messy(지저분한)

English Dictionary

□ **allow** 허락하다
→ to let someone do something
누군가가 뭔가를 하도록 하게 두다

□ **artificial** 인공의, 인위적인
→ not natural or real
자연적이거나 진짜가 아닌

□ **create** 창조[창작]하다
→ to make or produce something
어떤 것을 만들거나 생산하다

□ **disturb** 방해하다
→ to stop someone from working, sleeping, etc.
어떤 사람의 작업, 수면 등을 방해하다

□ **effect** 영향
→ a change that results when something is done or happens
어떤 일이 행해지거나 일어날 때 초래되는 변화

□ **environment** 환경
→ the natural world in which people, animals, and plants live
사람, 동물, 식물이 사는 자연 세계

□ **feed** 먹이를 주다
→ to give food to someone or something
어떤 사람이나 어떤 것에게 먹을 것을 주다

□ **lay** (알을) 낳다
→ to produce an egg outside of the body
몸 밖으로 알을 낳다

□ **leftover** 남은 음식
→ food that has not been finished at a meal and that is often served at another meal
식사 때 다 먹지 않고 종종 또 다른 식사 때 제공되는 음식

□ **migrate** 이동하다
→ to move from one area to another at different times of the year
계절에 따라 한 지역에서 다른 지역으로 이동하다

□ **pollution** 오염
→ the process of making air, water, soil, etc. dirty
공기, 물, 토양 등을 더럽게 만드는 과정

□ **protect** 보호하다
→ to keep someone or something from being harmed, lost, etc.
누군가 또는 어떤 것이 해를 입거나 없어지거나 하지 않게 하다

□ **rhythm** 리듬
→ a regular, repeated pattern of events, changes, activities, etc.
일정하고 반복적인 형태의 사건, 변화, 활동 따위

□ **solve** 해결하다
→ to find an answer to a problem or a question
어떤 문제나 질문에 대한 답을 발견하다

□ **starry** 별이 총총한
→ full of stars
별이 가득한

□ **trash** 쓰레기
→ things that are no longer useful or wanted and that have been thrown away
못쓰게 되거나 필요하지 않아서 버린 것

□ **wildlife** 야생 동물
→ animals living in nature
자연에서 사는 동물

01 다음 중 〈보기〉와 같은 형태로 변화하는 단어가 <u>아닌</u> 것은?

┌─ 보기 ─────────────────────┐
help : helpful
└────────────────────────────┘

① harm　　　　② care
③ mess　　　　④ beauty
⑤ wonder

중요

02 다음 빈칸에 들어갈 동사가 바르게 짝지어진 것은?

┌────────────────────────────┐
• Don't _____ a fire or cook in the park.
• He wants to _____ action to solve the problem.
└────────────────────────────┘

① build – bring　　② start – get
③ take – make　　　④ get – turn
⑤ make – take

03 다음 영영풀이에 해당하는 단어로 알맞은 것은?

┌────────────────────────────┐
to stop someone from working, sleeping, etc.
└────────────────────────────┘

① allow　　　　② throw
③ defend　　　 ④ disturb
⑤ protect

서답형

04 다음 짝지어진 단어의 관계가 같도록 빈칸에 알맞은 말을 쓰시오.

┌────────────────────────────┐
dark : bright = natural : _____
└────────────────────────────┘

05 다음 빈칸에 알맞은 말이 바르게 짝지어진 것은?

┌────────────────────────────┐
• We are familiar _____ this process.
• There are many species of animals _____ danger.
└────────────────────────────┘

① in – with　　　② of – at
③ to – from　　　④ with – in
⑤ about – with

서답형

06 다음 문장의 빈칸에 영영풀이에 해당하는 단어를 주어진 철자로 시작하여 쓰시오.

┌────────────────────────────┐
a change that results when something is done or happens
➡ Light pollution can have a serious e_____ on humans and wildlife.
└────────────────────────────┘

중요

07 다음 문장의 밑줄 친 부분의 의미로 가장 적절한 것은?

┌────────────────────────────┐
<u>In fact</u>, she is the tallest woman in the world!
└────────────────────────────┘

① Exactly　　　② Clearly
③ Actually　　　④ Recently
⑤ Especially

서답형

08 다음 빈칸에 공통으로 알맞은 말을 쓰시오.

┌────────────────────────────┐
• According _____ the weather forecast, it will rain tomorrow.
• You're not supposed _____ pick flowers or fruits.
└────────────────────────────┘

➡ _____

01 다음 짝지어진 두 단어의 관계가 같도록 빈칸에 알맞은 말을 쓰시오.

(1) same : different = dark : _____

(2) easy : difficult = _____ : right

(3) kind : sort = famous : _____

(4) delicious : tasty = trash : _____

02 다음 우리말에 맞게 빈칸에 알맞은 말을 쓰시오.

(1) 소리 좀 줄여 주시겠어요?

➡ Will you _____ _____ the volume, please?

(2) 수백만의 사람들이 그들의 집을 잃었다.

➡ _____ _____ people lost their homes.

(3) 그는 교통 체증 때문에 비행기를 놓쳤다.

➡ He missed his airplane _____ _____ a traffic jam.

03 다음 빈칸에 공통으로 들어갈 말을 〈보기〉에서 골라 쓰시오.

┤ 보기 ├
volunteer   light   effect

(1) • Colors have an _____ on our moods.
 • Cause and _____ react upon each other.

(2) • I'm looking for a _____ overcoat.
 • Wildlife is threatened by _____ pollution.

(3) • You can be a _____ to help them!
 • I don't want her to _____.

04 다음 빈칸에 들어갈 알맞은 말을 〈보기〉에서 골라 쓰시오.

┤ 보기 ├
trash   environment   rhythm

(1) He is dancing to the _____.

(2) We have to protect the _____ from pollution.

(3) The children are picking up the _____.

05 다음 빈칸에 알맞은 말을 〈보기〉에서 골라 쓰시오.

┤ 보기 ├
suffer from   care about   be over

(1) The concert will _____ by about 8:00.

(2) They _____ noise and dirty water.

(3) People should _____ our oceans.

06 다음 영영풀이에 해당하는 단어를 주어진 철자로 시작하여 쓰시오.

(1) a_____ : not natural or real

(2) a_____ : to let someone do something

(3) m_____ : to move from one area to another at different times of the year

(4) p_____ : to keep someone or something from being harmed, lost, etc.

Conversation

① 허락 구하기

A Is it okay to put up a poster? 포스터를 붙여도 될까요?

B Sure, go ahead. 물론, 어서 해.

■ Is it okay to ~?는 어떤 행동을 하기 전에 허가 여부를 묻는 표현으로, '~해도 될까요?'라고 해석한다.

　• A: Is it okay to stay out until late? 늦게까지 밖에 있어도 될까요?
　　B: Sorry, you can't. 미안하지만, 안 돼.

허락 구하기 표현

　• Is it OK to open the window? 창문을 열어도 될까요?

　• Can[May] I take pictures? 사진을 찍어도 될까요?

　• Am I allowed to use a cellphone here? 여기서 휴대전화를 사용해도 될까요?

　• Is it OK if I leave now? 제가 지금 떠나도 될까요?

　• Do[Would] you mind if I sit here? 제가 여기 앉아도 될까요?

허락 구하기에 답하기

(허가할 때) • Sure. Go ahead. • Why not? • Of course. • No problem. • Okay.
　　　　　　• That's fine with me. • Certainly. • I think it's okay.

(불허할 때) • I'm afraid not. • No, I'm sorry. • Not now. • Certainly not.
　　　　　　• Not for any reason. • No, don't do that.

■ Do[Would] you mind if I ~?처럼 mind(꺼리다, 싫어하다)를 사용하여 허락을 구하는 질문에 답할 때는 Yes라고 하면 허락을 하지 않는다는 의미이고, No나 not이 들어가면 허락한다는 의미이므로 주의해야 한다.

　• A: Do you mind if I close the window? 창문을 닫아도 될까요?
　　B: Not at all. 그렇게 하세요.

핵심 Check

1. 다음 우리말과 일치하도록 빈칸에 알맞은 말을 쓰시오.

　(1) **A:** Is it _____ _____ ride a bike? (자전거를 타도 돼요?)

　　B: _____, you _____. (아니, 안 돼.)

　(2) **A:** _____ I _____ to use this computer? (이 컴퓨터를 써도 될까요?)

　　B: Sure. (물론이지.)

② 금지하기

A Can I feed the animal? 동물에게 먹이를 줘도 되나요?

B No, you're not supposed to do that. 아니요. 그러면 안 됩니다.

■ You're not supposed to ~.는 상대방의 어떤 행동을 금지할 때 쓰는 표현으로, '너는 ~해서는 안 된다.'라고 해석한다.

   • A: Is it okay if I practice the guitar here? 여기서 기타를 연습해도 될까요?
     B: No, you're not supposed to do that. 아니요. 그러면 안 됩니다.

금지를 나타내는 표현

   • You're not supposed to take pictures at the museum. 박물관에서는 사진을 찍어서는 안 된다.
     = Don't[Do not] take pictures at the museum.
     = You can't take pictures at the museum.
     = You shouldn't take pictures at the museum.
     = You're not allowed to take pictures at the museum.
     = You're not permitted to take pictures at the museum.

핵심 Check

2. 다음 우리말과 일치하도록 빈칸에 알맞은 말을 쓰시오.

   (1) A: Excuse me. You _____ _____ your cellphone here.
       (실례합니다. 이곳에서 휴대 전화를 사용하시면 안 됩니다.)

       B: Oh, I'm _____. (오. 죄송합니다.)

   (2) A: _____ _____ snacks in here. (이 안에서 과자를 드시지 마세요.)

       B: Oh, I'm sorry. (오. 죄송합니다.)

   (3) A: Can I bring friends home? (집에 친구를 데려와도 돼요?)

       B: _____, you _____. You're _____ _____ _____ bring friends
          home. (아니. 안 돼. 너는 집에 친구를 데려오면 안 돼.)

   (4) A: Is it okay if I _____ _____ _____ at the museum?
       (박물관에서 사진을 찍어도 될까요?)

       B: No, you're not _____ to do that. (아니요. 그건 허가되지 않습니다.)

Communicate: Listen - Listen and Answer Dialog 1

G: ❶Is it okay to put a poster on the bulletin board, Mr. Cha?

M: A poster?

G: Here. ❷It's a poster about World Oceans Day.

M: ❸Let me see. It's a great poster. Did you make it?

G: My club members made it together. ❹I think people should care more about our oceans.

M: I agree. ❺Well, we don't have space right now.

G: ❻Then can I put it on the door?

M: ❼Sure. Go ahead.

G: 게시판에 포스터를 붙여도 될까요, 차 선생님?
M: 포스터?
G: 이거요. 이것은 세계 해양의 날에 대한 포스터예요.
M: 어디 보자. 포스터가 멋지네. 네가 만들었니?
G: 저희 동아리 회원들이 함께 그것을 만들었어요. 저는 사람들이 우리의 바다에 대해 더 관심을 가져야 한다고 생각해요.
M: 나도 그렇게 생각해. 음, 지금은 공간이 없어.
G: 그럼 문에 붙여도 될까요?
M: 물론. 어서 해.

❶ Is it okay to ~?: ~해도 괜찮을까요? (허가 여부를 묻는 표현) / bulletin board: 게시판
❷ It은 A poster를 가리킨다. / World Oceans Day: 세계 해양의 날
❸ Let me see.: 어디 보자.
❹ I think (that) 주어 + should + 동사원형 ~: 나는 ~해야 한다고 생각해. / care about: ~에 관심을 가지다
❺ space: 공간 / right now: 지금
❻ Can I + 동사원형 ~?: ~해도 될까요? (허가 여부를 묻는 표현)
❼ Go ahead.: 어서 해.

Check(√) True or False

(1) The girl made the poster by herself.　　　　T ☐　F ☐

(2) The girl will put the poster on the door.　　　T ☐　F ☐

 Communicate: Listen - Listen and Answer Dialog 2

G: What are you doing, Minsu?

B: ❶I'm throwing away unused medicine.

G: ❷Well, you're not supposed to do that.

B: Why not?

G: ❸It can pollute the water. ❹It can also put people and animals in danger.

B: I see. ❺Then what should I do?

G: ❻You must take it to a drugstore. ❼They'll take care of it.

B: Oh, I didn't know that. I'll be more careful.

G: 뭐 하고 있니, 민수야?
B: 사용하지 않는 약을 버리고 있어.
G: 음, 그렇게 해서는 안 돼.
B: 왜 안 돼?
G: 그것은 물을 오염시킬 수 있어. 또한 사람과 동물을 위험에 빠뜨릴 수 있어.
B: 알겠어. 그럼 내가 어떻게 해야 하지?
G: 약국에 가져가야 해. 그들이 그것을 처리할 거야.
B: 오, 난 몰랐어. 더 주의할게.

❶ be동사+-ing: ~하고 있다(현재진행형) / throw away: 버리다 / unused medicine: 사용하지 않는 약
❷ You're not supposed to ~.: 너는 ~해서는 안 된다. (금지하기 표현)
❸ It은 'throwing away unused medicine'을 가리킨다. / pollute: 오염시키다
❹ put ~ in danger: ~을 위험에 빠뜨리다
❺ What should I do?: 내가 어떻게 해야 하니?(충고를 구하는 표현)
❻ must: ~해야 한다 / it= unused medicine
❼ take care of: ~을 처리하다

Check(√) True or False

(3) The unused medicine can pollute the water.　　　T ☐　F ☐

(4) The girl will take care of the unused medicine.　　T ☐　F ☐

Communicate: Listen - Listen More

G: Wow! I love this place, Dad.

M: Oh, I forgot something. I didn't bring our toothbrushes.

G: ❶I saw a store on our way here.

M: Okay. ❷I'll go get some toothbrushes.

G: Sure. ❸It's getting dark. ❹You should drive carefully.

M: ❺Don't worry.

G: ❻Dad, is it okay to cook some *ramyeon*?

M: ❼Of course. ❽But you're not supposed to throw away any leftovers.

G: I know that. ❾I really care about the environment.

❶ on one's way here: 여기 오는 길에

❷ go와 get 사이에는 and가 생략되었다. / get=buy

❸ It: 명암을 나타내는 비인칭 주어 / get dark: 어두워지다

❹ should+동사원형: ~해야 한다 / carefully: 주의 깊게

❺ 부정명령문: Don't[Never]+동사원형 ~.

❻ Is it okay to + 동사원형 ~?: ~해도 돼요?

❼ 허가할 때 사용하는 표현이다.

❽ You're not supposed to + 동사원형 ~: 너는 ~해서는 안 된다 / throw away: 버리다 / leftover: 남은 음식

❾ care about: ~에 관심을 가지다 / environment: 환경

 Communicate: Listen - All Ears

M: 1. ❶You're not supposed to do that.
2. ❷People should care more about our oceans.

❶ You're not supposed to + 동사원형 ~: 너는 ~해서는 안 된다

❷ should+동사원형: ~해야 한다 / care about: ~에 관심을 가지다

 Communicate: Speak - Talk in groups

A: ❶You're not supposed to study during breaks.

B: ❷What's wrong with that?

A: ❸It's a new class rule. ❹You shouldn't do that.

B Okay. I'll ❺remember the rule.

❶ You're not supposed to + 동사원형 ~: 너는 ~해서는 안 된다 / during breaks: 쉬는 시간에

❷ What's wrong with that?: 그게 뭐가 문젠데?

❸ class rule: 학급 규칙

❹ You shouldn't+동사원형 ~: 너는 ~해서는 안 돼.

❺ remember: 기억하다(↔forget)

 My Speaking Portfolio - Step 1

M: ❶Welcome to K-Zoo. ❷Please listen carefully and follow the rules. First, ❸ you're not supposed to feed the animals. ❹ It can make them sick. ❺And you're not supposed to touch the animals. It can be very dangerous. ❻Lastly, don't throw stones or trash at them. Enjoy your time at K-Zoo. Thank you.

❶ Welcome to ~: ~에 온 걸 환영합니다

❷ follow the rules: 규칙을 따르다

❸ be not supposed to+동사원형: ~해서는 안 된다 / feed: 먹이를 주다

❹ make+목적어+목적격 보어: ~을 …하게 만들다 / them=the animals

❺ touch the animals: 동물들을 만지다

❻ lastly: 마지막으로 / Don't+동사원형: ~하지 마라(부정명령문) / trash: 쓰레기

 Wrap Up - Listening ❺

G: ❶Dad, is it okay to go out with my friends this Saturday?

M: ❷What are your plans?

G: ❸Well, my favorite singer is going to have a concert at Olympic Park.

M: ❹Okay, but come home by 9 o'clock.

G: ❺No problem. ❻The concert will be over by about 8:00.

❶ Is it OK to ~?: ~해도 될까요?(= Am I allowed to ~? = Is it OK if I ~?) / go out: 외출하다

❷ What are your plans?: 너희 계획들은 무엇이니?(계획을 묻는 표현)

❸ favorite: 아주 좋아하는 / be going to: ~할 것이다 / have a concert: 콘서트를 하다

❹ come home: 집에 오다 / by: ~까지는

❺ No problem.: 그럼요.[전혀 문제되지 않아요.]

❻ be over: 끝나다 / about: 약, ~쯤

 Wrap Up - Listening ❻

W: ❶Hey, look at the sign!

B: What sign?

W: ❷The one over there. ❸You're not supposed to pick flowers here.

B: Oh, I'm sorry. I didn't know that.

❶ look at: ~을 보다 / sign: 표지판

❷ one = sign / over there: 저쪽에

❸ You're not supposed to + 동사원형 ~: 너는 ~해서는 안 된다 / pick flowers: 꽃을 따다

Conversation **169**

● 다음 우리말과 일치하도록 빈칸에 알맞은 말을 쓰시오.

Communicate: Listen - Listen and Answer Dialog 1

G: Is it _____ _____ _____ a poster on the _____ board, Mr. Cha?

M: A poster?

G: Here. It's a poster _____ World Oceans Day.

M: _____ me _____. It's a great poster. _____ you _____ it?

G: My club _____ made it _____. I think people should care more _____ our oceans.

M: I _____. Well, we don't have space _____ _____.

G: Then _____ I _____ it on the door?

M: Sure. Go _____.

G: 게시판에 포스터를 붙여도 될까요, 차 선생님?
M: 포스터?
G: 이거요. 이것은 세계 해양의 날에 대한 포스터예요.
M: 어디 보자. 포스터가 멋지네. 네가 만들었니?
G: 저희 동아리 회원들이 함께 그것을 만들었어요. 저는 사람들이 우리의 바다에 대해 더 관심을 가져야 한다고 생각해요.
M: 나도 그렇게 생각해. 음, 지금은 공간이 없어.
G: 그럼 문에 붙여도 될까요?
M: 물론. 어서 해.

Communicate: Listen - Listen and Answer Dialog 2

G: What _____ you _____, Minsu?

B: I'm _____ _____ unused medicine.

G: Well, you're not _____ to do that.

B: Why _____?

G: It _____ _____ the water. It can also _____ people and animals _____ _____.

B: I _____. Then _____ should I _____?

G: You _____ _____ it to a drugstore. They'll take _____ of it.

B: Oh, I _____ know that. I'll _____ more _____.

G: 뭐 하고 있니, 민수야?
B: 사용하지 않는 약을 버리고 있어.
G: 음, 그렇게 해서는 안 돼.
B: 왜 안 돼?
G: 그것은 물을 오염시킬 수 있어. 또한 사람과 동물을 위험에 빠뜨릴 수 있어.
B: 알겠어. 그럼 내가 어떻게 해야 하지?
G: 약국에 가져가야 해. 그들이 그것을 처리할 거야.
B: 오, 난 몰랐어. 더 주의할게.

Communicate: Listen - Listen More

G: Wow! I _____ this _____, Dad.

M: Oh, I _____ something. I _____ _____ our toothbrushes.

G: I saw a store _____ _____ _____ here.

M: Okay. I'll _____ some toothbrushes.

G: Sure. It's _____ _____. You _____ drive _____.

M: _____ worry.

G: Dad, is _____ okay _____ _____ some *ramyeon*?

M: Of _____. But you're _____ throw away any leftovers.

G: I know that. I really _____ _____ the environment.

G: 와우! 이곳이 정말 좋아요, 아빠.
M: 오, 깜빡 잊은 게 있어. 칫솔을 가져오지 않았어.
G: 여기 오는 길에 가게를 봤어요.
M: 좋아, 내가 가서 칫솔 좀 사 올게.
G: 그래요. 어두워지고 있어요. 운전 조심하세요.
M: 걱정하지 마.
G: 아빠, 라면을 좀 요리해도 돼요?
M: 물론이지. 하지만 남은 음식은 버리면 안 돼.
G: 알아요. 저는 환경에 정말 관심이 많아요.

Communicate: Listen - All Ears

M: 1. You're _____ _____ _____ do that.

　　2. People should _____ _____ _____ our oceans.

Communicate: Speak - Talk in groups

A: _____ _____ supposed to study _____ breaks.

B: What's _____ with that?

A: It's a new _____ _____. You _____ do that.

B: Okay. I'll _____ the rule.

My Writing Portfolio - Step 1

M: _____ _____ K-Zoo. Please _____ carefully and _____ the rules. First, you're not _____ to feed the animals. It can _____ them _____. And you're not supposed _____ _____ the animals. It can be very _____. _____, don't _____ stones or trash _____ them. Enjoy your time _____ K-Zoo. Thank you.

Wrap Up - Listening ❺

G: Dad, _____ _____ _____ _____ go out with my friends this Saturday?

M: What are your _____?

G: Well, my _____ singer is going to _____ _____ _____ at Olympic Park.

M: Okay, but come home _____ 9 o'clock.

G: No _____. The concert will _____ _____ by about 8:00.

Wrap Up - Listening ❻

W: Hey, _____ _____ the sign!

B: _____ sign?

W: The one _____ _____. You're not supposed to _____ flowers here.

B: Oh, I'm _____. I _____ _____ that.

해석

M: 1. 너는 그렇게 해서는 안 돼.
　　2. 사람들은 우리의 바다에 대해 더 관심을 가져야 해.

A: 쉬는 시간에 공부하면 안 돼.
B: 그게 뭐가 문젠데?
A: 새로운 학급 규칙이야. 그렇게 해선 안 돼.
B: 알았어. 규칙을 기억할게.

M: K-Zoo에 오신 것을 환영합니다. 주의 깊게 듣고 규칙을 따르세요. 첫 번째, 동물들에게 먹이를 주면 안 돼요. 그것은 동물들을 아프게 할 수 있습니다. 그리고 동물들을 만지면 안 돼요. 그것은 매우 위험할 수 있습니다. 마지막으로, 동물들에게 돌이나 쓰레기를 던지지 마세요. K-Zoo에서 즐거운 시간을 보내세요. 감사합니다.

G: 아빠, 이번 토요일에 친구들과 외출해도 될까요?
M: 너희들의 계획이 뭐니?
G: 음, 제가 가장 좋아하는 가수가 올림픽 공원에서 콘서트를 할 예정이에요.
M: 좋아, 하지만 9시까지는 집에 오거라.
G: 그럼요. 콘서트는 8시쯤에 끝날 거예요.

W: 이봐요, 표지판을 보세요!
B: 무슨 표지판이요?
W: 저쪽에 있는 거요. 여기서 꽃을 따면 안 돼요.
B: 아, 미안해요. 전 몰랐어요.

01 다음 대화의 밑줄 친 부분의 의도로 알맞은 것은?

> A: <u>Is it okay to leave now?</u>
> B: Sure.

① 도움 요청하기　　　② 허가 여부 묻기
③ 불만 표현하기　　　④ 확인 요청하기
⑤ 불만에 응답하기

02 다음 대화의 빈칸에 알맞은 것은?

> A: May I go to a music concert on Saturday?
> B: _____ Let's go together.

① Thanks.　　　　　　② Sure.
③ Of course not.　　　④ Yes, we do.
⑤ Help yourself.

[03~04] 다음 대화의 밑줄 친 부분과 바꾸어 쓸 수 있는 것을 고르시오.

03

> A: <u>Is it okay to</u> take pictures here?
> B: No, you're not supposed to do that.

① Would you like to　　② Am I allowed to
③ Where can you　　　　④ When can I
⑤ Do you want to

04

> A: Can I swim in this river?
> B: Oh, no. <u>You're not allowed to do that.</u>

① You may do that.
② You don't have to do that.
③ You don't need to do that.
④ I'm not sure if you can do that.
⑤ You're not supposed to do that.

[01~05] 다음 대화를 읽고, 물음에 답하시오.

G: _____ⓐ_____ put a poster on the bulletin board, Mr. Cha?

M: A poster? (①)

G: Here. It's a poster about World Oceans Day. (②)

M: Let me see. It's a great poster. Did you make it?

G: My club members made it together. I think people should care more ⓑ our oceans. (③)

M: I agree. (④)

G: Then can I put it on the door?

M: ____ⓒ____ Go ahead. (⑤)

01 위 대화의 ①~⑤ 중 다음 문장이 들어갈 알맞은 곳은?

| Well, we don't have space right now. |

① ② ③ ④ ⑤

02 위 대화의 빈칸 ⓐ에 알맞은 것은?

① When do you

② Is it okay to

③ How about you

④ Is it okay if you

⑤ Do you know if I

03 위 대화의 빈칸 ⓑ에 알맞은 것은?

① to ② of

③ for ④ about

⑤ after

04 위 대화의 빈칸 ⓒ에 알맞지 않은 것은?

① Sure. ② Certainly.

③ Why not? ④ Of course.

⑤ Maybe next time.

05 위 대화를 읽고, 다음 질문에 영어로 답하시오.

| Q: What is the poster about? |
| A: _____ |

[06~07] 다음 대화를 읽고, 물음에 답하시오.

A: ⓐYou're not supposed to study during breaks.

B: What's wrong with that?

A: It's a new class rule. You ____ⓑ____ do that.

B: Okay. I'll remember the rule.

06 위 대화의 밑줄 친 ⓐ와 바꿔 쓸 수 있는 것은?

① You should

② You don't want to

③ You would like to

④ You're not allowed to

⑤ You might want to

07 위 대화의 빈칸 ⓑ에 문맥상 알맞은 것은?

① will ② can

③ may ④ should

⑤ shouldn't

[08~12] 다음 대화를 읽고, 물음에 답하시오.

> G: What are you doing, Minsu?
> B: I'm throwing ____ⓐ____ unused medicine. (①)
> G: Well, ⓑyou're not supposed to do that.
> B: Why not? (②)
> G: It can pollute the water. It can also ____ⓒ____ people and animals in danger. (③)
> B: I see. (④)
> G: You must take it to a drugstore. They'll take care of it. (⑤)
> B: Oh, I didn't know that. I'll be more careful.

08 위 대화의 ①~⑤ 중 다음 문장이 들어갈 알맞은 곳은?

> Then what should I do?

①   ②   ③   ④   ⑤

서답형

09 위 대화의 빈칸 ⓐ에 '~을 버리고 있다'는 의미가 되도록 알맞은 말을 쓰시오.

➡ _____

10 위 대화의 밑줄 친 ⓑ의 의도로 알맞은 것은?

① 권유   ② 사과   ③ 수락
④ 금지   ⑤ 허가

중요

11 위 대화의 빈칸 ⓒ에 알맞은 것은?

① set   ② put
③ gain   ④ keep
⑤ lose

서답형

12 위 대화를 읽고, 다음 질문에 우리말로 답하시오.

> Q: Why shouldn't we throw away unused medicine?
>
> A: _____
> _____

[13~15] 다음 대화를 읽고, 물음에 답하시오.

> G: Dad, ⓐis it okay to go out with my friends this Saturday?
> M: What are your plans?
> G: Well, my favorite singer is going to have a concert at Olympic Park.
> M: Okay, but come home ____ⓑ____ 9 o'clock.
> G: ⓒNo problem. The concert will be over by about 8:00.

서답형

13 위 대화의 밑줄 친 ⓐ를 다음과 같이 바꿔 쓸 때 빈칸에 알맞은 말을 쓰시오.

> is it OK _____ I go out with my friends this Saturday?

중요

14 위 대화의 빈칸 ⓑ에 문맥상 알맞은 것은?

① to   ② by
③ after   ④ until
⑤ between

15 위 대화의 밑줄 친 ⓒ와 바꿔 쓸 수 있는 것은?

① No way.   ② Why not?
③ Certainly not.   ④ Not at all.
⑤ Don't mention it.

01 다음 괄호 안의 단어를 바르게 배열하여 대화를 완성하시오.

> A: _____ swim here?
> (okay / is / to / it)
> B: No, _____ swim here.
> (not / to / supposed / you're)

02 다음 대화의 밑줄 친 표현과 바꿔 쓸 수 있는 것을 쓰시오.
(2가지 이상)

> A: Is it okay to eat chocolate, Dad?
> B: Sure, but don't eat too much.

➡ _____

03 다음 괄호 안의 단어를 이용하여 대화를 완성하시오.

> A: Dad, is it okay if I go to the movies with my boyfriend tonight?
> B: No. _____ .
> (allow / that)

04 다음 대화의 순서를 바르게 배열하시오.

> (A) What's wrong with that?
> (B) Okay. I'll remember the rule.
> (C) It's a new class rule. You shouldn't do that.
> (D) You're not supposed to study during breaks.

➡ _____

[05~09] 다음 대화를 읽고, 물음에 답하시오.

> G: Wow! I love this place, Dad.
> M: Oh, I forgot something. I didn't bring our toothbrushes.
> G: I saw a store ⓐ our way here.
> M: Okay. ⓑI'll go get some toothbrushes.
> G: Sure. It's getting dark. You should drive carefully.
> M: Don't worry.
> G: Dad, is it okay ⓒ cook some *ramyeon*?
> M: Of course. But you're ⓓ throw away any leftovers.
> G: I know that. I really care about the environment.

05 위 대화의 빈칸 ⓐ에 알맞은 단어를 쓰시오.

➡ _____

06 위 대화의 밑줄 친 ⓑ를 우리말로 쓰시오.

➡ _____

07 위 대화의 빈칸 ⓒ에 알맞은 단어를 쓰시오.

➡ _____

08 위 대화의 빈칸 ⓓ에 문맥상 알맞은 표현을 쓰시오. (3단어)

➡ _____

09 What does the girl care about? Answer in English.

➡ _____

Grammar

① 수동태

- The shirt **was designed** by my father. 그 셔츠는 나의 아버지에 의해 디자인되었다.
- *The Scream* **was painted** by Vincent van Gogh. '비명'은 Vincent van Gogh에 의해 그려졌다.
- This house **was built** by my grandfather. 이 집은 우리 할아버지에 의해 지어졌다.

■ 수동태는 주어가 어떤 동작의 대상이 되어 그 동작을 당하는 것으로, 「be동사+과거분사+by+행위자(목적격)」의 형태로 쓰며, '~되다, ~당하다'라고 해석한다. 행위자가 일반 사람들인 경우, 「by+행위자」는 생략할 수 있다.

■ **능동태를 수동태로 바꾸는 방법**

1. 능동태의 목적어를 수동태의 주어로 바꾼다. (필요한 경우 주격의 형태로 바꾼다.)

2. 능동태의 동사를 「be+과거분사」의 형태로 바꾼다. (주어와 동사의 수와 인칭에 일치한다.)

3. 능동태의 주어를 「by+목적격」의 형태로 바꾼다.

- He ate the apple. 그는 그 사과를 먹었다.
  → The apple was eaten by him.

■ **조동사가 있는 수동태**

「조동사+be+과거분사」의 형태로 쓴다.

- The elevator **can be fixed** by Alex. 승강기는 Alex에 의해 수리될 수 있다.

■ **수동태 문장의 부정문과 의문문**

부정문: 「주어+be동사+not+과거분사+by+목적격」

- This picture **was not drawn** by Jason. 이 그림은 Jason에 의해 그려지지 않았다.

의문문: 「Be동사+주어+과거분사+by+목적격 ~?」

- **Was** our car **washed** by your mom? 우리 차가 네 엄마에 의해 세차되었니?

■ **수동태의 관용 표현**

be made of: ~로 만들어지다 (물리적 변화) / be made from: ~로 만들어지다 (화학적 변화)
be filled with: ~로 가득하다 / be interested in: ~에 관심이 있다 / be covered with: ~로 덮여 있다 /
be pleased with: ~에 기뻐하다 / be known to: ~에게 알려져 있다 / be known for: ~로 알려지다

핵심 Check

1. 다음 주어진 문장을 수동태 문장으로 바꿔 쓰시오.

(1) Brian broke the window.

➡ _____

(2) Mrs. Smith helps many poor kids.

➡ _____

(3) The police officer stopped the cars.

➡ _____

② as ~ as ...

- I want to be **as** creative **as** Leonardo da Vinci. 나는 레오나르도 다 빈치처럼 창의적이기를 원한다.
- Jade studies **as** hard **as** Kevin. Jade는 Kevin만큼 열심히 공부한다.
- Saving money is **as** important **as** making money. 돈을 저축하는 것은 돈을 버는 것만큼 중요하다.

■ as ~ as ...

'as+원급+as ...'의 형태로 '~와 똑같이 …한[하게]'의 뜻을 나타낸다. 이것은 비교되는 두 개[사람]의 정도가 같은 경우에 쓰이는 표현이다.

- I am **as** tall **as** Kate. 나는 Kate만큼 키가 크다.

비교 대상의 정도가 완전히 같을 때는 as ~ as 앞에 just를 붙이고, 거의 같을 때는 as ~ as 앞에 nearly나 about, almost를 붙인다.

- This dictionary is **just as** good **as** that. 이 사전은 저 사전과 아주 똑같이 좋다.
- He plays tennis **almost[nearly]** as well **as** Tom. 그는 Tom과 거의 같은 정도로 테니스를 잘 친다.

■ as+원급+as+사람+can[could]

'가능한 한 ~하게'의 뜻으로 as ~ as ... 구문의 관용적인 표현이다. 같은 뜻으로 'as+원급+as possible'의 구문을 쓰기도 한다.

- He swam **as** fast **as** he **could**. = He swam **as** fast **as possible**. 그는 가능한 한 빨리 수영을 했다.

■ 동등 비교의 부정형

'not as[so]+형용사[부사]의 원급+as'의 형태로 '~만큼 …하지 못한'의 의미이다. 비교급으로 바꿔 쓸 수도 있다.

- Jane is **not as** tall **as** Tommy. = Tommy is **taller than** Jane. Tommy는 Jane보다 더 키가 크다.

■ 배수 표현

'…의 몇 배만큼 ~한'이라고 배수 표현을 나타낼 경우 '숫자+times+as+형용사/부사+as' 또는 '배수사 +as+형용사/부사+as'의 표현을 사용한다.

- This building is **three times as** high **as** that building. 이 건물은 저 건물보다 3배만큼 높다.

핵심 Check

2. 다음 괄호 안의 말을 알맞은 순서로 배열하시오.

(1) You are (as, your, as, father, tall)

➡ You are _____.

(2) The red pencil is (the, as, not, yellow, as, long, one).

➡ The red pencil is _____.

(3) Is your camera (as, mine, new, as)?

➡ Is your camera _____?

Grammar 시험대비 기본평가

01 다음 동사의 과거형과 과거분사형을 쓰시오.

(1) break _____ _____   (2) bring _____ _____
(3) keep _____ _____   (4) see _____ _____
(5) speak _____ _____   (6) teach _____ _____
(7) write _____ _____   (8) steal _____ _____
(9) make _____ _____   (10) know _____ _____

break 깨뜨리다
bring 가져오다
steal 훔치다

02 다음 괄호 안에서 알맞은 것을 고르시오.

(1) The chair was painted (by / with) his brother.
(2) The telephone (is / was) invented by Bell.
(3) This building was (build / built) by a famous architect.
(4) Wine is made (from / of) grapes.
(5) I was interested (at / in) sports.
(6) The children (were / was) known to everyone.
(7) They weren't satisfied (with / for) the result.

invent 발명하다
architect 건축가
result 결과

03 다음 밑줄 친 부분을 바르게 고쳐 쓰시오.

(1) I can as run fast as my father.

➡ _____

(2) This is as not delicious as it looks.

➡ _____

(3) Tokyo's population is as large as Seoul.

➡ _____

(4) Your bag is as heavy as me.

➡ _____

(5) The second question was more difficult as the first question.

➡ _____

delicious 맛있는

다음 괄호 안의 동사를 알맞은 형태로 바꾼 것은?

> This delicious cake (make) by Sujin.

① makes　　　　② made
③ was made　　　④ make
⑤ was making

02 다음 중 동사의 과거분사형이 <u>잘못된</u> 것은?

① give – given　　② ride – ridden
③ catch – catched　④ speak – spoken
⑤ throw – thrown

서답형
03 다음 문장의 빈칸에 괄호 안의 말을 알맞은 형으로 바꿔 쓰시오.

(1) Is this dog _____ than your dog? (big)
(2) January is as _____ as December.
　　(long)
(3) I am the _____ girl in the world.
　　(happy)

서답형
04 다음 괄호 안의 동사를 알맞게 변형하여 쓰시오.

> Hangeul _____ _____ by King Sejong
> in 1443. (invent)

다음 문장을 수동태로 바르게 바꾼 것은?

> He didn't write this book.

① This book is not written by him.
② This book wasn't written by him.
③ This book didn't be write by him.
④ This book didn't be written by him.
⑤ This book wasn't be written by him.

중요
06 다음 두 문장의 의미가 같도록 할 때 빈칸에 알맞은 것은?

> This room is the same size _____ that
> one.
> = This room is as large as that one.

① as　　　　② so
③ of　　　　④ for
⑤ with

07 다음 문장의 빈칸에 알맞은 것은?

> English _____ all over the world by
> people.

① speaks　　　② spoke
③ is spoken　　④ is speaking
⑤ is to speak

서답형
08 다음 두 문장의 의미가 같도록 빈칸에 알맞은 쓰시오.

> Mr. Johnson can fix any machine in the
> town.
> = Any machine in the town can _____
> _____ by Mr. Johnson.

09 다음 문장의 빈칸에 알맞은 것은?

> Jack is _____ old as my big brother.

① as　　　　② so
③ than　　　④ very
⑤ much

10 다음 중 어법상 어색한 것은?

① The treasure island was found by Loopi.
② Frank is called Potato by his friends.
③ My new iPhone was broken by someone.
④ *The Mona Lisa* was painted by Leonardo da Vinci.
⑤ The kitchen was cleaned by she.

서답형
11 다음 문장의 빈칸에 공통으로 알맞은 말을 쓰시오.

> • Cheese is _____ from milk.
> • This box is _____ of wood.

서답형
12 다음 두 문장이 같은 뜻이 되도록 빈칸에 알맞은 말을 쓰시오.

(1) February is colder than March.
　= March isn't as _____ as February.
(2) It wasn't as hot in Busan as in Taegu.
　= It was _____ in Taegu _____ in Busan.

13 다음 문장의 빈칸에 알맞은 것은?

> According to the news, all the schools will _____ tomorrow.

① be closed　　② closing
③ closed　　　④ have closed
⑤ being closed

14 다음 중 밑줄 친 부분의 쓰임이 나머지 넷과 다른 것은?

① She was hit by a bus.
② I was annoyed because I missed the bus.
③ I was given some cake by Mary.
④ Soyeon was praised by Mr. Brown.
⑤ These trees were brought from another city by the mayor.

15 다음 빈칸에 들어갈 말이 바르게 짝지어진 것은?

> • You may eat as much _____ you like.
> • This picture is _____ beautiful than mine.

① as – much　　② as – more
③ so – few　　　④ as – little
⑤ so – much

서답형
16 다음 문장에서 어법상 어색한 곳을 찾아 고쳐 쓰시오.

> Korean history should is taught to every student.

_____ ➡ _____

17 다음 중 밑줄 친 부분이 어법상 어색한 문장은?

① The huge rock in the field was <u>moved</u> by a crane.
② My wallet was <u>stolen</u> in the classroom yesterday.
③ This work should be <u>finished</u> by him.
④ English is <u>used</u> in the UK.
⑤ The survivor was <u>founded</u> under the bridge.

 18 다음 중 밑줄 친 부분의 쓰임이 나머지 넷과 <u>다른</u> 것은?

① They were <u>as</u> busy as bees.
② Tom is not <u>as</u> honest as John.
③ Please come home <u>as</u> quickly as possible.
④ This house is twice <u>as</u> large as that.
⑤ He came up <u>as</u> she was speaking.

19 다음 문장을 수동태로 올바르게 바꾼 것은?

> Who painted these wall paintings?

① Who these wall paintings were painted?
② Whom these wall paintings painted?
③ Who these wall paintings are painted?
④ By whom were these wall paintings painted?
⑤ By whom these wall paintings paint?

서답형
20 다음 주어진 단어를 이용하여 우리말을 영어로 옮기시오.

> 이 냉장고는 그에 의해 고쳐질 수 있다.
> (refrigerator, fix)

➡ _____

서답형
21 다음 문장의 괄호 안에서 알맞은 것을 고르시오.

(1) Our teacher is as (old / older / oldest) as my father.
(2) I am (young / younger / youngest) than he.
(3) That boy is the (short / shorter / shortest) in our class.
(4) China is as (large / larger / largest) as the United States.
(5) Ann was the smartest (in / of / at) all the students.
(6) Jack finished his homework as early as he (was / did / could).

22 다음 중 어법상 <u>어색한</u> 것은?

① It is not as easy as you think.
② John doesn't work as hard as George do.
③ I don't have so much money as you do.
④ Let me have your answer as soon as possible.
⑤ I don't have as many friends as you do.

01 다음 〈보기〉의 단어를 알맞게 고쳐서 문장을 완성하시오.

> ┌─ 보기 ┐
> appear   break   sell   write

(1) The window _____ by Mike.

(2) This letter _____ by Sarah.

(3) The first steam engine _____ in Scotland.

(4) All kinds of things _____ in this convenient store.

02 다음 빈칸에 공통으로 알맞은 말을 쓰시오.

> • Radium _____ discovered by Madame Curie.
> • A pair of shoes _____ stolen yesterday.

03 다음 빈칸에 알맞은 말을 〈보기〉에서 골라 쓰시오.

> ┌─ 보기 ┐
> early   young   twice   just

(1) Today is _____ as cold as yesterday.

(2) He's not as _____ as he used to be.

(3) This box is _____ as large as that one.

(4) He doesn't get up as _____ as his brother.

04 다음 문장에서 어법상 어색한 곳을 찾아 바르게 고쳐 쓰시오.

(1) The cartoons were drawing by them.

_____ ➡ _____

(2) The airplane is invented by the Wright brothers.

_____ ➡ _____

(3) The company was found in 1976 by Mr. Kim.

_____ ➡ _____

(4) This room does not used on weekends.

_____ ➡ _____

(5) Did these pictures taken by your father?

_____ ➡ _____

05 다음 두 문장의 뜻이 같도록 빈칸에 알맞은 말을 쓰시오.

(1) Mike can't run as fast as Nancy.

= Nancy can run _____ _____ Mike.

(2) I don't have _____ much money _____ you.

➡ I have less money than you.

(3) Your sister and I are the same age.

➡ I'm _____ _____ as your sister.

(4) The girls came as soon as they could.

➡ The girls came as soon as _____.

06 다음 문장을 수동태의 문장으로 바꾸어 쓰시오.

(1) Chinese people first invented paper money around the 10th century.

➡ _____

_____

(2) People in the United States speak English.

➡ _____

(3) Tom took these pictures yesterday.

➡ _____

(4) Koreans used shells and rice as money in the past.

➡ _____

_____

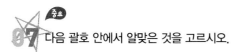

07 다음 괄호 안에서 알맞은 것을 고르시오.

(1) My car was (stolen / stole) last night.

(2) I was (hit / hitted) by a drunken driver's car.

(3) Joker was (catch / caught) by Batman.

(4) The window was (broke / broken) by Mike.

(5) The card key was (found / founded) under the table.

(6) The room was filled (with / by) many people.

(7) The singer is known (by / to) everybody.

08 다음 두 문장을 as ~ as를 써서 〈보기〉와 같이 한 문장으로 나타내시오.

┌─ 보기 ─┐

Jack has six dogs. Kate also has six dogs.

➡ Jack has as many dogs as Kate has.

└─────┘

(1) Ella has nine hats. I also have nine hats.

➡ _____

(2) This new tool is useful. The old one is useful, too.

➡ _____

(3) Tom drank a glass of wine. He also drank a glass of water.

➡ _____

09 다음 주어진 문장을 어법에 맞게 고쳐 쓰시오.

(1) 종이 상자들은 그들에 의해 옮겨졌다. (carry, by)

➡ _____

(2) 나는 그녀에게서 그 책을 받았다. (I, give, by)

➡ _____

10 다음 문장을 as ~ as 구문으로 바꿔 쓰시오.

(1) Jimin is shorter than Taemin.

➡ _____

(2) Jane is less heavy than Kirk.

➡ _____

Is It a Light Problem?

01 Look at this beautiful painting. It was created by the famous
　　~을 보아라　　　　　　　　　　　　　 be동사+과거분사(수동태)

Dutch artist Vincent van Gogh in 1889. In Van Gogh's time,
the famous Dutch artist와 Vincent van Gogh는 동격 관계

almost everyone could look up and see a wonderful starry night
　　　　　　　　 can의 과거형　　 look과 함께 could에 연결

sky. Now, how many of us are as lucky as Van Gogh? In fact,
　　　　 얼마나 많은 사람들　　　　 as+원급+as　　　 사실 (= as a matter of fact)

many people in today's world cannot enjoy a starry night sky.
　　　　　　 형용사구

This is so because of light pollution.
앞 문장의 내용을 받는 지시대명사

02 Most of us are familiar with air, water, and land pollution. We
　　 우리들 중의 대부분　　~에 익숙하다

know that they are serious problems, and we are taking action to
　　　　　 = air, water, and land pollution　　　　　 현재진행형

solve them. But did you know that light can also cause pollution?
목적을 나타내는 부사적 용법　　　 명사절을 이끄는 접속사　　　 오염을 일으키다

Light pollution – too much light in the wrong place at the wrong
　　　　　　　　　　　　　 형용사구　　　　　 형용사구

time – is almost everywhere around the world. It can have serious
　　　 있다–완전자동사　　　　　　　　　　~에 심각한 영향을 끼치다

effects on humans and wildlife.

우측 단어
painting 그림
create 창조하다, 만들다
artist 미술가, 예술가
almost 거의
starry 별이 총총한
in fact 사실
light 빛, 광선
because of ~ 때문에
pollution 오염
most of ~의 대부분
be familiar with ~에 익숙하다, ~을 잘 알다
land 땅, 육지
serious 심각한
take action 조치를 취하다
cause 일으키다
wrong 잘못된, 틀린
everywhere 도처에
effect 영향
human 인간
wildlife 야생동물

 확인문제

● 다음 문장이 본문의 내용과 일치하면 T, 일치하지 않으면 F를 쓰시오.

1　Vincent van Gogh was a famous Dutch artist. ☐

2　In Van Gogh's time, almost everyone could see a wonderful starry night sky. ☐

3　Many people in today's world can see a starry night sky. ☐

4　Most of us are familiar with light pollution. ☐

5　Air, water, and land pollution are serious problems. ☐

03 According to a recent report, about 89% of the world's population
약   주어

lives under skies that are not dark enough at night. Especially in big
동사   부사구 주격 관계대명사—skies가 선행사   특히

cities, people often cannot see a starry night. They can also suffer
빈도부사—조동사 앞에 위치   ~으로 고통을 받다

from sleep problems because the natural rhythm of day and night is
~으로 고통을 받다   형용사구

disturbed by artificial light.
be동사+과거분사(수동태)

04 Wildlife is threatened by light pollution, too. Birds that migrate or
be동사+과거분사(수동태)   주격 관계대명사—Birds가 선행사

hunt at night find their way by natural light, but light in big cities
at+noon. night. midnight   ~에 의해   형용사구

can cause them to wander off course. Every year millions of birds
cause A to부정사: A가 ~하게 하다   수백만의

die after hitting buildings that have bright lights. Sea turtles cannot
after+동명사   주격 관계대명사—buildings가 선행사

easily find a place to lay eggs since beaches are too bright at night.
easy의 부사형   to부정사의 형용사적 용법 ~이기 때문에(=because)

Also, many baby sea turtles die because artificial light draws them
~이기 때문에   그들이 ~에서 멀어지게 하다

away from the ocean.

05 Clearly, light pollution is as serious as other forms of pollution. We
문장 수식 부사   as+원급+as   other+복수명사

have to find ways to solve the problem. If we do not, we may see
= must   to부정사의 형용사적 용법   ~할지도 모른다

stars only in our dreams or paintings.
단지, ~만—부사구 in our dreams or paitings를 수식하는 부사

according to ~에 의하면
recent 최근의
population 인구
especially 특히
suffer from ~으로 고통을 받다
natural 자연적인
rhythm 리듬
disturb 방해하다
artificial 인공적인
threaten 위협하다
migrate 이주하다
hunt 사냥하다
cause 야기하다
wander off 벗어나다
course 코스, 경로
million 백만
turtle 거북
easily 쉽게
lay (알을) 낳다
beach 해변
draw 이끌다
ocean 대양
form 형태
dream 꿈

확인문제

● 다음 문장이 본문의 내용과 일치하면 T, 일치하지 않으면 F를 쓰시오.

1 People in big cities can enjoy a starry night. ☐

2 Light pollution can cause sleep problems. ☐

3 Light pollution is also harmful to wildlife. ☐

4 Beaches are so bright at night, so sea turtles can find a place to lay eggs. ☐

5 Light pollution isn't as serious as other forms of pollution. ☐

● 우리말을 참고하여 빈칸에 알맞은 말을 쓰시오.

1 _____ at this beautiful _____ .

2 It was _____ by the famous Dutch _____ Vincent van Gogh in 1889.

3 In Van Gogh's _____ , almost everyone could _____ up and see a wonderful _____ night sky.

4 Now, how _____ of us are as _____ as Van Gogh?

5 In _____ , many people in today's _____ cannot enjoy a starry night _____ .

6 This is so _____ of light _____ .

7 Most of us are _____ with air, water, and _____ pollution.

8 We know _____ they are serious _____ , and we are taking _____ to solve them.

9 But did you _____ that light can also _____ pollution?

10 _____ pollution—too much light in the _____ place at the wrong time—is almost _____ around the world.

11 It can have serious _____ on humans and _____ .

---

1 이 아름다운 그림을 보세요.

2 그것은 1889년에 유명한 네덜란드 미술가 빈센트 반 고흐에 의해 만들어졌습니다.

3 반 고흐의 시대에는 거의 모든 사람들이 위를 쳐다보고 멋진 별이 빛나는 밤하늘을 볼 수 있었습니다.

4 이제, 우리들 중 얼마나 많은 사람이 반 고흐만큼 운이 있을까요?

5 사실, 오늘날 세계의 많은 사람들은 별이 빛나는 밤하늘을 즐길 수 없습니다.

6 이것은 빛의 오염 때문에 그렇습니다.

7 우리들 중 대부분은 공기, 물, 토양 오염에 익숙합니다.

8 우리는 그것들이 심각한 문제라는 것을 알고 있으며, 그것들을 해결하기 위해 조치를 취하고 있습니다.

9 하지만 여러분은 빛이 오염도 일으킬 수 있다는 것을 알고 있었나요?

10 빛의 오염—잘못된 시간에 잘못된 장소에서의 너무 많은 빛—은 전 세계의 거의 모든 곳에 있습니다.

11 그것은 인간과 야생동물에게 심각한 영향을 미칠 수 있습니다.

---

12 According to a recent _____, about 89% of the world's _____ lives under skies that are not dark _____ at night.

13 _____ in big cities, people often cannot _____ a starry night.

14 They can also _____ from sleep problems _____ the natural rhythm of day and night is _____ by artificial light.

15 Wildlife is _____ by light pollution, too.

16 Birds that _____ or hunt at night find their way by _____ light, but light in big cities can _____ them to wander off course.

17 Every year _____ of birds die after _____ buildings that have bright lights.

18 Sea turtles cannot _____ find a place to lay eggs _____ beaches are too _____ at night.

19 Also, many baby sea turtles _____ because artificial light _____ them away from the _____.

20 _____, light pollution is as _____ as other forms of pollution.

21 We have to _____ ways to _____ the problem.

22 If we do not, we _____ see stars _____ in our dreams or paintings.

12 최근 보고서에 따르면, 세계 인구의 약 89%가 밤에 충분히 어둡지 않은 하늘 아래서 살고 있습니다.

13 특히 대도시에서는 별이 빛나는 밤을 종종 볼 수 없습니다.

14 그들은 또한 인공적인 빛에 의해 낮과 밤의 자연적인 리듬이 방해를 받기 때문에 수면 문제로 고통을 겪을 수도 있습니다.

15 야생동물도 빛의 오염으로 위협받고 있습니다.

16 밤에 이동하거나 사냥하는 새들은 자연광을 통해 길을 찾지만, 대도시의 빛은 길을 벗어나도록 할 수 있습니다.

17 매년 수백만 마리의 새들이 밝은 불빛이 있는 건물에 부딪치고서 죽습니다.

18 바다거북들은 밤에 해변이 너무 밝기 때문에 알을 낳을 장소를 쉽게 찾을 수 없습니다.

19 또한, 많은 아기 바다거북들은 인공 빛이 그들을 바다에서 멀어지게 하기 때문에 죽습니다.

20 분명히, 빛 오염은 다른 형태의 오염만큼이나 심각합니다.

21 우리는 그 문제를 해결할 방법을 찾아야 합니다.

22 만약 우리가 하지 않으면, 우리는 우리의 꿈이나 그림에서만 별을 볼 수 있을지 모릅니다.

● 우리말을 참고하여 본문을 영작하시오.

1 이 아름다운 그림을 보세요.

➡ _____

2 그것은 1889년에 유명한 네덜란드 미술가 빈센트 반 고흐에 의해 만들어졌습니다.

➡ _____

3 반 고흐의 시대에는 거의 모든 사람들이 위를 쳐다보고 멋진 별이 빛나는 밤하늘을 볼 수 있었습니다.

➡ _____

4 이제, 우리들 중 얼마나 많은 사람이 반 고흐만큼 운이 있을까요?

➡ _____

5 사실, 오늘날 세계의 많은 사람들은 별이 빛나는 밤하늘을 즐길 수 없습니다.

➡ _____

6 이것은 빛의 오염 때문에 그렇습니다.

➡ _____

7 우리 대부분은 공기, 물, 토양 오염에 익숙합니다.

➡ _____

8 우리는 그것들이 심각한 문제라는 것을 알고 있으며, 그것들을 해결하기 위해 조치를 취하고 있습니다.

➡ _____

9 하지만 여러분은 빛이 오염도 일으킬 수 있다는 것을 알고 있었나요?

➡ _____

10 빛의 오염—잘못된 시간에 잘못된 장소에서의 너무 많은 빛—은 전 세계의 거의 모든 곳에 있습니다.

➡ _____

_____

11 그것은 인간과 야생동물에게 심각한 영향을 미칠 수 있습니다.

➡ _____

12 최근 보고서에 따르면, 세계 인구의 약 89%가 밤에 충분히 어둡지 않은 하늘 아래서 살고 있습니다.

➡ _____

➡ _____

13 특히 대도시에서는 별이 빛나는 밤을 종종 볼 수 없습니다.

➡ _____

14 그들은 또한 인공적인 빛에 의해 낮과 밤의 자연적인 리듬이 방해를 받기 때문에 수면 문제로 고통을 겪을 수도 있습니다.

➡ _____

➡ _____

15 야생동물도 빛의 오염으로 위협받고 있습니다.

➡ _____

16 밤에 이동하거나 사냥하는 새들은 자연광을 통해 길을 찾지만, 대도시의 빛은 길을 벗어나도록 할 수 있습니다.

➡ _____

➡ _____

17 매년 수백만 마리의 새들이 밝은 불빛이 있는 건물에 부딪치고서 죽습니다.

➡ _____

18 바다거북들은 밤에 해변이 너무 밝기 때문에 알을 낳을 장소를 쉽게 찾을 수 없습니다.

➡ _____

19 또한, 많은 아기 바다거북들은 인공 빛이 그들을 바다에서 멀어지게 하기 때문에 죽습니다.

➡ _____

20 분명히, 빛 오염은 다른 형태의 오염만큼이나 심각합니다.

➡ _____

21 우리는 그 문제를 해결할 방법을 찾아야 합니다.

➡ _____

22 만약 우리가 하지 않으면, 우리는 우리의 꿈이나 그림에서만 별을 볼 수 있을지 모릅니다.

➡ _____

[01~04] 다음 글을 읽고, 물음에 답하시오.

Look at this beautiful painting. (①) It was created by the famous Dutch ⓐart Vincent van Gogh in 1889. (②) In Van Gogh's time, almost everyone could look up and see a wonderful starry night sky. (③) ⓑ fact, many people in today's world cannot enjoy a starry night sky. (④) ⓒThis is so because of light pollution. (⑤)

01 위 글의 ①~⑤ 중 다음 주어진 문장이 들어갈 알맞은 곳은?

Now, how many of us are as lucky as Van Gogh?

①   ②   ③   ④   ⑤

 서답형

02 위 글의 밑줄 친 ⓐ를 알맞은 형으로 고치시오.

➡ _____

 중요

03 위 글의 빈칸 ⓑ에 알맞은 것은?

① In   ② On
③ At   ④ To
⑤ From

서답형

04 위 글의 밑줄 친 ⓒ가 가리키는 것을 우리말로 쓰시오.

➡ _____

_____

[05~07] 다음 글을 읽고, 물음에 답하시오.

Most of us are familiar ⓐ air, water, and land pollution. We know that ⓑthey are serious problems, and we are taking action to solve them. But did you know that light can also cause pollution? Light pollution—too much light in the wrong place at the wrong time—is almost everywhere around the world. It can have serious effects on humans and wildlife.

05 위 글의 빈칸 ⓐ에 알맞은 것은?

① to   ② at
③ for   ④ with
⑤ from

서답형

06 위 글의 밑줄 친 ⓑ가 가리키는 것을 영어로 쓰시오.

➡ _____

중요

07 위 글의 내용으로 보아 알 수 <u>없는</u> 것은?

① 우리는 대부분 공기 오염에 대해 알고 있다.
② 우리는 공기 오염, 물 오염, 토양 오염에 대처하고 있다.
③ 많은 사람들이 빛 오염에 대해 알고 있다.
④ 빛 오염은 잘못된 시간에 잘못된 장소에 빛이 너무 많이 생긴다.
⑤ 빛 오염은 인간과 야생 동물에 영향을 미친다.

[08~12] 다음 글을 읽고, 물음에 답하시오.

According to a recent report, about 89% of the world's population live under skies ____ⓐ____ are not dark enough at night. Especially in big cities, people often cannot see a ⓑstar night. They can also suffer ____ⓒ____ sleep problems because the natural rhythm of day and night is disturbed by ____ⓓ____ light.

08 위 글의 빈칸 ⓐ에 알맞은 것은? (2개)

① why　　　　② what
③ that　　　　④ where
⑤ which

서답형
09 위 글의 밑줄 친 ⓑ를 알맞은 어형으로 고치시오.

➡ _____

10 위 글의 빈칸 ⓒ에 알맞은 것은?

① in　　　　② from
③ over　　　　④ into
⑤ with

서답형
11 위 글의 빈칸 ⓓ에 natural의 반의어가 되는 단어를 쓰시오.

➡ _____

서답형
12 위 글에서 언급된 최근의 보도 내용을 우리말로 쓰시오.

➡ _____
_____

[13~17] 다음 글을 읽고, 물음에 답하시오.

Wildlife is ____ⓐ____ by light pollution, too. Birds that migrate or hunt at night find their way by natural light, but light in big cities can ____ⓑ____ them to wander off course. Every year millions of birds die after ⓒhit buildings that have bright lights. Sea turtles cannot easily find a place to lay eggs ____ⓓ____ beaches are too bright at night. Also, many baby sea turtles die because artificial light draws them away from the ocean.

13 위 글의 빈칸 ⓐ에 알맞은 것은?

① threaten　　　　② threatens
③ threatening　　　④ threatened
⑤ to threaten

중요
14 위 글의 빈칸 ⓑ에 알맞은 것은?

① let　　　　② make
③ cause　　　④ have
⑤ help

서답형
15 위 글의 밑줄 친 ⓒ를 알맞은 형으로 고치시오.

➡ _____

16 위 글의 빈칸 ⓓ에 알맞은 것은? (2개)

① if　　　　② since
③ though　　　④ when
⑤ because

17 위 글의 내용으로 보아 대답할 수 없는 질문은?

① How do birds that migrate find their way?
② Why is light in big cities harmful to birds?
③ Why can't sea turtles find a place to lay eggs?
④ Why are beaches too bright?
⑤ Why do many baby sea turtles die?

[18~20] 다음 글을 읽고, 물음에 답하시오.

Clearly, light pollution is as serious ___ⓐ___ other forms of pollution. ⓑ우리는 그 문제를 해결하는 방법을 찾아야 한다. If we do not, we ⓒmay see stars only in our dreams or paintings.

18 위 글의 빈칸 ⓐ에 알맞은 것은?

① so   ② as
③ than   ④ like
⑤ more

서답형
19 위 글의 밑줄 친 ⓑ를 다음 주어진 말을 이용해서 영어로 옮기시오.

have, find, ways, solve, problem

➡ _____

중요
20 위 글의 밑줄 친 ⓒ와 용법이 같은 것은?

① You <u>may</u> come in if you wish.
② <u>May</u> she rest in peace!
③ The rumor <u>may</u> be false.
④ <u>May</u> I take a picture here?
⑤ You <u>may</u> stay at this hotel for a week.

[21~24] 다음 글을 읽고, 물음에 답하시오.

Look ___ⓐ___ this beautiful painting. It was created ___ⓑ___ the famous Dutch artist Vincent van Gogh in 1889. In Van Gogh's time, almost everyone could look ___ⓒ___ and see a wonderful starry night sky. ⓓNow, how many of us are as lucky as Van Gogh? ⓔIn fact, many people in today's world cannot enjoy a starry night sky. This is so because of light pollution.

21 위 글의 빈칸 ⓐ와 ⓒ에 알맞은 것으로 짝지어진 것은?

① at – up   ② in – on
③ at – over   ④ for – on
⑤ for – over

서답형
22 위 글의 빈칸 ⓑ에 알맞은 전치사를 쓰시오.

➡ _____

서답형
23 위 글의 밑줄 친 ⓓ가 의미하는 것을 우리말로 간단히 쓰시오.

➡ _____

_____

중요
24 위 글의 밑줄 친 ⓔ와 같은 뜻이 되도록 바꿔 쓸 때 빈칸에 알맞은 것은?

_____ a matter of fact

① To   ② In
③ As   ④ Of
⑤ With

[25~31] 다음 글을 읽고, 물음에 답하시오.

Most of us are familiar with air, water, and land pollution. We know that they are serious problems, and we are ___ⓐ___ action to solve them. But did you know that light can also ___ⓑ___ pollution? Light pollution—too much light in the wrong place at the wrong time— is almost everywhere around the world. ⓒ<u>It</u> can have serious effects on humans and wildlife.

According ___ⓓ___ a recent report, about 89% of the world's population lives under skies that are not dark enough at night. Especially in big cities, people often cannot see a starry night. They can also suffer from sleep problems ___ⓔ___ the natural rhythm of day and night is ⓕ<u>disturb</u> by artificial light.

25 위 글의 빈칸 ⓐ에 알맞은 것은?

① doing ② making
③ taking ④ getting
⑤ giving

 위 글의 빈칸 ⓑ에 알맞은 것은?

① take ② cause
③ turn ④ become
⑤ appear

서답형

27 위 글의 밑줄 친 ⓒ가 가리키는 것을 영어로 쓰시오.

➡ _____

28 위 글의 빈칸 ⓓ에 알맞은 것은?

① to ② at
③ for ④ up
⑤ with

 위 글의 빈칸 ⓔ에 알맞은 것은?

① when ② that
③ if ④ though
⑤ because

서답형

30 위 글의 밑줄 친 ⓕ를 알맞은 어형으로 고치시오.

➡ _____

31 위 글의 내용으로 보아 대답할 수 없는 질문은?

① What are most of us familiar with?
② Why are air, water, and land pollution serious problems?
③ What is light pollution?
④ What can light pollution have serious effects on?
⑤ Why can't people in big cities see a starry night?

[01~04] 다음 글을 읽고, 물음에 답하시오.

Wildlife is ⓐthreaten by light pollution, too. Birds that migrate or hunt at night find their way by natural light, ⓑ_____ light in big cities can cause them to wander off course. ⓒEvery year million of birds die after hitting buildings that have bright lights. Sea turtles cannot easily find a place to lay eggs since beaches are too bright at night. Also, many baby sea turtles die ⓓ_____ artificial light draws them away from the ocean.

01 위 글의 밑줄 친 ⓐ를 알맞은 어형으로 고치시오.

➡ _____

02 위 글의 빈칸 ⓑ에 알맞은 접속사를 쓰시오.

➡ _____

03 위 글의 밑줄 친 ⓒ에서 어법상 어색한 것을 고치시오.

_____ ➡ _____

04 위 글의 빈칸 ⓓ에 알맞은 접속사를 쓰시오.

➡ _____

[05~08] 다음 글을 읽고, 물음에 답하시오.

Lucas lives in Mon Repos, a small town in Queensland, Australia. ⓐ_____ November to late March, sea turtles visit the town and lay eggs on the beach. Lucas ⓑ_____ at the turtle center on weekends. ⓒHis work starts when turtles arrive after dark. He walks around the beach and says to people, "Please turn off the light, and be quiet." After work, Lucas feels proud because turtles are protected.

05 위 글의 빈칸 ⓐ에 알맞은 전치사를 쓰시오.

➡ _____

06 위 글의 빈칸 ⓑ에 다음 정의에 해당하는 말을 쓰시오. 필요하면 어형 변화를 하시오.

offer to do something without being forced to do it

➡ _____

07 위 글의 밑줄 친 ⓒ를 우리말로 옮기시오.

➡ _____

08 Why do sea turtles visit a small town in Queensland, Australia? Answer in English.

➡ _____

[09~12] 다음 글을 읽고, 물음에 답하시오.

Look at this beautiful painting. It was ⓐ create by the famous Dutch artist Vincent van Gogh in 1889. In Van Gogh's time, ⓑ 거의 모든 사람이 위를 쳐다보고 멋진 별이 총총한 밤하늘을 볼 수 있었다. Now, how many of us are as lucky as Van Gogh? ___ⓒ___ fact, many people in today's world cannot enjoy a starry night sky. This is so because of light pollution.

09 위 글의 밑줄 친 ⓐ를 알맞은 어형으로 고치시오.

➡ _____

10 위 글의 밑줄 친 ⓑ를 주어진 단어를 이용하여 영어로 옮기시오. 필요하면 어형 변화를 하시오.

almost, everyone, can, up, wonderful, star, sky

➡ _____

_____

11 위 글의 빈칸 ⓒ에 알맞은 전치사를 쓰시오.

➡ _____

12 위 글의 내용과 일치하도록 다음 문장의 빈칸에 알맞은 말을 쓰시오.

Actually, many people in today's world cannot _____ a starry night sky because _____ light pollution.

[13~17] 다음 글을 읽고, 물음에 답하시오.

ⓐMost of us are familiar with air, water, and land pollution. We know ___ⓑ___ they are serious problems, and we are taking action to ⓒsolution them. But did you know that light can also cause pollution? Light pollution–too much light in the wrong place at the wrong time–is almost everywhere around the world. It can have serious effects on humans and ___ⓓ___.

13 위 글의 밑줄 친 ⓐ를 우리말로 옮기시오.

➡ _____

14 위 글의 빈칸 ⓑ에 알맞은 접속사를 쓰시오.

➡ _____

15 위 글의 밑줄 친 ⓒ를 알맞은 형으로 고치시오.

➡ _____

16 위 글의 빈칸 ⓓ에 다음 정의에 해당하는 말을 쓰시오.

the animals that live in the wild

➡ _____

17 What is light pollution? Answer in Korean.

➡ _____

해석

My Speaking Portfolio - Step 3

"Welcome to Hanul Park. Please listen carefully and follow the rules. First,
~에 온 걸 환영하다 / 규칙을 따르다

you're not supposed to walk pets without a leash. And don't make a fire or
너는 ~해서는 안 돼.(=you're not allowed[permitted] to ~] / 부정명령문: Don't+동사원형 ~(~하지 마라)

cook in the park."

구문해설 • carefully: 주의 깊게 • leash: (개 등을 매어 두는) 가죽 끈[줄] • make a fire: 불을 피우다

"하늘 공원에 오신 걸 환영합니다. 주의 깊게 듣고 규칙을 따르세요. 첫 번째, 목줄 없이 애완동물을 산책시켜서는 안 됩니다. 그리고 공원에서 불을 피우거나 요리를 하지 마세요."

My Writing Portfolio - Step 1

African penguin

• Home: southern Africa

• Food: fish

• Size: grows up to be 60-70 cm
       자라다

• Life span: 10-30 years
  수명

• Why are they in danger?: Sometimes they suffer from sea pollution. Also,
= African penguins 위험에 처한   ~로 고통 받다

people catch too many fish, and African penguins don't have enough food.

구문해설 • southern: 남쪽에 위치한 • fish: 생선 • sometimes: 때때로 • pollution: 오염
       • also: 또한 • enough: 충분한

아프리카 펭귄

• 서식지: 남아프리카
• 먹이: 생선
• 크기: 60~70센티미터까지 자란다
• 수명: 10~30년
• 왜 그들은 위험에 처해 있는가?: 때때로 그들은 해양 오염으로 고통을 받는다. 또한, 사람들이 너무 많은 물고기를 잡아서 아프리카 펭귄들은 충분한 먹이가 없다.

Have Fun Together

1. Excuse me. You're not supposed to make a fire and cook here.
                너는 ~해서는 안 된다   불을 피우다

2. In this park, you shouldn't feed wild animals. They can get sick, you know.
                ~해서는 안 된다   아프다   알다시피

3. Please look at the sign. It says you're not supposed to touch the birds.
         ~을 보다   = The sign

4. Will you please take your trash home? You shouldn't leave it in the
   mountains. That's the rule here.   take ~ home: ~을 집으로 가져가다
              앞 문장을 받는 지시대명사

5. Excuse me. You're not supposed to pick flowers or fruits.
                ~해서는 안 된다

6. I understand it's hot, but swimming isn't allowed in this national park.
              날씨를 나타내는 비인칭 주어

7. Will you turn down the volume please? You're not supposed to play music
   loudly. ~을 줄이다

8. Excuse me. You're not supposed to fish here.

구문해설 • feed: 먹이를 주다 • sign: 표지판 • touch: 만지다 • trash: 쓰레기
       • leave: ~을 남겨 두다 • rule: 규칙 • allow: 허락하다 • loudly: 시끄럽게 • fish: 낚시하다

1. 실례합니다. 여기서 불을 피우고 요리하면 안 돼요.
2. 이 공원에서는 야생 동물들에게 먹이를 주면 안 돼요. 여러분도 알다시피, 그들은 아플 수 있어요.
3. 표지판을 보세요. 새들을 만지면 안 된다고 쓰여 있어요.
4. 쓰레기 좀 집에 가져가 줄래요? 산에 버려두면 안 돼요. 그게 바로 여기 규칙이에요.
5. 실례합니다. 꽃이나 과일을 따면 안 돼요.
6. 더운 건 알지만, 이 국립공원에서는 수영이 허용되지 않아요.
7. 소리 좀 줄여주시겠어요? 음악을 크게 틀면 안 돼요.
8 실례합니다. 여기서 낚시하면 안 돼요.

영역별 핵심문제

01 다음 중 짝지어진 단어의 관계가 나머지 넷과 <u>다른</u> 것은?

① wrong : right
② bright : dark
③ heavy : light
④ hungry : full
⑤ allow : permit

02 다음 빈칸에 공통으로 알맞은 것은?

- Let's run _____ at once.
- Don't throw _____ trash here.

① on
② off
③ from
④ away
⑤ with

03 다음 우리말과 같도록 빈칸에 알맞은 말을 쓰시오.

그들은 환경에 관심을 가지지 않는다.
➡ They don't _____ _____ the environment.

04 다음 짝지어진 단어의 관계가 같도록 빈칸에 알맞은 말을 쓰시오.

easy : difficult = artificial : _____

05 다음 우리말과 같도록 빈칸에 알맞은 말을 주어진 철자로 시작하여 쓰시오.

겨울에 많은 새들이 더 따뜻한 곳으로 이동한다.
➡ In winter, many birds m_____ to warmer places.

06 다음 빈칸에 들어갈 말로 적절하지 <u>않은</u> 것은?

- Please _____ the rules.
- He didn't _____ his toothbrushes.
- She'll _____ a poster on the bulletin board.
- You're not supposed to _____ flowers.

① bring
② put
③ feed
④ pick
⑤ follow

07 다음 영영풀이에 해당하는 단어로 알맞은 것은?

food that has not been finished at a meal and that is often served at another meal

① dish
② leftover
③ taste
④ leash
⑤ dessert

Conversation

08 다음 대화의 밑줄 친 부분과 바꿔 쓸 수 있는 것은?

> A: Is it okay to eat chocolate?
> B: Sure, but don't eat too much.

① you can eat too much
② you don't have to eat too much
③ you won't eat too much
④ you shouldn't eat too much
⑤ you'd better eat too much

09 다음 대화의 빈칸에 알맞은 말은?

> A: _____
> B: Sure. You can do that.

① Can you bring your friends home?
② Are you bringing friends home?
③ Is it okay if I bring friends home?
④ Would you like to bring friends home?
⑤ Do you want to bring your friends home?

10 다음 대화의 빈칸에 들어갈 수 없는 것은?

> A: _____ I use your phone?
> B: I'm afraid not. I'm waiting for an important call, and my battery's almost dead.

① Can
② May
③ Is it okay if
④ Is it alright if
⑤ Do you mind if

[11~13] 다음 대화를 읽고, 물음에 답하시오.

> G: _____ⓐ_____ I put a poster on the bulletin board, Mr. Cha?
> M: A poster?
> G: Here. It's a poster about World Oceans Day.
> M: Let me see. It's a great poster. Did you make it?
> G: My club members made it together. I think people ___ⓑ___ care more about our oceans.
> M: I agree. Well, we don't have space right now.
> G: Then ___ⓒ___ I put it on the door?
> M: Sure. Go ahead.

11 위 대화의 빈칸 ⓐ에 알맞은 것은?

① Is it okay if
② Are you sure if
③ Do you wonder if
④ Where do you think if
⑤ Why do you think if

12 위 대화의 빈칸 ⓑ와 ⓒ에 알맞은 말이 바르게 짝지어진 것은?

① will – may
② can – could
③ should – can
④ won't – would
⑤ shouldn't – should

13 위 대화를 읽고, 답할 수 없는 질문은?

① Where does the girl want to put the poster?
② What is the poster about?
③ Who made the poster?
④ When is World Oceans Day?
⑤ Where will the girl put the poster?

Grammar

14 다음 동사의 과거분사형이 잘못 연결된 것은?

① break – broken ② take – took

③ read – read ④ write – written

⑤ think – thought

15 다음 빈칸에 들어갈 알맞은 단어를 고르면?

> I _____ born in Seoul.

① am ② was

③ is ④ were

⑤ are

16 다음 주어진 어구를 이용하여 우리말을 영어로 옮기시오.

> 그는 Tom만큼 테니스를 잘 친다. (as ~ as)

➡ _____

17 다음 빈칸에 들어갈 말이 나머지 넷과 다른 하나는?

① The dog is loved _____ them.

② I was given a book _____ him.

③ This letter was written _____ Bill.

④ Her eyes were filled _____ tears.

⑤ The pizza was cooked _____ my mom.

18 다음 밑줄 친 부분의 쓰임이 바르지 않은 것은?

① All kinds of things were used as money.

② The bag was found by him.

③ This work should be done by tomorrow.

④ Portuguese is used in Brazil.

⑤ Jake was appeared after school.

19 다음 중 어법상 어색한 문장은?

① My house is not so large as yours.

② Jenny's mother ran as fast as she could.

③ He is as a great statesman as ever lived.

④ Are you as good at English as her?

⑤ The air is polluted as badly as the rivers.

20 다음 중 밑줄 친 부분을 생략해도 의미 변화가 없는 것은?

① Canned food was invented by Appert.

② Apple Inc. was founded by Steve Jobs in 1974.

③ The question was asked in the classroom by her.

④ The island was discovered by an English explorer, James Cook.

⑤ German is spoken by people in Germany and Austria.

21 다음 주어진 단어를 이용하여 우리말을 영어로 옮기시오.

> 이 냉장고는 그에 의해 고쳐질 수 있다.
> (refrigerator, fix)

➡ _____

22 다음 두 문장의 의미가 같도록 할 때 빈칸에 알맞은 것은?

> This room is just the same size _____
> that one.
> = This room is just as large as that one.

① as　　　　　② so
③ of　　　　　④ for
⑤ with

23 다음 우리말과 일치하도록 주어진 단어를 바르게 배열하시오.

> 모든 종류의 물건들이 돈으로 사용되었다.
> (things / as / all / money / used / were / kinds / of)

➡ _____

24 다음 우리말과 같은 뜻이 되도록 할 때, 빈칸에 알맞은 것은?

> 꿀은 일벌에 의해 만들어진다.
> = Honey _____ by worker bees.

① makes　　　② made
③ is made　　　④ are made
⑤ is making

[25~29] 다음 글을 읽고, 물음에 답하시오.

(①) According to a recent report, about 89% of the world's population lives under skies ___ⓐ___ are not dark enough at night. (②) They can also suffer from sleep problems because the natural rhythm of day and night is disturbed by artificial light. (③) Wildlife is ___ⓑ___ by light pollution, too. (④) Birds that migrate or hunt at night find their way ⓒby natural light, but light in big cities can cause them to wander off course. (⑤)

25 위 글의 ①~⑤ 중 다음 주어진 문장이 들어갈 알맞은 곳은?

> Especially in big cities, people often cannot see a starry night.

①　　　②　　　③　　　④　　　⑤

26 위 글의 빈칸 ⓐ에 알맞은 말을 쓰시오.

➡ _____

27 위 글의 빈칸 ⓑ에 알맞은 것은?

① saved　　　② removed
③ helped　　　④ threatened
⑤ preserved

28 위 글의 밑줄 친 ⓒ와 같은 용법으로 쓰인 것은?

① The telephone is <u>by</u> the window.

② I will contact you <u>by</u> letter.

③ Can you finish the work <u>by</u> five o'clock?

④ We rented the car <u>by</u> the day.

⑤ He walked <u>by</u> me without speaking.

29 위 글의 내용과 일치하지 <u>않는</u> 것은?

① 세계의 많은 지역에서 밤에 하늘이 충분히 어둡지 않다.

② 대도시에서는 밤에 별을 잘 볼 수 없다.

③ 인공의 빛은 수면 장애를 일으킬 수 있다.

④ 야생 동물도 빛 오염에 영향을 받는다.

⑤ 새는 길을 찾는 데 자연의 빛과 인공의 빛을 둘 다 이용한다.

[30~34] 다음 글을 읽고, 물음에 답하시오.

Lucas lives in Mon Repos, a small _____ⓐ_____ in Queensland, Australia. (①) _____ⓑ_____ November to late March, sea turtles visit the town and lay eggs on the beach. (②) His work starts when turtles arrive after dark. (③) He walks around the beach and says to people, "Please turn _____ⓒ_____ the light, and be quiet." (④) After work, Lucas feels proud because turtles are protected. (⑤)

30 위 글의 ①~⑤ 중 다음 주어진 문장이 들어갈 알맞은 곳은?

> Lucas volunteers at the turtle center on weekends.

①　　　②　　　③　　　④　　　⑤

31 위 글의 빈칸 ⓐ에 다음 정의에 해당하는 단어를 쓰시오.

> a place with many streets and buildings, where people live and work, which are larger than villages

➡ _____

32 위 글의 빈칸 ⓑ에 알맞은 것은?

① Of　　　　② At

③ From　　　④ With

⑤ Among

33 위 글의 빈칸 ⓒ에 알맞은 것은?

① off　　　　② at

③ on　　　　④ from

⑤ with

34 위 글의 내용으로 보아 대답할 수 <u>없는</u> 질문은?

① Where does Lucas live?

② How many sea turtles visit the town?

③ Where do sea turtles lay eggs?

④ When does Lucas's work start?

⑤ Why does Lucas feel proud?

01 출제율 95%

다음 〈보기〉와 같이 변화하는 단어가 <u>아닌</u> 것은?

> ┤ 보기 ├
> luck → lucky

① cloud ② wind
③ thirst ④ mess
⑤ harm

02 출제율 90%

다음 우리말과 같도록 빈칸에 알맞은 단어를 주어진 철자로 시작하여 쓰시오.

> 아프리카 펭귄들은 충분한 음식을 먹지 못한다.
> ➡ African penguins don't have e_____ food.

03 출제율 90%

다음 중 영영풀이가 <u>잘못된</u> 것은?

① artificial: not natural or real
② allow: to let someone do something
③ wildlife: an animal that people keep mainly for pleasure
④ create: to make or produce something
⑤ lay: to produce an egg outside of the body

04 출제율 100%

다음 빈칸에 공통으로 알맞은 단어를 쓰시오. (대·소문자 무시)

> • _____ fact, I want to have a pretty rabbit.
> • Driving too fast puts people _____ danger.

➡ _____

05 출제율 90%

다음 빈칸에 공통으로 알맞은 것은?

> • I'll take care _____ that right away.
> • She is not going out because _____ the rain.

① of ② with
③ in ④ for
⑤ about

06 출제율 85%

다음 대화의 빈칸에 알맞은 것은?

> A: It's raining. _____
> B: Okay. If it rains, I'll stay inside.

① You will go outside.
② You shouldn't go outside.
③ You would go outside.
④ You might not go outside.
⑤ You can go outside.

07 출제율 95%

다음 짝지어진 대화 중 <u>어색한</u> 것은?

① A: May I turn on the heater?
  B: Sure. Go ahead.
② A: Is it okay to go out and play?
  B: I'm sorry, but it's too late.
③ A: Is it okay if I use your cellphone?
  B: Certainly. I didn't bring it today.
④ A: Am I allowed to open the window?
  B: I'm afraid not. It's too hot outside.
⑤ A: Do you mind if I call you later?
  B: Not at all.

08 다음 대화의 빈칸에 알맞지 <u>않은</u> 것은?

> **A:** _____ go out and play?
> **B:** Yes, you can.

① May I   ② Can I
③ Is it okay to   ④ Is it OK to
⑤ Do you mind if I

[09~11] 다음 대화를 읽고, 물음에 답하시오.

> **G:** Dad, is it okay __ⓐ__ go out with my friends this Saturday?
> **M:** What are your plans?
> **G:** Well, my favorite singer is going __ⓑ__ have a concert at Olympic Park.
> **M:** Okay, but come home by 9 o'clock.
> **G:** ___ⓒ___ The concert will be over by about 8:00.

09 위 대화의 빈칸 ⓐ와 ⓑ에 공통으로 알맞은 것을 쓰시오.

➡ _____

10 위 대화의 빈칸 ⓒ에 들어갈 말로 적절하지 <u>않은</u> 것은?

① Sure.   ② Why not?
③ Of course.   ④ No problem.
⑤ Certainly not.

11 위 대화를 읽고, 다음 질문에 영어로 답하시오.

> **Q:** What time will the concert be over?
> **A:** _____

12 다음 문장의 빈칸에 알맞은 것은?

> The light bulb was invented _____ Thomas Edison.

① of   ② by
③ with   ④ from
⑤ for

13 다음 밑줄 친 부분의 쓰임이 〈보기〉와 <u>다른</u> 것은?

> ┤ 보기 ├
> The letter <u>was</u> written by a nurse.

① The mirror <u>was</u> broken by James.
② *Harry Potter* <u>was</u> written by J. K. Rowling.
③ My English textbook <u>was</u> stolen yesterday.
④ I <u>was</u> disappointed to hear the news.
⑤ The work should <u>be</u> finished by tomorrow.

14 다음 우리말과 일치하도록 주어진 단어를 바르게 배열하시오.

> 그는 예전만큼 많이 그녀를 미워하지 않는다.
> He doesn't hate her (as / used / he / as / much / to).

➡ _____

15 다음 문장을 능동태로 바꾸시오.

> By whom were shells and rice used as money?

➡ _____

16 다음 중 어법상 어색한 문장은?

① Michael's sister made him happy.
② These letters was written by my dad.
③ Every store will be closed next week.
④ These cookies were baked by Jane.
⑤ *Romeo and Juliet* was written by Shakespeare.

17 다음 빈칸에 들어갈 말이 바르게 짝지어진 것은?

- You may buy as many books _____ you like.
- This tool is _____ more useful than mine.

① as – much   ② as – very
③ so – few   ④ as – little
⑤ so – much

18 다음을 수동태 문장으로 바르게 바꾼 것은?

I made this cake for my friend.

① This cake was made for my friend by me.
② This cake is made by me for my friend.
③ My friend was made a cake by me.
④ My friend is made a cake by me.
⑤ This cake made for my friend by me.

19 다음 중 밑줄 친 부분의 쓰임이 나머지와 다른 하나는?

① The room was cleaned by me.
② Can you come by seven this afternoon?
③ The work was finished by Kelly.
④ Was this table painted by her?
⑤ The dog will be loved by its owner.

[20~22] 다음 글을 읽고, 물음에 답하시오.

African penguin
- Home: southern Africa
- Food: fish
- Size: grows up to be 60-70 cm
- Life span: 10-30 years
- Why are they in danger?: Sometimes they suffer ⓐ sea pollution. Also, people catch too many ____ⓑ____, and African penguins don't have enough food.

20 위 글의 빈칸 ⓐ에 알맞은 것은?

① in   ② of
③ from   ④ for
⑤ with

21 위 글의 빈칸 ⓑ에 다음 정의에 해당하는 단어를 쓰시오.

a creature that lives in water and has a tail and fins

➡ _____

22 Where do African penguins live? Answer in English.

➡ _____

[23~29] 다음 글을 읽고, 물음에 답하시오.

Wildlife is threatened ⓐ light pollution, too. Birds that migrate or hunt at night find their way ⓑ natural light, but light in big cities can cause them ⓒ off course. ⓓEvery year millions of birds die after hit buildings that have bright lights. Sea turtles cannot easily find a place ⓔto lay eggs since beaches are too bright at night. Also, many baby sea turtles die ⓕbecause artificial light draws them away from the ocean.

ⓖClearly, light pollution is as serious as other forms of pollution. We have to find ways to solve the problem. If we do not, we may see stars only in our dreams or paintings.

23 위 글의 빈칸 ⓐ와 ⓑ에 공통으로 알맞은 것은?

① at
② to
③ of
④ by
⑤ from

24 위 글의 빈칸 ⓒ에 알맞은 것은?

① wander
② wandering
③ wandered
④ to wandering
⑤ to wander

25 위 글의 밑줄 친 ⓓ에서 어법상 어색한 것을 고치시오.

_____ ➡ _____

26 위 글의 밑줄 친 ⓔ와 같은 용법으로 쓰인 것은?

① They want to be friends with us.
② There is nothing to worry about.
③ Kathy came to Korea to be a K-pop singer.
④ She was pleased to hear of my success.
⑤ It is our duty to obey laws.

27 위 글의 밑줄 친 ⓕ 대신 쓸 수 있는 것은? (2개)

① that
② if
③ as
④ when
⑤ since

28 위 글의 밑줄 친 ⓖ와 같은 뜻이 되도록 다음 문장의 빈칸에 알맞은 말을 쓰시오.

_____ is _____ that light pollution is as serious as other forms of pollution.

29 위 글의 내용으로 보아 대답할 수 없는 질문은?

① What does light pollution threaten?
② Do birds that migrate at night use natural light?
③ Why do millions of birds die every year?
④ Why are beaches too bright at night?
⑤ Why do we have to find ways to solve the light pollution problem?

01 다음 괄호 안에 주어진 단어들을 배열하여 대화를 완성하시오.

> A: Is it okay to take a picture?
> B: No, _____ do that.
> (permitted / not / to / you're)

➡ _____

02 다음 괄호 안에 주어진 단어를 이용하여 우리말을 영어로 옮기시오.

> 이 포도 주스를 먹어도 되나요?
> (okay / if / grape)

➡ _____

03 다음 대화의 밑줄 친 말과 바꿔 쓸 수 있는 표현을 2개 이상 쓰시오.

> A: Is it okay to pick some flowers?
> B: No, you're not supposed to do that.

➡ _____

_____

04 자연스러운 대화가 되도록 (A)~(D)의 순서를 바르게 배열하시오.

> (A) What sign?
> (B) Oh, I'm sorry. I didn't know that.
> (C) Hey, look at the sign!
> (D) The one over there. You're not supposed to pick flowers here.

➡ _____

05 다음 우리말과 일치하도록 괄호 안에 주어진 단어들을 바르게 배열하시오.

(1) 내 자전거는 Tom에 의해 고쳐졌다.
  (bicycle, Tom, my, by, fixed, was)
  ➡ _____

(2) 우리 학교는 1976년에 설립되었다.
  (1976, founded, school, was, our, in)
  ➡ _____

06 다음 〈조건〉에 맞게 괄호 안의 어구를 이용하여 우리말을 영어로 옮기시오.

> ┤ 조건 ├
> 1. 주어진 단어를 모두 이용할 것.
> 2. 필요시 어형 변화를 할 것.
> 3. as ~ as ...를 쓸 것.
> 4. 대·소문자 및 구두점에 유의할 것.

(1) Meg는 너만큼 노래를 잘 부른다.
  (sing, well)
  ➡ _____

(2) 이 거리는 저 거리와 아주 똑같은 넓이이다.
  (street, just, wide, that one)
  ➡ _____

(3) 서울 타워는 이 탑보다 약 세 배 높다.
  (Seoul Tower, about, time, as)
  ➡ _____

_____

(4) 나는 나의 언니만큼 요리를 잘하지 못한다.
  (can, cook, well, my sister)
  ➡ _____

07 다음 문장을 주어진 조건에 맞게 바꿔 쓰시오.

(1) Everybody likes this song.

수동태 부정문:

_____

수동태 의문문:

_____

(2) Alice used my computer.

수동태 부정문:

_____

수동태 의문문:

_____

[08~11] 다음 글을 읽고, 물음에 답하시오.

　Lucas lives in Mon Repos, a small town in Queensland, Australia. From November to late March, sea turtles visit the town and ⓐ(lie, lay) eggs on the beach. Lucas volunteers at the turtle center ___ⓑ___ weekends. ⓒ그의 일은 어두워진 후 거북들이 도착하면 시작된다. He walks around the beach and says to people, "Please turn off the light, and be ___ⓓ___." After work, Lucas feels proud because turtles are protected.

08 위 글의 괄호 ⓐ에서 알맞은 것을 고르시오.

➡ _____

09 위 글의 빈칸 ⓑ에 알맞은 말을 쓰시오.

➡ _____

10 위 글의 밑줄 친 ⓒ를 주어진 말을 써서 영어로 옮기시오.

> (work, starts, when, arrive, dark)

➡ _____

11 위 글의 빈칸 ⓓ에 다음 정의에 해당하는 단어를 주어진 글자로 시작하여 쓰시오.

> making very little noise

➡ q_____

[12~14] 다음 글을 읽고, 물음에 답하시오.

　Look at this beautiful ⓐpaint. It was created by the famous Dutch artist Vincent van Gogh in 1889. In Van Gogh's time, almost everyone could look up and see a wonderful starry night sky. ⓑNow, how many of us are as lucky as Van Gogh? In fact, many people in today's world cannot enjoy a starry night sky. This is so ⓒ(because, because of) light pollution.

12 위 글의 밑줄 친 ⓐ를 알맞은 어형으로 고치시오.

➡ _____

13 위 글의 밑줄 친 ⓑ가 의미하는 것을 우리말로 간단히 쓰시오.

➡ _____

14 위 글의 괄호 ⓒ에서 알맞은 것을 고르시오.

➡ _____

01 다음 질문에 각자의 상황에 맞게 적절한 응답을 써 보시오.

> Q: Is it okay if I turn on the TV?
>
> A: _____

02 다음 〈보기〉와 같이 질문에 적절한 답을 쓰시오.

> Q: Who wrote *Harry Potter*? [J. K. Rowling]
>
> A: *Harry Potter* was written by J. K. Rowling.

(1) Who directed *Zootopia*? [Byron Howard]

➡ _____

(2) Who painted *The Scream*? [Edward Munch]

➡ _____

(3) Who wrote *Anne of Green Gables*? [Lucy Maud Montgomery]

➡ _____

(4) Who made iPhone? [Steve Jobs]

➡ _____

(5) Who painted *The Starry Night*? [Vincent van Gogh]

➡ _____

03 다음 〈보기〉와 같이 동등비교 구문(as ~ as / not as ~ as)을 이용하여 자신의 입장에서 문장을 만드시오. (4 문장)

> ┤ 보기 ├
>
> I am as tall as Junho.

(1) _____

(2) _____

(3) _____

(4) _____

단원별 모의고사

01 다음 중 단어의 성격이 나머지 넷과 다른 것은?

① thirsty ② windy
③ cloudy ④ messy
⑤ beauty

02 다음 우리말에 맞도록 빈칸에 알맞은 것은?

그 음악 소리 좀 줄여 주시겠어요?
➡ Would you _____ down the music?

① get ② put
③ make ④ turn
⑤ take

03 다음 영영풀이에 해당하는 단어를 쓰시오.

full of stars

➡ _____

04 다음 빈칸에 알맞은 말이 바르게 짝지어진 것은?

• He is not familiar _____ this area.
• According _____ a report, that is not true.

① of – with ② about – by
③ with – in ④ on – of
⑤ with – to

05 다음 중 밑줄 친 부분의 뜻풀이가 잘못된 것은?

① Look up at the night sky.
~을 쳐다보다
② School will be over at three.
시작하다
③ Millions of people bought the book.
수백만의
④ His story began to wander off the topic.
~에서 벗어나다
⑤ He wants to take action to solve the problem. 조치를 취하다

06 다음 대화의 빈칸에 알맞은 것은?

A: Is it okay if I turn on the TV?
B: _____ I'm doing my homework.

① Of course.
② I don't mind at all.
③ No problem.
④ Sure, go ahead.
⑤ I'm afraid not.

07 다음 대화의 밑줄 친 표현과 바꾸어 쓸 수 있는 것은?

A: You're not supposed to pick flowers here.
B: Oh, I'm sorry. I didn't know that.

① You should
② You don't want to
③ You would like to
④ You're not permitted to
⑤ You might want to

08 다음 중 의도하는 바가 나머지와 <u>다른</u> 하나는?

① Is it OK if I take these pills?
② Can you tell me where you found it?
③ Is it okay to join you later?
④ May I take a picture with you?
⑤ Am I allowed to smoke in the hall?

09 다음 대화의 빈칸에 알맞지 <u>않은</u> 것은?

> A: Would you mind if I close the window?
> B: _____ I feel a little cold.

① Not at all.   ② Yes, I do.
③ No, I don't.   ④ Certainly not.
⑤ Of course not.

[10~11] 다음 대화를 읽고, 물음에 답하시오.

> W: Hey, look at the sign!
> B: What sign?
> W: The one over there. ⓐ<u>You're not supposed to pick</u> flowers here.
> B: Oh, I'm sorry. I didn't know ⓑthat.

10 위 대화의 밑줄 친 ⓐ와 바꿔 쓸 수 <u>없는</u> 것은?

① You must not pick
② You don't have to pick
③ You shouldn't pick
④ You're not permitted to pick
⑤ You're not allowed to pick

11 위 대화의 밑줄 친 ⓑ가 가리키는 것을 우리말로 쓰시오.

➡ _____

[12~14] 다음 문장의 빈칸에 알맞은 것을 고르시오.

12

> A bookstore is a shop where books are _____.

① sold   ② selling
③ buy   ④ sell
⑤ buying

13

> Books must be chosen as _____ as friends are.

① care   ② caring
③ cared   ④ careful
⑤ carefully

14

> If you _____ reading books, you may go to the library.

① interested at   ② interested in
③ be interested at   ④ are interested in
⑤ are interesting in

15 다음 두 문장이 같은 뜻이 되도록 빈칸에 알맞은 말은?

> They often invite us for dinner.
> = We are often _____ for dinner.

① invite   ② invited
③ invites   ④ be invited
⑤ will be invited

16 다음 두 문장의 뜻이 같도록 빈칸에 알맞은 말을 쓰시오.

> I don't have _____ much money _____ you.
> = I have less money than you.

[17~18] 다음 밑줄 친 단어를 어법상 알맞은 형태로 쓴 것을 고르시오.

17

> The World Cup is <u>hold</u> every four years.

① hold
② holded
③ holding
④ holds
⑤ held

18

> *Romeo and Juliet* <u>wrote</u> by Shakespeare.

① is written
② written
③ was written
④ writes
⑤ were written

[19~20] 다음 중 어법상 알맞지 <u>않은</u> 것을 고르시오.

19
① Kate doesn't speak Korean as well as Mike do.
② The movie is not as interesting as you think.
③ I don't work so hard as you do.
④ Let me have your answer as soon as possible.
⑤ I don't have as much money as my brother does.

20
① He wasn't invited to the party.
② Was that book written by James?
③ The novel was wrote by her.
④ I'm loved by him.
⑤ Those cookies were made by my aunt.

21 다음 두 문장을 한 문장으로 바꿔 쓸 때 빈칸에 알맞은 말을 쓰시오.

> • The job of a flight attendant is not easy.
> • The job of a flight attendant looks easy.
>
> ➡ The job of a flight attendant is _____ as _____ as it looks.

22 다음 문장의 빈칸에 알맞은 것으로 짝지어진 것은?

> • The mountain is covered _____ snow.
> • She is known _____ her sense of humor.

① with – for
② with – to
③ of – for
④ by – to
⑤ by – for

[23~25] 다음 글을 읽고, 물음에 답하시오.

Most of us are ___ⓐ___ with air, water, and land pollution. We know that they are serious problems, and we are taking action ___ⓑ___ them. But did you know that light can also cause pollution? Light pollution—too much light in the wrong place at the wrong time—is almost everywhere around the world. It can have serious effects on humans and wildlife.

23 위 글의 빈칸 ⓐ에 다음 정의에 해당하는 단어를 쓰시오.

> recognizing someone or something or knowing them well

➡ _____

24 위 글의 빈칸 ⓑ에 알맞은 것은?

① solve   ② solving
③ to solving   ④ to solve
⑤ for solving

25 Can light also cause pollution? Answer in English.

➡ _____

[26~32] 다음 글을 읽고, 물음에 답하시오.

(①) Birds that migrate or hunt at night find their way by ⓐnature light, __ⓑ__ light in big cities can cause them to wander off course. (②) Every year millions of birds die after hitting buildings ⓒthat have bright lights. (③) ⓓSea turtles cannot easily find a place to lay eggs since beaches are too bright at night. (④) Also, many baby sea turtles die because __ⓔ__ light draws them away from the ocean. (⑤)

26 위 글의 ①~⑤ 중 다음 주어진 문장이 들어갈 알맞은 곳은?

> Wildlife is threatened by light pollution, too.

①   ②   ③   ④   ⑤

27 위 글의 밑줄 친 ⓐ를 알맞은 형으로 고치시오.

➡ _____

28 위 글의 빈칸 ⓑ에 알맞은 것은?

① so   ② and
③ but   ④ for
⑤ though

29 위 글의 밑줄 친 ⓒ 대신 쓸 수 있는 것은?

① who   ② when
③ what   ④ where
⑤ which

30 위 글의 밑줄 친 ⓓ를 우리말로 옮기시오.

➡ _____
_____

31 위 글의 빈칸 ⓔ에 다음 정의에 해당하는 단어를 영어로 쓰시오.

> not occurring naturally and created by human beings, for example using science or technology

➡ _____

32 What causes birds that migrate or hunt at night to wander off course? Answer in English.

➡ _____

Reading for Fun 2
Humorous Stories

Laugh Out Loud

Words & Expressions

Key Words

- **allow** [əláu] 동 허락하다(= permit)
- **because** [bikɔ́ːz] 접 ~때문에
- **buy** [bai] 동 사다(↔ sell)
- **call** [kɔːl] 동 ~라고 부르다, 전화하다
- **clock** [klak] 명 (벽에 걸거나 실내에 두는) 시계
- **comic book** 만화책
- **continue** [kəntínjuː] 동 계속하다
- **corner** [kɔ́ːnər] 명 구석, 모퉁이
- **cost** [kɔːst] 동 (값·비용이) ~이다[들다]
- **crazy** [kréizi] 형 미친, 정신이상인(= mad)
- **decide** [disáid] 동 결정하다, 결심하다
- **different** [dífərənt] 형 다른(↔ same)
- **dish** [diʃ] 명 접시, 요리
- **early** [ə́ːrli] 부 일찍(↔ late)
- **everything** [evriθiŋ] 대 모든 것
- **excuse** [ikskjúːz] 명 변명, 핑계 거리
- **expensive** [ikspénsiv] 형 값비싼(↔ cheap)
- **explain** [ikspléin] 동 설명하다
- **flat** [flæt] 형 바람이 빠진, 펑크 난
- **global warming** 지구 온난화
- **hit** [hit] 동 치다, 때리다

- **invite** [inváit] 동 초대하다
- **jump rope** 줄넘기하다
- **late** [leit] 부 늦게(↔ early)
- **loud** [laud] 형 시끄러운(↔ quiet)
- **metal** [métl] 명 금속
- **noise** [nɔiz] 명 소리(=sound), 소음
- **owner** [óunər] 명 주인
- **parrot** [pǽrət] 명 앵무새
- **plan** [plein] 동 계획하다, 의도하다
- **point** [pɔint] 명 점수
- **professor** [prəfésər] 명 교수
- **proudly** [práudli] 부 자랑스럽게
- **reply** [riplái] 동 대답하다(= answer)
- **respond** [rispánd] 동 대답[응답]하다
- **shop** [ʃap] 명 가게
- **shout** [ʃaut] 동 외치다, 소리치다
- **special** [spéʃəl] 형 특별한(↔ general)
- **suddenly** [sʌdnli] 부 갑자기(= all of a sudden)
- **surprised** [sərpráizd] 형 놀란
- **university** [jùːnəvə́ːrsəti] 명 대학
- **wall** [wɔːl] 명 벽

Key Expressions

- **a piece of cake** 식은 죽 먹기
- **at night** 밤에
- **be late for** ~에 늦다
- **be proud of** ~을 자랑으로 여기다
- **come back** 돌아오다
- **get up late** 늦잠을 자다
- **go to bed** 자다

- **laugh out loud** 큰 소리로 웃다
- **make it to** ~에 이르다, ~에 도착하다
- **on Saturday** 토요일에
- **on the other side of** ~의 반대편에(는)
- **one evening** 어느 날 저녁
- **play the piano** 피아노를 연주하다
- **take a test** 시험을 보다

Word Power

※ 형용사와 부사 두 가지로 쓰이는 단어

- **early** 형 이른 부 일찍
- **enough** 형 충분한 부 충분히
- **fast** 형 빠른 부 빨리
- **hard** 형 열심히 하는 부 열심히

- **high** 형 높은 부 높이
- **late** 형 늦은 부 늦게
- **low** 형 낮은 부 낮게
- **near** 형 가까운 부 가까이

※ 감정을 나타내는 분사형 형용사 -ing(~한 감정을 느끼게 하는) / -ed(~한 감정을 느끼는)

- **amazing** (놀라운) – **amazed** (놀란)
- **boring** (지루한) – **bored** (지루해하는)
- **exciting** (흥미진진한) – **excited** (흥분한)
- **interesting** (흥미로운) – **interested** (흥미 있어 하는)

- **satisfying** (만족감을 주는) – **satisfied** (만족하는)
- **shocking** (충격적인) – **shocked** (충격을 받은)
- **surprising** (놀라운) – **surprised** (놀란)
- **tiring** (피곤하게 만드는) – **tired** (피곤한)

English Dictionary

- **continue** 계속하다
  → to do something without stopping
  어떤 일을 멈추지 않고 하다

- **cost** (값·비용이) ~이다[들다]
  → to have an amount of money as a price
  가격으로 얼마의 금액이다

- **crazy** 미친
  → unable to think in a clear or sensible way
  명료하거나 분별 있게 생각할 수 없는

- **dish** 접시
  → a shallow container that you cook or serve food in
  요리하거나 음식을 제공하는 데 쓰는 얕은 그릇

- **excuse** 변명, 핑계 거리
  → a reason that you give to explain a mistake, bad behavior, etc.
  실수, 그릇된 행동 따위의 구실로 대는 이유

- **expensive** 값비싼
  → costing a lot of money
  돈이 많이 드는

- **explain** 설명하다
  → to make something clear or easy to understand
  무엇인가를 명료하게 또는 쉽게 이해하도록 해 주다

- **flat** 펑크 난
  → not having enough air
  충분한 공기가 없는

- **invite** 초대하다
  → to ask someone to come to a party, wedding, meal, etc.
  누군가에게 파티, 결혼식, 식사 등에 오라고 부탁하다

- **noise** 소음
  → a loud or unpleasant sound
  시끄럽거나 불쾌한 소리

- **owner** 주인
  → a person or group that owns something
  어떤 것을 소유한 사람이나 집단

- **professor** 교수
  → a teacher of the highest rank at a college or university
  대학에서의 최고 직위의 선생

- **respond** 응답하다
  → to say or write something as an answer to a question or request
  질문이나 요청에 대한 응답으로 어떤 것을 말하거나 쓰다

- **shop** 가게, 상점
  → a building or part of a building where things are sold
  물건들을 파는 건물이나 건물의 일부

- **shout** 외치다, 소리치다
  → to say something very loudly
  뭔가를 아주 크게 말하다

- **suddenly** 갑자기
  → very quickly in usually an unexpected way
  대개 뜻밖에 아주 빨리

- **university** 대학
  → an institution at the highest level of education where you can study for a degree or do research
  학위나 연구를 위해 공부할 수 있는 최고 수준의 교육 기관

Laugh Out Loud
큰 소리로 웃어라

1 A Clock That Talks

Dean invited his friends to his room <u>one evening</u>. He <u>was proud</u>
  어느 날 저녁   ~을 자랑스러워했다
<u>of</u> everything <u>in his room</u>: a nice bed, many comic books, and a new
            형용사구
computer. In the corner, he also had a very big metal <u>dish</u>. A friend
                                                        접시
asked, "What's that big dish?" "Oh, that's my special clock. It talks,"
Dean replied proudly. "<u>If</u> you hit the dish, you'll know the time." Then
                        접속사(~하면)
he hit the dish <u>with</u> his hand. It made a really loud noise. <u>Suddenly</u>, his
                ~으로   갑자기(=All of a sudden)
<u>sister who was</u> <u>on the other side of</u> the wall shouted, "Are you crazy?
주격 관계대명사(선행사: his sister)   ~의 반대편에
It's eleven o'clock at night. Time to <u>go to bed</u>!"
                                        자다

2 A Flat Tire

Jessie and Nicole are university friends. <u>They</u> visited Jessie's
                                            = Jessie and Nicole
grandma in Florida <u>on Saturday</u>. They <u>planned to</u> <u>come back</u> <u>early</u> on
                    토요일에   ~할 계획을 했다   돌아오다   부 일찍
Monday <u>because</u> they <u>had a big test</u> that afternoon. But they <u>got up late</u>
        접 (~이기 때문에)   have a test: 시험이 있다   늦잠을 자다
and could not <u>make it</u> to the test. They needed a good excuse for <u>being</u>
              ~에 이르다, ~에 도착하다   be late: 늦다
<u>late</u>, so they <u>decided to</u> tell the professor that their car <u>got a flat tire</u>.
그래서   ~하기로 결정했다   타이어에 펑크가 났다

invite 초대하다
corner 구석, 모퉁이
metal 금속
dish 접시
special 특별한
reply 대답하다
proudly 자랑스럽게
hit 치다, 때리다
loud 시끄러운
noise 소리, 소음
shout 외치다, 소리치다
crazy 미친, 정신이상인
go to bed 자다
because ~때문에
flat 바람이 빠진, 펑크 난
university 대학
plan 계획하다, 의도하다
late 늦게
excuse 변명
decide 결정하다
professor 교수

📎 **확인문제**

● 다음 문장이 본문의 내용과 일치하면 T, 일치하지 <u>않으면</u> F를 쓰시오.

1   Dean invited his friends to his room one evening. ☐

2   There was a clock in Dean's room. ☐

3   The very big metal dish was Dean's sister's. ☐

4   Dean's sister was on the other side of the wall. ☐

5   Jessie and Nicole visited Jessie's grandma in Florida on Saturday. ☐

6   They got up early on Monday because they had a big test that afternoon. ☐

The professor agreed that it was just bad luck and allowed them to take
명사절을 이끄는 접속사 that   allow A to ~: A가 ~하도록 허락하다
the test on Wednesday. When they came to take the test on Wednesday
take a test: 시험을 보다
morning, the professor put Jessie and Nicole in different rooms. As
다른(↔same)
they sat down, they read the first question.

For 5 points, explain global warming.
지구 온난화
It was a piece of cake to them. Then, the test continued.
식은 죽 먹기
For 95 points, answer the question: Which tire?

3 A Special Parrot

One day Abril went to a pet shop to buy a parrot. "How much is this
어느 날   to부정사의 부사적 용법(목적)   How much is ~?: ~은 얼마인가?
blue one?" she asked.
= parrot
"It costs $2,000," said the pet shop owner.

"Why is it so expensive?" asked Abril.
비싼(↔cheap)
"This parrot is a very special one. It can play the piano!"
= parrot   피아노를 연주하다
"What about the green one?" she asked.
What about ~?: ~은 어떤가?
"It costs $5,000 because it can play the piano, paint pictures, and jump
접속사(~ 이기 때문에)   줄넘기하다
rope."

"Then what about the red one?" Abril asked. The owner responded that
접속사 that
it costs $10,000. She was surprised and asked, "What does it do?"

"I don't know," said the owner, "but the other two birds call it
the other+복수명사
'teacher.'"
call A B: A를 B라고 부르다

allow 허락하다
different 다른
explain 설명하다
continue 계속하다
buy 사다
cost (값·비용이) ~이다[들다]
owner 주인
expensive 비싼
jump rope 줄넘기하다
respond 응답하다
surprised 놀란

확인문제

● 다음 문장이 본문의 내용과 일치하면 T, 일치하지 않으면 F를 쓰시오.

1 Jessie and Nicole told the professor that their car had gotten a flat tire. ☐

2 The professor believed what they had said. ☐

3 Abril wanted to buy a parrot. ☐

4 The blue parrot wasn't so expensive. ☐

5 The green parrot could play the piano, paint pictures, and jump rope. ☐

6 The red parrot was the cheapest of the three. ☐

● 우리말을 참고하여 빈칸에 알맞은 말을 쓰시오.

1 A _____ That _____

2 Dean _____ his friends _____ his room _____ _____ .

3 He _____ _____ _____ everything _____ his room: a nice bed, many _____ _____ , and a new computer.

4 _____ the corner, he also _____ a very big _____ _____ .

5 A friend _____ , " _____ that big dish?"

6 "Oh, that's my _____ clock. It _____ ." Dean replied _____ .

7 " _____ you _____ the dish, you'll know _____ _____ ."

8 Then he _____ the dish _____ his hand.

9 It _____ a really _____ noise.

10 _____ , his sister who was _____ _____ _____ _____ of the wall _____ , "Are you _____ ?"

11 _____ eleven o'clock _____ night. Time to _____ _____ _____ !"

12 A _____ Tire

13 Jessie and Nicole are _____ friends.

14 They visited Jessie's grandma _____ Florida _____ Saturday.

15 They planned to _____ _____ _____ on Monday _____ they had a big test that afternoon.

16 But they _____ _____ _____ and could not _____ it to the test.

17 They needed a good excuse for _____ _____ , so they _____ _____ _____ the professor that their car _____ a flat _____ .

1 말하는 시계

2 어느 날 저녁 Dean은 친구들을 자기 방으로 초대했다.

3 그는 방에 있는 모든 것 즉, 멋진 침대, 많은 만화책들, 그리고 새 컴퓨터를 자랑스러워했다.

4 구석에 그는 커다란 금속 접시도 가지고 있었다.

5 한 친구가 "저 큰 접시는 뭐니?"라고 물었다.

6 "아, 저건 내 특별한 시계야. 그건 말을 해." Dean이 자랑스럽게 대답했다.

7 "접시를 치면, 시간을 알게 될 거야."

8 그리고 나서 그는 손으로 접시를 쳤다.

9 그것은 정말 큰 소리를 냈다.

10 갑자기 벽 반대편에 있던 그의 누나가 소리쳤다. "너 미쳤니?"

11 밤 11시야. 잘 시간이야!"

12 펑크 난 타이어

13 Jessie와 Nicole은 대학 친구이다.

14 그들은 토요일에 플로리다에 계시는 Jessie의 할머니를 방문했다.

15 그들은 월요일 오후에 큰 시험이 있기 때문에 그날 일찍 돌아올 계획이었다.

16 하지만 그들은 늦게 일어나서 시험에 맞춰 올 수 없었다.

17 그들은 지각한 것에 대한 좋은 핑계 거리가 필요해서 교수에게 차의 타이어에 펑크가 났다고 말하기로 결정했다.

18 The professor agreed _____ it was just _____ _____ and _____ them _____ take the test _____ Wednesday.

19 _____ they came _____ _____ the test _____ Wednesday morning, the professor _____ Jessie and Nicole in _____ rooms.

20 _____ they _____ _____, they read the first question.

21 For 5 points, explain _____ _____.

22 It was _____ _____ _____ _____ to them. Then, the test _____.

23 For 95 points, _____ the question:

24 _____ tire?

25 A _____ Parrot

26 _____ _____ Abril went to a pet shop _____ _____ a parrot.

27 "_____ _____ is this blue _____?" she asked.

28 "It _____ $2,000," said the _____ _____ owner.

29 "_____ is it so _____?" asked Abril.

30 "This parrot is a very _____ _____. It can _____ _____ _____!"

31 "_____ _____ the green one?" she asked.

32 "It costs $5,000 _____ it can play the piano, paint pictures, and _____ _____."

33 "Then _____ _____ the red one?" Abril asked.

34 The owner _____ that it _____ $10,000.

35 She was _____ and asked, "What _____ it _____?"

36 "I don't know," _____ the owner, "but the _____ two birds _____ it 'teacher.'"

18 교수는 그것이 단지 불운이라는 것에 동의했고 수요일에 그들이 시험을 볼 수 있도록 허락했다.

19 수요일 아침에 그들이 시험을 보러 왔을 때, 교수는 Jessie와 Nicole을 다른 방에 들어가게 했다.

20 그들은 앉아서 첫 번째 문제를 읽었다.

21 5점짜리, 지구 온난화를 설명하시오.

22 그것은 그들에게 식은 죽 먹기였다. 그러고 나서, 시험은 계속되었다.

23 95점짜리, 질문에 답하시오.

24 어느 타이어였는가?

25 특별한 앵무새

26 어느 날 Abril은 앵무새를 사러 애완동물 가게에 갔다.

27 "이 파란 앵무새는 얼마죠?" 그녀가 물었다.

28 "이것은 2,000달러예요," 애완동물 가게 주인이 말했다.

29 "왜 그렇게 비싸죠?" Abril이 물었다.

30 "이것은 아주 특별한 앵무새입니다. 피아노를 칠 수 있어요!"

31 "초록색 앵무새는요?" 그녀가 물었다.

32 "이것은 피아노를 치고, 그림을 그리고, 줄넘기를 할 수 있기 때문에 5,000달러입니다."

33 "그럼 빨간 앵무새는요?" Abril이 물었다.

34 주인은 10,000달러라고 대답했다.

35 그녀는 놀라서 물었다. "그것은 뭘 할 수 있죠?"

36 "모르겠어요, 하지만 다른 두 새들이 그것을 '선생님'이라고 불러요."라고 주인이 말했다.

● 우리말을 참고하여 본문을 영작하시오.

1 말하는 시계

➡ _____

2 어느 날 저녁 Dean은 친구들을 자기 방으로 초대했다.

➡ _____

3 그는 방에 있는 모든 것 즉, 멋진 침대, 많은 만화책들, 그리고 새 컴퓨터를 자랑스러워했다.

➡ _____

4 구석에 그는 커다란 금속 접시도 가지고 있었다.

➡ _____

5 한 친구가 "저 큰 접시는 뭐니?"라고 물었다.

➡ _____

6 "아, 저건 내 특별한 시계야. 그건 말을 해." Dean이 자랑스럽게 대답했다.

➡ _____

7 "접시를 치면, 시간을 알게 될 거야."

➡ _____

8 그러고 나서 그는 손으로 접시를 쳤다.

➡ _____

9 그것은 정말 큰 소리를 냈다.

➡ _____

10 갑자기 벽 반대편에 있던 그의 누나가 소리쳤다. "너 미쳤니?"

➡ _____

11 밤 11시야. 잘 시간이야!"

➡ _____

12 펑크 난 타이어

➡ _____

13 Jessie와 Nicole은 대학 친구이다.

➡ _____

14 그들은 토요일에 플로리다에 계시는 Jessie의 할머니를 방문했다.

➡ _____

15 그들은 월요일 오후에 큰 시험이 있기 때문에 그날 일찍 돌아올 계획이었다.

➡ _____

16 하지만 그들은 늦게 일어나서 시험에 맞춰 올 수 없었다.

➡ _____

17 그들은 지각한 것에 대한 좋은 핑계 거리가 필요해서 교수에게 차의 타이어에 펑크가 났다고 말하기로 결정했다.

➡ _____

18 교수는 그것이 단지 불운이라는 것에 동의했고 수요일에 그들이 시험을 볼 수 있도록 허락했다.
➡ _____

19 수요일 아침에 그들이 시험을 보러 왔을 때, 교수는 Jessie와 Nicole을 다른 방에 들어가게 했다.
➡ _____

20 그들은 앉아서 첫 번째 문제를 읽었다.
➡ _____

21 5점짜리, 지구 온난화를 설명하시오.
➡ _____

22 그것은 그들에게 식은 죽 먹기였다. 그러고 나서, 시험은 계속되었다.
➡ _____

23 95점짜리, 질문에 답하시오.
➡ _____

24 어느 타이어였는가?
➡ _____

25 특별한 앵무새
➡ _____

26 어느 날 Abril은 앵무새를 사러 애완동물 가게에 갔다.
➡ _____

27 "이 파란 앵무새는 얼마죠?" 그녀가 물었다.
➡ _____

28 "이것은 2,000달러예요," 애완동물 가게 주인이 말했다.
➡ _____

29 "왜 그렇게 비싸죠?" Abril이 물었다.
➡ _____

30 "이것은 아주 특별한 앵무새입니다. 피아노를 칠 수 있어요!"
➡ _____

31 "초록색 앵무새는요?" 그녀가 물었다.
➡ _____

32 "이것은 피아노를 치고, 그림을 그리고, 줄넘기를 할 수 있기 때문에 5,000달러입니다."
➡ _____

33 "그럼 빨간 앵무새는요?" Abril이 물었다.
➡ _____

34 주인은 10,000달러라고 대답했다.
➡ _____

35 그녀는 놀라서 물었다. "그것은 뭘 할 수 있죠?"
➡ _____

36 "모르겠어요, 하지만 다른 두 새들이 그것을 '선생님'이라고 불러요."라고 주인이 말했다.
➡ _____

01 다음 빈칸에 알맞은 말을 〈보기〉에서 골라 쓰시오.

> ┤ 보기 ├
>
> special   excuse   surprised   global

(1) She was _____ to see the sight.

(2) Today, _____ warming is a serious problem.

(3) They needed a good _____ for being late.

(4) Actors wear _____ clothes for the play.

02 다음 주어진 우리말에 맞게 빈칸에 알맞은 말을 쓰시오.

(1) 그것은 그들에게 식은 죽 먹기이다.
  ➡ It is _____ _____ _____ cake to them.

(2) 나는 매일 아침 늦잠을 잔다.
  ➡ I _____ _____ _____ every morning.

(3) Dean은 어느 날 저녁 그의 집으로 친구들을 초대했다.
  ➡ Dean invited his friends to his house _____ _____.

03 다음 영영풀이에 해당하는 단어를 〈보기〉에서 찾아 쓰시오.

> ┤ 보기 ├
>
> invite   shout   owner   flat

(1) _____ : not having enough air

(2) _____ : to say something very loudly

(3) _____ : a person that owns something

(4) _____ : to ask someone to come to a party, wedding, meal, etc.

04 다음 주어진 단어를 이용하여 우리말을 영어로 옮기시오.

(1) 태풍이 오고 있으므로 너는 나가지 않는 게 좋겠다. (a typhoon, had better, because)
  ➡ _____
    _____

(2) 그는 내가 가진 유일한 친구이다. (the only friend, have)
  ➡ _____

05 다음 두 문장이 같은 뜻이 되도록 빈칸에 알맞은 말을 쓰시오.

(1) My mother let me go to the concert.
  ➡ My mother allowed me _____ _____ to the concert.

(2) He made us sweep the floor.
  ➡ He forced us _____ _____ the floor.

06 다음 빈칸에 알맞은 말을 〈보기〉에서 골라 쓰시오. (문장의 앞에 오는 경우 대문자로 쓰시오.)

> ┤ 보기 ├
>
> though   when   if

(1) _____ you don't leave now, you will miss the last train.

(2) We had a big party _____ Sarah came home.

(3) _____ it was very warm, she didn't take off her coat.

Dean invited his friends to his room one evening. He was proud ____ⓐ____ everything in his room: a nice bed, many comic books, and a new computer. ⓑIn the corner, he also had a very big metal dish. A friend asked, "What's that big dish?" "Oh, that's my ____ⓒ____ clock. It talks," Dean replied proudly, "If you hit the dish, you'll know the time." Then he hit the dish with his hand. It made a really loud noise. Suddenly, his sister ⓓwho was on the other side of the wall shouted, "Are you crazy? It's eleven o'clock at night. Time to go to bed!"

07 위 글의 빈칸 ⓐ에 알맞은 전치사를 쓰시오.

➡ _____

08 위 글의 밑줄 친 ⓑ와 같은 뜻이 되도록 다음 문장의 빈칸에 알맞은 말을 쓰시오.

> In the corner, _____ _____ also a very big metal dish.

09 위 글의 빈칸 ⓒ에 다음 정의에 해당하는 단어를 주어진 단어로 시작하여 쓰시오.

> better or more important than someone or something

➡ s_____

10 위 글의 밑줄 친 ⓒ 대신 쓸 수 있는 관계대명사를 쓰시오.

➡ _____

11 Where was Dean's sister? Answer in English.

➡ _____

One day Abril went to a pet shop to buy a parrot. "How much is this blue ⓐone?" she asked.

"It costs $2,000," said the pet shop owner.

"Why is it so expensive?" asked Abril.

"This parrot is a very special one. It can play the piano!"

"What ____ⓑ____ the green one?" she asked.

"It costs $5,000 because it can play the piano, paint pictures, and jump rope."

"Then what ____ⓒ____ the red one?" Abril asked. The owner responded ____ⓓ____ it costs $10,000. She was ⓔsurprise and asked,

"What does it do?"

"I don't know," said the owner, "but the other two birds call it 'teacher.'"

12 위 글의 밑줄 친 ⓐ가 가리키는 것을 영어로 쓰시오.

➡ _____

13 위 글의 빈칸 ⓑ와 ⓒ에 공통으로 알맞은 말을 쓰시오.

➡ _____

14 위 글의 빈칸 ⓓ에 알맞은 말을 쓰시오.

➡ _____

15 위 글의 밑줄 친 ⓔ를 알맞은 형으로 고치시오.

➡ _____

16 What can the blue parrot do? Answer in English.

➡ _____

01 다음 중 짝지어진 단어의 관계가 나머지 넷과 <u>다른</u> 것은?

① sell : buy
② special : general
③ ask : answer
④ allow : permit
⑤ expensive : cheap

02 다음 영영풀이에 해당하는 단어로 알맞은 것은?

> to make something clear or easy to understand

① invite   ② choose
③ explain   ④ excuse
⑤ respond

03 다음 빈칸에 공통으로 알맞은 것은?

> • The woman is changing a _____ tire.
> • There are many buildings with _____ roofs.

① round   ② flat
③ sharp   ④ smooth
⑤ thick

04 다음 우리말에 맞게 빈칸에 알맞은 말을 쓰시오.

> 그는 자기 아들을 자랑스러워한다.
> ➡ He _____ _____ _____ his son.

05 다음 영영풀이에 해당하는 단어를 주어진 철자로 시작하여 쓰시오.

> a reason that you give to explain a mistake, bad behavior, etc.

➡ e_____

06 다음 빈칸에 알맞은 말이 바르게 짝지어진 것은?

> • He lives _____ the other side of the street.
> • People all laughed _____ loud at his joke.

① at – in   ② on – out
③ in – of   ④ with – over
⑤ from – on

07 다음 짝지어진 단어의 관계가 같도록 빈칸에 알맞은 말을 쓰시오.

> different : _____ = noisy : quiet

08 다음 빈칸에 들어갈 말로 적절하지 <u>않은</u> 것은?

> • How much does it _____?
> • He _____ the nail with the hammer.
> • He's going to _____ a test.
> • We _____ this land the Island of the Sun.

① call   ② cost
③ hit   ④ take
⑤ allow

09 다음 빈칸에 공통으로 알맞은 말을 쓰시오.

- He had no time _____ eat lunch.
- We are looking for a person _____ live in this house.

10 다음 중 밑줄 친 부분의 쓰임이 나머지 넷과 다른 것은?

① He is always the first boy to come.
② He has nothing to write with.
③ He went to England to study English.
④ There are a lot of things for him to do.
⑤ He was looking for an apartment to live in.

11 다음 〈보기〉와 문장 구조가 다른 하나는?

┌─ 보기 ─────────────────┐
My little brother always makes me upset.
└────────────────────────┘

① People call him Lion King.
② I made my son a police officer.
③ He heard the girl play the flute.
④ Jake gave me some sandwich.
⑤ They saw an alien kidnapping a farmer.

12 다음 문장의 빈칸에 알맞은 것은?

I had to carry the heavy box in one hand and an umbrella in _____.

① other   ② the other
③ others   ④ another
⑤ the others

13 다음 중 어법상 어색한 것은?

① The teacher told Jake to be friendly.
② My brother always makes me laugh.
③ People call him Uncle Bob.
④ They saw a woman to play soccer.
⑤ The news made the students excited.

14 다음 문장의 빈칸에 알맞은 것은?

Do you know the boy _____ is running after a dog?

① what   ② who
③ whom   ④ which
⑤ whose

15 다음 문장의 빈칸에 알맞은 것은?

Why don't you eat some gimbap _____ you're hungry?

① and   ② but
③ if   ④ where
⑤ because

16 다음 밑줄 친 ①~⑤ 중 어법상 어색한 것은?

My father ①will buy ②me a computer ③if I ④will get a perfect score ⑤in the final exam.

①   ②   ③   ④   ⑤

[17~21] 다음 글을 읽고, 물음에 답하시오.

Jessie and Nicole are university friends. They visited Jessie's grandma in Florida on Saturday. They planned to come back early on Monday ⓐ____ they had a big test that afternoon. But they got up late and could not ⓑ____ it to the test. They needed a good excuse for ⓒbe late, so they decided to tell the professor that their car got a flat tire.

The professor agreed that it was just bad luck and ⓓallowed them to take the test on Wednesday. When they came to take the test on Wednesday morning, the professor put Jessie and Nicole in different rooms. As they sat down, they read the first question.

For 5 points, explain global warming.

It was a piece of cake to them. Then, the test continued.

For 95 points, answer the question: Which tire?

출제율 100%

17 위 글의 빈칸 ⓐ에 알맞은 것은? (2개)

① if   ② as
③ though   ④ when
⑤ because

출제율 90%

18 위 글의 빈칸 ⓑ에 알맞은 것은?

① be   ② do
③ make   ④ get
⑤ take

출제율 95%

19 위 글의 밑줄 친 ⓒ를 알맞은 어형으로 고치시오.

➡ _____

출제율 95%

20 위 글의 밑줄 친 ⓓ와 같은 뜻이 되도록 다음 문장의 빈칸에 알맞은 말을 쓰시오.

_____ them _____ the test

출제율 90%

21 위 글의 내용으로 보아 알 수 없는 것은?

① Jessie and Nicole visited Jessie's grandma.
② They got up late on Monday.
③ They told a lie to the professor.
④ The professor wasn't a generous man.
⑤ The answer to the question for 95 points was very easy.

[22~26] 다음 글을 읽고, 물음에 답하시오.

Dean invited his friends to his room one evening. ⓐHe was proud of everything in his room: a nice bed, many comic books, and a new computer. In the corner, he also had a very big metal dish. A friend asked, "What's that big dish?" "Oh, that's my special clock. It talks," Dean replied ⓑproud, "____ⓒ____ you hit the dish, you'll know the time." Then he hit the dish with his hand. It made a really loud noise. ⓓSuddenly, his sister who was on the other side of the wall shouted, "Are you crazy? It's eleven o'clock at night. Time to go to bed!"

출제율 95%

22 위 글의 밑줄 친 ⓐ와 같은 뜻이 되도록 빈칸에 알맞은 것은?

He took pride _____ everything in his room:

① in   ② at
③ to   ④ for
⑤ with

23 위 글의 밑줄 친 ⓑ를 알맞은 어형으로 고치시오.

➡ _____

24 위 글의 빈칸 ⓒ에 알맞은 것은?

① Till
② After
③ If
④ Though
⑤ While

25 위 글의 밑줄 친 ⓓ와 같은 뜻이 되도록 다음 어구의 빈칸에 알맞은 말을 쓰시오.

All _____ a sudden

26 위 글의 분위기로 가장 알맞은 것은?

① urgent
② sad
③ lonely
④ peaceful
⑤ humorous

[27~31] 다음 글을 읽고, 물음에 답하시오.

One day Abril went to a pet shop to buy a parrot. "How much is this blue one?" she asked.
"It costs $2,000," said the pet shop owner.
"Why is it so ___ⓐ___?" asked Abril.
"This parrot is a very special one. It can play the piano!"
"What about the green one?" she asked.
"It costs $5,000 ⓑbecause it can play the piano, paint pictures, and jump rope."
"Then what about the red one?" Abril asked. The owner responded that it costs $10,000. She was surprised and asked, "What does it do?"
"I don't know," said the ⓒown, "ⓓbut the other two birds call it 'teacher.'"

27 위 글의 빈칸 ⓐ에 알맞은 것은?

① low
② high
③ cheap
④ expensive
⑤ valuable

28 위 글의 밑줄 친 ⓑ와 바꿔 쓸 수 있는 것은?

① as
② if
③ when
④ though
⑤ while

29 위 글의 밑줄 친 ⓒ를 알맞은 어형으로 고치시오.

➡ _____

30 위 글의 밑줄 친 ⓓ와 문형이 같은 것은?

① My uncle planted some trees in the garden.
② The child looked very hungry.
③ Birds fly in the sky.
④ They called her Little Princess.
⑤ Kirk sent her a birthday present last week.

31 위 글의 내용으로 보아 대답할 수 없는 질문은?

① Why did Abril go to a pet shop?
② How much was the blue parrot?
③ What can the green parrot do?
④ How much was the green parrot?
⑤ What can the red parrot do?

[32~35] 다음 글을 읽고, 물음에 답하시오.

(①) Jessie and Nicole are university friends. (②) They visited Jessie's grandma in Florida on Saturday. (③) They planned ⓐto come back early on Monday because they had a big test that afternoon. (④) They needed a good excuse __ⓒ__ being late, __ⓓ__ they decided to tell the professor that their car got a flat tire. (⑤)

32 위 글의 ①~⑤ 중 다음 주어진 문장이 들어갈 알맞은 위치는?

> But they got up late and could not make it to the test.

①   ②   ③   ④   ⑤

33 위 글의 밑줄 친 ⓐ와 같은 용법으로 쓰인 것은?

① Jane made a promise to help us.
② He went to a bookstore to buy a book.
③ They sent some people to live on the planet.
④ The boys decided to go swimming in the pool.
⑤ I awoke to find myself lying on the floor.

34 위 글의 빈칸 ⓒ에 알맞은 것은?

① at   ② for
③ to   ④ with
⑤ from

35 위 글의 빈칸 ⓓ에 알맞은 것은?

① so   ② for
③ or   ④ but
⑤ as

[36~38] 다음 글을 읽고, 물음에 답하시오.

The professor agreed that it was just bad luck and allowed them __ⓐ__ the test on Wednesday. When they came to take the test on Wednesday morning, the professor put Jessie and Nicole in __ⓑ__ rooms. As they sat down, they read the first question.

For 5 points, explain global warming. ⓒIt was a piece of cake to them. Then, the test continued.

For 95 points, answer the question: Which tire?

36 위 글의 빈칸 ⓐ에 알맞은 것은?

① take   ② took
③ taking   ④ to take
⑤ to taking

37 위 글의 빈칸 ⓑ에 알맞은 것은?

① same   ② silent
③ near   ④ strange
⑤ different

38 위 글의 밑줄 친 ⓒ를 우리말로 옮기시오.

➡ _____

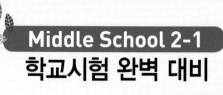

1학기 전과정

적중100 plus

영어 기출문제집

영어 중 2

천재 | 이재영

Best Collection

내용문의 중등영어발전소 적중100 편집부 TEL 070-4416-3636

INSIGHT
on the textbook

교과서 파헤치기

영어 기출 문제집

적중 100 ^{plus}
1학기 전과정

영어 중 2

천재 | 이재영

INSIGHT
on the textbook

교과서 파헤치기

※ 다음 영어를 우리말로 쓰시오.

01	grade	
02	hundred	
03	add	
04	downtime	
05	another	
06	relax	
07	weekly	
08	beginning	
09	behave	
10	waste	
11	birth	
12	achieve	
13	bored	
14	however	
15	control	
16	strange	
17	download	
18	eco-friendly	
19	exercise	
20	between	
21	manage	
22	full	
23	goal	

24	habit	
25	stressful	
26	popular	
27	heavy	
28	death	
29	historical	
30	text	
31	hard	
32	magazine	
33	useful	
34	messy	
35	free	
36	perfect	
37	skill	
38	once in a while	
39	stand in line	
40	look down	
41	focus on	
42	from now on	
43	for a minute	
44	drive ~ crazy	
45	get some rest	
46	get off to a start	

※ 다음 우리말을 영어로 쓰시오.

01	무거운		24	그러나	
02	역사적인		25	통제, 규제	
03	예의 바르게 행동하다		26	이상한	
04	휴식을 취하다		27	다운로드하다	
05	문자 메시지를 보내다		28	친환경적인	
06	지저분한		29	운동하다	
07	잡지		30	~ 사이에, ~ 중간에	
08	유용한		31	관리하다	
09	완벽한, 완전한		32	배부른	
10	기술		33	성적	
11	인기 있는		34	목표	
12	죽음, 사망		35	습관	
13	어려운; 열심히		36	스트레스가 많은	
14	팬티		37	낭비; 낭비하다	
15	다른, 또 다른		38	약간의 휴식을 취하다	
16	매주의, 주간의		39	~를 돌보다	
17	앱, 어플리케이션		40	한 시간 동안	
18	초(반), 시작		41	줄넘기하다	
19	백, 100		42	~ 때문에	
20	탄생, 출생		43	서로	
21	한가한[휴식] 시간		44	이제부터	
22	달성하다, 성취하다		45	~의 앞쪽에[앞에]	
23	지루한		46	~를 치우다[청소하다]	

※ 다음 영영풀이에 알맞은 단어를 <보기>에서 골라 쓴 후, 우리말 뜻을 쓰시오.

1 _____ : to get or reach something by working hard: _____

2 _____ : helping to do or achieve something: _____

3 _____ : not harmful to the environment: _____

4 _____ : to spend time resting or doing something enjoyable especially after

　　　　　work: _____

5 _____ : the time when something starts; the first part of an event, a story, etc.

　　　　　_____

6 _____ : dirty and not neat: _____

7 _____ : the end of the life of a person or animal: _____

8 _____ : different from what is usual, normal, or expected: _____

9 _____ : the time when someone stops working and is able to relax: _____

10 _____ : to use more of something than is necessary or useful: _____

11 _____ : liked or enjoyed by many people: _____

12 _____ : something that you are trying to do or achieve: _____

13 _____ : to send someone a text message: _____

14 _____ : to act in the way that people think is correct and proper: _____

15 _____ : something that a person does often in a regular and repeated way:

　　　　　_____

16 _____ : full of or causing stress: _____

보기			
stressful	relax	achieve	behave
text	goal	death	popular
habit	beginning	waste	eco-friendly
useful	downtime	messy	strange

※ 다음 우리말과 일치하도록 빈칸에 알맞은 말을 쓰시오.

Communicate: Listen - Listen and Answer Dialog 1

G: Kevin, do you have a _____ _____ _____ the year?

B: Yeah, I want to _____ a gold medal in the _____ swimming contest.

G: Cool!

B: _____ _____ you, Minsol?

G: I'd _____ _____ _____ my time better.

B: How would you _____ _____ _____?

G: I'm _____ to make a _____ and _____ schedule.

B: _____ good.

G: Kevin, 올해의 특별한 목표가 있니?
B: 응, 전국 수영 대회에서 금메달을 따고 싶어.
G: 멋지네!
B: 민솔아, 너는?
G: 난 내 시간을 더 잘 관리하고 싶어.
B: 어떻게 네 목표를 달성할 거니?
G: 나는 일일 계획표와 주간 계획표를 만들 계획이야.
B: 좋은 생각이야.

Communicate: Listen - Listen and Answer Dialog 2

G: Can I talk with you _____ _____ _____, Minsu?

B: _____. What is it?

G: I'm _____ _____ my _____ schedule.

B: Really? _____ _____ you, _____ sister.

G: Here. _____ _____ _____ and give me some _____.

B: Hmm, you have _____ _____ _____ study time.

G: Yeah, I'm _____ _____ study hard.

B: _____ _____ you add some _____?

G: Downtime?

B: Yeah, I mean you need to _____ once in a _____.

G: 민수 오빠, 잠깐 얘기 좀 할 수 있을까?
B: 물론. 뭔데?
G: 나는 주간 계획표를 작성하고 있어.
B: 정말? 잘했다, 동생아.
G: 여기 있어. 한번 보고 조언 좀 해 줘.
B: 음, 공부 시간이 많구나.
G: 응, 나는 열심히 공부할 계획이야.
B: '다운타임'을 조금 더 추가하는 게 어때?
G: '다운타임'?
B: 응, 내 말은 넌 가끔 쉬어야 한다는 거야.

Communicate: Listen - Listen More

(The phone rings.)

W: Hi, Jongha.

B: Hello, Grandma. I'd _____ _____ _____ you this Saturday.

W: That'll be great. We can _____ some vegetables _____.

B: Really? _____ _____ of vegetables?

W: This time, _____ _____ _____ plant some tomatoes and peppers.

B: Wow! That'll _____ _____.

W: I _____ it's _____ to be sunny this Saturday. You _____ _____ your cap.

B: Okay, I _____.

W: Why don't you _____ _____ sunscreen _____ you leave?

B: No _____. I'll see you _____ Saturday.

W: Okay. Bye.

(전화기가 울린다.)
W: 안녕, 종하구나.
B: 안녕하세요, 할머니. 이번 주 토요일에 할머니를 방문하고 싶어요.
W: 그거 좋겠다. 우리는 함께 채소를 심을 수 있어.
B: 정말요? 어떤 종류의 채소죠?
W: 이번에는 토마토와 고추를 심을 계획이야.
B: 와! 재미있겠는데요.
W: 이번 토요일에 날씨가 맑을 거라고 들었어. 모자를 가져와야 해.
B: 알았어요, 그럴게요.
W: 떠나기 전에 자외선 차단제를 바르는 게 어때?
B: 그럼요. 토요일에 뵙겠습니다.
W: 알았어. 안녕.

Communicate: Listen - Listen and Complete

M: 1. _____ would you _____ your goal?

  2. I'd _____ _____ _____ you this Saturday.

M: 1. 너는 어떻게 목표를 달성할 거니?
2. 난 이번 토요일에 너를 방문하고 싶어.

My Speaking Portfolio

1. G: Hello, I'm Nayeon. I'd like to _____ _____ _____ person. I'm planning to _____ _____ _____ every day.

2. B1: Hi, I'm Junho. My goal for the year is _____ _____ the Korean History Test. I'm planning to _____ _____ _____. I'm also _____ to watch _____ _____ _____ historical dramas on TV.

3. B2: Hi, I'm Hojin. I _____ _____ _____ for the year. I want to get good _____ in math. I'm _____ _____ review math lessons _____. I'm also going to _____ 20 math problems every day.

1. G: 안녕, 나는 나연이야. 나는 환경 친화적인 사람이 되고 싶어. 나는 매일 걸어서 학교에 갈 계획이야.
2. B1: 안녕, 나는 준호야. 올해 나의 목표는 한국 역사 시험을 통과하는 거야. 나는 온라인 강의를 들을 계획이야. 나는 TV에서 역사 드라마도 많이 볼 거야.
3. B2: 안녕, 나는 호진이야. 나는 올해 목표가 있어. 나는 수학에서 좋은 성적을 받고 싶어. 나는 규칙적으로 수학 수업을 복습할 계획이야. 나는 또한 매일 20개의 수학 문제를 풀 거야.

Wrap Up - Listening ❸

B: What _____ you _____ _____ do this weekend, Mina?

G: I'm _____ _____ visit Yeosu _____ my aunt.

B: That _____ great. Do you have _____ _____ in Yeosu?

G: Well, we'll _____ Yeosu Expo Park and eat some _____.

B: That'll _____ _____. _____ your weekend.

B: 미나야, 이번 주말에 뭐 할 거야?
G: 나는 숙모와 함께 여수를 방문할 계획이야.
B: 그거 좋겠다. 여수에서 무슨 계획 있니?
G: 음, 우리는 여수 엑스포 공원에 가서 해산물을 먹을 거야.
B: 그거 재미있겠는데. 즐거운 주말 보내.

Wrap Up - Listening ❹

G: You _____ _____, Yunsu. What's the _____?

B: I have a _____ project, and I _____ _____ any ideas.

G: _____ _____ _____ _____ science magazines in the library?

B: Science _____?

G: Sure. You _____ _____ some great ideas _____ _____.

G: 윤수야, 우울해 보여. 무슨 문제 있니?
B: 나는 과학 프로젝트가 있는데, 아무 생각이 나질 않아.
G: 도서관에서 과학 잡지를 읽는 게 어때?
B: 과학 잡지?
G: 그럼. 그런 식으로 하면 좋은 아이디어를 얻을 수 있어.

※ 다음 우리말에 맞도록 대화를 영어로 쓰시오.

Communicate: Listen - Listen and Answer Dialog 1

G: _____

B: _____

G: _____

B: _____

G: _____

B: _____

G: _____

B: _____

Communicate: Listen - Listen and Answer Dialog 2

G: _____

B: _____

G: _____

B: _____

G: _____

B: _____

G: _____

B: _____

G: _____

B: _____

Communicate: Listen - Listen More

(*The phone rings.*)

W: _____

B: _____

W: _____

B: _____

W: _____

B: _____

W: _____

B: _____

W: _____

B: _____

W: _____

해석

G: Kevin, 올해의 특별한 목표가 있니?
B: 응, 전국 수영 대회에서 금메달을 따고 싶어.
G: 멋지네!
B: 민솔아, 너는?
G: 난 내 시간을 더 잘 관리하고 싶어.
B: 어떻게 네 목표를 달성할 거니?
G: 나는 일일 계획표와 주간 계획표를 만들 계획이야.
B: 좋은 생각이야.

G: 민수 오빠, 잠깐 얘기 좀 할 수 있을까?
B: 물론. 뭔데?
G: 나는 주간 계획표를 작성하고 있어.
B: 정말? 잘했다, 동생아.
G: 여기 있어. 한번 보고 조언 좀 해 줘.
B: 음, 공부 시간이 많구나.
G: 응, 나는 열심히 공부할 계획이야.
B: '다운타임'을 조금 더 추가하는 게 어때?
G: '다운타임'?
B: 응, 내 말은 넌 가끔 쉬어야 한다는 거야.

(전화기가 울린다.)
W: 안녕, 종하구나.
B: 안녕하세요, 할머니. 이번 주 토요일에 할머니를 방문하고 싶어요.
W: 그거 좋다. 우리는 함께 채소를 심을 수 있어.
B: 정말요? 어떤 종류의 채소죠?
W: 이번에는 토마토와 고추를 심을 계획이야.
B: 와! 재미있겠는데요.
W: 이번 토요일에 날씨가 맑을 거라고 들었어. 모자를 가져와야 해.
B: 알았어요, 그럴게요.
W: 떠나기 전에 자외선 차단제를 바르는 게 어때?
B: 그럼요. 토요일에 뵙겠습니다.
W: 알았어. 안녕.

Communicate: Listen - Listen and Complete

M: 1. _____

2. _____

My Speaking Portfolio

1. G: _____
_____

2. B1: _____
_____
_____

3. B2: _____
_____
_____

Wrap Up - Listening ❸

B: _____

G: _____

B: _____

G: _____

B: _____

Wrap Up - Listening ❹

G: _____

B: _____

G: _____

B: _____

G: _____

M: 1. 너는 어떻게 목표를 달성할 거니?
2. 난 이번 토요일에 너를 방문하고 싶어.

1. G: 안녕, 나는 나연이야. 나는 환경 친화적인 사람이 되고 싶어. 나는 매일 걸어서 학교에 갈 계획이야.
2. B1: 안녕, 나는 준호야. 올해 나의 목표는 한국 역사 시험을 통과하는 거야. 나는 온라인 강의를 들을 계획이야. 나는 TV에서 역사 드라마도 많이 볼 거야.
3. B2: 안녕, 나는 호진이야. 나는 올해 목표가 있어. 나는 수학에서 좋은 성적을 받고 싶어. 나는 규칙적으로 수학 수업을 복습할 계획이야. 나는 또한 매일 20개의 수학 문제를 풀 거야.

B: 미나야, 이번 주말에 뭐 할 거야?
G: 나는 숙모와 함께 여수를 방문할 계획이야.
B: 그거 좋겠다. 여수에서 무슨 계획 있니?
G: 음, 우리는 여수 엑스포 공원에 가서 해산물을 먹을 거야.
B: 그거 재미있겠는데. 즐거운 주말 보내.

G: 윤수야, 우울해 보여. 무슨 문제 있니?
B: 나는 과학 프로젝트가 있는데, 아무 생각이 나질 않아.
G: 도서관에서 과학 잡지를 읽는 게 어때?
B: 과학 잡지?
G: 그럼. 그런 식으로 하면 좋은 아이디어를 얻을 수 있어.

Step1

※ 다음 우리말과 일치하도록 빈칸에 알맞은 것을 골라 쓰시오.

1 _____ a new school year _____ _____ to many students.

    A. is   B. stressful   C. beginning

2 _____ can we _____ off _____ a good start?

    A. to   B. how   C. get

3 *Teen Today* _____ Raccoon 97, a _____ webtoon artist, _____ ideas.

    A. for   B. asked   C. popular

4 _____ think about things that are _____ to change or _____ to change.

    A. easy   B. hard   C. let's

5 Things _____ Are _____ to _____

    A. Hard   B. Change   C. That

6 Your _____ Room_ You _____ it _____ .

    A. up   B. Messy   C. clean

7 Then you _____ new _____ into it, and it soon gets _____ again.

    A. messy   B. bring   C. stuff

8 But _____ _____ .

    A. worry   B. don't

9 Your room is _____ cleaner _____ mine.

    A. than   B. much

10 Your Family_ There is _____ someone in your family who _____ you _____ .

    A. crazy   B. drives   C. always

11 Remember _____ he or she is still a _____ of _____ family.

    A. your   B. that   C. member

12 You just have _____ live together and _____ for each _____ .

    A. other   B. to   C. care

13 Your Name _____ Your Teacher's List_ If you are late _____ do not _____ , your teacher will _____ your name on his or her list.

    A. on   B. behave   C. or   D. put

1 새 학년을 시작하는 것은 많은 학생들에게 스트레스를 준다.

2 어떻게 하면 우리는 좋은 출발을 할 수 있을까?

3 Teen Today는 유명한 웹툰 작가인 Raccoon 97에게 아이디어를 물었다.

4 바꾸기 어렵거나 쉽게 바꿀 수 있는 것들에 대해 생각해 보자.

5 바꾸기 어려운 것들

6 너의 지저분한 방_ 너는 방을 깨끗이 치운다.

7 그런 다음 새로운 물건을 가져오면 곧 다시 지저분해진다.

8 하지만 걱정하지 마.

9 네 방은 내 방보다 훨씬 더 깨끗해.

10 너의 가족_ 너의 가족 중에는 항상 너를 미치게 하는 사람이 있다.

11 그나 그녀가 여전히 너의 가족 구성원이라는 것을 기억해라.

12 너는 함께 살아야 하고 서로 돌봐야 한다.

13 선생님의 명단에 있는 너의 이름_ 만약 네가 늦거나 예의 바르게 행동하지 않는다면, 너의 선생님은 너의 이름을 그나 그녀의 명단에 올릴 것이다.

14 You _____ _____ change the _____.

    A. easily   B. list   C. cannot

15 _____ That _____ Easy _____ Change

    A. to   B. Are   C. Things

16 Your Underpants_ If you _____ them _____ day, your mom will not tell you one _____ and one times.

    A. hundred   B. every   C. change

17 "Life is C _____ B _____ D."

    A. and   B. between

18 It _____ "Life is Choice between _____ and _____."

    A. Birth   B. means   C. Death

19 Your Friends_ You can _____ _____ friends.

    A. change   B. your

20 Does it _____ _____?

    A. strange   B. sound

21 You _____ think _____ you have the _____ number of friends.

    A. that   B. perfect   C. may

22 If you _____ a new friend to the list, _____, you will feel _____ better than before.

    A. even   B. add   C. however

23 Your Mind_ You _____ one thing _____ first, and now you think _____ thing.

    A. at   B. another   C. thought

24 That is okay. _____ someone said, "If you can change your _____, you can change your _____."

    A. life   B. mind   C. as

25 "Focus _____ the things _____ are easy to change, and _____ to make today _____ than yesterday. Good luck!"

    A. try   B. that   C. better   D. on

26 _____ 5 Plans _____ the Year

    A. for   B. top

27 We _____ 200 *Teen Today* _____, " What are your plans _____ the year?"

    A. for   B. readers   C. asked

14 너는 명단을 쉽게 바꿀 수 없다.

15 바꾸기 쉬운 것들

16 너의 팬티_ 만약 네가 매일 팬티를 갈아입으면, 너의 엄마는 너에게 입이 닳도록 말하지 않을 거야.

17 "인생은 B와 D 사이의 C이다."

18 그것은 "인생은 탄생과 죽음 사이의 선택이다."를 의미한다.

19 너의 친구들_ 너는 네 친구들을 바꿀 수 있다.

20 이상하게 들리는가?

21 너는 네가 완벽한 수의 친구들을 가지고 있다고 생각할지도 모른다.

22 하지만 새로운 친구를 목록에 추가하면 이전보다 훨씬 더 기분이 좋아질 것이다.

23 너의 마음_ 너는 처음에는 이런 것을 생각했고, 지금은 또 다른 것을 생각한다.

24 괜찮다. 누군가 말했듯이, "마음을 바꿀 수 있다면, 인생을 바꿀 수 있어."

25 "바꾸기 쉬운 일에 집중하고, 어제보다 오늘을 더 좋게 만들려고 노력해. 행운을 빌어!"

26 올해의 5대 계획

27 우리는 200명의 Teen Today 독자들에게 "올해의 계획은 무엇인가?"라고 물었다.

※ 다음 우리말과 일치하도록 빈칸에 알맞은 말을 쓰시오.

1 _____ a new school year _____ _____ to many students.

2 How can we _____ _____ to a good _____?

3 *Teen Today* asked Raccoon 97, a _____ webtoon artist, _____ _____.

4 Things That _____ Hard _____ _____

5 _____ think about things _____ are _____ to change or _____ to change.

6 Your _____ Room_ You _____ it _____.

7 Then you bring new _____ into it, and it soon _____ _____ again.

8 But _____ _____.

9 Your room is much _____ _____ mine.

10 Your Family_ There _____ _____ someone in your family who _____ you _____.

11 Remember _____ he or she is still _____ _____ _____ your family.

12 You just _____ _____ live together and _____ _____ each other.

13 Your Name on Your Teacher's List_ If you are _____ or do not _____, your teacher will _____ your name _____ his or her list.

1 새 학년을 시작하는 것은 많은 학생들에게 스트레스를 준다.

2 어떻게 하면 우리는 좋은 출발을 할 수 있을까?

3 Teen Today는 유명한 웹툰 작가인 Raccoon 97에게 아이디어를 물었다.

4 바꾸기 어려운 것들

5 바꾸기 어렵거나 쉽게 바꿀 수 있는 것들에 대해 생각해 보자.

6 너의 지저분한 방_ 너는 방을 깨끗이 치운다.

7 그런 다음 새로운 물건을 가져오면 곧 다시 지저분해진다.

8 하지만 걱정하지 마.

9 네 방은 내 방보다 훨씬 더 깨끗해.

10 너의 가족_ 너의 가족 중에는 항상 너를 미치게 하는 사람이 있다.

11 그나 그녀가 여전히 너의 가족 구성원이라는 것을 기억해라.

12 너는 함께 살아야 하고 서로 돌봐야 한다.

13 선생님의 명단에 있는 너의 이름_ 만약 네가 늦거나 예의 바르게 행동하지 않는다면, 너의 선생님은 너의 이름을 그나 그녀의 명단에 올릴 것이다.

14 You cannot _____ _____ the list.

15 Things _____ Are Easy _____ _____

16 Your Underpants_ If you _____ them _____ _____, your mom will not tell you one hundred and one times.

17 "Life is C _____ B _____ D."

18 It means "Life is _____ between _____ and _____."

19 Your Friends_ You _____ _____ your friends.

20 Does it _____ _____?

21 You _____ think _____ you have the _____ number of friends.

22 If you _____ a new friend to the list, _____, you will feel even _____ _____ before.

23 Your Mind_ You _____ one thing _____ _____, and now you think _____ thing.

24 That is okay. _____ someone said, "_____ you can change your _____, you can change your _____."

25 "_____ _____ the things that are easy to change, and _____ _____ make today _____ _____ yesterday. Good luck!"

26 _____ 5 Plans _____ the Year

27 We _____ 200 *Teen Today* _____, " What are your plans _____ the year?"

---

14 너는 명단을 쉽게 바꿀 수 없다.

15 바꾸기 쉬운 것들

16 너의 팬티_ 만약 네가 매일 팬티를 갈아입으면, 너의 엄마는 너에게 입이 닳도록 말하지 않을 거야.

17 "인생은 B와 D 사이의 C이다."

18 그것은 "인생은 탄생과 죽음 사이의 선택이다."를 의미한다.

19 너의 친구들_ 너는 네 친구들을 바꿀 수 있다.

20 이상하게 들리는가?

21 너는 네가 완벽한 수의 친구들을 가지고 있다고 생각할지도 모른다.

22 하지만 새로운 친구를 목록에 추가하면 이전보다 훨씬 더 기분이 좋아질 것이다.

23 너의 마음_ 너는 처음에는 이런 것을 생각했고, 지금은 또 다른 것을 생각한다.

24 괜찮다. 누군가 말했듯이, "마음을 바꿀 수 있다면, 인생을 바꿀 수 있어."

25 "바꾸기 쉬운 일에 집중하고, 어제보다 오늘을 더 좋게 만들려고 노력해. 행운을 빌어!"

26 올해의 5대 계획

27 우리는 200명의 Teen Today 독자들에게 "올해의 계획은 무엇인가?"라고 물었다.

※ 다음 문장을 우리말로 쓰시오.

1   Beginning a new school year is stressful to many students.

➡ _____

2   How can we get off to a good start?

➡ _____

3   *Teen Today* asked Raccoon 97, a popular webtoon artist, for ideas.

➡ _____

4   Let's think about things that are hard to change or easy to change.

➡ _____

5   Things That Are Hard to Change

➡ _____

6   Your Messy Room_ You clean it up.

➡ _____

7   Then you bring new stuff into it, and it soon gets messy again.

➡ _____

8   But don't worry.

➡ _____

9   Your room is much cleaner than mine.

➡ _____

10   Your Family_ There is always someone in your family who drives you crazy.

➡ _____

11   Remember that he or she is still a member of your family.

➡ _____

12   You just have to live together and care for each other.

➡ _____

13   Your Name on Your Teacher's List_ If you are late or do not behave, your teacher will put your name on his or her list.

➡ _____
_____

14 You cannot easily change the list.

➡ _____

15 Things That Are Easy to Change

➡ _____

16 Your Underpants_ If you change them every day, your mom will not tell you one hundred and one times.

➡ _____

17 "Life is C between B and D."

➡ _____

18 It means "Life is Choice between Birth and Death."

➡ _____

19 Your Friends_ You can change your friends.

➡ _____

20 Does it sound strange?

➡ _____

21 You may think that you have the perfect number of friends.

➡ _____

22 If you add a new friend to the list, however, you will feel even better than before.

➡ _____

23 Your Mind_ You thought one thing at first, and now you think another thing.

➡ _____

24 That is okay. As someone said, "If you can change your mind, you can change your life."

➡ _____

25 "Focus on the things that are easy to change, and try to make today better than yesterday. Good luck!"

➡ _____

26 Top 5 Plans for the Year

➡ _____

27 We asked 200 *Teen Today* readers, "What are your plans for the year?"

➡ _____

※ 다음 괄호 안의 단어들을 우리말에 맞도록 바르게 배열하시오.

1 (many / a / stressful / to / school / is / year / beginning / students. / new)

➡ _____

2 (how / to / start? / we / good / get / can / off / a)

➡ _____

3 (webtoon / Teen / asked / popular / ideas. / Raccoon / a / artist, / for / Today / 97,)

➡ _____

4 (think / or / change. / things / are / to / change / about / easy / hard / to / let's / that)

➡ _____

5 (Are / to / That / Hard / Change / Things)

➡ _____

6 (you / it / up. / Room_ / clean / Messy / Your)

➡ _____

7 (you / bring / again. / new / stuff / soon / messy / into / then / it, / and / it / gets /

➡ _____

8 (worry. / don't / but)

➡ _____

9 (room / is / than // much / cleaner / mine. / your)

➡ _____

10 (Your / Family_ / crazy. / family / is / always / you / someone / there / in / your / drives / who)

➡ _____

11 (she / remember / still / your / family. / that / or / is / a / member / of / he)

➡ _____

12 (together / you / other. / just / have / live / each / and / care / for / to)

➡ _____

13 (on / Your / List_ / Teacher's / Name / Your / you / or / are / late / will / do / if / not / behave, / your / teacher / put / your / name / list. / on / his / or / her)

➡ _____
_____

---

1 새 학년을 시작하는 것은 많은 학생들에게 스트레스를 준다.

2 어떻게 하면 우리는 좋은 출발을 할 수 있을까?

3 Teen Today는 유명한 웹툰 작가인 Raccoon 97에게 아이디어를 물었다.

4 바꾸기 어렵거나 쉽게 바꿀 수 있는 것들에 대해 생각해 보자.

5 바꾸기 어려운 것들

6 너의 지저분한 방_ 너는 방을 깨끗이 치운다.

7 그런 다음 새로운 물건을 가져오면 곧 다시 지저분해진다.

8 하지만 걱정하지 마.

9 네 방은 내 방보다 훨씬 더 깨끗해.

10 너의 가족_ 너의 가족 중에는 항상 너를 미치게 하는 사람이 있다.

11 그나 그녀가 여전히 너의 가족 구성원이라는 것을 기억해라.

12 너는 함께 살아야 하고 서로 돌봐야 한다.

13 선생님의 명단에 있는 너의 이름_ 만약 네가 늦거나 예의 바르게 행동하지 않는다면, 너의 선생님은 너의 이름을 그나 그녀의 명단에 올릴 것이다.

14 (the / you / list. / change / cannot / easily)

➡ _____

15 (Change / Things / Easy / That / to / Are)

➡ _____

16 (Underpants_ / Your / if / day, / you / them / change / every / your / times. / mom / you / not / tell / one / will / and / one / hundred)

➡ _____

➡ _____

17 (and / is / D." / between / B / "life / C)

➡ _____

18 (means / it / is / Death." / between / Birth / Choice / "Life / and)

➡ _____

19 (change / Friends_ / you / can / friends. / Your / your)

➡ _____

20 (strange? / it / does / sound)

➡ _____

21 (have / you / perfect / may / think / number / friends. / that / you / the / of)

➡ _____

22 (if / to / you / than / add / new / will / before. / friend / the / list, / however, / you / a / even / better / feel)

➡ _____

➡ _____

23 (you / Mind_ / / first, / thought / Your / one / thing. / at / think / and / thing / now / you / another)

➡ _____

24 (okay. / is / that) (as / someone / your / said, / you / can / "If / change / mind, / life." / you / change / can / your)

➡ _____

➡ _____

25 (change, / on / the / to / things / "Focus / that / are / easy / and / try / today / make / yesterday. / better / than / to) (luck!" / good)

➡ _____

➡ _____

26 (Year / the / Top / Plans / 5 / for)

➡ _____

27 (readers, / asked / we / Teen / 200 / Today / are / "What / plans / year?" / for / your / the)

➡ _____

➡ _____

14 너는 명단을 쉽게 바꿀 수 없다.

15 바꾸기 쉬운 것들

16 너의 팬티_ 만약 네가 매일 팬티를 갈아입으면, 너의 엄마는 너에게 입이 닳도록 말하지 않을 거야.

17 "인생은 B와 D 사이의 C이다."

18 그것은 "인생은 탄생과 죽음 사이의 선택이다."를 의미한다.

19 너의 친구들_ 너는 네 친구들을 바꿀 수 있다.

20 이상하게 들리는가?

21 너는 네가 완벽한 수의 친구들을 가지고 있다고 생각할지도 모른다.

22 하지만 새로운 친구를 목록에 추가하면 이전보다 훨씬 더 기분이 좋아질 것이다.

23 너의 마음_ 너는 처음에는 이런 것을 생각했고, 지금은 또 다른 것을 생각한다.

24 괜찮다. 누군가 말했듯이, "마음을 바꿀 수 있다면, 인생을 바꿀 수 있어."

25 "바꾸기 쉬운 일에 집중하고, 어제보다 오늘을 더 좋게 만들려고 노력해. 행운을 빌어!"

26 올해의 5대 계획

27 우리는 200명의 Teen Today 독자들에게 "올해의 계획은 무엇인가?"라고 물었다.

※ **다음 우리말을 영어로 쓰시오.**

1 새 학년을 시작하는 것은 많은 학생들에게 스트레스를 준다.

➡ _____

2 어떻게 하면 우리는 좋은 출발을 할 수 있을까?

➡ _____

3 Teen Today는 유명한 웹툰 작가인 Raccoon 97에게 아이디어를 물었다.

➡ _____

4 바꾸기 어렵거나 쉽게 바꿀 수 있는 것들에 대해 생각해 보자.

➡ _____

5 바꾸기 어려운 것들

➡ _____

6 너의 지저분한 방_ 너는 방을 깨끗이 치운다.

➡ _____

7 그런 다음 새로운 물건을 가져오면 곧 다시 지저분해진다.

➡ _____

8 하지만 걱정하지 마.

➡ _____

9 네 방은 내 방보다 훨씬 더 깨끗해.

➡ _____

10 너의 가족_ 너의 가족 중에는 항상 너를 미치게 하는 사람이 있다.

➡ _____

11 그나 그녀가 여전히 너의 가족 구성원이라는 것을 기억해라.

➡ _____

12 너는 함께 살아야 하고 서로 돌봐야 한다.

➡ _____

13 선생님의 명단에 있는 너의 이름_ 만약 네가 늦거나 예의 바르게 행동하지 않는다면, 너의 선생님은 너의 이름을 그나 그녀의 명단에 올릴 것이다.

➡ _____

_____

14 너는 명단을 쉽게 바꿀 수 없다.

➡ _____

15 바꾸기 쉬운 것들

➡ _____

16 너의 팬티_ 만약 네가 매일 팬티를 갈아입으면, 너의 엄마는 너에게 입이 닳도록 말하지 않을 거야.

➡ _____

17 "인생은 B와 D 사이의 C이다."

➡ _____

18 그것은 "인생은 탄생과 죽음 사이의 선택이다."를 의미한다.

➡ _____

19 너의 친구들_ 너는 네 친구들을 바꿀 수 있다.

➡ _____

20 이상하게 들리는가?

➡ _____

21 너는 네가 완벽한 수의 친구들을 가지고 있다고 생각할지도 모른다.

➡ _____

22 하지만 새로운 친구를 목록에 추가하면 이전보다 훨씬 더 기분이 좋아질 것이다.

➡ _____

23 너의 마음_ 너는 처음에는 이런 것을 생각했고, 지금은 또 다른 것을 생각한다.

➡ _____

24 괜찮다. 누군가 말했듯이, "마음을 바꿀 수 있다면, 인생을 바꿀 수 있어."

➡ _____

25 "바꾸기 쉬운 일에 집중하고, 어제보다 오늘을 더 좋게 만들려고 노력해. 행운을 빌어!"

➡ _____

26 올해의 5대 계획

➡ _____

27 우리는 200명의 Teen Today 독자들에게 "올해의 계획은 무엇인가?"라고 물었다.

➡ _____

※ 다음 우리말과 일치하도록 빈칸에 알맞은 말을 쓰시오.

My Speaking Portfolio - Step 3

1. "I have two _____ _____ the year.

2. First, I'd _____ _____ _____ a 10 km marathon.

3. _____ _____ this goal, I'm _____ _____ run _____ _____ _____ every day.

4. Also, I'm going to _____ _____ _____ _____.

5. The _____ goal is ......"

1. "나는 올 해 두 가지 목표가 있다.
2. 먼저 10킬로미터 마라톤을 완주하고 싶다.
3. 이 목표를 달성하기 위해 나는 매일 한 시간씩 달릴 계획이다.
4. 또한, 나는 매일 줄넘기를 할 것이다.
5. 다른 목표는 ......"

My Writing Portfolio

1. My Phone _____

2. I _____ _____ _____ my phone _____.

3. I use _____ phone _____ I _____ _____.

4. I _____ my friends _____ play games _____ _____ _____.

5. I know _____ it is _____ _____ _____ time.

6. _____ _____ _____, I will do two _____ _____ _____ the habit.

7. I will _____ _____ my phone _____ 10 p.m.

8. I will also _____ a phone control app _____ _____ my phone _____ _____.

9. If I _____ _____, I _____ _____ to my family or _____ comic books.

1. 내 전화 습관
2. 나는 전화 습관을 바꾸고 싶다.
3. 나는 지루할 때 전화기를 사용한다.
4. 나는 전화로 친구들에게 문자를 보내거나 게임을 한다.
5. 나는 그것이 시간 낭비라는 것을 안다.
6. 이제부터 나는 그 습관을 없애기 위해 두 가지 일을 할 것이다.
7. 나는 오후 10시 이후에 전화기를 끌 것이다.
8. 나는 또한 내 전화를 덜 자주 사용하기 위해 전화 제어 앱을 다운로드할 것이다.
9. 지루하면 가족과 이야기하거나 만화책을 읽을 것이다.

※ 다음 우리말을 영어로 쓰시오.

My Speaking Portfolio - Step 3

1. "나는 올해 두 가지 목표가 있다.

   ➡ _____

2. 먼저 10킬로미터 마라톤을 완주하고 싶다.

   ➡ _____

3. 이 목표를 달성하기 위해 나는 매일 한 시간씩 달릴 계획이다.

   ➡ _____

4. 또한, 나는 매일 줄넘기를 할 것이다.

   ➡ _____

5. 다른 목표는 ......"

   ➡ _____

My Writing Portfolio

1. 내 전화 습관

   ➡ _____

2. 나는 전화 습관을 바꾸고 싶다.

   ➡ _____

3. 나는 지루할 때 전화기를 사용한다.

   ➡ _____

4. 나는 전화로 친구들에게 문자를 보내거나 게임을 한다.

   ➡ _____

5. 나는 그것이 시간 낭비라는 것을 안다.

   ➡ _____

6. 이제부터 나는 그 습관을 없애기 위해 두 가지 일을 할 거야.

   ➡ _____

7. 나는 오후 10시 이후에 전화기를 끌 것이다.

   ➡ _____

8. 나는 또한 내 전화를 덜 자주 사용하기 위해 전화 제어 앱을 다운로드할 것이다.

   ➡ _____

9. 지루하면 가족과 이야기하거나 만화책을 읽을 것이다.

   ➡ _____

※ 다음 영어를 우리말로 쓰시오.

01 remember _____

02 save _____

03 stomach _____

04 suddenly _____

05 communicate _____

06 culture _____

07 delicious _____

08 finally _____

09 important _____

10 repeat _____

11 shout _____

12 follow _____

13 special _____

14 landmark _____

15 different _____

16 thumping _____

17 admission fee _____

18 famous _____

19 translation _____

20 fantastic _____

21 mean _____

22 growl _____

23 nervous _____

24 offer _____

25 fortune _____

26 appear _____

27 meaning _____

28 however _____

29 information _____

30 official language _____

31 expression _____

32 opening hour _____

33 respond _____

34 work _____

35 traditional _____

36 carefully _____

37 be useful for _____

38 find out _____

39 for a while _____

40 look around _____

41 right now _____

42 step onto _____

43 what kind of _____

※ 다음 우리말을 영어로 쓰시오.

01	전통의, 전통적인
02	대답[응답]하다
03	유명한
04	번역, 통역
05	환상적인
06	위
07	의사소통하다
08	마침내
09	따라가다
10	중요한
11	반복하다
12	외치다, 소리치다
13	특별한
14	도착하다
15	웃다
16	다른
17	기억하다
18	남겨 두다, 저축하다
19	갑자기
20	쿵쾅거리는
21	충분한

22	입장료
23	나라, 시골
24	문화
25	의미
26	긴장한
27	운, 행운
28	정보
29	표현
30	합격하다
31	이해하다
32	효력이 있다
33	오디션
34	조심스럽게, 신중히
35	나타나다
36	번역기, 번역가
37	~에 집중을 하다
38	예를 들어
39	잠깐, 잠시 동안
40	서두르다
41	어떤 종류의
42	지금 곧, 당장
43	~을 둘러보다

※ 다음 영영풀이에 알맞은 단어를 <보기>에서 골라 쓴 후, 우리말 뜻을 쓰시오.

1 _____ : known or recognized by very many people: _____

2 _____ : to have the intended effect or result: _____

3 _____ : to achieve the required standard in an exam, a test, etc.: _____

4 _____ : to say something again: _____

5 _____ : as many or as much as someone needs or wants: _____

6 _____ : chance or luck, especially in the way it affects people's lives: _____

7 _____ : to keep something available for use in the future: _____

8 _____ : facts or details about someone or something: _____

9 _____ : to give someone the opportunity to accept or take something: _____

10 _____ : an object or structure on land that is easy to see and recognize:

    _____

11 _____ : anxious about something or afraid of something: _____

12 _____ : to say or write something as an answer to a question or request:

    _____

13 _____ : to make your ideas, feelings, thoughts, etc. known to other people so that

they understand them: _____

14 _____ : words that have been changed from one language into a different language:

    _____

15 _____ : the customs and beliefs, art, way of life, and social organization of a

particular country or group: _____

16 _____ : things that people say, write, or do in order to show their feelings,

opinions, and ideas: _____

보기			
offer	translation	enough	respond
pass	culture	fortune	expression
nervous	information	save	landmark
famous	work	communicate	repeat

※ 다음 우리말과 일치하도록 빈칸에 알맞은 말을 쓰시오.

Communicate: Listen - Listen and Answer Dialog 1

B: It _____ nice. What _____ you _____ , Uncle Abbas?

M: I'm _____ kebab.

B: Kebab? What is it?

M: It's a _____ Turkish food. We have small _____ _____ meat and vegetables on a _____.

B: Oh, it _____ _____.

M: _____ you _____ some?

B: Sure. I'd _____ some.

M: Here _____ are.

B: It _____ great. You _____ _____ your own restaurant!

M: Thanks. I'm _____ you _____ it.

Communicate: Listen - Listen and Answer Dialog 2

W: What _____ you _____ _____ do today, Kevin?

B: I'm going to _____ _____ the city.

W: Do you know _____ _____ _____ your way?

B: Sure. I have a map _____ _____ _____!

W: Okay. _____ _____ _____ landmarks, too.

B: I'm sorry, but _____ do you _____ _____ "landmarks"?

W: I mean _____ places or _____ buildings.

B: All right. I will _____ _____ remember the places _____ I see.

Communicate: Listen - Listen More

G: Hey, Jongha!

B: Hi, Claire. Those cookies _____ _____.

G: _____ you _____ some?

B: No, _____. I'm too _____.

G: _____ are you _____ nervous?

B: I have my _____ _____ the school radio station _____ _____ an hour.

G: Oh, really? Break a leg!

B: *Break a leg?* _____ do you _____?

G: I mean " _____ _____."

B: That's a funny _____. Thanks! _____ some cookies _____ me, okay?

B: 냄새가 좋네요. Abbas 이모부, 무슨 요리를 하고 계세요?

M: 케밥을 만들고 있어.

B: 케밥이요? 그게 뭐죠?

M: 터키 전통 음식이야. 꼬치에 작은 고기와 채소 조각을 끼워서 먹는 거지.

B: 오, 맛있겠어요.

M: 좀 먹어 볼래?

B: 물론이죠. 좀 주세요.

M: 여기 있어.

B: 맛이 좋네요. 이모부는 직접 식당을 차려야 해요!

M: 고마워. 네가 마음에 든다니 기쁘다.

W: Kevin, 오늘 뭐 할 거야?

B: 저는 시내를 둘러볼 거예요.

W: 길 찾는 방법을 아니?

B: 물론이죠. 전화기에 지도가 있어요!

W: 알았어. landmarks도 기억하도록 해라.

B: 죄송하지만, "landmarks"가 무슨 뜻이에요?

W: 중요한 장소나 특별한 건물들을 말하는 거야.

B: 알겠어요. 저는 제가 보는 장소들을 기억하도록 노력할게요.

G: 이봐, 종하야!

B: 안녕, Claire. 저 쿠키들 맛있어 보인다.

G: 좀 먹어 볼래?

B: 아니, 괜찮아. 너무 긴장돼.

G: 왜 그렇게 긴장하니?

B: 30분 후에 학교 라디오 방송국 오디션이 있어.

G: 아, 정말? Break a leg!

B: Break a leg? 무슨 뜻이지?

G: "행운을 빌어."라는 뜻이야.

B: 그거 재미있는 표현이네. 고마워! 쿠키 좀 남겨줘, 알았지?

Communicate: Listen - Listen and Complete

M: 1. The train will leave _____ _____ _____ _____ .

    2. I have a _____ _____ this week.

M: 1. 기차는 30분 후에 떠날 것이다.
2. 나는 이번 주에 일정이 바빠.

Communicate: Speak 2

A: _____ _____ _____ some *bibimbap*?

B: No, _____ . I don't like _____ .

A: Then _____ _____ pizza?

B: Yes, _____ .

A: 비빔밥 좀 먹을래?
B: 아니, 됐어. 나는 야채를 좋아하지 않아.
A: 그럼 피자는 어때?
B: 응, 부탁해.

My Writing Portfolio - Step 1

G: Look. The _____ of our _____ is *Enjoy Paris*!

B: *Enjoy Paris*? _____ interesting!

G: This app _____ _____ what _____ _____ in Paris.

B: Does it give _____ on _____ museums and theaters?

G: Yes. You can _____ _____ about _____ hours and _____ fees.

B: Fantastic.

G: It also tells you _____ _____ _____ there.

B: Oh, I'll _____ it _____ _____ !

G: I'm _____ you'll _____ it.

G: 봐. 우리 앱의 이름은 '파리를 즐겨라'야!
B: 파리를 즐겨라? 재미있겠다!
G: 이 앱은 파리에서 볼 수 있는 것에 중점을 두고 있어.
B: 유명한 박물관과 극장에 대한 정보를 제공하니?
G: 응. 개장 시간과 입장료에 대해 알 수 있어.
B: 환상적이구나.
G: 그것은 거기에 가는 방법도 알려줘.
B: 오, 지금 바로 그것을 다운로드할게!
G: 난 네가 그것을 좋아할 거라고 확신해.

Wrap Up - Listening ❺

B: _____ you _____ some sandwiches?

G: _____ _____ _____ sandwich?

B: Ham and _____ .

G: _____ , _____ . I _____ eat eggs.

B: Then, _____ _____ _____ some apple pie?

G: Okay. Apples are _____ _____ _____ .

B: 샌드위치 좀 먹을래?
G: 어떤 종류의 샌드위치?
B: 햄과 달걀 샌드위치.
G: 아니, 괜찮아. 나는 달걀을 먹지 않아.
B: 그럼, 사과 파이 좀 먹을래?
G: 좋아. 사과는 내가 가장 좋아하는 과일이야.

Wrap Up - Listening ❻

G: _____ _____ , everyone. Hit the road!

B: I'm sorry, but _____ do you _____ _____ that?

G: I mean _____ time to _____ _____ .

B: Like, "It's _____ _____ _____ "?

G: Yes.

B: Great! _____ _____ the road.

G: 서둘러, 모두들. Hit the road!
B: 미안하지만, 그게 무슨 뜻이야?
G: 내 말은 출발할 시간이라는 거야.
B: "가야 할 시간이야." 같은 뜻인 거야?
G: 응.
B: 좋아! Hit the road(출발하자).

※ 다음 우리말에 맞도록 대화를 영어로 쓰시오.

Communicate: Listen - Listen and Answer Dialog 1

B: _____

M: _____

B: _____

M: _____

_____

B: _____

M: _____

B: _____

M: _____

B: _____

M: _____

B: 냄새가 좋네요. Abbas 이모부, 무슨 요리를 하고 계세요?
M: 케밥을 만들고 있어.
B: 케밥이요? 그게 뭐죠?
M: 터키 전통 음식이야. 꼬치에 작은 고기와 채소 조각을 끼워서 먹는 거지.
B: 오, 맛있겠어요.
M: 좀 먹어 볼래?
B: 물론이죠. 좀 주세요.
M: 여기 있어.
B: 맛이 좋네요. 이모부는 직접 식당을 차려야 해요!
M: 고마워. 네가 마음에 든다니 기쁘다.

Communicate: Listen - Listen and Answer Dialog 2

W: _____

B: _____

W: _____

B: _____

W: _____

B: _____

W: _____

B: _____

W: Kevin, 오늘 뭐 할 거야?
B: 저는 시내를 둘러볼 거예요.
W: 길 찾는 방법을 아니?
B: 물론이죠. 전화기에 지도가 있어요!
W: 알았어. landmarks도 기억하도록 해라.
B: 죄송하지만, "landmarks"가 무슨 뜻이에요?
W: 중요한 장소나 특별한 건물들을 말하는 거야.
B: 알겠어요. 저는 제가 보는 장소들을 기억하도록 노력할게요.

Communicate: Listen - Listen More

G: _____

B: _____

G: _____

B: _____

G: _____

B: _____

G: _____

B: _____

G: _____

B: _____

G: 이봐, 종하야!
B: 안녕, Claire. 저 쿠키들 맛있어 보인다.
G: 좀 먹어 볼래?
B: 아니, 괜찮아. 너무 긴장돼.
G: 왜 그렇게 긴장하니?
B: 30분 후에 학교 라디오 방송국 오디션이 있어.
G: 아, 정말? Break a leg!
B: Break a leg? 무슨 뜻이지?
G: "행운을 빌어."라는 뜻이야.
B: 그거 재미있는 표현이네. 고마워! 쿠키 좀 남겨줘, 알았지?

Communicate: Listen - Listen and Complete

M: 1. _____

    2. _____

Communicate: Speak 2

A: _____

B: _____

A: _____

B: _____

My Writing Portfolio - Step 1

G: _____

B: _____

G: _____

B: _____

G: _____

B: _____

G: _____

B: _____

G: _____

Wrap Up - Listening ❺

B: _____

G: _____

B: _____

G: _____

B: _____

G: _____

Wrap Up - Listening ❻

G: _____

B: _____

G: _____

B: _____

G: _____

B: _____

M: 1. 기차는 30분 후에 떠날 것이다.
    2. 나는 이번 주에 일정이 바빠.

A: 비빔밥 좀 먹을래?
B: 아니, 됐어. 나는 야채를 좋아하지 않아.
A: 그럼 피자는 어때?
B: 응, 부탁해.

G: 봐. 우리 앱의 이름은 '파리를 즐겨라'야!
B: 파리를 즐겨라? 재미있겠다!
G: 이 앱은 파리에서 볼 수 있는 것에 중점을 두고 있어.
B: 유명한 박물관과 극장에 대한 정보를 제공하니?
G: 응. 개장 시간과 입장료에 대해 알 수 있어.
B: 환상적이구나.
G: 그것은 거기에 가는 방법도 알려줘.
B: 오, 지금 바로 그것을 다운로드할게!
G: 난 네가 그것을 좋아할 거라고 확신해.

B: 샌드위치 좀 먹을래?
G: 어떤 종류의 샌드위치?
B: 햄과 달걀 샌드위치.
G: 아니, 괜찮아. 나는 달걀을 먹지 않아.
B: 그럼, 사과 파이 좀 먹을래?
G: 좋아. 사과는 내가 가장 좋아하는 과일이야.

G: 서둘러, 모두들. Hit the road!
B: 미안하지만, 그게 무슨 뜻이야?
G: 내 말은 출발할 시간이라는 거야.
B: "가야 할 시간이야." 같은 뜻인 거야?
G: 응.
B: 좋아! Hit the road(출발하자).

※ 다음 우리말과 일치하도록 빈칸에 알맞은 것을 골라 쓰시오.

1 Jaden's _____ is _____ Florence, Italy.
A. in   B. family

2 They _____ _____ Ms. Gambini, _____ mother's friend.
A. his   B. visiting   C. are

3 Today his parents are _____ to museums, but Jaden _____ to stay _____.
A. wants   B. behind   C. going

4 He _____ the translation app _____ his phone will help him _____.
A. on   B. communicate   C. thinks

5 His _____ growls, _____ he enters the kitchen.
A. so   B. stomach

6 _____ Ms. Gambini _____ Jaden, she _____ "Buon giorno. Vuoi un pezzo di pane e un bicchiere di latte?"
A. says   B. when   C. sees

7 Jaden does _____ know _____ to _____.
A. respond   B. not   C. how

8 Then the app says, "Good morning. _____ you like a _____ of bread and a _____ of milk?"
A. glass   B. would   C. piece

9 Jaden _____, "Yes, _____."
A. please   B. answers

10 There is a _____ on the door, and a woman _____ Ms. Gambini invited _____ in.
A. walks   B. whom   C. knock

11 The two _____ _____ speaking Italian very _____.
A. fast   B. begin   C. women

12 So the _____ does not _____.
A. understand   B. translator

13 Jaden turns _____ the phone and _____ it _____ the table.
A. on   B. off   C. leaves

14 He goes _____ enjoy the _____ morning.
A. to   B. sunny   C. out

15 He follows a _____ sound and finds a girl _____ is kicking a soccer ball _____ a wall.
A. against   B. thumping   C. who

16 She _____ to him and _____, "Buon giono."
A. says   B. turns

17 His phone is _____ the kitchen, _____ Jaden does not know _____ to say.
A. what   B. so   C. in

18 He just _____ the words _____ the girl _____, "Buon giorno."
A. said   B. that   C. repeats

19 The girl _____ the ball _____ him.
A. to   B. kicks

1 Jaden의 가족은 이탈리아 플로렌스에 있다.

2 그들은 그의 어머니의 친구인 Gambini 씨를 방문하고 있다.

3 오늘 그의 부모님은 박물관에 갈 예정이지만, Jaden은 집에 남고 싶어 한다.

4 그는 자신의 전화기에 있는 번역 앱이 의사소통을 하는 데 도움이 될 것이라고 생각한다.

5 그는 배가 꼬르륵거려서 부엌으로 들어간다.

6 Gambini 씨가 Jaden을 보자, 그녀는 "Buon giorno. Vuoi un pezzo di pane e un bicchiere di latte?"라고 말한다.

7 Jaden은 어떻게 대답해야 할지 모른다.

8 그러자 앱이 "좋은 아침입니다. 빵 한 개와 우유 한 잔 드시겠어요?"라고 말한다.

9 Jaden은 "네, 부탁해요."라고 대답한다.

10 문을 두드리는 소리가 들리고 Gambini 씨가 초대한 한 여자가 안으로 들어온다.

11 두 여자는 아주 빨리 이탈리아어를 말하기 시작한다.

12 그래서 번역 앱은 이해하지 못한다.

13 Jaden은 전화기를 끄고 그것을 탁자 위에 둔다.

14 그는 화창한 아침을 즐기기 위해 밖으로 나간다.

15 그는 쿵쾅거리는 소리를 따라가다 벽에 축구공을 차고 있는 소녀를 발견한다.

16 그녀는 그에게 돌아서서 "Buon giorno."라고 말한다.

17 그의 전화기는 부엌에 있어서 Jaden은 뭐라고 말해야 할지 모른다.

18 그는 단지 소녀가 말한 말들인 "Buon giorno"를 반복한다.

19 소녀는 그에게 공을 찬다.

20 Jaden _____ _____ translator for _____.
A. that　　　　　B. needs　　　　　C. no

21 For a _____, the two play _____ the _____.
A. ball　　　　　B. while　　　　　C. with

22 _____, the girl points _____ _____ and says, "Mi chiamo Rosabella."
A. herself　　　　B. finally　　　　C. at

23 "_____ name is Jaden," he _____.
A. responds　　　B. my

24 _____ Rosabella _____, "Arrive l'autobus."
A. says　　　　　B. suddenly

25 Jaden _____ the words that _____ _____ *bus* and *arrive*.
A. like　　　　　B. understands　　　C. sound

26 _____ enough, a bus _____.
A. appears　　　　B. sure

27 Kids _____ soccer uniforms _____ _____ the windows, "Ciao, Rosabella!"
A. from　　　　　B. in　　　　　C. shout

28 _____ Rosabella steps _____ the bus, Jaden says, "Good _____."
A. onto　　　　　B. luck　　　　　C. as

29 She _____ not _____.
A. understand　　　B. does

30 So Jaden _____ and _____, "Buon, buon ...."
A. says　　　　　B. thinks

31 He points _____ the soccer ball _____ she is _____ in her hand.
A. holding　　　　B. to　　　　　C. that

32 Rosabella _____, "Fortuna! Buona _____!"
A. shouts　　　　B. fortuna

33 Fortuna _____ _____ *fortune*.
A. like　　　　　B. sounds

34 "Buona fortuna!" _____ _____.
A. shouts　　　　B. he

35 Rosabella and _____ friends shout _____, "Molte grazie!"
A. back　　　　　B. her

36 The bus _____ _____.
A. away　　　　　B. rolls

37 Jaden _____ _____ to the kitchen.
A. back　　　　　B. goes

38 He says _____ the translation app, " Learning from people is _____ fun. Can you _____ me some Italian, Ms. Gambini?"
A. teach　　　　　B. into　　　　　C. more

39 Ms. Gambini _____, "Si," and _____.
A. laughs　　　　B. says

20 Jaden은 그것 때문에 번역 앱이 필요하지 않다.

21 잠시 동안, 두 사람은 공을 가지고 논다.

22 마침내, 그 소녀는 자신을 가리키며 "Mi chiamo Rosabella." 라고 말한다.

23 "내 이름은 Jaden이야."라고 그가 대답한다.

24 갑자기 Rosabella가 "Arrive l'autobus."라고 말한다.

25 Jaden은 '버스'와 '도착하다'라는 단어와 비슷한 소리가 나는 단어를 알아듣는다.

26 아니나 다를까, 버스 한 대가 나타난다.

27 축구 유니폼을 입은 아이들이 창문에서 "Ciao, Rosabella!"라고 외친다.

28 Rosabella가 버스에 오를 때, Jaden은 "행운을 빌어."라고 말한다.

29 그녀는 이해하지 못한다.

30 그래서 Jaden은 생각하고 "Buon, buon ...."이라고 말한다.

31 그는 그녀가 손에 들고 있는 축구공을 가리킨다.

32 Rosabella가 "Fortuna! Buona fortuna!"라고 소리친다.

33 Fortuna는 '행운'처럼 들린다.

34 "Buona fortuna!"라고 그가 소리친다.

35 Rosabella와 그녀의 친구들은 "Molte grazie!"라고 다시 외친다.

36 버스가 굴러간다.

37 Jaden은 부엌으로 돌아간다.

38 그는 번역 앱에 말한다. "사람들에게서 배우는 것은 더 재미있습니다. 이탈리아어 좀 가르쳐 주실 수 있나요, Gambini 씨?"

39 Gambini 씨는 "Si,"라고 말하고는 웃는다.

※ 다음 우리말과 일치하도록 빈칸에 알맞은 말을 쓰시오.

1 Jaden's _____ is _____ Florence, _____.

2 They _____ _____ Ms. Gambini, _____ _____ friend.

3 Today his parents _____ _____ _____ museums, but Jaden wants to _____ _____.

4 He thinks the _____ app _____ his phone will _____ him _____.

5 His stomach _____, _____ he _____ the kitchen.

6 _____ Ms. Gambini _____ Jaden, she _____ "Buon giorno. Vuoi un pezzo di pane e un bicchiere di latte?"

7 Jaden does not know _____ _____ _____.

8 Then the app says, "Good morning. _____ you _____ a piece of bread and _____ _____ _____ milk?"

9 Jaden _____, "Yes, _____."

10 There is a _____ _____ the door, and a woman _____ Ms. Gambini invited _____ _____.

11 The two _____ begin _____ Italian very _____.

12 So the _____ does not _____.

13 Jaden _____ _____ the phone and _____ it _____ the table.

14 He _____ _____ _____ _____ the sunny morning.

15 He _____ a _____ sound and finds a girl _____ _____ _____ a soccer ball _____ a wall.

16 She _____ _____ him and _____, "Buon giono."

17 His phone is in the kitchen, _____ Jaden does not know _____ _____ _____.

18 He just _____ the words _____ the girl said, "Buon giorno."

19 The girl _____ the ball _____ _____.

1 Jaden의 가족은 이탈리아 플로 렌스에 있다.

2 그들은 그의 어머니의 친구인 Gambini 씨를 방문하고 있다.

3 오늘 그의 부모님은 박물관에 갈 예정이지만, Jaden은 집에 남고 싶어 한다.

4 그는 자신의 전화기에 있는 번 역 앱이 의사소통을 하는 데 도 움이 될 것이라고 생각한다.

5 그는 배가 꼬르륵거려서 부엌으 로 들어간다.

6 Gambini 씨가 Jaden을 보자, 그녀는 "Buon giorno. Vuoi un pezzo di pane e un bicchiere di latte?"라고 말한다.

7 Jaden은 어떻게 대답해야 할지 모른다.

8 그러자 앱이 "좋은 아침입니다. 빵 한 개와 우유 한 잔 드시겠어 요?"라고 말한다.

9 Jaden은 "네, 부탁해요."라고 대답한다.

10 문을 두드리는 소리가 들리고 Gambini 씨가 초대한 한 여자 가 안으로 들어온다.

11 두 여자는 아주 빨리 이탈리아 어를 말하기 시작한다.

12 그래서 번역 앱은 이해하지 못 한다.

13 Jaden은 전화기를 끄고 그것을 탁자 위에 둔다.

14 그는 화창한 아침을 즐기기 위 해 밖으로 나간다.

15 그는 쿵쾅거리는 소리를 따라가 다 벽에 축구공을 차고 있는 소 녀를 발견한다.

16 그녀는 그에게 돌아서서 "Buon giorno."라고 말한다.

17 그의 전화기는 부엌에 있어서 Jaden은 뭐라고 말해야 할지 모른다.

18 그는 단지 소녀가 말한 말들인 "Buon giorno"를 반복한다.

19 소녀는 그에게 공을 찬다.

20 Jaden _____ no _____ for that.

21 _____ _____ _____, the two play _____ the ball.

22 Finally, the girl _____ _____ _____ and says, "Mi chiamo Rosabella."

23 "_____ _____ is Jaden," he _____.

24 _____ Rosabella _____, "Arrive l'autobus."

25 Jaden _____ the words that _____ _____ *bus* and *arrive*.

26 Sure _____, a bus _____.

27 Kids _____ soccer uniforms _____ _____ the windows, "Ciao, Rosabella!"

28 _____ Rosabella _____ _____ the bus, Jaden says, "Good luck."

29 She _____ _____ _____.

30 _____ Jaden _____ and _____, "Buon, buon ...."

31 He _____ _____ the soccer ball that she _____ _____ in her hand.

32 Rosabella _____, "Fortuna! Buona fortuna!"

33 Fortuna _____ _____ *fortune*.

34 "Buona fortuna!" he _____.

35 Rosabella and her friends _____ _____, "Molte grazie!"

36 The bus _____ _____.

37 Jaden _____ _____ _____ the kitchen.

38 He _____ _____ the translation app, "_____ from people is _____ fun. Can you _____ _____ _____ _____, Ms. Gambini?"

39 Ms. Gambini _____, "Si," and _____.

---

20 Jaden은 그것 때문에 번역 앱이 필요하지 않다.

21 잠시 동안, 두 사람은 공을 가지고 논다.

22 마침내, 그 소녀는 자신을 가리키며 "Mi chiamo Rosabella." 라고 말한다.

23 "내 이름은 Jaden이야."라고 그가 대답한다.

24 갑자기 Rosabella가 "Arrive l'autobus."라고 말한다.

25 Jaden은 '버스'와 '도착하다'라는 단어와 비슷한 소리가 나는 단어를 알아듣는다.

26 아니나 다를까, 버스 한 대가 나타난다.

27 축구 유니폼을 입은 아이들이 창문에서 "Ciao, Rosabella!"라고 외친다.

28 Rosabella가 버스에 오를 때, Jaden은 "행운을 빌어."라고 말한다.

29 그녀는 이해하지 못한다.

30 그래서 Jaden은 생각하고 "Buon, buon ...."이라고 말한다.

31 그는 그녀가 손에 들고 있는 축구공을 가리킨다.

32 Rosabella가 "Fortuna! Buona fortuna!"라고 소리친다.

33 「ortuna는 '행운'처럼 들린다.

34 "Buona fortuna!"라고 그가 소리친다.

35 Rosabella와 그녀의 친구들은 "Molte grazie!"라고 다시 외친다.

36 버스가 굴러간다.

37 Jaden은 부엌으로 돌아간다.

38 그는 번역 앱에 말한다. "사람들에게서 배우는 것은 더 재미있습니다. 이탈리아어 좀 가르쳐 주실 수 있나요, Gambini 씨?"

39 Gambini 씨는 "Si,"라고 말하고는 웃는다.

※ 다음 문장을 우리말로 쓰시오.

1 ▸ Jaden's family is in Florence, Italy.

➡ _____

2 ▸ They are visiting Ms. Gambini, his mother's friend.

➡ _____

3 ▸ Today his parents are going to museums, but Jaden wants to stay behind.

➡ _____

4 ▸ He thinks the translation app on his phone will help him communicate.

➡ _____

5 ▸ His stomach growls, so he enters the kitchen.

➡ _____

6 ▸ Jaden does not know how to respond.

➡ _____

7 ▸ Then the app says, "Good morning. Would you like a piece of bread and a glass of milk?"

➡ _____

8 ▸ There is a knock on the door, and a woman whom Ms. Gambini invited walks in.

➡ _____

9 ▸ The two women begin speaking Italian very fast.

➡ _____

10 ▸ So the translator does not understand.

➡ _____

11 ▸ Jaden turns off the phone and leaves it on the table.

➡ _____

12 ▸ He goes out to enjoy the sunny morning.

➡ _____

13 ▸ He follows a thumping sound and finds a girl who is kicking a soccer ball against a wall.

➡ _____

14 ▸ His phone is in the kitchen, so Jaden does not know what to say.

➡ _____

15 He just repeats the words that the girl said, "Buon giorno."

➡ _____

16 The girl kicks the ball to him. Jaden needs no translator for that.

➡ _____

17 For a while, the two play with the ball.

➡ _____

18 Finally, the girl points at herself and says, "Mi chiamo Rosabella."

➡ _____

19 "My name is Jaden," he responds.

➡ _____

20 Jaden understands the words that sound like *bus* and *arrive*.

➡ _____

21 Sure enough, a bus appears.

➡ _____

22 Kids in soccer uniforms shout from the windows, "Ciao, Rosabella!"

➡ _____

23 As Rosabella steps onto the bus, Jaden says, "Good luck." She does not understand.

➡ _____

24 He points to the soccer ball that she is holding in her hand.

➡ _____

25 Fortuna sounds like *fortune*.

➡ _____

26 Rosabella and her friends shout back, "Molte grazie!"

➡ _____

27 The bus rolls away.

➡ _____

28 Jaden goes back to the kitchen.

➡ _____

29 He says into the translation app, "Learning from people is more fun. Can you teach me some Italian, Ms. Gambini?"

➡ _____

30 Ms. Gambini says, "Si," and laughs.

➡ _____

※ 다음 괄호 안의 단어들을 우리말에 맞도록 바르게 배열하시오.

1 (family / Italy. / in / Jaden's / is / Florence,)
➡ _____

2 (are / they / Ms. / Gambini, / visiting / friend. / mother's / his)
➡ _____

3 (his / today / museums, / are / parents / to / going / but / wants / behind. / Jaden / stay / to)
➡ _____

4 (the / thinks / app / he / translation / his / on / phone / him / communicate. / help / will)
➡ _____

5 (growls, / stomach / his / so / the / kitchen, / enters / he)
➡ _____

6 (Ms. / Gambini / when / Jaden, / sees / says / she / "Buon / giorno. / Vuoi / un / pezzo / di / pane / e / un / bicchiere / di / latte?")
➡ _____

7 (not / Jaden / know / does / respond / to / how)
➡ _____

8 (the / then / says, / app / morning. / "good / like / would / you / bread / piece / of / a / and / a / milk?" / of / glass)
➡ _____

9 (answers, / Jaden / please." / "yes,)
➡ _____

10 (a / knock / the / is / there / door, / on / and / whom / woman / a / Ms. / Gambini / in. / walks / invited)
➡ _____

11 (two / begin / the / women / Italian / fast. / speaking / very)
➡ _____

12 (the / translator / so / not / understand. / does)
➡ _____

13 (turns / Jaden / the / phone / off / and / it / leaves / the / table. / on)
➡ _____

14 (goes / to / he / out / enjoy / morning. / the / sunny)
➡ _____

15 (follows / he / a / sound / thumping / and / a / girl / finds / who / kicking / is / ball / a / soccor / wall. / a / against)
➡ _____

16 (turns / him / she / to / and / says, / giorno." / "Buon)
➡ _____

17 (phone / his / the / is / kitchen, / in / so / does / Jaden / know / not / say. / to / what)
➡ _____

18 (just / he / the / repeats / words / the / girl / that / said, / giorno." / "Buon)
➡ _____

19 (the / kicks / girl / ball / the / him. / to)
➡ _____

---

1 Jaden의 가족은 이탈리아 플로렌스에 있다.

2 그들은 그의 어머니의 친구인 Gambini 씨를 방문하고 있다.

3 오늘 그의 부모님은 박물관에 갈 예정이지만, Jaden은 집에 남고 싶어 한다.

4 그는 자신의 전화기에 있는 번역 앱이 의사소통을 하는 데 도움이 될 것이라고 생각한다.

5 그는 배가 꼬르륵거려서 부엌으로 들어간다.

6 Gambini 씨가 Jaden을 보자, 그녀는 "Buon giorno. Vuoi un pezzo di pane e un bicchiere di latte?"라고 말한다.

7 Jaden은 어떻게 대답해야 할지 모른다.

8 그러자 앱이 "좋은 아침입니다. 빵 한 개와 우유 한 잔 드시겠어요?"라고 말한다.

9 Jaden은 "네, 부탁해요."라고 대답한다.

10 문을 두드리는 소리가 들리고 Gambini 씨가 초대한 한 여자가 안으로 들어온다.

11 두 여자는 아주 빨리 이탈리아어를 말하기 시작한다.

12 그래서 번역 앱은 이해하지 못한다.

13 Jaden은 전화기를 끄고 그것을 탁자 위에 둔다.

14 그는 화창한 아침을 즐기기 위해 밖으로 나간다.

15 그는 쿵쾅거리는 소리를 따라가다 벽에 축구공을 차고 있는 소녀를 발견한다.

16 그녀는 그에게 돌아서서 "Buon giorno."라고 말한다.

17 그의 전화기는 부엌에 있어서 Jaden은 뭐라고 말해야 할지 모른다.

18 그는 단지 소녀가 말한 말들인 "Buon giorno"를 반복한다.

19 소녀는 그에게 공을 찬다.

20 (needs / Jaden / translator / that. / for / no)

➡ _____

21 (a / for / while, / play / two / the / ball. / with)

➡ _____

22 (the / finally, / points / girl / herself / at / says, / and / Rosabella." / "Mi / chiamo)

➡ _____

23 (name / Jaden," / my / is / responds. / he)

➡ _____

24 (Rosabella / suddenly / says, / l'autobus." / "Arrive)

➡ _____

25 (understands / Jaden / words / the / that / like / arrive. / sound / and / bus)

➡ _____

26 (enough, / a / sure / appears. / bus)

➡ _____

27 (soccer / kids / uniforms / in / from / shout / windows, / the / Rosabella!" / "Ciao,)

➡ _____

28 (Rosabella / onto / as / the / bus, / steps / says, / Jaden / luck." / "good)

➡ _____

29 (she / understand. / not / does)

➡ _____

30 (Jaden / thinks / so / says, / and / "Buon, / buon ...."

➡ _____

31 (points / the / he / ball / to / soccer / that / is / she / hand. / in / holding / her)

➡ _____

32 (shouts, / Rosabella / "Fortuna! / Buona / fortuna!")

➡ _____

33 (like / fortuna / fortune. / sounds)

➡ _____

34 ("Buona / fortuna!" / shouts. / he)

➡ _____

35 (and / Rosabella / friends / her / back, / shout / "Molte / grazie!")

➡ _____

36 (bus / rolls / the / away.)

➡ _____

37 (Jaden / back / to / goes / kitchen. / the)

➡ _____

38 (says / he / into / the / app, / translation / from / "learning / people / more / fun. / is / can / teach / some / Italian, / me / you / Ms. / Gambini?")

➡ _____

➡ _____

39 (Gambini / Ms. / says, / and / laughs. / "Si,")

➡ _____

20 Jaden은 그것 때문에 번역 앱은 필요하지 않다.

21 잠시 동안, 두 사람은 공을 가지고 논다.

22 마침내, 그 소녀는 자신을 가리키며 "Mi chiamo Rosabella."라고 말한다.

23 "내 이름은 Jaden이야."라고 그가 대답한다.

24 갑자기 Rosabella가 "Arrive l'autobus."라고 말한다.

25 Jaden은 '버스'와 '도착하다'라는 단어와 비슷한 소리가 나는 단어를 알아듣는다.

26 아니나 다를까, 버스 한 대가 나타난다.

27 축구 유니폼을 입은 아이들이 창문에서 "Ciao, Rosabella!"라고 외친다.

28 Rosabella가 버스에 오를 때, Jaden은 "행운을 빌어."라고 말한다.

29 그녀는 이해하지 못한다.

30 그래서 Jaden은 생각하고 "Buon, buon ...."이라고 말한다.

31 그는 그녀가 손에 들고 있는 축구공을 가리킨다.

32 Rosabella가 "Fortuna! Buona fortuna!"라고 소리친다.

33 Fortuna는 '행운'처럼 들린다.

34 "Buona fortuna!"라고 그가 소리친다.

35 Rosabella와 그녀의 친구들은 "Molte grazie!"라고 다시 외친다.

36 버스가 굴러간다.

37 Jaden은 부엌으로 돌아간다.

38 그는 번역 앱에 말한다. "사람들에게서 배우는 것은 더 재미있습니다. 이탈리아어 좀 가르쳐 주실 수 있나요, Gambini 씨?"

39 Gambini 씨는 "Si,"라고 말하고는 웃는다.

※ 다음 우리말을 영어로 쓰시오.

1 Jaden의 가족은 이탈리아 플로렌스에 있다.

➡ _____

2 그들은 그의 어머니의 친구인 Gambini 씨를 방문하고 있다.

➡ _____

3 오늘 그의 부모님은 박물관에 갈 예정이지만, Jaden은 집에 남고 싶어 한다.

➡ _____

4 그는 자신의 전화기에 있는 번역 앱이 의사소통을 하는 데 도움이 될 것이라고 생각한다.

➡ _____

5 그는 배가 꼬르륵거려서 부엌으로 들어간다.

➡ _____

6 Gambini 씨가 Jaden을 보자, 그녀는 "Buon giorno. Vuoi un pezzo di pane e un bicchiere di latte?"라고 말한다.

➡ _____

_____

7 Jaden은 어떻게 대답해야 할지 모른다.

➡ _____

8 그러자 앱이 "좋은 아침입니다. 빵 한 개와 우유 한 잔 드시겠어요?"라고 말한다.

➡ _____

9 Jaden은 "네, 부탁해요."라고 대답한다.

➡ _____

10 문을 두드리는 소리가 들리고 Gambini 씨가 초대한 한 여자가 안으로 들어온다.

➡ _____

11 두 여자는 아주 빨리 이탈리아어를 말하기 시작한다.

➡ _____

12 그래서 번역 앱은 이해하지 못한다.

➡ _____

13 Jaden은 전화기를 끄고 그것을 탁자 위에 둔다.

➡ _____

14 그는 화창한 아침을 즐기기 위해 밖으로 나간다.

➡ _____

15 그는 쿵쾅거리는 소리를 따라가다 벽에 축구공을 차고 있는 소녀를 발견한다.

➡ _____

_____

16 그녀는 그에게 돌아서서 "Buon giorno."라고 말한다.

➡ _____

17 그의 전화기는 부엌에 있어서 Jaden은 뭐라고 말해야 할지 모른다.

➡ _____

18 그는 단지 소녀가 말한 말들인 "Buon giorno"를 반복한다.

➡ _____

19 소녀는 그에게 공을 찬다.

➡ _____

20 Jaden은 그것 때문에 번역 앱이 필요하지 않다.

➡ _____

21 잠시 동안, 두 사람은 공을 가지고 논다.

➡ _____

22 마침내, 그 소녀는 자신을 가리키며 "Mi chiamo Rosabella."라고 말한다.

➡ _____

23 "내 이름은 Jaden이야."라고 그가 대답한다.

➡ _____

24 갑자기 Rosabella가 "Arrive l'autobus."라고 말한다.

➡ _____

25 Jaden은 '버스'와 '도착하다'라는 단어와 비슷한 소리가 나는 단어를 알아듣는다.

➡ _____

26 아니나 다를까, 버스 한 대가 나타난다.

➡ _____

27 축구 유니폼을 입은 아이들이 창문에서 "Ciao, Rosabella!"라고 외친다.

➡ _____

28 Rosabella가 버스에 오를 때, Jaden은 "행운을 빌어요."라고 말한다.

➡ _____

29 그녀는 이해하지 못한다.

➡ _____

30 그래서 Jaden은 생각하고 "Buon, buon ...."이라고 말한다.

➡ _____

31 그는 그녀가 손에 들고 있는 축구공을 가리킨다.

➡ _____

32 Rosabella가 "Fortuna! Buona fortuna!"라고 소리친다.

➡ _____

33 Fortuna는 '행운'처럼 들린다.

➡ _____

34 "Buona fortuna!"라고 그가 소리친다.

➡ _____

35 Rosabella와 그녀의 친구들은 "Molte grazie!"라고 다시 외친다.

➡ _____

36 버스가 굴러간다

➡ _____

37 Jaden은 부엌으로 돌아간다.

➡ _____

38 그는 번역 앱에 말한다. "사람들에게서 배우는 것이 더 재미있습니다. 이탈리아어 좀 가르쳐 주실 수 있나요, Gambini 씨?"

➡ _____

_____

39 Gambini 씨는 "Si,"라고 말하고는 웃는다.

➡ _____

※ 다음 우리말과 일치하도록 빈칸에 알맞은 말을 쓰시오.

My Writing Portfolio - Step 1

1. _____ _____ App

2. The name _____ our _____ is *Enjoy Paris*.

3. It _____ on what _____ _____ in Paris.

4. It gives information _____ opening hours and _____ _____ of museums and theaters.

5. It also tells you _____ _____ _____ there.

6. Our app will be _____ _____ travelers.

1. 우리의 여행 앱
2. 우리 앱의 이름은 "파리를 즐겨라"이다.
3. 그것은 파리에서 무엇을 볼 것인가에 초점을 맞추고 있다.
4. 그것은 박물관과 극장의 개장 시간과 입장료에 대한 정보를 제공한다.
5. 그것은 또한 그곳에 가는 방법을 알려 준다.
6. 우리 앱은 여행객들에게 유용할 것이다.

Wrap Up - Reading

1. Gestures can have different _____ in different _____.

2. _____ example, the "OK sign" _____ "okay" or "all _____" in many countries.

3. The gesture means _____ _____.

4. It _____ "money" in some _____.

5. That is _____ something _____.

6. The same sign, _____, means "O" _____ France.

7. It means there is _____, so it is not a very happy _____.

8. _____ we travel, we _____ use gestures _____.

1. 제스처는 다른 문화에서 다른 의미를 가질 수 있다.
2. 예를 들어, 'OK 사인'은 많은 나라에서 '좋다' 또는 '괜찮다'를 의미한다.
3. 그 제스처는 좋은 것을 의미한다.
4. 그것은 어떤 문화에서는 '돈'을 의미한다.
5. 그것 또한 좋은 것이다.
6. 그러나 같은 사인이 프랑스에서는 '제로'를 의미한다.
7. 그것은 아무것도 없다는 것을 의미하기 때문에, 그것은 별로 행복한 제스처가 아니다.
8. 우리는 여행할 때, 신중하게 제스처를 사용해야 한다.

※ 다음 우리말을 영어로 쓰시오.

My Writing Portfolio - Step 1

1. 우리의 여행 앱
  ➡ _____

2. 우리 앱의 이름은 "파리를 즐겨라"이다.
  ➡ _____

3. 그것은 파리에서 무엇을 볼 것인가에 초점을 맞추고 있다.
  ➡ _____

4. 그것은 박물관과 극장의 개장 시간과 입장료에 대한 정보를 제공한다.
  ➡ _____

5. 그것은 또한 그곳에 가는 방법을 알려준다.
  ➡ _____

6. 우리 앱은 여행객들에게 유용할 것이다.
  ➡ _____

Wrap Up - Reading

1. 제스처는 다른 문화에서 다른 의미를 가질 수 있다.
  ➡ _____

2. 예를 들어, 'OK 사인'은 많은 나라에서 '좋다' 또는 '괜찮다'를 의미한다.
  ➡ _____

3. 그 제스처는 좋은 것을 의미한다.
  ➡ _____

4. 그것은 어떤 문화에서는 '돈'을 의미한다.
  ➡ _____

5. 그것 또한 좋은 것이다.
  ➡ _____

6. 그러나 같은 사인이 프랑스에서는 '제로'를 의미한다.
  ➡ _____

7. 그것은 아무것도 없다는 것을 의미하기 때문에, 그것은 별로 행복한 제스처가 아니다.
  ➡ _____

8. 우리는 여행할 때, 신중하게 제스처를 사용해야 한다.
  ➡ _____

※ 다음 영어를 우리말로 쓰시오.

01 hard _____

02 appointment _____

03 attack _____

04 bacteria _____

05 cell _____

06 creature _____

07 different _____

08 digest _____

09 break _____

10 exercise _____

11 dangerous _____

12 antibody _____

13 defend _____

14 medicine _____

15 multiply _____

16 defense _____

17 impossible _____

18 invade _____

19 macrophage _____

20 balanced _____

21 stomachache _____

22 major _____

23 skin _____

24 regularly _____

25 scratch _____

26 healthy _____

27 fever _____

28 remember _____

29 germ _____

30 finally _____

31 success _____

32 terrible _____

33 luckily _____

34 necessary _____

35 be good for _____

36 plenty of _____

37 such as _____

38 at last _____

39 protect A from B _____

40 by the way _____

41 give up _____

42 in a few days _____

43 be famous for _____

Step2

※ 다음 우리말을 영어로 쓰시오.

01 위통, 복통

02 공격하다; 공격

03 박테리아, 세균

04 실제로, 정말로

05 몇의

06 주사

07 피부

08 항체

09 세포

10 생물

11 다른

12 소화하다

13 운동하다

14 위험한

15 방어하다

16 마지막으로, 마침내

17 약속

18 세균, 미생물

19 불가능한

20 침입하다

21 방어

22 열

23 다행히도

24 대식 세포

25 균형 잡힌, 안정된

26 부러지다

27 주요한, 중대한

28 필요한

29 규칙적으로

30 약

31 바이러스

32 피해자, 희생자

33 증식[번식]하다

34 긁다, 할퀴다

35 성공

36 마침내, 드디어

37 ~으로 유명하다

38 ~할 준비가 되어 있다

39 그런데

40 포기하다

41 많은

42 나타나다

43 조심하다

※ 다음 영영풀이에 알맞은 단어를 <보기>에서 골라 쓴 후, 우리말 뜻을 쓰시오.

1 _____ : the fact of getting or achieving wealth, respect, or fame: _____

2 _____ : to fight in order to keep someone or something safe: _____

3 _____ : an agreement to meet with someone at a particular time: _____

4 _____ : very important: _____

5 _____ : any one of a group of very small living things that often cause disease: _____

6 _____ : any one of the very small parts that together form all living things: _____

7 _____ : to increase in number by reproducing: _____

8 _____ : an act of putting something such as medicine or vaccine into the body with a needle: _____

9 _____ : a very small living thing that causes disease: _____

10 _____ : to enter or be in a place where you are not wanted: _____

11 _____ : having good or equal amounts of all the necessary parts of something: _____

12 _____ : used to say that something good or lucky has happened: _____

13 _____ : to rub your skin with your fingernails because it feels uncomfortable: _____

14 _____ : an infectious disease like a very bad cold, which causes fever, pains, and weakness: _____

15 _____ : a person who has been attacked, injured, robbed, or killed by someone else: _____

16 _____ : to change food that you have eaten by a biological process into simpler forms that can be used by the body: _____

보기			
digest	luckily	major	balanced
invade	bacteria	defend	shot
flu	appointment	victim	cell
multiply	success	germ	scratch

※ 다음 우리말과 일치하도록 빈칸에 알맞은 말을 쓰시오.

Communicate: Listen - Listen and Answer Dialog 1

B: _____ I go home _____, Ms. Song? I _____ _____ so good.

W: What _____ _____ be the _____?

B: I have a _____ _____. It really _____.

W: _____ _____ _____ get some medicine at the _____ _____?

B: I _____ did. But it _____ _____.

W: Okay. You _____ go. _____ _____ a doctor, okay?

B: _____. Thanks.

Communicate: Listen - Listen and Answer Dialog 2

(*The phone rings.*)

B: Hello, Sora.

G: Hi, Jongha. I _____ you were _____. Are you _____ now?

B: Yes, I _____ _____ the doctor, and I _____ _____ now.

G: _____ _____ hear that. _____ _____ _____, I called you _____ _____ about our science project.

B: Yeah, we _____ _____. Can you _____ _____ tomorrow?

G: Okay. _____ _____ at Simpson's Donuts _____ nine.

B: At nine? That's too _____. I _____ _____ on the weekend.

G: _____ _____ 10 then?

B: That _____ fine.

Communicate: Listen - Listen More

M: Hi, Minsol. What's _____ _____ your dog?

G: She _____ _____ herself. Actually, she _____ some hair.

M: When did she first _____ _____ _____?

G: _____ three days _____.

M: _____ me _____. (pause) She _____ _____ _____ on her skin. I'll give _____ _____ _____.

G: Thank you.

M: I _____ _____ check your dog again. _____ you _____ _____ next Monday?

G: That's _____ _____ me.

M: Okay. _____ _____.

B: 송 선생님, 집에 일찍 가도 될까요? 몸이 너무 안 좋아요.
W: 무슨 문제가 있니?
B: 배가 너무 아파요. 정말 아파요.
W: 양호실에서 약을 좀 먹는 게 어떠니?
B: 벌써 먹었어요. 하지만 도움이 되지 않았어요.
W: 알겠다. 가도 돼. 병원에 가봐, 알았지?
B: 물론이죠. 고맙습니다.

(전화벨이 울린다.)
B: 여보세요, 소라야.
G: 안녕, 종하야. 아프다고 들었어. 이제 좀 괜찮니?
B: 응, 병원에 갔는데, 이제 좀 나아졌어.
G: 다행이구나. 그런데, 우리 과학 프로젝트에 대해 얘기하려고 전화했어.
B: 그래, 우리 만나야겠다. 내일 만날 수 있니?
G: 좋아. 9시에 Simpson's Donuts에서 만나자.
B: 9시? 너무 일러. 난 주말에 늦잠을 자.
G: 그럼 10시는 어때?
B: 괜찮아.

M: 안녕, 민솔. 너의 개에게 무슨 문제가 있니?
G: 계속 자기 몸을 긁어요. 사실, 털이 좀 빠졌어요.
M: 너의 개는 언제 처음으로 문제가 생겼니?
G: 약 3일 전에요.
M: 어디 보자. (잠시 멈춘다) 피부에 바이러스가 있어. 약을 좀 줄게.
G: 감사합니다.
M: 네 개를 다시 확인할 필요가 있어. 다음 주 월요일에 올 수 있니?
G: 좋아요.
M: 알겠다. 나중에 보자.

Communicate: Listen - All Ears

M: 1. Can you _____ _____ next Friday?

2. What's _____ _____ your cat?

M: 1. 다음 주 금요일에 만날까?
2. 너의 고양이에게 무슨 문제가 있니?

Communicate: Speak 2 - Talk in pairs

A: _____ wrong _____ you?

B: I _____ a _____ _____.

A: That's _____ _____. You _____ _____ some water.

B: Okay, _____ _____.

A: 무슨 일 있니?
B: 목이 아파.
A: 그것 참 안됐구나. 너는 물을 좀 마셔야 해.
B: 알았어, 그럴게.

Communicate: Speak 2 - Talk in groups

A: _____ _____ basketball this Saturday.

B: Sure, _____ _____?

A: Can you _____ _____ _____ ten?

B: That's _____ _____ me. Where _____ we _____?

A: _____ _____ at the school gym.

B: Okay. _____ you _____.

A: 이번 토요일에 농구하자.
B: 물론, 좋고말고.
A: 10시에 만날 수 있니?
B: 난 괜찮아. 우리 어디서 만날까?
A: 학교 체육관에서 만나자.
B: 알았어, 거기서 보자.

Wrap Up - Listening ❺

B: Mom, I _____ _____ well.

W: What _____ _____ _____ the problem?

B: I think I _____ _____ _____.

W: Really? _____ _____ _____. Umm, you do _____ _____ _____. I'll _____ you some _____.

B: _____ _____, Mom.

B: 엄마, 몸이 안 좋아요.
W: 뭐가 문제인 것 같니?
B: 열이 있는 것 같아요.
W: 정말? 어디 보자. 음, 정말 열이 있네. 약을 좀 갖다 줄게.
B: 고마워요, 엄마.

Wrap Up - Listening ❻

G: I'm _____ _____ _____ to the Comics Museum tomorrow. Will you _____ _____ me?

B: I really _____ _____ _____.

G: _____ you _____ it at 11?

B: That's _____ _____ me.

G: Okay. _____ _____ _____ the subway station.

G: 내일 만화 박물관에 갈 생각이야. 나하고 같이 갈래?
B: 정말 가고 싶어.
G: 11시에 만날 수 있니?
B: 난 괜찮아.
G: 좋아. 지하철역에서 만나자.

※ 다음 우리말에 맞도록 대화를 영어로 쓰시오.

Communicate: Listen - Listen and Answer Dialog 1

B: _____

W: _____

B: _____

W: _____

B: _____

W: _____

B: _____

B: 송 선생님, 집에 일찍 가도 될까요? 몸이 너무 안 좋아요.
W: 무슨 문제가 있니?
B: 배가 너무 아파요. 정말 아파요.
W: 양호실에서 약을 좀 먹는 게 어떠니?
B: 벌써 먹었어요. 하지만 도움이 되지 않았어요.
W: 알겠다. 가도 돼. 병원에 가봐, 알았지?
B: 물론이죠. 고맙습니다.

Communicate: Listen - Listen and Answer Dialog 2

(The phone rings.)

B: _____

G: _____

B: _____

G: _____

B: _____

G: _____

B: _____

G: _____

B: _____

(전화벨이 울린다.)
B: 여보세요, 소라야.
G: 안녕, 종하야. 아프다고 들었어. 이제 좀 괜찮니?
B: 응, 병원에 갔었는데, 이제 좀 나아졌어.
G: 다행이구나. 그런데, 우리 과학 프로젝트에 대해 얘기하려고 전화했어.
B: 그래, 우리 만나야겠다. 내일 만날 수 있니?
G: 좋아. 9시에 Simpson's Donuts에서 만나자.
B: 9시? 너무 일러. 난 주말에 늦잠을 자.
G: 그럼 10시는 어때?
B: 괜찮아.

Communicate: Listen - Listen More

M: _____

G: _____

M: _____

G: _____

M: _____

G: _____

M: _____

G: _____

M: _____

M: 안녕, 민솔. 너의 개에게 무슨 문제가 있니?
G: 계속 자기 몸을 긁어요. 사실, 털이 좀 빠졌어요.
M: 너의 개는 언제 처음으로 문제가 생겼니?
G: 약 3일 전에요.
M: 어디 보자. (잠시 멈춘다) 피부에 바이러스가 있어. 약을 좀 줄게.
G: 감사합니다.
M: 네 개를 다시 확인할 필요가 있어. 다음 주 월요일에 올 수 있니?
G: 좋아요.
M: 알겠다. 나중에 보자.

Communicate: Listen - All Ears

M: 1. _____

    2. _____

M: 1. 다음 주 금요일에 만날까?
    2. 너의 고양이에게 무슨 문제가 있니?

Communicate: Speak 2 - Talk in pairs

A: _____

B: _____

A: _____

B: _____

A: 무슨 일 있니?
B: 목이 아파.
A: 그것 참 안됐구나. 너는 물을 좀 마셔야 해.
B: 알았어, 그럴게.

Communicate: Speak 2 - Talk in groups

A: _____

B: _____

A: _____

B: _____

A: _____

B: _____

A: 이번 토요일에 농구하자.
B: 물론, 좋고말고.
A: 10시에 만날 수 있니
B: 난 괜찮아. 우리 어디서 만날까?
A: 학교 체육관에서 만나자.
B: 알았어, 거기서 보자.

Wrap Up - Listening ❺

B: _____

W: _____

B: _____

W: _____

B: _____

B: 엄마, 몸이 안 좋아요.
W: 뭐가 문제인 것 같니?
B: 열이 있는 것 같아요.
W: 정말? 어디 보자. 음, 정말 열이 있네. 약을 좀 갖다 줄게.
B: 고마워요, 엄마.

Wrap Up - Listening ❻

G: _____

B: _____

G: _____

B: _____

G: _____

G: 내일 만화 박물관에 갈 생각이야. 나하고 같이 갈래?
B: 정말 가고 싶어.
G: 11시에 만날 수 있니?
B: 난 괜찮아.
G: 좋아. 지하철역에서 만나자.

※ 다음 우리말과 일치하도록 빈칸에 알맞은 것을 골라 쓰시오.

1 Germs are _____, but _____ is impossible to see them _____ your eyes.
　　A. with　　　　　B. it　　　　　　C. everywhere

2 There _____ two major _____ of germs: _____ and viruses.
　　A. are　　　　　B. bacteria　　　C. kinds

3 _____ are very small _____.
　　A. creatures　　　B. bacteria

4 _____ are _____.
　　A. good　　　　　B. some

5 They _____ help you _____ the food _____ you eat.
　　A. that　　　　　B. digest　　　C. can

6 _____ are bad and can _____ you sick.
　　A. make　　　　　B. others

7 Viruses are germs _____ can only live _____ the cells of other _____ bodies.
　　A. inside　　　　B. living　　　C. that

8 They _____ diseases _____ as the flu.
　　A. such　　　　　B. cause

9 "Bad" germs can _____ your body _____ your _____, mouth, nose, and eyes.
　　A. skin　　　　　B. through　　　C. enter

10 What _____ when they _____?
　　A. invade　　　　B. happens

11 The germs _____ in the _____.
　　A. body　　　　　B. multiply

12 Your body _____ a war _____.
　　A. zone　　　　　B. becomes

13 You start to _____ tired and _____.
　　A. weak　　　　　B. feel

14 Luckily, your _____ has an army of _____.
　　A. defense　　　　B. body

15 The T cells _____ the _____!
　　A. alarm　　　　　B. sound

16 The B cells _____ to fight the _____ _____ antibodies.
　　A. with　　　　　B. germs　　　C.arrive

17 The _____ cells show _____ and _____ the germs.
　　A. eat　　　　　B. up　　　　　C. macrophage

18 _____, this army is _____ the white blood _____.
　　A. cells　　　　　B. together　　　C. called

19 If all _____ well, they win the _____.
　　A. fight　　　　　B. goes

20 _____ a _____ days, you start to _____ better.
　　A. few　　　　　B. feel　　　　　C. in

1 세균은 어디에나 있지만 눈으로 세균을 보는 것은 불가능하다.

2 세균에는 두 가지 주요한 종류가 있다: 박테리아와 바이러스이다.

3 박테리아는 매우 작은 생물이다.

4 어떤 것들은 좋다.

5 그것들은 당신이 먹는 음식을 소화하는 데 도움을 줄 수 있다.

6 다른 것들은 나쁘고 당신을 아프게 할 수 있다.

7 바이러스는 다른 살아 있는 몸의 세포 안에서만 살 수 있는 세균이다.

8 그들은 독감과 같은 질병을 일으킨다.

9 '나쁜' 세균은 피부, 입, 코, 눈을 통해 몸에 들어갈 수 있다.

10 그들이 침입하면 어떻게 되는가?

11 세균은 몸속에서 증식한다.

12 당신의 몸은 전쟁 지역이 된다.

13 당신은 피곤하고 약해지기 시작한다.

14 다행히도, 당신의 몸은 방어 부대를 가지고 있다.

15 T세포가 경보를 발한다!

16 B세포는 항체로 세균과 싸우기 위해 도착한다.

17 대식 세포가 나타나서 세균을 먹는다.

18 이 군대는 함께 백혈구라고 부른다.

19 모든 것이 잘되면 싸움에서 이긴다.

20 며칠 후면 당신은 회복되기 시작한다.

21 The body remembers the _____, so it cannot make _____ of _____ again.

A. copies   B. invader   C. itself

22 But the germs are _____, _____.

A. too   B. smart

23 They can _____ form and _____ the body.

A. change   B. trick

24 There are _____ ways to _____ yourself _____ germs.

A. protect   B. from   C. several

25 First, _____ your hands _____ soap and _____ water.

A. with   B. warm   C. wash

26 A balanced _____ will _____ your body strong and _____.

A. healthy   B. keep   C. diet

27 _____ is also important to _____ regularly and get _____ of sleep.

A. exercise   B. plenty   C. it

28 _____, get the necessary _____.

A. shots   B. finally

29 They are the best _____ against _____.

A. germs   B. defense

30 If you _____ these _____, you will not be a _____ of "bad" germs.

A. victim   B. steps   C. follow

31 _____ more _____ of me.

A. copies   B. make

32 It's _____ job to _____ the body.

A. defend   B. my

33 That _____ a nice _____!

A. meal   B. was

34 Are _____ any more germs to _____?

A. eat   B. there

35 _____ year, I'll _____ in my cousin.

A. send   B. next

36 He'll _____ you then for _____ fight!

A. another   B. see

37 _____ _____ I do now?

A. can   B. what

38 I'm _____ to fight _____ germs.

A. any   B. ready

39 We _____ _____.

A. up   B. give

40 We can't _____ you _____.

A. sick   B. make

---

21 몸은 침입자를 기억하므로 침입자는 다시 복제할 수 없다.

22 하지만 세균들도 영리하다.

23 그들은 형태를 바꿀 수 있고 몸을 속일 수 있다.

24 세균으로부터 당신 자신을 보호하는 몇 가지 방법이 있다.

25 먼저 비누와 따뜻한 물로 손을 씻어라.

26 균형 잡힌 식단은 당신의 몸을 튼튼하고 건강하게 해줄 것이다.

27 규칙적으로 운동하고 충분한 잠을 자는 것도 중요하다.

28 마지막으로 필요한 주사를 맞아라.

29 그것들은 세균을 막는 최고의 방어 수단이다.

30 만약 당신이 이 단계를 따른다면, 당신은 "나쁜" 세균의 희생자가 되지 않을 것이다.

31 나를 더 복제해 줘.

32 몸을 지키는 게 내 일이야.

33 정말 맛있는 식사였어!

34 먹을 세균이 더 있니?

35 내년에는 내 사촌을 보낼게.

36 그때 그가 또 싸우려고 널 만나게 될 거야!

37 지금 내가 무엇을 할 수 있을까?

38 나는 어떤 세균과도 싸울 준비가 되어 있어.

39 우리는 포기한다.

40 우리는 널 아프게 할 수 없어.

※ 다음 우리말과 일치하도록 빈칸에 알맞은 말을 쓰시오.

1 Germs are _____, but it is _____ _____ _____ them with your eyes.

2 There are two _____ _____ of germs: _____ and _____.

3 Bacteria _____ very small _____.

4 _____ are _____.

5 They can _____ _____ _____ _____ the food that you eat.

6 _____ are bad and can _____ you _____.

7 Viruses are _____ that can only live _____ the cells of _____ _____ _____.

8 They _____ diseases _____ _____ the flu.

9 "Bad" germs _____ _____ your body _____ your _____, _____, nose, and eyes.

10 What _____ when they _____?

11 The germs _____ in the _____.

12 Your body _____ a war _____.

13 You start to _____ _____ and _____.

14 _____, your body has an _____ _____ _____.

15 The T cells _____ the _____!

16 The B cells arrive _____ _____ the _____ with _____.

17 The _____ cells _____ _____ and eat the germs.

18 Together, this army is called the _____ _____ _____.

19 If all _____ _____, they _____ the fight.

20 In a _____ _____, you start to _____ _____.

---

1 세균은 어디에나 있지만 눈으로 세균을 보는 것은 불가능하다.

2 세균에는 두 가지 주요한 종류가 있다: 박테리아와 바이러스이다.

3 박테리아는 매우 작은 생물이다.

4 어떤 것들은 좋다.

5 그것들은 당신이 먹는 음식을 소화하는 데 도움을 줄 수 있다.

6 다른 것들은 나쁘고 당신을 아프게 할 수 있다.

7 바이러스는 다른 살아 있는 몸의 세포 안에서만 살 수 있는 세균이다.

8 그들은 독감과 같은 질병을 일으킨다.

9 '나쁜' 세균은 피부, 입, 코, 눈을 통해 몸에 들어갈 수 있다.

10 그들이 침입하면 어떻게 되는가?

11 세균은 몸속에서 증식한다.

12 당신의 몸은 전쟁 지역이 된다.

13 당신은 피곤하고 약해지기 시작한다.

14 다행히도, 당신의 몸은 방어 부대를 가지고 있다.

15 T세포가 경보를 발한다!

16 B세포는 항체로 세균과 싸우기 위해 도착한다.

17 대식 세포가 나타나서 세균을 먹는다.

18 이 군대는 함께 백혈구라고 부른다.

19 모든 것이 잘되면 싸움에서 이긴다.

20 며칠 후면 당신은 회복되기 시작한다.

21 The body remembers the _____, so it _____ _____ _____ of itself again.

22 _____ the germs are _____, _____.

23 They can _____ _____ and trick the body.

24 There are _____ _____ _____ _____ yourself from germs.

25 First, _____ your hands _____ _____ and warm water.

26 A balanced diet will _____ your body _____ and _____.

27 It is also _____ _____ _____ regularly and get _____ _____ sleep.

28 _____, get the _____ _____.

29 They are the best _____ _____ germs.

30 If you follow these _____, you will not _____ _____ _____ of "bad" germs.

31 _____ more _____ _____ me.

32 It's my _____ _____ _____ the body.

33 That was a _____ _____!

34 Are there any _____ _____ _____ _____?

35 Next year, I'll _____ _____ my cousin.

36 He'll see you then _____ _____ _____!

37 _____ can I _____ now?

38 _____ _____ _____ fight any germs.

39 We _____ _____.

40 We can't _____ _____ _____.

21 몸은 침입자를 기억하므로 침입자는 다시 복제할 수 없다.

22 하지만 세균들도 영리하다.

23 그들은 형태를 바꿀 수 있고 몸을 속일 수 있다.

24 세균으로부터 당신 자신을 보호하는 몇 가지 방법이 있다.

25 먼저 비누와 따뜻한 물로 손을 씻어라.

26 균형 잡힌 식단은 당신의 몸을 튼튼하고 건강하게 해줄 것이다.

27 규칙적으로 운동하고 충분한 잠을 자는 것도 중요하다.

28 마지막으로 필요한 주사를 맞아라.

29 그것들은 세균을 막는 최고의 방어 수단이다.

30 만약 당신이 이 단계를 따른다면, 당신은 "나쁜" 세균의 희생자가 되지 않을 것이다.

31 나를 더 복제해 줘.

32 몸을 지키는 게 내 일이야.

33 정말 맛있는 식사였어!

34 먹을 세균이 더 있니?

35 내년에는 내 사촌을 보낼게.

36 그때 그가 또 싸우려고 널 만나게 될 거야!

37 지금 내가 무엇을 할 수 있을까?

38 나는 어떤 세균과도 싸울 준비가 되어 있어.

39 우리는 포기한다.

40 우리는 널 아프게 할 수 없어.

※ 다음 문장을 우리말로 쓰시오.

1 Germs are everywhere, but it is impossible to see them with your eyes.

➡ _____

2 There are two major kinds of germs: bacteria and viruses.

➡ _____

3 Bacteria are very small creatures.

➡ _____

4 Some are good.

➡ _____

5 They can help you digest the food that you eat.

➡ _____

6 Others are bad and can make you sick.

➡ _____

7 Viruses are germs that can only live inside the cells of other living bodies.

➡ _____

8 They cause diseases such as the flu.

➡ _____

9 "Bad" germs can enter your body through your skin, mouth, nose, and eyes.

➡ _____

10 What happens when they invade?

➡ _____

11 The germs multiply in the body.

➡ _____

12 Your body becomes a war zone.

➡ _____

13 You start to feel tired and weak.

➡ _____

14 Luckily, your body has an army of defense.

➡ _____

15 The T eslls sound the alarm!

➡ _____

16 The B cells arrive to fight the germs with antibodies.

➡ _____

17 The macrophage cells show up and eat the germs.
➡ _____

18 Together, this army is called the white blood cells.
➡ _____

19 If all goes well, they win the fight.
➡ _____

20 In a few days, you start to feel better.
➡ _____

21 The body remembers the invader, so it cannot make copies of itself again.
➡ _____

22 But the germs are smart, too.
➡ _____

23 They can change form and trick the body.
➡ _____

24 There are several ways to protect yourself from germs.
➡ _____

25 First, wash your hands with soap and warm water.
➡ _____

26 A balanced diet will keep your body strong and healthy.
➡ _____

27 It is also important to exercise regularly and get plenty of sleep.
➡ _____

28 Finally, get the necessary shots.
➡ _____

29 They are the best defense against germs.
➡ _____

30 If you follow these steps, you will not be a victim of "bad" germs.
➡ _____

31 Make more copies of me.
➡ _____

32 It's my job to defend the body.
➡ _____

33 That was a nice meal!
➡ _____

34 Are there any more germs to eat?
➡ _____

35 Next year, I'll send in my cousin.
➡ _____

36 He'll see you then for another fight!
➡ _____

37 I'm ready to fight any germs.
➡ _____

38 We can't make you sick.
➡ _____

※ 다음 괄호 안의 단어들을 우리말에 맞도록 바르게 배열하시오.

1 (everywhere, / are / germs / but / is / it / impossible / see / to / your / eyes. / with / them)
➡ _____

2 (are / major / there / kinds / two / germs: / of / viruses. / and / bacteria)
➡ _____

3 (very / creatures. / small / bacteria / are)
➡ _____

4 (good. / some / are)
➡ _____

5 (help / they / digest / can / you / the / eat. / you / that / food)
➡ _____

6 (bad / others / and / are / you / can / sick. / make)
➡ _____

7 (germs / that / are / viruses / live / can / inside / only / other / of / living / the / bodies. / cells)
➡ _____

8 (diseases / they / cause / the / such / flu. / as)
➡ _____

9 (your / germs / enter / "bad" / body / can / your / through / mouth, / and / skin, / eyes. / nose,)
➡ _____

10 (happens / they / what / invade? / when)
➡ _____

11 (the / multiply / body. / the / germs / in)
➡ _____

12 (body / a / your / zone / war / becomes)
➡ _____

13 (start / tired / you / feel / to / weak. / and)
➡ _____

14 (luckily, / body / has / army / your / defense. / an / of)
➡ _____

15 (the / cells / T / alarm! / the / sound)
➡ _____

16 (the / cells / to / B / fight / arrive / the / antibodies. / with / germs)
➡ _____

17 (cells / the / macrophage / up / eat / and / show / germs. / the)
➡ _____

18 (together, / is / army / this / called / the / blood / cells. / white)
➡ _____

19 (all / well, / if / goes / win / they / fight. / the)
➡ _____

20 (a / days, / few / in / you / feel / to / better. / start)
➡ _____

1 세균은 어디에나 있지만 눈으로 세균을 보는 것은 불가능하다.

2 세균에는 두 가지 주요한 종류가 있다: 박테리아와 바이러스이다.

3 박테리아는 매우 작은 생물이다.

4 어떤 것들은 좋다.

5 그것들은 당신이 먹는 음식을 소화하는 데 도움을 줄 수 있다.

6 다른 것들은 나쁘고 당신을 아프게 할 수 있다.

7 바이러스는 다른 살아 있는 몸의 세포 안에서만 살 수 있는 세균이다.

8 그들은 독감과 같은 질병을 일으킨다.

9 '나쁜' 세균은 피부, 입, 코, 눈을 통해 몸에 들어갈 수 있다.

10 그들이 침입하면 어떻게 되는가?

11 세균은 몸속에서 증식한다.

12 당신의 몸은 전쟁 지역이 된다.

13 당신은 피곤하고 약해지기 시작한다.

14 다행히도, 당신의 몸은 방어 부대를 가지고 있다.

15 T세포가 경보를 발한다!

16 B세포는 항체로 세균과 싸우기 위해 도착한다.

17 대식 세포가 나타나서 세균을 먹는다.

18 이 군대는 함께 백혈구라고 부른다.

19 모든 것이 잘되면 싸움에서 이긴다.

20 며칠 후면 당신은 회복되기 시작한다.

21 (body / the / remembers / invader, / the / so / cannot / it / copies / itself / of / again. / make)
➡ _____

22 (the / but / germs / too. / smart, / are)
➡ _____

23 (can / change / they / and / form / the / body. / trick)
➡ _____

24 (are / there / ways / to / several / protect / germs. / yourself / from)
➡ _____

25 (first, / hands / with / wash / your / soap / water. / and / warm)
➡ _____

26 (diet / balanced / will / a / body / keep / healthy. / your / and / strong)
➡ _____

27 (it / also / important / is / exercise / to / and / plenty / regularly / of / sleep. / get)
➡ _____

28 (finally, / the / shots. / necessary / get)
➡ _____

29 (are / best / they / the / defense / germs. / against)
➡ _____

30 (you / these / follow / steps, / if / you / be / not / will / germs. / a / "bad" / of / victim)
➡ _____

31 (copies / make / me. / of / more)
➡ _____

32 (it's / to / job / my / body. / the / defend)
➡ _____

33 (was / meal! / that / nice / a)
➡ _____

34 (there / more / are / any / eat? / to / germs)
➡ _____

35 (year, / next / send / cousin. / I'll / in / my)
➡ _____

36 (see / then / he'll / for / fight! / another / you)
➡ _____

37 (can / now? / what / do / I)
➡ _____

38 (fight / ready / to / I'm / germs. / any)
➡ _____

39 (give / up. / we)
➡ _____

40 (can't / sick. / we / make / you)
➡ _____

21 몸은 침입자를 기억하므로 침입자는 다시 복제할 수 없다.

22 하지만 세균들도 영리하다.

23 그들은 형태를 바꿀 수 있고 몸을 속일 수 있다.

24 세균으로부터 당신 자신을 보호하는 몇 가지 방법이 있다.

25 먼저 비누와 따뜻한 물로 손을 씻어라.

26 균형 잡힌 식단은 당신의 몸을 튼튼하고 건강하게 해줄 것이다.

27 규칙적으로 운동하고 충분한 잠을 자는 것도 중요하다.

28 마지막으로 필요한 주사를 맞아라.

29 그것들은 세균을 막는 최고의 방어 수단이다.

30 만약 당신이 이 단계를 따른다면, 당신은 "나쁜" 세균의 희생자가 되지 않을 것이다.

31 나를 더 복제해 줘.

32 몸을 지키는 게 내 일이야.

33 정말 맛있는 식사였어!

34 먹을 세균이 더 있니?

35 내년에는 내 사촌을 보낼게.

36 그때 그가 또 싸우려고 널 만나게 될 거야!

37 지금 내가 무엇을 할 수 있을까?

38 나는 어떤 세균과도 싸울 준비가 되어 있어.

39 우리는 포기한다.

40 우리는 널 아프게 할 수 없어.

※ 다음 우리말을 영어로 쓰시오.

1 세균은 어디에나 있지만 눈으로 세균을 보는 것은 불가능하다.
➡ _____

2 세균에는 두 가지 주요한 종류가 있다: 박테리아와 바이러스이다.
➡ _____

3 박테리아는 매우 작은 생물이다.
➡ _____

4 어떤 것들은 좋다.
➡ _____

5 그것들은 당신이 먹는 음식을 소화하는 데 도움을 줄 수 있다.
➡ _____

6 다른 것들은 나쁘고 당신을 아프게 할 수 있다.
➡ _____

7 바이러스는 다른 살아 있는 몸의 세포 안에서만 살 수 있는 세균이다.
➡ _____

8 그들은 독감과 같은 질병을 일으킨다.
➡ _____

9 '나쁜' 세균은 피부, 입, 코, 눈을 통해 몸에 들어갈 수 있다.
➡ _____

10 그들이 침입하면 어떻게 되는가?
➡ _____

11 세균은 몸속에서 증식한다.
➡ _____

12 당신의 몸은 전쟁 지역이 된다.
➡ _____

13 당신은 피곤하고 약해지는 것을 느끼기 시작한다.
➡ _____

14 다행히도, 당신의 몸은 방어 군대를 가지고 있다.
➡ _____

15 T세포가 경보를 발한다!
➡ _____

16 B세포는 항체로 세균과 싸우기 위해 도착한다.
➡ _____

17 대식 세포가 나타나서 세균을 먹는다.
➡ _____

18 이 군대는 함께 백혈구라고 부른다.
➡ _____

19 모든 것이 잘되면 싸움에서 이긴다.
➡ _____

20 며칠 후면 당신은 회복되기 시작한다.
➡ _____

21 몸은 침입자를 기억하므로 다시 복제할 수 없다.
➡ _____

22 하지만 세균들도 영리하다.
➡ _____

23 그들은 형태를 바꿀 수 있고 몸을 속일 수 있다.
➡ _____

24 세균으로부터 여러분 자신을 보호하는 몇 가지 방법이 있다.
➡ _____

25 먼저 비누와 따뜻한 물로 손을 씻어라.
➡ _____

26 균형 잡힌 식단은 당신의 몸을 튼튼하고 건강하게 해줄 것이다.
➡ _____

27 규칙적으로 운동하고 충분한 잠을 자는 것도 중요하다.
➡ _____

28 마지막으로 필요한 주사를 맞아라.
➡ _____

29 그것들은 세균을 막는 최고의 방어이다.
➡ _____

30 만약 당신이 이 단계를 따른다면, 당신은 "나쁜" 세균의 희생자가 되지 않을 것이다.
➡ _____

31 나를 더 복제해 주세요.
➡ _____

32 몸을 지키는 게 내 일이야.
➡ _____

33 정말 맛있는 식사였어!
➡ _____

34 먹을 세균이 더 있니?
➡ _____

35 내년에는 내 사촌을 보낼게.
➡ _____

36 그때 그가 또 싸우려고 널 보게 될 거야!
➡ _____

37 지금 내가 무엇을 할 수 있을까?
➡ _____

38 나는 어떤 세균과도 싸울 준비가 되어 있어.
➡ _____

39 우리는 포기한다.
➡ _____

40 우리는 널 아프게 할 수 없어.
➡ _____

※ 다음 우리말과 일치하도록 빈칸에 알맞은 말을 쓰시오.

My Writing Portfolio - Step 1

1. Sit _____, Move _____

2. It is _____ to _____ online games too much.

3. It is time _____ go _____ and exercise.

4. Stay _____

5. _____ too many snacks is not _____ for your health.

6. It is _____ to eat _____ fruit and vegetables.

1. 덜 앉고, 더 움직여라
2. 온라인 게임을 너무 많이 하는 것은 위험하다.
3. 이제 외출해서 운동할 시간이다.
4. 건강을 유지해라
5. 과자를 너무 많이 먹는 것은 건강에 좋지 않다.
6. 과일과 채소를 충분히 먹는 것이 중요하다.

Words in Action - B

1. Frida Kahlo was a _____ _____ [artist].

2. She is _____ for her _____ paintings.

3. Charles Schulz was a _____ who created the famous _____ Charlie Brown.

4. Park Gyeongri was a _____ Korean _____.

5. She _____ 25 years _____ *Toji*.

6. James Cameron is the _____ of the movie, *Avatar*.

7. Jang Yeongsil was a(n) _____ [scientist] who _____ water clocks.

1. Frida Kahlo는 멕시코 화가[예술가]였다.
2. 그녀는 독특한 그림으로 유명하다.
3. Charles Schulz는 유명한 캐릭터인 Charlie Brown을 만든 만화가였다.
4. 박경리는 위대한 한국 작가였다.
5. 그녀는 토지를 쓰는 데 25년이 걸렸다.
6. James Cameron은 영화 '아바타'의 감독이다.
7. 장영실은 물시계를 만든 발명가[과학자]였다.

Wrap Up - Reading

1. Every day you _____ your hands _____ _____ different things.

2. You _____ your phone and computer.

3. You open and _____ doors _____ your hands, _____.

4. There _____ germs on everything _____ you touch.

5. If you eat snacks _____ your hands, the germs on your hands can _____ _____ your body.

6. Then _____ _____ you do?

7 _____ your hands _____ soap!

1. 여러분은 매일 다른 것들을 만지기 위해 손을 사용한다.
2. 여러분은 여러분의 전화기와 컴퓨터를 만진다.
3. 여러분은 또한 손으로 문을 열고 닫는다.
4. 여러분이 만지는 모든 것에는 세균이 있다.
5. 만약 여러분이 손으로 과자를 먹는다면, 여러분의 손에 있는 세균은 여러분의 몸으로 들어갈 수 있다.
6. 그럼 어떻게 해야 할까?
7. 비누로 손을 씻어라!

※ 다음 우리말을 영어로 쓰시오.

My Writing Portfolio - Step 1

1. 덜 앉고, 더 움직여라
➡ _____

2. 온라인 게임을 너무 많이 하는 것은 위험하다.
➡ _____

3. 이제 외출해서 운동할 시간이다.
➡ _____

4. 건강을 유지해라
➡ _____

5. 과자를 너무 많이 먹는 것은 건강에 좋지 않다.
➡ _____

6. 과일과 채소를 충분히 먹는 것이 중요하다.
➡ _____

Words in Action - B

1. Frida Kahlo는 멕시코 화가[예술가]였다.
➡ _____

2. 그녀는 독특한 그림으로 유명하다.
➡ _____

3. Charles Schulz는 유명한 캐릭터인 Charlie Brown을 만든 만화가였다.
➡ _____

4. 박경리는 위대한 한국 작가였다.
➡ _____

5. 그녀는 토지를 쓰는 데 25년이 걸렸다.
➡ _____

6. James Cameron은 영화 '아바타'의 감독이다.
➡ _____

7. 장영실은 물시계를 만든 발명가[과학자]였다.
➡ _____

Wrap Up - Reading

1. 여러분은 매일 다른 것들을 만지기 위해 손을 사용한다.
➡ _____

2. 여러분은 여러분의 전화기와 컴퓨터를 만진다.
➡ _____

3. 여러분은 또한 손으로 문을 열고 닫는다.
➡ _____

4. 여러분이 만지는 모든 것에는 세균이 있다.
➡ _____

5. 만약 여러분이 손으로 과자를 먹는다면, 여러분의 손에 있는 세균은 여러분의 몸으로 들어갈 수 있다.
➡ _____

6. 그럼 어떻게 해야 할까?
➡ _____

7. 비누로 손을 씻어라!
➡ _____

※ 다음 영어를 우리말로 쓰시오.

01	wildlife	_____
02	wrong	_____
03	leftover	_____
04	pollution	_____
05	artificial	_____
06	bright	_____
07	careful	_____
08	create	_____
09	volume	_____
10	pick	_____
11	disturb	_____
12	effect	_____
13	enough	_____
14	allow	_____
15	rhythm	_____
16	almost	_____
17	environment	_____
18	carefully	_____
19	especially	_____
20	famous	_____
21	clearly	_____

22	follow	_____
23	threaten	_____
24	human	_____
25	lastly	_____
26	migrate	_____
27	solve	_____
28	natural	_____
29	protect	_____
30	rule	_____
31	serious	_____
32	starry	_____
33	trash	_____
34	volunteer	_____
35	feed	_____
36	according to	_____
37	be familiar with	_____
38	take care of	_____
39	care about	_____
40	have an effect	_____
41	in danger	_____
42	in fact	_____
43	throw away	_____

※ 다음 우리말을 영어로 쓰시오.

01 위협하다 _____

02 인간, 사람 _____

03 마지막으로 _____

04 (알을) 낳다 _____

05 모든 곳에서 _____

06 이동하다, 이주하다 _____

07 해결하다 _____

08 보호하다 _____

09 최근의 _____

10 남은 음식 _____

11 오염 _____

12 인공의, 인위적인 _____

13 밝은 _____

14 주의 깊은 _____

15 야생 동물 _____

16 창조[창작]하다 _____

17 영향, 결과 _____

18 거의 _____

19 환경 _____

20 주의 깊게 _____

21 자연의

22 특히, 특별히 _____

23 유명한 _____

24 규칙 _____

25 심각한 _____

26 별이 총총한 _____

27 칫솔 _____

28 쓰레기 _____

29 자원봉사로 일하다; 자원봉사자 _____

30 먹이를 주다 _____

31 음량, 볼륨 _____

32 (꽃을) 꺾다 _____

33 방해하다 _____

34 잘못된, 틀린 _____

35 리듬 _____

36 ~에 관심을 가지다 _____

37 ~에 따르면 _____

38 조치를 취하다 _____

39 (볼륨을) 줄이다 _____

40 위험에 처한 _____

41 ~로 고통 받다 _____

42 ~에 익숙하다, ~을 잘 알다 _____

43 수백만의 _____

※ 다음 영영풀이에 알맞은 단어를 <보기>에서 골라 쓴 후, 우리말 뜻을 쓰시오.

1 _____ : full of stars: _____

2 _____ : not natural or real: _____

3 _____ : to make or produce something: _____

4 _____ : to produce an egg outside of the body: _____

5 _____ : the process of making air, water, soil, etc. dirty: _____

6 _____ : to give food to someone or something: _____

7 _____ : a regular, repeated pattern of events, changes, activities, etc.: _____

8 _____ : to stop someone from working, sleeping, etc.: _____

9 _____ : animals living in nature: _____

10 _____ : a change that results when something is done or happens: _____

11 _____ : the natural world in which people, animals, and plants live: _____

12 _____ : to move from one area to another at different times of the year: _____

13 _____ : to keep someone or something from being harmed, lost, etc.: _____

14 _____ : things that are no longer useful or wanted and that have been thrown away: _____

15 _____ : food that has not been finished at a meal and that is often served at another meal: _____

16 _____ : the amount of sound that is produced by a television, radio, stereo, etc.: _____

보기			
leftover	trash	protect	starry
feed	migrate	environment	wildlife
volume	rhythm	effect	disturb
create	artificial	lay	pollution

※ 다음 우리말과 일치하도록 빈칸에 알맞은 말을 쓰시오.

Communicate: Listen - Listen and Answer Dialog 1

G: Is it _____ _____ _____ a poster on the _____ _____, Mr. Cha?

M: A poster?

G: Here. It's a poster _____ World _____ _____.

M: _____ me _____. It's a great poster. _____ you _____ it?

G: My club _____ made it _____. I think people _____ _____ _____ _____ our oceans.

M: I _____. Well, we don't have space _____ _____.

G: Then _____ I _____ it _____ the door?

M: Sure. _____ _____.

G: 게시판에 포스터를 붙여도 될까요, 차 선생님?
M: 포스터?
G: 이거요. 이것은 세계 해양의 날에 대한 포스터예요.
M: 어디 보자. 포스터가 멋지네. 네가 만들었니?
G: 저희 동아리 회원들이 함께 그것을 만들었어요. 저는 사람들이 우리의 바다에 대해 더 관심을 가져야 한다고 생각해요.
M: 나도 그렇게 생각해. 음, 지금은 공간이 없어.
G: 그럼 문에 붙여도 될까요?
M: 물론. 어서 해.

Communicate: Listen - Listen and Answer Dialog 2

G: What _____ you _____, Minsu?

B: I'm _____ _____ _____ _____.

G: Well, you're _____ _____ _____ do that.

B: Why _____?

G: It _____ _____ the water. It can _____ _____ people and animals _____ _____.

B: I _____. Then _____ _____ I _____?

G: You _____ _____ it to a drugstore. They'll take _____ of it.

B: Oh, I _____ know that. I'll _____ _____ _____.

G: 뭐 하고 있니, 민수야?
B: 사용하지 않는 약을 버리고 있어.
G: 음, 그렇게 해서는 안 돼.
B: 왜 안 돼?
G: 그것은 물을 오염시킬 수 있어. 또한 사람과 동물을 위험에 빠뜨릴 수 있어.
B: 알겠어. 그럼 내가 어떻게 해야 하지?
G: 약국에 가져가야 해. 그들이 그것을 처리할 거야.
B: 오, 난 몰랐어. 더 주의할게.

Communicate: Listen - Listen More

G: Wow! I _____ this _____, Dad.

M: Oh, I _____ something. I _____ _____ our toothbrushes.

G: I _____ a store _____ _____ _____ here.

M: Okay. I'll _____ _____ some _____.

G: Sure. It's _____ _____. You _____ _____ _____.

M: _____ _____.

G: Dad, is _____ _____ _____ _____ some *ramyeon*?

M: Of _____. But you're _____ _____ _____ _____ any leftovers.

G: I know that. I really _____ _____ the _____.

G: 와우! 이곳이 정말 좋아요, 아빠.
M: 오, 깜빡 잊은 게 있어. 칫솔을 가져오지 않았어.
G: 여기 오는 길에 가게를 봤어요.
M: 좋아, 내가 가서 칫솔 좀 사 올게.
G: 그래요. 어두워지고 있어요. 운전 조심하세요.
M: 걱정하지 마.
G: 아빠, 라면을 좀 요리해도 돼요?
M: 물론이지. 하지만 남은 음식은 버리면 안 돼.
G: 알아요. 저는 환경에 정말 관심이 많아요.

Communicate: Listen - All Ears

M: 1. You're _____ _____ _____ do that.

2. People _____ _____ _____ _____ our oceans.

M: 1. 너는 그렇게 해서는 안 돼.
2. 사람들은 우리의 바다에 대해 더 관심을 가져야 해.

Communicate: Speak - Talk in groups

A: _____ _____ _____ _____ study _____ breaks.

B: What's _____ _____ that?

A: It's a new _____ _____. You _____ do that.

B: Okay. I'll _____ _____ _____.

A: 쉬는 시간에 공부하면 안 돼.
B: 그게 뭐가 문젠데?
A: 새로운 학급 규칙이야. 그렇게 해선 안 돼.
B: 알았어. 규칙을 기억할게.

My Writing Portfolio - Step 1

M: _____ _____ K-Zoo. Please _____ carefully and _____ the rules. First, you're not _____ _____ _____ the animals. It can _____ them _____. And you're _____ _____ _____ _____ the animals. It can be very _____. _____, _____ _____ stones or trash _____ them. _____ your time _____ K-Zoo. Thank you.

M: K-Zoo에 오신 것을 환영합니다. 주의 깊게 듣고 규칙을 따르세요. 첫 번째, 동물들에게 먹이를 주면 안 돼요. 그것은 동물들을 아프게 할 수 있습니다. 그리고 동물들을 만지면 안 돼요. 그것은 매우 위험할 수 있습니다. 마지막으로, 동물들에게 돌이나 쓰레기를 던지지 마세요. K-Zoo에서 즐거운 시간을 보내세요. 감사합니다.

Wrap Up - Listening ❺

G: Dad, _____ _____ _____ _____ _____ _____ with my friends this Saturday?

M: _____ are your _____?

G: Well, my _____ singer _____ _____ _____ _____ _____ at Olympic Park.

M: Okay, but _____ _____ _____ 9 o'clock.

G: No _____. The concert will _____ _____ by about 8:00.

G: 아빠, 이번 토요일에 친구들과 외출 해도 될까요?
M: 너희들의 계획이 뭐니?
G: 음, 제가 가장 좋아하는 가수가 올림픽 공원에서 콘서트를 할 예정이에요.
M: 좋아, 하지만 9시까지는 집에 오거라.
G: 그럼요. 콘서트는 8시쯤에 끝날 거예요.

Wrap Up - Listening ❻

W: Hey, _____ _____ the sign!

B: _____ sign?

W: The one _____ _____. You're _____ _____ _____ _____ flowers here.

B: Oh, I'm _____. I _____ _____ that.

W: 이봐요, 표지판을 보세요!
B: 무슨 표지판이요?
W: 저쪽에 있는 거요. 여기서 꽃을 따면 안 돼요.
B: 아, 미안해요. 전 몰랐어요.

※ 다음 우리말에 맞도록 대화를 영어로 쓰시오.

Communicate: Listen - Listen and Answer Dialog 1

G: _____

M: _____

G: _____

M: _____

G: _____

M: _____

G: _____

M: _____

G: 게시판에 포스터를 붙여도 될까요, 차선생님?

M: 포스터?

G: 이거요. 이것은 세계 해양의 날에 대한 포스터예요.

M: 어디 보자. 포스터가 멋지네. 네가 만들었니?

G: 저희 동아리 회원들이 함께 그것을 만들었어요. 저는 사람들이 우리의 바다에 대해 더 관심을 가져야 한다고 생각해요.

M: 나도 그렇게 생각해. 음, 지금은 공간이 없어.

G: 그럼 문에 붙여도 될까요?

M: 물론. 어서 해.

Communicate: Listen - Listen and Answer Dialog 2

G: _____

B: _____

G: _____

B: _____

G: _____

B: _____

G: _____

B: _____

G: 뭐 하고 있니, 민수야?

B: 사용하지 않는 약을 버리고 있어.

G: 음, 그렇게 해서는 안 돼.

B: 왜 안 돼?

G: 그것은 물을 오염시킬 수 있어. 또한 사람과 동물을 위험에 빠뜨릴 수 있어.

B: 알겠어. 그럼 내가 어떻게 해야 하지?

G: 약국에 가져가야 해. 그들이 그것을 처리할 거야.

B: 오, 난 몰랐어. 더 주의할게.

Communicate: Listen - Listen More

G: _____

M: _____

G: _____

M: _____

G: _____

M: _____

G: _____

M: _____

G: _____

G: 와우! 이곳이 정말 좋아요, 아빠.

M: 오, 깜빡 잊은 게 있어. 칫솔을 가져오지 않았어.

G: 여기 오는 길에 가게를 봤어요.

M: 좋아, 내가 가서 칫솔 좀 사 올게.

G: 그래요. 어두워지고 있어요. 운전 조심하세요.

M: 걱정하지 마.

G: 아빠, 라면을 좀 요리해도 돼요?

M: 물론이지. 하지만 남은 음식은 버리면 안 돼.

G: 알아요. 저는 환경에 정말 관심이 많아요.

Communicate: Listen - All Ears

M: 1. _____

   2. _____

Communicate: Speak - Talk in groups

A: _____

B: _____

A: _____

B: _____

My Writing Portfolio - Step 1

M: _____

   _____

   _____

   _____

Wrap Up - Listening ❺

G: _____

M: _____

G: _____

M: _____

G: _____

Wrap Up - Listening ❻

W: _____

B: _____

W: _____

B: _____

M: 1. 너는 그렇게 해서는 안 돼.
   2. 사람들은 우리의 바다에 대해 더 관심을 가져야 해.

A: 쉬는 시간에 공부하면 안 돼.
B: 그게 뭐가 문젠데?
A: 새로운 학급 규칙이야. 그렇게 해선 안 돼.
B: 알았어. 규칙을 기억할게.

M: K-Zoo에 오신 것을 환영합니다. 주의 깊게 듣고 규칙을 따르세요. 첫 번째, 동물들에게 먹이를 주면 안 돼요. 그것은 동물들을 아프게 할 수 있습니다. 그리고 동물들을 만지면 안 돼요. 그것은 매우 위험할 수 있습니다. 마지막으로, 동물들에게 돌이나 쓰레기를 던지지 마세요. K-Zoo에서 즐거운 시간을 보내세요. 감사합니다.

G: 아빠, 이번 토요일에 친구들과 외출해도 될까요?
M: 너희들의 계획이 뭐니?
G: 음, 제가 가장 좋아하는 가수가 올림픽 공원에서 콘서트를 할 예정이에요.
M: 좋아, 하지만 9시까지는 집에 오거라.
G: 그럼요. 콘서트는 8시쯤에 끝날 거예요.

W: 이봐요, 표지판을 보세요!
B: 무슨 표지판이요?
W: 저쪽에 있는 거요. 여기서 꽃을 따면 안 돼요.
B: 아, 미안해요. 전 몰랐어요.

※ 다음 우리말과 일치하도록 빈칸에 알맞은 것을 골라 쓰시오.

1 _____ at this beautiful _____.

    A. painting   B. look

2 It was _____ by the famous Dutch _____ Vincent van Gogh _____ 1889.

    A. in   B. created   C. artist

3 In Van Gogh's _____, almost everyone could _____ up and see a wonderful _____ night sky.

    A. look   B. starry   C. time

4 Now, how _____ of us _____ as lucky _____ Van Gogh?

    A. as   B. are   C. many

5 In _____, many people in today's _____ cannot enjoy a starry night _____.

    A. world   B. sky   C. fact

6 This is so _____ of light _____.

    A. pollution   B. because

7 _____ of us are _____ with air, water, and _____ pollution.

    A. land   B. familiar   C. most

8 We know _____ they are serious _____, and we are taking _____ to solve them.

    A. problems   B. action   C. that

9 But did you _____ that _____ can also _____ pollution?

    A. light   B. cause   C. know

10 _____ pollution—too much light in the _____ place at the wrong time—is almost _____ around the world.

    A. wrong   B. light   C. everywhere

11 It can have serious _____ _____ humans and _____.

    A. wildlife   B. on   C. effects

1 이 아름다운 그림을 보세요.

2 그것은 1889년에 유명한 네덜란드 미술가 빈센트 반 고흐에 의해 만들어졌습니다.

3 반 고흐의 시대에는 거의 모든 사람들이 위를 쳐다보고 멋진 별이 빛나는 밤하늘을 볼 수 있었습니다.

4 이제, 우리들 중 얼마나 많은 사람이 반 고흐만큼 운이 있을까요?

5 사실, 오늘날 세계의 많은 사람들은 별이 빛나는 밤하늘을 즐길 수 없습니다.

6 이것은 빛의 오염 때문에 그렇습니다.

7 우리들 중 대부분은 공기, 물, 토양 오염에 익숙합니다.

8 우리는 그것들이 심각한 문제라는 것을 알고 있으며, 그것들을 해결하기 위해 조치를 취하고 있습니다.

9 하지만 여러분은 빛이 오염도 일으킬 수 있다는 것을 알고 있었나요?

10 빛의 오염—잘못된 시간에 잘못된 장소에서의 너무 많은 빛—은 전 세계의 거의 모든 곳에 있습니다.

11 그것은 인간과 야생동물에게 심각한 영향을 미칠 수 있습니다.

12 According to a recent _____ , about 89% of the world's _____ lives under skies that are not dark _____ at night.

    A. report   B. population   C. enough

13 _____ in big cities, people _____ cannot _____ a starry night.

    A. see   B. especially   C. often

14 They can also _____ from sleep problems _____ the natural rhythm of day and night is _____ by artificial light.

    A. because   B. disturbed   C. suffer

15 Wildlife is _____ by light pollution, _____ .

    A. too   B. threatened

16 Birds that _____ or hunt at night find their way by _____ light, but light in big cities can _____ them to wander off course.

    A. natural   B. cause   C. migrate

17 Every year _____ of birds die after _____ buildings _____ have bright lights.

    A. that   B. hitting   C. millions

18 Sea turtles cannot _____ find a place to lay eggs _____ beaches are too _____ at night.

    A. since   B. easily   C. bright

19 Also, many baby sea turtles _____ because artificial light _____ them away from the _____ .

    A. ocean   B. draws   C. die

20 _____ , light pollution is as _____ as other _____ of pollution.

    A. forms   B. serious   C. clearly

21 We _____ to _____ ways to _____ the problem.

    A. solve   B. find   C. have

22 _____ we do not, we _____ see stars _____ in our dreams or paintings.

    A. may   B. only   C. if

---

12 최근 보고서에 따르면, 세계 인구의 약 89%가 밤에 충분히 어둡지 않은 하늘 아래서 살고 있습니다.

13 특히 대도시에서는 별이 빛나는 밤을 종종 볼 수 없습니다.

14 그들은 또한 인공적인 빛에 의해 낮과 밤의 자연적인 리듬이 방해를 받기 때문에 수면 문제로 고통을 겪을 수도 있습니다.

15 야생동물도 빛의 오염으로 위협받고 있습니다.

16 밤에 이동하거나 사냥하는 새들은 자연광을 통해 길을 찾지만, 대도시의 빛은 길을 벗어나도록 할 수 있습니다.

17 매년 수백만 마리의 새들이 밝은 불빛이 있는 건물에 부딪치고서 죽습니다.

18 바다거북들은 밤에 해변이 너무 밝기 때문에 알을 낳을 장소를 쉽게 찾을 수 없습니다.

19 또한, 많은 아기 바다거북들은 인공 빛이 그들을 바다에서 멀어지게 하기 때문에 죽습니다.

20 분명히, 빛 오염은 다른 형태의 오염만큼이나 심각합니다.

21 우리는 그 문제를 해결할 방법을 찾아야 합니다.

22 만약 우리가 하지 않으면, 우리는 우리의 꿈이나 그림에서만 별을 볼 수 있을지 모릅니다.

※ 다음 우리말과 일치하도록 빈칸에 알맞은 말을 쓰시오.

1 _____ _____ this beautiful _____.

2 It _____ _____ _____ the famous Dutch _____ Vincent van Gogh in 1889.

3 In Van Gogh's _____, almost everyone could _____ _____ and see a _____ _____ _____ _____.

4 Now, how _____ of us are _____ _____ _____ Van Gogh?

5 In _____, many people in today's _____ cannot enjoy a starry night _____.

6 This is so _____ of _____ _____.

7 Most of us _____ _____ _____ air, water, and _____ _____.

8 We know _____ they are serious _____, and we _____ _____ _____ _____ _____ them.

9 But did you _____ that light can also _____ _____?

10 _____ pollution—too much light in the _____ _____ at the _____ _____ almost _____ around the world.

11 It can have _____ _____ _____ humans and _____.

---

1 이 아름다운 그림을 보세요.

2 그것은 1889년에 유명한 네덜란드 미술가 빈센트 반 고흐에 의해 만들어졌습니다.

3 반 고흐의 시대에는 거의 모든 사람들이 위를 쳐다보고 멋진 별이 빛나는 밤하늘을 볼 수 있었습니다.

4 이제, 우리들 중 얼마나 많은 사람이 반 고흐만큼 운이 있을까요?

5 사실, 오늘날 세계의 많은 사람들은 별이 빛나는 밤하늘을 즐길 수 없습니다.

6 이것은 빛의 오염 때문에 그렇습니다.

7 우리들 중 대부분은 공기, 물, 토양 오염에 익숙합니다.

8 우리는 그것들이 심각한 문제라는 것을 알고 있으며, 그것들을 해결하기 위해 조치를 취하고 있습니다.

9 하지만 여러분은 빛이 오염도 일으킬 수 있다는 것을 알고 있었나요?

10 빛의 오염—잘못된 시간에 잘못된 장소에서의 너무 많은 빛—은 전 세계의 거의 모든 곳에 있습니다.

11 그것은 인간과 야생동물에게 심각한 영향을 미칠 수 있습니다.

12 _____ _____ a recent _____, about 89% of the world's _____ lives under skies that are not _____ _____ at night.

13 _____ in big cities, people _____ _____ _____ a starry night.

14 They can also _____ _____ sleep problems _____ the natural rhythm of day and night _____ _____ _____ _____ _____.

15 Wildlife _____ _____ _____ light pollution, _____.

16 Birds that _____ or hunt at night find their way _____ _____ _____, but light in big cities can _____ them to _____ _____ _____.

17 Every year _____ _____ _____ die _____ _____ buildings that have bright lights.

18 Sea turtles cannot _____ find a _____ _____ _____ eggs _____ beaches are too _____ at night.

19 Also, many baby sea turtles _____ because artificial light _____ them _____ _____ the _____.

20 _____, light pollution is as _____ as _____ _____ of pollution.

21 We _____ _____ ways to _____ the problem.

22 _____ we _____ _____, we _____ _____ stars _____ in our dreams or paintings.

12 최근 보고서에 따르면, 세계 인구의 약 89%가 밤에 충분히 어둡지 않은 하늘 아래서 살고 있습니다.

13 특히 대도시에서는 별이 빛나는 밤을 종종 볼 수 없습니다.

14 그들은 또한 인공적인 빛에 의해 낮과 밤의 자연적인 리듬이 방해를 받기 때문에 수면 문제로 고통을 겪을 수도 있습니다.

15 야생동물도 빛의 오염으로 위협받고 있습니다.

16 밤에 이동하거나 사냥하는 새들은 자연광을 통해 길을 찾지만, 대도시의 빛은 길을 벗어나도록 할 수 있습니다.

17 매년 수백만 마리의 새들이 밝은 불빛이 있는 건물에 부딪치고서 죽습니다.

18 바다거북들은 밤에 해변이 너무 밝기 때문에 알을 낳을 장소를 쉽게 찾을 수 없습니다.

19 또한, 많은 아기 바다거북들은 인공 빛이 그들을 바다에서 멀어지게 하기 때문에 죽습니다.

20 분명히, 빛 오염은 다른 형태의 오염만큼이나 심각합니다.

21 우리는 그 문제를 해결할 방법을 찾아야 합니다.

22 만약 우리가 하지 않으면, 우리는 우리의 꿈이나 그림에서만 별을 볼 수 있을지 모릅니다.

※ 다음 문장을 우리말로 쓰시오.

1 Look at this beautiful painting.

➡ _____

2 It was created by the famous Dutch artist Vincent van Gogh in 1889.

➡ _____

3 In Van Gogh's time, almost everyone could look up and see a wonderful starry night sky.

➡ _____

4 Now, how many of us are as lucky as Van Gogh?

➡ _____

5 In fact, many people in today's world cannot enjoy a starry night sky.

➡ _____

6 This is so because of light pollution.

➡ _____

7 Most of us are familiar with air, water, and land pollution.

➡ _____

8 We know that they are serious problems, and we are taking action to solve them.

➡ _____

9 But did you know that light can also cause pollution?

➡ _____

10 Light pollution—too much light in the wrong place at the wrong time—is almost everywhere around the world.

➡ _____

11 It can have serious effects on humans and wildlife.

➡ _____

12 According to a recent report, about 89% of the world's population lives under skies that are not dark enough at night.

➡ _____

13 Especially in big cities, people often cannot see a starry night.

➡ _____

14 They can also suffer from sleep problems because the natural rhythm of day and night is disturbed by artificial light.

➡ _____

15 Wildlife is threatened by light pollution, too.

➡ _____

16 Birds that migrate or hunt at night find their way by natural light, but light in big cities can cause them to wander off course.

➡ _____

17 Every year millions of birds die after hitting buildings that have bright lights.

➡ _____

18 Sea turtles cannot easily find a place to lay eggs since beaches are too bright at night.

➡ _____

19 Also, many baby sea turtles die because artificial light draws them away from the ocean.

➡ _____

20 Clearly, light pollution is as serious as other forms of pollution.

➡ _____

21 We have to find ways to solve the problem.

➡ _____

22 If we do not, we may see stars only in our dreams or paintings.

➡ _____

※ 다음 괄호 안의 단어들을 우리말에 맞도록 바르게 배열하시오.

1 (painting. / look / this / at / beautiful)

➡ _____

2 (by / was / Dutch / it / created / famous / the / Vincent / artist / 1889. / Gogh / in / van)

➡ _____

3 (time, / in / Van / Gogh's / everyone / could / almost / up / look / and / wonderful / sky. / a / see / night / starry)

➡ _____
_____

4 (now, / of / how / many / us / as / are / Van / Gogh? / as / lucky)

➡ _____

5 (fact, / in / people / world / many / in / today's / a / cannot / sky. / night / enjoy / starry)

➡ _____

6 (is / because / pollution. / this / light / so / of)

➡ _____

7 (of / most / us / with / are / familiar / air, / pollution. / land / and / water,)

➡ _____

8 (know / they / we / that / are / problems, / serious / and / taking / to / we / action / them. / are / solve)

➡ _____
_____

9 (but / you / know / did / can / light / that / pollution? / also / cause)

➡ _____

10 (pollution / light / — / much / too / place / light / the / in / wrong / at / time / wrong / the / — / around / everywhere / is / the / almost / world.)

➡ _____
_____

11 (it / serious / have / can / effects / humans / on / wildlife. / and)

➡ _____

1 이 아름다운 그림을 보세요.

2 그것은 1889년에 유명한 네덜란드 미술가 빈센트 반 고흐에 의해 만들어졌습니다.

3 반 고흐의 시대에는 거의 모든 사람들이 위를 쳐다보고 멋진 별이 빛나는 밤하늘을 볼 수 있었습니다.

4 이제, 우리들 중 얼마나 많은 사람이 반 고흐만큼 운이 있을까요?

5 사실, 오늘날 세계의 많은 사람들은 별이 빛나는 밤하늘을 즐길 수 없습니다.

6 이것은 빛의 오염 때문에 그렇습니다.

7 우리들 중 대부분은 공기, 물, 토양 오염에 익숙합니다.

8 우리는 그것들이 심각한 문제라는 것을 알고 있으며, 그것들을 해결하기 위해 조치를 취하고 있습니다.

9 하지만 여러분은 빛이 오염도 일으킬 수 있다는 것을 알고 있었나요?

10 빛의 오염—잘못된 시간에 잘못된 장소에서의 너무 많은 빛—은 전 세계의 거의 모든 곳에 있습니다.

11 그것은 인간과 야생동물에게 심각한 영향을 미칠 수 있습니다.

12 (a / report, / to / according / recent / of / world's / the / 89% / about / under / population / skies / lives / that / at / dark / night. / not / are / enough)

➡ _____

_____

13 (in / cities, / especially / big / people / cannot / a / often / night. / starry / see)

➡ _____

14 (they / also / from / can / suffer / problems / sleep / because / rhythm / the / of / natural / day / is / night / and / light. / by / artificial / disturbed)

➡ _____

_____

15 (is / wildlife / light / threatened / too. / pollution, / by)

➡ _____

16 (that / birds / hunt / or / migrate / night / at / their / find / way / light, / natural / by / but / in / light / can / cities / big / wander / cause / to / them / course. / off)

➡ _____

_____

17 (year / birds / every / of / die / millions / hitting / after / have / buildings / lights. / that / bright)

➡ _____

18 (cannot / turtles / sea / find / easily / a / lay / place / eggs / to / since / are / beaches / too / night. / bright / at)

➡ _____

_____

19 (many / also, / baby / die / turtles / sea / artificial / because / draws / light / away / from / them / ocean. / the)

➡ _____

_____

20 (pollution / clearly, / is / light / as / other / serious / of / as / pollution. / forms)

➡ _____

21 (we / find / have / to / ways / problem. / the / solve / to)

➡ _____

22 (do / if / not, / we / may / stars / see / only / we / our / in / paintings. / or / dreams)

➡ _____

12 최근 보고서에 따르면, 세계 인구의 약 89%가 밤에 충분히 어둡지 않은 하늘 아래서 살고 있습니다.

13 특히 대도시에서는 별이 빛나는 밤을 종종 볼 수 없습니다.

14 그들은 또한 인공적인 빛에 의해 낮과 밤의 자연적인 리듬이 방해를 받기 때문에 수면 문제로 고통을 겪을 수도 있습니다.

15 야생동물도 빛의 오염으로 위협받고 있습니다.

16 밤에 이동하거나 사냥하는 새들은 자연광을 통해 길을 찾지만, 대도시의 빛은 길을 벗어나도록 할 수 있습니다.

17 매년 수백만 마리의 새들이 밝은 불빛이 있는 건물에 부딪치고서 죽습니다.

18 바다거북들은 밤에 해변이 너무 밝기 때문에 알을 낳을 장소를 쉽게 찾을 수 없습니다.

19 또한, 많은 아기 바다거북들은 인공 빛이 그들을 바다에서 멀어지게 하기 때문에 죽습니다.

20 분명히, 빛 오염은 다른 형태의 오염만큼이나 심각합니다.

21 우리는 그 문제를 해결할 방법을 찾아야 합니다.

22 만약 우리가 하지 않으면, 우리는 우리의 꿈이나 그림에서만 별을 볼 수 있을지 모릅니다.

※ 다음 우리말을 영어로 쓰시오.

1 이 아름다운 그림을 보세요.

➡ _____

2 그것은 1889년에 유명한 네덜란드 미술가 빈센트 반 고흐에 의해 만들어졌습니다.

➡ _____

3 반 고흐의 시대에는 거의 모든 사람들이 위를 쳐다보고 멋진 별이 빛나는 밤하늘을 볼 수 있었습니다.

➡ _____

4 이제, 우리들 중 얼마나 많은 사람이 반·고흐만큼 운이 있을까요?

➡ _____

5 사실, 오늘날 세계의 많은 사람들은 별이 빛나는 밤하늘을 즐길 수 없습니다.

➡ _____

6 이것은 빛의 오염 때문에 그렇습니다.

➡ _____

7 우리 대부분은 공기, 물, 토양 오염에 익숙합니다.

➡ _____

8 우리는 그것들이 심각한 문제라는 것을 알고 있으며, 그것들을 해결하기 위해 조치를 취하고 있습니다.

➡ _____

9 하지만 여러분은 빛이 오염도 일으킬 수 있다는 것을 알고 있었나요?

➡ _____

10 빛의 오염―잘못된 시간에 잘못된 장소에서의 너무 많은 빛―은 전 세계의 거의 모든 곳에 있습니다.

➡ _____

_____

11 그것은 인간과 야생동물에게 심각한 영향을 미칠 수 있습니다.

➡ _____

12 최근 보고서에 따르면, 세계 인구의 약 89%가 밤에 충분히 어둡지 않은 하늘 아래서 살고 있습니다.

➡ _____

_____

13 특히 대도시에서는 별이 빛나는 밤을 종종 볼 수 없습니다.

➡ _____

14 그들은 또한 인공적인 빛에 의해 낮과 밤의 자연적인 리듬이 방해를 받기 때문에 수면 문제로 고통을 겪을 수도 있습니다.

➡ _____

_____

15 야생동물도 빛의 오염으로 위협받고 있습니다.

➡ _____

16 밤에 이동하거나 사냥하는 새들은 자연광을 통해 길을 찾지만, 대도시의 빛은 길을 벗어나도록 할 수 있습니다.

➡ _____

_____

17 매년 수백만 마리의 새들이 밝은 불빛이 있는 건물에 부딪치고서 죽습니다.

➡ _____

18 바다거북들은 밤에 해변이 너무 밝기 때문에 알을 낳을 장소를 쉽게 찾을 수 없습니다.

➡ _____

19 또한, 많은 아기 바다거북들은 인공 빛이 그들을 바다에서 멀어지게 하기 때문에 죽습니다.

➡ _____

20 분명히, 빛 오염은 다른 형태의 오염만큼이나 심각합니다.

➡ _____

21 우리는 그 문제를 해결할 방법을 찾아야 합니다.

➡ _____

22 만약 우리가 하지 않으면, 우리는 우리의 꿈이나 그림에서만 별을 볼 수 있을지 모릅니다.

➡ _____

※ 다음 우리말과 일치하도록 빈칸에 알맞은 말을 쓰시오.

My Writing Portfolio - Step 1

1. _____ penguin

2. _____ : _____ Africa

3. Food: _____

4. _____ : grows _____ _____ _____ 60-70 cm

5. _____ _____ : 10-30 years

6. Why are they _____ _____ ?

7. Sometimes they _____ _____ _____ _____ .

8. Also, people _____ too many _____ , and African penguins _____ _____ _____ food.

1. 아프리카 펭귄
2. 서식지: 남아프리카
3. 먹이: 생선
4. 크기: 60~70센티미터까지 자란다
5. 수명: 10~30년
6. 왜 그들은 위험에 처해 있는가?
7. 때때로 그들은 해양 오염으로 고통을 받는다.
8. 또한, 사람들이 너무 많은 물고기를 잡아서 아프리카 펭귄들은 충분한 먹이가 없다.

Have Fun Together

1. Excuse me. You're _____ _____ _____ make a fire and cook here.

2. In this park, you _____ _____ wild animals.

3. They can _____ _____ , you know.

4. Please _____ _____ the sign.

5. It says you're _____ _____ _____ _____ the birds.

6. Will you please _____ your _____ _____ ?

7. You _____ _____ it in the mountains.

8. That's the _____ here.

9. Excuse me. You're not _____ _____ _____ flowers _____ fruits.

10. I understand _____ hot, _____ swimming _____ _____ _____ this national park.

11. Will you _____ _____ the volume please?

12. You're not _____ _____ _____ music _____ .

13. Excuse me. You're _____ _____ _____ _____ here.

1. 실례합니다. 여기서 불을 피우고 요리하면 안 돼요.
2. 이 공원에서는 야생 동물들에게 먹이를 주면 안 돼요.
3. 여러분도 알다시피, 그들은 아플 수 있어요.
4. 표지판을 보세요.
5. 새들을 만지면 안 된다고 쓰여 있어요.
6. 쓰레기 좀 집에 가져가 줄래요?
7. 산에 버려두면 안 돼요.
8. 그게 바로 여기 규칙이에요.
9. 실례합니다. 꽃이나 과일을 따면 안 돼요.
10. 더운 건 알지만, 이 국립공원에서는 수영이 허용되지 않아요.
11. 소리 좀 줄여주시겠어요?
12 음악을 크게 틀면 안 돼요.
13 실례합니다. 여기서 낚시하면 안 돼요.

※ 다음 우리말을 영어로 쓰시오.

My Writing Portfolio - Step 1

1. 아프리카 펭귄
   ➡ _____

2. 서식지: 남아프리카
   ➡ _____

3. 먹이: 생선
   ➡ _____

4. 크기: 60~70센티미터까지 자란다
   ➡ _____

5. 수명: 10~30년
   ➡ _____

6. 왜 그들은 위험에 처해 있는가?
   ➡ _____

7. 때때로 그들은 해양 오염으로 고통을 받는다.
   ➡ _____

8. 또한, 사람들이 너무 많은 물고기를 잡아서 아프리카 펭귄들은 충분한 먹이가 없다.
   ➡ _____

Have Fun Together

1. 실례합니다. 여기서 불을 피우고 요리하면 안 돼요.
   ➡ _____

2. 이 공원에서는 야생 동물들에게 먹이를 주면 안 돼요.
   ➡ _____

3. 여러분도 알다시피, 그들은 아플 수 있어요.
   ➡ _____

4. 표지판을 보세요.
   ➡ _____

5. 새들을 만지면 안 된다고 쓰여 있어요.
   ➡ _____

6. 쓰레기 좀 집에 가져가 줄래요?
   ➡ _____

7. 산에 버려두면 안 돼요.
   ➡ _____

8. 그게 바로 여기 규칙이에요.
   ➡ _____

9. 실례합니다. 꽃이나 과일을 따면 안 돼요.
   ➡ _____

10. 더운 건 알지만, 이 국립공원에서는 수영이 허용되지 않아요.
    ➡ _____

11. 소리 좀 줄여주시겠어요?
    ➡ _____

12. 음악을 크게 틀면 안 돼요.
    ➡ _____

13. 실례합니다. 여기서 낚시하면 안 돼요.
    ➡ _____

※ 다음 영어를 우리말로 쓰시오.

01 professor _____

02 buy _____

03 call _____

04 continue _____

05 allow _____

06 because _____

07 surprised _____

08 cost _____

09 different _____

10 proudly _____

11 dish _____

12 early _____

13 clock _____

14 comic book _____

15 everything _____

16 plan _____

17 excuse _____

18 explain _____

19 wall _____

20 flat _____

21 global warming _____

22 hit _____

23 university _____

24 invite _____

25 jump rope _____

26 crazy _____

27 decide _____

28 suddenly _____

29 loud _____

30 special _____

31 shout _____

32 metal _____

33 owner _____

34 reply _____

35 respond _____

36 a piece of cake _____

37 be late for _____

38 be proud of _____

39 on the other side of _____

40 come back _____

41 get up late _____

42 take a test _____

43 laugh out loud _____

※ 다음 우리말을 영어로 쓰시오.

01 사다 _____

02 ~라고 부르다 _____

03 놀란 _____

04 교수 _____

05 값비싼 _____

06 대답(응답)하다 _____

07 초대하다 _____

08 줄넘기하다 _____

09 벽 _____

10 자랑스럽게 _____

11 일찍 _____

12 다른 _____

13 계속하다 _____

14 허락하다 _____

15 바람이 빠진, 펑크 난 _____

16 대답하다 _____

17 특별한 _____

18 지구 온난화 _____

19 금속 _____

20 모든 것 _____

21 대학 _____

22 점수 _____

23 소리, 소음 _____

24 미친, 정신이상인 _____

25 결정하다 _____

26 갑자기 _____

27 설명하다 _____

28 주인 _____

29 시끄러운 _____

30 외치다, 소리치다 _____

31 구석, 모퉁이 _____

32 변명, 핑계 거리 _____

33 치다, 때리다 _____

34 (값·비용이) ~이다[들다] _____

35 큰 소리로 웃다 _____

36 자다, 취침하다 _____

37 ~을 자랑으로 여기다 _____

38 ~의 반대편에(는) _____

39 돌아오다 _____

40 늦잠을 자다 _____

41 토요일에 _____

42 ~에 늦다 _____

43 시험을 보다 _____

※ 다음 영영풀이에 알맞은 단어를 <보기>에서 골라 쓴 후, 우리말 뜻을 쓰시오.

1 _____ : not having enough air: _____

2 _____ : costing a lot of money: _____

3 _____ : a loud or unpleasant sound: _____

4 _____ : to say something very loudly: _____

5 _____ : unable to think in a clear or sensible way: _____

6 _____ : a person or group that owns something: _____

7 _____ : to do something without stopping: _____

8 _____ : a shallow container that you cook or serve food in: _____

9 _____ : very quickly in usually an unexpected way: _____

10 _____ : to have an amount of money as a price: _____

11 _____ : to make something clear or easy to understand: _____

12 _____ : to ask someone to come to a party, wedding, meal, etc.: _____

13 _____ : a teacher especially of the highest rank at a college or university:
      _____

14 _____ : a reason that you give to explain a mistake, bad behavior, etc.: _____

15 _____ : to say or write something as an answer to a question or request: _____

16 _____ : an institution at the highest level of education where you can study for a
      degree or do research: _____

보기			
explain	cost	excuse	professor
invite	crazy	respond	flat
expensive	dish	continue	owner
noise	suddenly	shout	university

※ 다음 우리말과 일치하도록 빈칸에 알맞은 것을 골라 쓰시오.

1 A ________ That ________
A. Talks B. Clock

2 Dean ________ his friends ________ his room ________ evening.
A. to B. one C. invited

3 He was ________ of everything ________ his room: a nice bed, many ________ books, and a new computer.
A. comic B. proud C. in

4 ________ the corner, he also ________ a very big metal ________.
A. dish B. in C. had

5 A friend ________, "________ that big dish?"
A. what's B. asked

6 "Oh, that's my ________ clock. It ________." Dean replied ________.
A. talks B. proudly C. special

7 "________ you ________ the dish, you'll know the ________."
A. hit B. time C. if

8 Then he ________ the dish ________ his hand.
A. with B. hit

9 It ________ a really ________ noise.
A. loud B. made

10 Suddenly, his sister who was ________ the other side of the wall ________, "Are you ________?"
A. crazy B. on C. shouted

11 ________ eleven o'clock ________ night. Time to go to ________!"
A. bed B. it's C. at

12 A ________ ________
A. Tire B. Flat

13 Jessie and Nicole are ________ ________.
A. friends B. university

14 They visited Jessie's grandma ________ Florida ________ Saturday.
A. on B. in

15 They planned to come ________ early on Monday ________ they ________ a big test that afternoon.
A. had B. because C. back

16 But they ________ up ________ and could not ________ it to the test.
A. make B. late C. got

17 They needed a good excuse for ________ late, so they ________ to tell the professor that their car ________ a flat tire.
A. decided B. got C. being

1 말하는 시계
2 어느 날 저녁 Dean은 친구들을 자기 방으로 초대했다.
3 그는 방에 있는 모든 것 즉, 멋진 침대, 많은 만화책들, 그리고 새 컴퓨터를 자랑스러워했다.
4 구석에 그는 커다란 금속 접시도 가지고 있었다.
5 한 친구가 "저 큰 접시는 뭐니?"라고 물었다.
6 "아, 저건 내 특별한 시계야. 그건 말을 해." Dean이 자랑스럽게 대답했다.
7 "접시를 치면, 시간을 알게 될 거야."
8 그러고 나서 그는 손으로 접시를 쳤다.
9 그것은 정말 큰 소리를 냈다.
10 갑자기 벽 반대편에 있던 그의 누나가 소리쳤다. "너 미쳤니?"
11 밤 11시야. 잘 시간이야!"
12 펑크 난 타이어
13 Jessie와 Nicole은 대학 친구이다.
14 그들은 토요일에 플로리다에 계시는 Jessie의 할머니를 방문했다.
15 그들은 월요일 오후에 큰 시험이 있기 때문에 그날 일찍 돌아올 계획이었다.
16 하지만 그들은 늦게 일어나서 시험에 맞춰 올 수 없었다.
17 그들은 지각한 것에 대한 좋은 핑계 거리가 필요해서 교수에게 차의 타이어에 펑크가 났다고 말하기로 결정했다.

18 The professor agreed _____ it was just bad luck and _____ them _____ take the test on Wednesday.
  A. allowed   B. to   C. that

19 _____ they came to _____ the test on Wednesday morning, the professor _____ Jessie and Nicole in different rooms.
  A. put   B. when   C. take

20 _____ they sat _____, they read the _____ question.
  A. down   B. as   C. first

21 For 5 points, explain _____ _____.
  A. warming   B. global

22 It was a _____ of _____ to them. Then, the test _____.
  A. continued   B. cake   C. piece

23 For 95 _____, _____ the question:
  A. answer   B. points

24 _____ _____?
  A. tire   B. which

25 A _____ _____
  A. parrot   B. special

26 _____ day Abril went to a pet shop _____ _____ a parrot.
  A. to   B. buy   C. one

27 "_____ _____ is this blue _____?" she asked.
  A. much   B. one   C. how

28 "It _____ $2,000," said the _____ _____ owner.
  A. shop   B. costs   C. pet

29 "_____ is it so _____?" asked Abril.
  A. expensive   B. why

30 "This parrot is a very _____ _____. It can _____ the piano!"
  A. one   B. play   C. special

31 "What _____ the green _____?" she asked.
  A. one   B. about

32 "It _____ $5,000 _____ it can play the piano, paint pictures, and _____ rope."
  A. because   B. jump   C. costs

33 "Then what _____ the red _____?" Abril _____.
  A. asked   B. one   C. about

34 The owner _____ that it _____ $10,000.
  A. costs   B. responded

35 She was _____ and _____, "What does it do?"
  A. asked   B. surprised

36 "I don't know," _____ the owner, "but the _____ two birds _____ it 'teacher.'"
  A. call   B. other   C. said

18 교수는 그것이 단지 불운이라는 것에 동의했고 수요일에 그들이 시험을 볼 수 있도록 허락했다.

19 수요일 아침에 그들이 시험을 보러 왔을 때, 교수는 Jessie와 Nicole을 다른 방에 들어가게 했다.

20 그들은 앉아서 첫 번째 문제를 읽었다.

21 5점짜리, 지구 온난화를 설명하시오.

22 그것은 그들에게 식은 죽 먹기였다. 그러고 나서, 시험은 계속되었다.

23 95점짜리, 질문에 답하시오.

24 어느 타이어였는가?

25 특별한 앵무새

26 어느 날 Abril은 앵무새를 사러 애완동물 가게에 갔다.

27 "이 파란 앵무새는 얼마죠?" 그녀가 물었다.

28 "이것은 2,000달러예요." 애완 동물 가게 주인이 말했다.

29 "왜 그렇게 비싸죠?" Abril이 물었다.

30 "이것은 아주 특별한 앵무새입니다. 피아노를 칠 수 있어요!"

31 "초록색 앵무새는요?" 그녀가 물었다.

32 "이것은 피아노를 치고, 그림을 그리고, 줄넘기를 할 수 있기 때문에 5,000달러입니다."

33 "그럼 빨간 앵무새는요?" Abril이 물었다.

34 주인은 10,000달러라고 대답했다.

35 그녀는 놀라서 물었다. "그것은 뭘 할 수 있죠?"

36 "모르겠어요, 하지만 다른 두 새들이 그것을 '선생님'이라고 불러요."라고 주인이 말했다.

※ 다음 우리말과 일치하도록 빈칸에 알맞은 말을 쓰시오.

1 A _____ That _____

2 Dean _____ his friends _____ his room _____ _____.

3 He _____ _____ _____ everything _____ his room: a nice bed, many _____ _____, and a _____ _____.

4 _____ the corner, he also _____ a very big _____ _____.

5 A friend _____, " _____ that _____ _____?"

6 "Oh, that's my _____ clock. It _____." Dean replied _____.

7 " _____ you _____ the dish, you'll know _____ _____."

8 Then he _____ the dish _____ _____ _____.

9 It _____ a really _____ _____.

10 _____, his sister who was _____ _____ _____ _____ the wall _____, " _____ you _____?"

11 _____ eleven o'clock _____ night. _____ _____ _____ _____ _____!"

12 A _____ _____

13 Jessie and Nicole _____ _____ _____.

14 They _____ Jessie's grandma _____ Florida _____ _____.

15 They planned to _____ _____ _____ on Monday _____ they had a _____ _____ that afternoon.

16 But they _____ _____ _____ and could not _____ _____ _____ the test.

17 They needed a good excuse _____ _____ _____, so they _____ _____ _____ the professor that their car _____ a _____ _____.

1 말하는 시계

2 어느 날 저녁 Dean은 친구들을 자기 방으로 초대했다.

3 그는 방에 있는 모든 것 즉, 멋진 침대, 많은 만화책들, 그리고 새 컴퓨터를 자랑스러워했다.

4 구석에 그는 커다란 금속 접시도 가지고 있었다.

5 한 친구가 "저 큰 접시는 뭐니?"라고 물었다.

6 "아, 저건 내 특별한 시계야. 그건 말을 해." Dean이 자랑스럽게 대답했다.

7 "접시를 치면, 시간을 알게 될 거야."

8 그러고 나서 그는 손으로 접시를 쳤다.

9 그것은 정말 큰 소리를 냈다.

10 갑자기 벽 반대편에 있던 그의 누나가 소리쳤다. "너 미쳤니?"

11 밤 11시야. 잘 시간이야!"

12 펑크 난 타이어

13 Jessie와 Nicole은 대학 친구이다.

14 그들은 토요일에 플로리다에 계시는 Jessie의 할머니를 방문했다.

15 그들은 월요일 오후에 큰 시험이 있기 때문에 그날 일찍 돌아올 계획이었다.

16 하지만 그들은 늦게 일어나서 시험에 맞춰 올 수 없었다.

17 그들은 지각한 것에 대한 좋은 핑계 거리가 필요해서 교수에게 차의 타이어에 펑크가 났다고 말하기로 결정했다.

18 The professor _____ _____ it was just _____ _____ and _____ them _____ _____ the test on Wednesday.

19 _____ they _____ _____ _____ the test _____ Wednesday morning, the professor _____ Jessie and Nicole in _____ _____.

20 _____ they _____ _____, they read the first question.

21 For 5 points, _____ _____ _____.

22 It was _____ _____ _____ _____ _____ to them. Then, the test _____.

23 For 95 points, _____ the question:

24 _____ tire?

25 A _____ Parrot

26 _____ _____ Abril _____ a pet shop _____ _____ a parrot.

27 "_____ _____ is this blue _____?" she _____.

28 "It _____ $2,000," said the _____ _____ _____.

29 "_____ is it _____ _____?" asked Abril.

30 "This parrot is a very _____ _____. It can _____ _____ _____!"

31 "_____ _____ the green one?" she asked.

32 "It costs $5,000 _____ it _____ _____ the piano, _____ pictures, and _____ _____."

33 "Then _____ _____ the red one?" Abril asked.

34 The owner _____ that it _____ $10,000.

35 She was _____ and asked, "What _____ it _____?"

36 "I don't know," _____ the owner, "but the _____ _____ _____ _____ it 'teacher.'"

18 교수는 그것이 단지 불운이라는 것에 동의했고 수요일에 그들이 시험을 볼 수 있도록 허락했다.

19 수요일 아침에 그들이 시험을 보러 왔을 때, 교수는 Jessie와 Nicole을 다른 방에 들어가게 했다.

20 그들은 앉아서 첫 번째 문제를 읽었다.

21 5점짜리, 지구 온난화를 설명하시오.

22 그것은 그들에게 식은 죽 먹기였다. 그리고 나서, 시험은 계속되었다.

23 95점짜리, 질문에 답하시오.

24 어느 타이어였는가?

25 특별한 앵무새

26 어느 날 Abril은 앵무새를 사러 애완동물 가게에 갔다.

27 "이 파란 앵무새는 얼마죠?" 그녀가 물었다.

28 "이것은 2,000달러예요," 애완동물 가게 주인이 말했다.

29 "왜 그렇게 비싸죠?" Abril이 물었다.

30 "이것은 아주 특별한 앵무새입니다. 피아노를 칠 수 있어요!"

31 "초록색 앵무새는요?" 그녀가 물었다.

32 "이것은 피아노를 치고, 그림을 그리고, 줄넘기를 할 수 있기 때문에 5,000달러입니다."

33 "그럼 빨간 앵무새는요?" Abril이 물었다.

34 주인은 10,000달러라고 대답했다.

35 그녀는 놀라서 물었다. "그것은 뭘 할 수 있죠?"

36 "모르겠어요, 하지만 다른 두 새들이 그것을 '선생님'이라고 불러요."라고 주인이 말했다.

※ 다음 문장을 우리말로 쓰시오.

1 A Clock That Talks
➡ _____

2 Dean invited his friends to his room one evening.
➡ _____

3 He was proud of everything in his room: a nice bed, many comic books, and a new computer.
➡ _____

4 In the corner, he also had a very big metal dish.
➡ _____

5 A friend asked, "What's that big dish?"
➡ _____

6 "Oh, that's my special clock. It talks," Dean replied proudly.
➡ _____

7 "If you hit the dish, you'll know the time."
➡ _____

8 Then he hit the dish with his hand.
➡ _____

9 It made a really loud noise.
➡ _____

10 Suddenly, his sister who was on the other side of the wall shouted, "Are you crazy?
➡ _____

11 It's eleven o'clock at night. Time to go to bed!"
➡ _____

12 A Flat Tire
➡ _____

13 Jessie and Nicole are university friends.
➡ _____

14 They visited Jessie's grandma in Florida on Saturday.
➡ _____

15 They planned to come back early on Monday because they had a big test that afternoon.
➡ _____

16 But they got up late and could not make it to the test.
➡ _____

17 They needed a good excuse for being late, so they decided to tell the professor that their car got a flat tire.
➡ _____

18 The professor agreed that it was just bad luck and allowed them to take the test on Wednesday.
➡ _____

19 When they came to take the test on Wednesday morning, the professor put Jessie and Nicole in different rooms.
➡ _____

20 As they sat down, they read the first question.
➡ _____

21 For 5 points, explain global warming.
➡ _____

22 It was a piece of cake to them. Then, the test continued.
➡ _____

23 For 95 points, answer the question.
➡ _____

24 Which tire?
➡ _____

25 A Special Parrot
➡ _____

26 One day Abril went to a pet shop to buy a parrot.
➡ _____

27 "How much is this blue one?" she asked.
➡ _____

28 "It costs $2,000," said the pet shop owner.
➡ _____

29 "Why is it so expensive?" asked Abril.
➡ _____

30 "This parrot is a very special one. It can play the piano!"
➡ _____

31 "What about the green one?" she asked.
➡ _____

32 "It costs $5,000 because it can play the piano, paint pictures, and jump rope."
➡ _____

33 "Then what about the red one?" Abril asked.
➡ _____

34 The owner responded that it costs $10,000.
➡ _____

35 She was surprised and asked, "What does it do?"
➡ _____

36 "I don't know," said the owner, "but the other two birds call it 'teacher.'"
➡ _____

※ 다음 괄호 안의 단어들을 우리말에 맞도록 바르게 배열하시오.

1 (That / A / Talks / Clock)
➡ _____

2 (Dean / his / invited / friends / room / his / to / evening. / one)
➡ _____

3 (was / everything / of / he / in / proud / room: / his / bed, / nice / a / books, / many / comic / and / computer. / new / a)
➡ _____
_____

4 (the / corner, / in / also / he / a / had / metal / big / dish. / very)
➡ _____

5 (asked, / friend / a / "what's / dish?" / big / that)
➡ _____

6 ("oh, / my / clock. / that's / special // talks, / it / proudly. / replied / Dean)
➡ _____

7 ("if / hit / dish, / you / the / you'll / time." / the / know)
➡ _____

8 (he / the / then / dish / hit / hand. / his / with)
➡ _____

9 (a / noise. / made / it / loud / really)
➡ _____

10 (suddenly, / who / sister / on / was / his / other / the / side / of / shouted, / wall / the / crazy? / you / "are)
➡ _____
_____

11 (eleven / at / it's / night. / o'clock // go / bed!" / to / to / time)
➡ _____

12 (Tire / Flat / a)
➡ _____

13 (and / Nicole / university / Jessie / friends. / are)
➡ _____

14 (Jessie's / visited / grandma / Florida / in / they / Saturday. / on)
➡ _____

15 (they / come / to / planned / early / back / Monday / on / they / because / big / a / had / afternoon. / that / test)
➡ _____
_____

16 (but / up / they / got / late / and / could / it / make / not / test. / the / to)
➡ _____

17 (needed / excuse / they / good / a / late, / being / for / so / they / tell / decided / to / professor / the / their / tire. / a / car / flat / got)
➡ _____
_____

1 말하는 시계

2 어느 날 저녁 Dean은 친구들을 자기 방으로 초대했다.

3 그는 방에 있는 모든 것 즉, 멋진 침대, 많은 만화책들, 그리고 새 컴퓨터를 자랑스러워했다.

4 구석에 그는 커다란 금속 접시도 가지고 있었다.

5 한 친구가 "저 큰 접시는 뭐니?"라고 물었다.

6 "아, 저건 내 특별한 시계야. 그건 말을 해." Dean이 자랑스럽게 대답했다.

7 "접시를 치면, 시간을 알게 될 거야."

8 그러고 나서 그는 손으로 접시를 쳤다.

9 그것은 정말 큰 소리를 냈다.

10 갑자기 벽 반대편에 있던 그의 누나가 소리쳤다. "너 미쳤니?"

11 밤 11시야. 잘 시간이야!"

12 펑크 난 타이어

13 Jessie와 Nicole은 대학 친구이다.

14 그들은 토요일에 플로리다에 계시는 Jessie의 할머니를 방문했다.

15 그들은 월요일 오후에 큰 시험이 있기 때문에 그날 일찍 돌아올 계획이었다.

16 하지만 그들은 늦게 일어나서 시험에 맞춰 올 수 없었다.

17 그들은 지각한 것에 대한 좋은 핑계 거리가 필요해서 교수에게 차의 타이어에 펑크가 났다고 말하기로 결정했다.

18 (professor / that / the / agreed / was / it / luck / just / bad / and / them / to / allowed / the / take / test / Wednesday. / on)
➡ _____

19 (they / when / take / to / came / test / the / Wednesday / on / morning, / professor / the / and / put / Nicole / in / Jessie / rooms. / different)
➡ _____

20 (they / sat / as / down, / read / they / the / question. / first)
➡ _____

21 (points / 5 / for / warming. / global / explain)
➡ _____

22 (was / it / cake / of / a / piece / them. / to // the / continued. / then, / test)
➡ _____

23 (for / points, / 95 / question. / the / answer)
➡ _____

24 (tire? / which)
➡ _____

25 (Parrot / a / Special)
➡ _____

26 (Abril / day / went / one / a / to / shop / pet / to / parrot. / a / buy)
➡ _____

27 (much / "how / blue / is / this / one?" / asked. / she)
➡ _____

28 ($2,000," / costs / "it / the / owner. / shop / said / pet)
➡ _____

29 (expensive?" / it / is / so "why / Abril. / asked)
➡ _____

30 (is / parrot / "this / very / a / one. / special // the / can / piano!" / it / play)
➡ _____

31 (the / one?" / about / "what / green / asked. / she)
➡ _____

32 (costs / $5,000 / "it / because / can / it / the / play / piano, / and / jump / paint / rope." / pictures,)
➡ _____

33 ("then / about / the / what / one?" / red / asked. / Abril)
➡ _____

34 (owner / the / responded / it / that / $10,000. / costs)
➡ _____

35 (was / she / asked, / and / surprised / does / "what / do?" / it)
➡ _____

36 (don't / I / know," / owner, / said / the / "but / the / two / other / call / birds / 'teacher.'" / it)
➡ _____

---

18 교수는 그것이 단지 불운이라는 것에 동의했고 수요일에 그들이 시험을 볼 수 있도록 허락했다.

19 수요일 아침에 그들이 시험을 보러 왔을 때, 교수는 Jessie와 Nicole을 다른 방에 들어가게 했다.

20 그들은 앉아서 첫 번째 문제를 읽었다.

21 5점짜리, 지구 온난화를 설명하시오.

22 그것은 그들에게 식은 죽 먹기였다. 그러고 나서, 시험은 계속되었다.

23 95점짜리, 질문에 답하시오.

24 어느 타이어였는가?

25 특별한 앵무새

26 어느 날 Abril은 앵무새를 사러 애완동물 가게에 갔다.

27 "이 파란 앵무새는 얼마죠?" 그녀가 물었다.

28 "이것은 2,000달러예요," 애완동물 가게 주인이 말했다.

29 "왜 그렇게 비싸죠?" Abril이 물었다.

30 "이것은 아주 특별한 앵무새입니다. 피아노를 칠 수 있어요!"

31 "초록색 앵무새는요?" 그녀가 물었다.

32 "이것은 피아노를 치고, 그림을 그리고, 줄넘기를 할 수 있기 때문에 5,000달러입니다."

33 "그럼 빨간 앵무새는요?" Abril이 물었다.

34 주인은 10,000달러라고 대답했다.

35 그녀는 놀라서 물었다. "그것은 뭘 할 수 있죠?"

36 "모르겠어요, 하지만 다른 두 새들이 그것을 '선생님'이라고 불러요."라고 주인이 말했다.

※ 다음 우리말을 영어로 쓰시오.

1 말하는 시계

➡ _____

2 어느 날 저녁 Dean은 친구들을 자기 방으로 초대했다.

➡ _____

3 그는 방에 있는 모든 것 즉, 멋진 침대, 많은 만화책들, 그리고 새 컴퓨터를 자랑스러워했다.

➡ _____

4 구석에 그는 커다란 금속 접시도 가지고 있었다.

➡ _____

5 한 친구가 "저 큰 접시는 뭐니?"라고 물었다.

➡ _____

6 "아, 저건 내 특별한 시계야. 그건 말을 해." Dean이 자랑스럽게 대답했다.

➡ _____

7 "접시를 치면, 시간을 알게 될 거야."

➡ _____

8 그러고 나서 그는 손으로 접시를 쳤다.

➡ _____

9 그것은 정말 큰 소리를 냈다.

➡ _____

10 갑자기 벽 반대편에 있던 그의 누나가 소리쳤다. "너 미쳤니?"

➡ _____

11 밤 11시야. 잘 시간이야!"

➡ _____

12 펑크 난 타이어

➡ _____

13 Jessie와 Nicole은 대학 친구이다.

➡ _____

14 그들은 토요일에 플로리다에 계시는 Jessie의 할머니를 방문했다.

➡ _____

15 그들은 월요일 오후에 큰 시험이 있기 때문에 그날 일찍 돌아올 계획이었다.

➡ _____

16 하지만 그들은 늦게 일어나서 시험에 맞춰 올 수 없었다.

➡ _____

17 그들은 지각한 것에 대한 좋은 핑계 거리가 필요해서 교수에게 차의 타이어에 펑크가 났다고 말하기로 결정했다.

➡ _____

18 교수는 그것이 단지 불운이라는 것에 동의했고 수요일에 그들이 시험을 볼 수 있도록 허락했다.
➡ _____

19 수요일 아침에 그들이 시험을 보러 왔을 때, 교수는 Jessie와 Nicole을 다른 방에 들어가게 했다.
➡ _____

20 그들은 앉아서 첫 번째 문제를 읽었다.
➡ _____

21 5점짜리, 지구 온난화를 설명하시오.
➡ _____

22 그것은 그들에게 식은 죽 먹기였다. 그러고 나서, 시험은 계속되었다.
➡ _____

23 95점짜리, 질문에 답하시오.
➡ _____

24 어느 타이어였는가?
➡ _____

25 특별한 앵무새
➡ _____

26 어느 날 Abril은 앵무새를 사러 애완동물 가게에 갔다.
➡ _____

27 "이 파란 앵무새는 얼마죠?" 그녀가 물었다.
➡ _____

28 "이것은 2,000달러예요." 애완동물 가게 주인이 말했다.
➡ _____

29 "왜 그렇게 비싸죠?" Abril이 물었다.
➡ _____

30 "이것은 아주 특별한 앵무새입니다. 피아노를 칠 수 있어요!"
➡ _____

31 "초록색 앵무새는요?" 그녀가 물었다.
➡ _____

32 "이것은 피아노를 치고, 그림을 그리고, 줄넘기를 할 수 있기 때문에 5,000달러입니다."
➡ _____

33 "그럼 빨간 앵무새는요?" Abril이 물었다.
➡ _____

34 주인은 10,000달러라고 대답했다.
➡ _____

35 그녀는 놀라서 물었다. "그것은 뭘 할 수 있죠?"
➡ _____

36 "모르겠어요. 하지만 다른 두 새들이 그것을 '선생님'이라고 불러요."라고 주인이 말했다.
➡ _____

MEMO

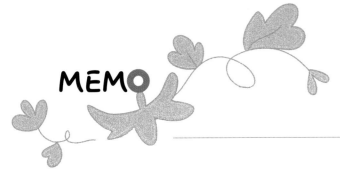

MEMO

적중100 plus

1학기 전과정

영어 기출 문제집

영어 기출 문제집

적중'100 plus
1학기 전과정

1학기

정답 및 해설

천재 | 이재영

중 2

적중'100

영어 기출 문제집

적중100

1학기

정답 및 해설

천재 | 이재영

중 2

적중100

Lesson 1

Off to a Good Start

시험대비 실력평가   p.08

01 ④   02 get off   03 ⑤   04 ②

05 ③   06 eco-friendly

07 (s)trange   08 ①

01 ④는 유의어 관계이고 나머지는 반의어 관계이다.

02 get off to a good start: 좋은 출발을 하다

03 사람이 규칙적으로 또는 반복적으로 자주 하는 행동: habit(습관)

04 열심히 일해 뭔가를 얻거나 이루다: achieve(성취하다)

05 • clean up: ~를 치우다[청소하다] • care for: ~를 보살피다[돌보다]

06 eco-friendly: 친환경적인, 환경 친화적인

07 일반적인, 정상적인 또는 예상한 것과 다른: 이상한 (strange)

08 ①은 '학년'의 의미로 쓰이고, 나머지는 '점수, 성적'의 의미로 쓰였다.

서술형 시험대비   p.09

01 (1) birth   (2) stressful   (3) light

02 (1) once in a while   (2) for an hour   (3) jump rope

03 (1) hard   (2) dish   (3) plant

04 (1) messy   (2) weekly   (3) goal   (4) manage

05 (1) because of   (2) in front of   (3) get some rest

06 (1) (b)ehave   (2) (h)abit   (3) (u)seful   (4) (d)owntime

01 (1) 빠른: 느린 = 죽음 : 탄생 (2) 놀라움 : 놀라운 = 스트레스 : 스트레스가 많은 (3) 끝 : 시작 = 가벼운 : 무거운

02 (1) once in a while: 가끔 (2) for an hour: 한 시간 동안 (3) jump rope: 줄넘기를 하다

03 (1) hard: 열심히; 어려운 (2) dish: 접시; 요리 (3) plant: 식물; 심다

04 (1) messy: 지저분한 (2) weekly: 주간의 (3) goal: 목표 (4) manage: 관리하다

05 (1) because of: ~ 때문에 (2) in front of: ~ 앞에 (3) get some rest: 약간의 휴식을 취하다

06 (1) behave: 예의 바르게 행동하다 (2) habit: 습관, 버릇 (3) useful: 유용한 (4) downtime: 한가한[휴식] 시간

교과서
Conversation

핵심 Check   p.10~11

1 (1) are, planning to / planning

  (2) What, your plans / I'm planning to

  (3) have any plans / thinking of

2 (1) better   (2) Why don't you

  (3) What should I do / should study

교과서 대화문 익히기

Check(√) True or False   p.12

1 F   2 T   3 F   4 T

교과서 확인학습   p.14~15

Communicate: Listen - Listen and Answer Dialog 1

special goal / whin a gold medal / What about / manage, better / How, achieve / planning to, weekly / Sounds

Communicate: Listen - Listen and Answer Dialog 2

for a mimute / What / working on / Good for / Have, give, adivce / a lot of / I'm planning to / Why don't you / once in a while

Communicate: Listen - Listen More

like to / great, can plant / What kind of / planning to plant / be / going to be, should bring / I will / Why don't , put on / No problem, on

Communicate: Listen - Listen and Complete

How, achieve, goal / I'd like to

My Speaking Portfolio

1 eco-friendly, I'm planning to

2 to pass, take, classes, going to watch, on

3 have a goal, planning to review, solve, problems

Wrap Up - Listening ❸

are, going to / planning, with / sounds, have any plans / visit, eat / fun Enjoy

Wrap Up - Listening ❹

look down, problem / don't have / Why don't you / get, ideas

01 ⑤   02 ⑤   03 ④   04 ④

01 You 'd better+동사원형 ~.은 '너는 ~하는 게 좋겠다'라는 의미로 충고하기 표현이다.

02 I'm planning to ~는 '나는 ~할 계획이다'라는 뜻으로, I'm going to ~와 바꿔 쓸 수 있다.

03 ④는 jacket을 왜 입었는지 묻는 문장이고, 나머지는 jacket을 입으라고 충고하는 문장이다.

04 계획을 묻는 표현이 오는 것이 자연스럽다.

01 ②   02 weekly   03 ④   04 going

05 ②   06 in   07 downtime

08 She is planning to study hard.   09 ⑤

10 ①, ③   11 ⑤   12 ④   13 ②

14 도서관에서 과학 잡지를 읽으면

15 he has a science project, and he doesn't any ideas

01 주어진 문장은 '한번 보고 조언 좀 해줘.'라는 의미로 '공부 시간이 많구나.'라는 문장 앞에 오는 것이 가장 적절하다.

02 weekly: 주간의

03 문맥상 칭찬의 표현이 들어가야 한다. ④는 '끔찍한 일이구나'라는 뜻이다.

04 I'm planning to ~.는 I'm going to ~.로 바꿔 쓸 수 있다.

05 ②를 제외한 모든 문장은 휴식 시간을 추가하라고 조언하는 문장이다.

06 once in a while: 가끔, 이따금

07 누군가 일을 멈추고 쉴 수 있는 시간: 휴식 시간(downtime)

08 민수의 여동생은 열심히 공부할 계획이라고 말했다.

09 ⓐ What[How] about you?: 너는 어때? ⓑ how: 어떻게

10 계획을 말할 때에는 I'm planning to ~., I have a plan to ~.,I'm going to ~., I will ~. 등을 쓴다.

11 민솔은 시간을 더 잘 관리하기 위해 매일 그리고 주간 일정표를 만들 계획이다.

12 What's the problem?(무슨 일이야?)은 What's wrong?, What happened (to you)?, What's the matter?, What's up? 등으로 바꿔 쓸 수 있다.

13 Why don't you + 동사원형 ~?은 '~하는 게 어때?'라는 뜻으로 충고하기 표현이다.

14 that way는 부사구로 과학 잡지를 읽는 것에 의해서라는 의미이다.

15 look down은 '우울해 보이다'라는 의미이다. 윤수는 과학 프로젝트가 있는데 아무 생각이 나질 않아서 기분이 우울했다.

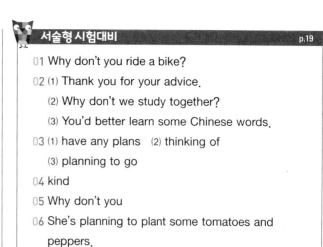
01 Why don't you ride a bike?

02 (1) Thank you for your advice.

    (2) Why don't we study together?

    (3) You'd better learn some Chinese words.

03 (1) have any plans   (2) thinking of

    (3) planning to go

04 kind

05 Why don't you

06 She's planning to plant some tomatoes and peppers.

07 It's going to be sunny.

01 충고나 제안을 나타내는 표현으로는 Why don't you+동사원형 ~?이 있다.

03 (1) Do you have any plans ~?: ~에 무슨 계획이 있니? (2) I'm thinking of ~: 나는 ~할까 생각 중이다 (3) I'm planning to ~: 나는 ~할 계획이다

04 kind: 종류

05 You should ~.는 '너는 ~해야 한다'라고 충고를 나타내는 말로 Why don't you ~? / You'd better ~. 등으로 바꿔 쓸 수 있다.

06 할머니는 토마토와 고추를 심을 계획이다.

07 토요일 날씨는 맑을 것이라고 했다.

교과서
Grammar
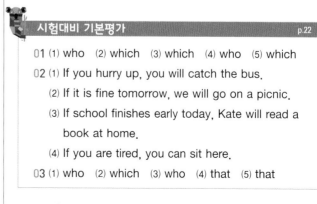

1 (1) who   (2) which   (3) who   (4) who

2 (1) If   (2) takes   (3) will give   (4) drink

01 (1) who   (2) which   (3) which   (4) who   (5) which

02 (1) If you hurry up, you will catch the bus.

    (2) If it is fine tomorrow, we will go on a picnic.

    (3) If school finishes early today, Kate will read a book at home.

    (4) If you are tired, you can sit here.

03 (1) who   (2) which   (3) who   (4) that   (5) that

01 주격 관계대명사는 선행사가 사람일 경우 who, 사물일 경우 which를 쓴다.

02 「If+주어+현재시제, 주어+will[can/may]+동사원형 ~.」의 어순이다.

03 (1) 선행사가 사람(a boy)이므로 who를 쓴다. (2) 선행사가 사물(the pictures)이므로 which를 쓴다. (3) 선행사가 사람(a friend)이므로 who를 쓴다. (4) 선행사가 사람(the girl)이므로 that을 쓴다. (5) 선행사가 사물(the river)이므로 which를 쓴다.

시험대비 실력평가   p.23~25

01 ⑤   02 ①   03 ③

04 (1) who[that] (2) that   05 ④   06 ②

07 ④   08 If Susan does not get up now, she will miss the train. 또는 Susan will miss the train if she does not get up now.   09 ①   10 ⑤

11 ⑤   12 ④   13 ⑤

14 which → that   15 ②   16 ④

17 What will you do if he visits your home tomorrow?

18 ①   19 ①   20 ⑤

01 첫 번째 문장은 이유, 두 번째 문장은 조건을 나타낸다.

02 ⓐ 선행사가 사람이고 주격이므로 who를 쓴다. ⓑ is의 보어이므로 동명사나 to부정사가 올 수 있다.

03 '~하면'이라는 조건의 접속사가 필요하다.

04 (1) 선행사가 사람(the boy)이므로 which 대신 who나 that을 써야 한다. (2) 선행사 앞에 최상급이 왔으므로 관계 대명사 that을 쓴다.

05 조건을 나타내는 if절은 미래의 의미이더라도 현재 시제로 써야 한다.

06 선행사가 사람이고 주격이므로 관계대명사 who가 들어가야 알맞다.

07 선행사 the building이 사물이고 주격이므로 관계대명사 which가 들어가야 알맞다.

08 첫 문장이 두 번째 문장의 조건이 되므로 접속사 if를 이용하여 연결한다.

09 첫 문장은 선행사가 사람이고 주격이므로 관계대명사 who가 들어가야 알맞다. 두 번째 문장은 선행사가 사물이고 목적격이므로 관계대명사 which가 들어가야 알맞다.

10 ①~④는 내용상 조건을 나타내는 접속사 if가 와야 하고, ⑤는 동사 think의 목적어 역할을 하는 접속사 that이 적절하다.

11 선행사가 사물이고, 관계사절에서 a bag은 주격, the smart phone은 목적격으로 쓰이고 있으므로 관계대명사 which가 알맞다.

12 선행사가 사물이고 주격으로 쓰이는 관계대명사는 which이다.

13 '주말마다'는 반복적인 습관을 나타내므로 현재시제를 사용한다.

14 선행사가 사람과 동물일 때는 that을 사용한다.

15 '만약 ~하면'의 뜻으로 조건절을 이끄는 if와 '~인지 아닌지'의 뜻으로 명사절을 이끄는 접속사 역할을 하는 if가 알맞다.

16 <보기>와 ④는 관계대명사 ①은 지시부사(그렇게), ②는 접속사, ③은 지시대명사, ⑤는 지시형용사로 쓰였다.

17 미래의 일이므로 조건을 나타내는 문장의 주절은 미래 시제를 사용한다.

18 조건의 if절에서는 현재형으로 미래 시제를 나타낸다. ① if I'll have → if I have

19 ① 선행사가 사람이므로 which를 쓸 수 없다.

20 접속사 if가 '~한다면'으로 해석되면 부사절을 이끌고, '~인지 아닌지'로 해석되면 명사절을 이끈다. 주어진 문장과 ⑤의 if는 명사절을 이끄는 접속사이다.

서술형 시험대비   p.26~27

01 that[which

02 (1) I won't be → I'm not / I am not

  (2) you'll pass → you pass

03 that

04 (1) If it rains tomorrow, we won't go hiking.

  (2) Unless you hurry, you will miss the train.

05 (1) The young lady who is sitting on the bench is our music teacher.

  (2) We found a dog which was running toward us.

  (3) This is the firefighter that saved the baby from the burning building.

  (4) This is the only story that is interesting to read.

06 (1) If   (2) when   (3) Unless

07 (1) I know the woman who[that] is standing by the car.

  (2) Did you see the car which[that] has only two doors?

  (3) This is a restaurant which[that] is famous for its spaghetti.

  (4) Mrs. Brown who[that] lives next door is my English teacher.

08 If she doesn't get up early, she will miss the train.

09 which[that], was

10 (1) If the weather is nice, I always walk to school.

  (2) If it rains on weekends, we watch TV.

  (3) If I am late for class, my teacher gets very angry.

11 I know the[a] doctor who[that] likes baseball.

12 (1) Unless you leave   (2) If it doesn't

01 선행사가 동물(the dog)이므로 which 또는 that을 관계대명사로 쓴다.

02 조건의 if절에서는 미래의 일을 현재형으로 나타낸다.

03 선행사가 사람일 때와 사물일 때 모두 쓸 수 있는 관계대명사는 that이다.

04 (1) if 이하가 조건절이므로, 현재시제가 미래의 내용을 대신한다. (2) unless는 '만약 ~하 지 않으면'의 뜻이므로 not을 붙일 필요가 없다.

05 (1) The young lady를 선행사로 한다. (2) a dog를 선행사로 한다. (3) the firefighter를 선행사로 한다. (4) the only story를 선행사로 한다.

06 when은 때, if는 조건을 나타낸다. unless는 if ~ not의 뜻이다.

07 (1) 선행사가 the woman이므로 주격 관계대명사 who 또는 that으로 연결한다. (2) 선행사가 the car이므로 주격 관계대명사 which 또는 that으로 연결한다. (3) 선행사가 a restaurant이므로 주격 관계대명사 which 또는 that으로 연결한다. (4) 선행사가 Mrs. Brown이므로 주격 관계대명사 who 또는 that으로 연결한다.

08 콤마가 있으므로 if절을 주절 앞에 둔다.

09 선행사가 the traffic accident이므로 관계대명사는 which 또는 that이다. 또, 단수이므로 was가 알맞다.

10 if는 종속절을 이끄는 접속사이다.

11 선행사가 사람이고 주격이므로 who나 that을 쓴다.

12 unless는 if ~ not과 같은 뜻이다.

교과서
Reading

확인문제   p.28
1 T   2 F   3 F

확인문제   p.29
1 T   2 F   3 T   4 F

교과서 확인학습 A   p.30~31
01 Beginning   02 How, to   03 asked, for
04 Let's, hare, easy   05 That, Change
06 it up   07 bring, into, gets
08 worry   09 cleaner, than   10 drives, crazy
11 Remember, member
12 have to, care for   13 behave, put, on

14 change, list   15 That, to
16 change, tell, hundred   17 between, and
18 means, Birth, Death   19 change, friends
20 sound   21 may, perfect
22 add, to, even, before
23 one, first, another
24 okay, mind, life
25 on, easy, better, luck   26 Plans
27 asked, readers, What, for

교과서 확인학습 B   p.32~33
1 Beginning a new school year is stressful to many students.

2 How can we get off to a good start?

3 Teen Today asked Raccoon 97, a popular webtoon artist, for ideas.

4 Let's think about things that are hard to change or easy to change.

5 Things That Are Hard to Change

6 Your Messy Room_ You clean it up.

7 Then you bring new stuff into it, and it soon gets messy again.

8 But don't worry.

9 Your room is much cleaner than mine.

10 Your Family_ There is always someone in your family who drives you crazy.

11 Remember that he or she is still a member of your family.

12 You just have to live together and care for each other.

13 Your Name on Your Teacher's List_ If you are late or do not behave, your teacher will put your name on his or her list.

14 You cannot easily change the list.

15 Things That Are Easy to Change

16 Your Underpants_ If you change them every day, your mom will not tell you one hundred and one times.

17 "Life is C between B and D."

18 It means "Life is Choice between Birth and Death."

19 Your Friends_ You can change your friends.

20 Does it sound strange?

21 You may think that you have the perfect number of friends.

22 If you add a new friend to the list, however, you

will feel even better than before.

23 Your Mind_ You thought one thing at first, and now you think another thing.

24 That is okay. As someone said, "If you can change your mind, you can change your life."

25 "Focus on the things that are easy to change, and try to make today better than yesterday. Good luck!"

26 Top 5 Plans for the Year

27 We asked 200 Teen Today readers, "What are your plans for the year?"

시험대비 실력평가

p.34~37

01 ②　　02 어떻게 하면 우리는 좋은 출발을 할 수 있을까?　03 ③　04 ①, ⑤　05 ⑤
06 ②　07 ③　08 easily　09 ① 지각하는 경우　② 예의 바르게 행동하지 않을 때 10 ①
11 네가 친구들을 바꿀 수 있는 것　12 ③
13 add　14 ①, ④　15 ④　16 처음에는 한 가지 것을 생각하고 지금은 또 다른 것을 생각하는 것
17 ①　18 What are your plans for the year?
19 ④　20 ⑤　21 ⑤　22 You clean it up.　23 ②　24 ③　25 ④
26 앞으로는 그 습관을 깨뜨리기 위해 두 가지 일을 하겠다.
27 ②　28 ④

01 be stressful to: ~에게 스트레스가 되다

02 get off to a good start: 좋은 출발을 하다

03 ⓒ, ③ 관계대명사 주격 ①, ②, ⑤ 접속사 ④ It was ~ that 강조구문

04 비교급 강조 부사(구)는 much, far, even, a lot 등이 있다.

05 ⑤ Raccoon 97은 여러분의 방은 내 방보다 더 깨끗하다고 말하고 있다.

06 너의 가족 중에는 너를 화나게 하는 사람이 있다는 말 다음에 와야 한다.

07 care for: ~을 돌보다

08 동사를 수식하므로 부사형으로 바꾼다.

10 조건을 나타내는 접속사 if가 알맞다.

11 it은 인칭대명사로 앞에 나온 문장을 받을 수 있다.

12 ⓑ와 ③의 may는 '~일지도 모르다'의 뜻으로 약한 추측을 나타낸다.

13 어떤 것을 늘리거나 완성하거나 개선시키기 위해 다른 것에 넣거나 덧붙이다: add(더하다, 첨가하다)

14 비교급 강조 부사(구)는 much, far, even, a lot 등이 있다.

15 문맥상 '또 다른 것'의 의미인 another가 알맞다.

16 That은 지시대명사로 앞 문장의 내용을 받을 수 있다.

17 ⓒ, ① 명사적 용법 ②, ⑤ 부사적 용법 ③, ④ 형용사적 용법

18 plans for the year: 올해의 계획

19 ④의 내용은 본문에 언급되지 않았다.

20 ⓑ, ⑤ 형용사를 수식하는 부사적 용법 ①, ③ 명사적 용법 ②, ④ 형용사적 용법

21 선행사가 사물이고 주격이므로 that이나 which가 알맞다.

22 clean up은 '타동사+부사'의 이어동사이므로 목적어 it은 부사 앞에 위치해야 한다.

23 문맥상 걱정하지 말라는 말이 알맞다.

24 주어진 문장의 it은 전화기로 친구들에게 문자를 보내거나 게임하는 것을 가리키므로 그것을 서술하는 문장 다음에 와야 한다.

25 때를 나타내는 접속사 when이 알맞다.

26 from now on: 앞으로 계속해서

27 turn off: ~을 끄다

28 ④ 글쓴이가 주로 어떤 앱들을 다운받는지는 언급되지 않았다.

서술형 시험대비

p.38~39

01 who[that]　02 after　03 If　04 We can't[cannot] easily change the list.　05 팬티
06 strangely → strange　07 that　08 better
09 other → another　10 If　11 on
12 luck　13 readers　14 weekends → weekend
15 like　16 with　17 have[take]　18 She will visit the art center to enjoy a free concert.

01 선행사가 사람이고 주격이므로 who나 that을 쓴다.

02 care for=look after: ~을 돌보다

03 문맥상 조건을 나타내는 접속사 if를 쓴다.

04 리스트를 쉽게 바꿀 수 없다.

05 them은 앞 문장의 your underpants를 받는다.

06 sound+형용사: ~하게 들리다

07 think의 목적어가 되는 명사절을 이끄는 접속사 that이 온다.

08 good의 비교급 better로 고친다.

09 other 뒤에는 복수명사, another 뒤에는 단수명사가 온다.

10 문맥상 조건을 나타내는 접속사 if를 쓴다.

11 focus on: ~에 집중하다

12 여러분 자신의 능력이나 노력에서 오는 것이 아닌 것으로 여러분에게 일어나는 성공이나 좋은 일들: luck(운)

13 read의 행위자를 나타내는 명사 reader로 고친다.

14 every 뒤에는 단수명사가 온다.

15 like: ~와 같은 / alike: 비슷한

16 with: ~와 함께

17 get[have, take] some rest: 휴식을 좀 취하다

01 ④	02 in front	03 ②	04 ④
05 ②	06 ④	07 (m)essy	08 ⑤
09 ④	10 ⑤	11 ④	12 ③
13 ⑤	14 I'm planning to study hard.		
15 better	16 ①	17 ③	18 ②
19 am	20 ①	21 ①	22 ①
23 If, are	24 ⑤	25 ①	26 What is
the name of the tallest boy that[who] just came in?			
27 ②	28 artist	29 바꾸기 어렵거나 바꾸기	
쉬운 일들에 대해 생각해 보자.		30 ③	31 ③
32 I text my friends or play games on the phone.			
33 ②	34 ④	35 having → to have	
36 ⑤	37 free	38 ①	

01 ④는 유의어 관계이고 나머지는 반의어 관계이다.

02 in front of: ~의 앞에

03 많은 사람이 좋아하거나 즐기는: 인기 있는(popular)

04 ④는 '접시, 그릇'의 뜻으로 쓰였고, 나머지는 '요리, 음식'의 뜻으로 쓰였다.

05 focus on: ~에 집중하다, ~에 주력하다

06 stand in line: 일렬로 나란히 서다 / drive ~ crazy: ~를 화나게 하다

07 더럽고 깨끗하지 않은: messy(지저분한)

08 「You'd better+동사원형 ~」은 상대방에게 충고를 할 때 사용하는 표현이다.

09 계획을 묻는 표현이 오는 것이 자연스럽다.

10 You should+동사원형 ~.과 유사한 표현에는 You had better+동사원형 ~. / I advise you to+동사원형 ~. / I suggest you+동사원형 ~. / Why don't you+동사원형 ~? / How[What] about ~? 등이 있다.

11 ⑤ 다음 주말의 계획에 대한 물음에 대해, 특별한 것이 없다고 대답한 다음 그것이 기대된다고 말하는 것은 어색하다.

12 for a minute: 잠깐 / Good for you.: 잘했다.

13 have a look: 보다

14 I'm planning to+동사원형 ~: 나는 ~할 계획이다.

15 Why don't you+동사원형 ~?은 You should+동사원형 ~. / You'd better+동사원형 ~. 등으로 바꿔 쓸 수 있다.

16 선행사가 사람(the girl)이고 주격이므로 who가 적절하다.

17 if 가 이끄는 절이 부사절이면 미래의 일이라도 현재시제가 미래 시제를 대신한다.

18 선행사가 동물일 경우에는 관계대명사 which나 that 둘 다 쓸 수 있는데, 둘 중 어느 것을 더 좋아하냐고 물을 때는 의문사 which로 시작해야 하므로 ②가 정답이다.

19 unless는 부정의 의미를 포함하고 있다. unless = If ~ not

20 관계대명사 that 다음에 be동사 were가 왔으므로 선행사로 복수

21 '만약 ~하면'의 조건절을 이끄는 접속사와 '~인지 아닌지'의 명사절을 이끄는 접속사 역할을 하는 if가 적절하다.

22 ①은 의문대명사이고, 나머지는 사물을 선행사로 하는 관계대명사 주격이다.

23 if 는 '만일 ~라면, ~한다면'이라는 뜻으로 조건을 나타내는 접속사이다.

24 ⑤ 선행사 The men이 복수이므로 who 다음의 동사도 복수형 are로 바꾼다.

25 ① unless에 이미 부정의 의미가 들어가 있으므로 Unless를 If 로 바꿔야 한다.

26 선행사가 사람이고 주격이므로 관계대명사 that이나 who를 써서 한 문장으로 만든다.

27 get off to a good start: 좋은 출발을 하다

28 art: 미술 / artist: 미술가

29 that 이하가 이끄는 절은 형용사절로 선행사 things를 수식한다.

30 역접의 접속사 but이 알맞다.

31 ③ 10시 이후에는 전화기를 꺼야겠다는 말이 되어야 한다. turn on → turn off

32 text: 문자를 보내다 / or: 또는, ~이나

33 break the habit: 습관을 버리다

34 ⓒ, ④ 부사적 용법 ①, ⑤ 형용사적 용법 ②, ③ 명사적 용법

35 decide는 to부정사를 목적어로 취한다.

36 ⓑ와 ⑤는 전치사로, 나머지는 모두 동사로 쓰였다.

37 어떤 것에 대해 대가를 지불하지 않는: free(무료의)

38 ① 앞으로 주말마다 한가한 시간을 가지기로 결정했다.

01 waste	02 ⑤	03 ③	
04 (d)owntime		05 ③, ④	06 ④
07 (D) – (B) – (A) – (C)		08 ①, ⑤	09 ⑤
10 ③	11 ③	12 ②	13 ①
14 ②	15 ①	16 ③	17 ①, ④
18 ②	19 ④	20 ①	21 ①
22 ②, ④	23 like	24 ①	25 ②
26 ①, ②, ④	27 ②		

01 반의어 관계이다. 가벼운 : 무거운 = 낭비하다 : 저축하다

02 열심히 일해 뭔가를 얻거나 이루다: achieve(성취하다)

03 once in a while: 가끔 / stand in line: 줄을 서다

04 downtime: 휴식 시간

05 미래의 의도나 계획을 나타내는 표현으로 be planning to+동사원형 / be going to+동사원형 / be thinking of -ing / will 등을 쓸 수 있다.

06 상대방에게 충고하는 표현을 찾는다. ③은 전치사 about 뒤에

동명사가 오지 않아 잘못된 표현이다.

07 (D) 안 좋아 보인다. 무슨 일이니? – (B) 키가 더 크면 좋겠는데. 어떻게 하죠? – (A) 매일 줄넘기를 해 봐. – (C) 좋아요. 한번 해 볼게요.

08 계획이나 의도를 말할 때에는 I will ~., I'm going to ~., I'm planning to ~. 등을 쓴다.

09 ⑤는 '너는 왜 너의 모자를 가져 오지 않았니?'라는 의미로 과거의 일에 대한 이유를 묻는 말이고 나머지는 상대방에게 충고를 하는 표현들이다.

10 Why don't you+동사원형 ~?은 충고를 할 때 쓰는 표현이다.

11 종하는 어떤 스타일의 모자를 가지고 있는지는 알 수 없다.

12 if 가 있는 조건절에서는 현재시제가 미래를 대신한다.

13 선행사가 사람(a girl)이고 주격이므로 관계대명사 who가 들어가야 알맞다.

14 if ~ not = unless: 만약 ~하지 않으면

15 who는 관계대명사로 쓰일 수도 있지만 의문사로 쓰여 '누구'의 의미를 나타낸다. ①은 의문사로 쓰였고, 나머지는 관계대명사로 쓰였다.

16 조건을 나타내는 if절에서는 현재시제가 미래를 대신한다.

17 선행사가 사람이고 주격이므로 who나 that을 쓸 수 있다.

18 ⓑ, ② 동사의 목적어가 되는 명사절을 이끄는 접속사이다. ① 진주어 ③, ⑤ 관계대명사 ④ It ~ that 강조구문

19 care for: ~을 돌보다, 좋아하다

20 문맥상 조건을 나타내는 접속사가 알맞다.

21 ⑤ 선생님의 리스트를 쉽게 바꿀 수 없다고 하였으므로 잘못에 관대하지 않다고 유추할 수 있다.

22 ⓐ, ②, ④ 명사적 용법 ①,③ 형용사적 용법 ⑤ 부사적 용법

23 such as=like: ~와 같은

24 ⓒ, ① ~와 함께 ② ~을 가진, ~이 있는 ③ ~으로 ④ ~에게 ⑤ ~에, ~에 관하여

25 on+요일

26 have[get, take] some rest: 휴식을 좀 취하다

27 ② 알 수 없음

🦉 서술형 실전문제 p.50~51

01 should

02 Why don't you take your baseball glove?

03 should

04 You should go to bed early. / Why don't you go to bed early? / I advise you to go to bed early. / How[What] about going to bed early? 등

05 (1) What are you planning to do
   (2) I'm thinking of playing

06 (1) Dad cooks me a fried egg which[that] is my favorite.

(2) I have an uncle who[that] is a math teacher.
(3) She has a bird which[that] speaks English.

07 (1) If you have a fever, you should see a doctor.
   (2) If it rains tomorrow, I will go to a movie.
   (3) If you add yellow to blue, it becomes green.

08 (1) is → are
   (2) who → which[that]
   (3) who → that

09 친구들을 바꿀 수 있는 것

10 You may think that you have the perfect number of friends.

11 to

12 very → much/even/far/a lot

13 처음에는 한 가지 것을 생각하고 지금은 다른 것을 생각하는 것

14 ⓑ mind ⓒ life

15 thought, change, try, today, yesterday

01 상대방에게 조언할 때 '~해야 한다'라는 의미의 조동사 should가 알맞다.

02 Why don't you+동사원형 ~?: ~하는 게 어때?

03 상대방에게 조언을 구할 때 What should I do?라고 물을 수 있다.

04 You'd better+동사원형 ~.은 '~하는 게 좋겠다'라는 의미로 충고를 말하는 표현이다.

05 미래의 일이나 앞으로의 계획을 나타낼 때는 be going to ~ / be planning to ~ / think of -ing 등의 표현을 이용한다.

06 (1) 선행사가 사물(a fried egg)이므로 which나 that을 쓴다.
   (2) 선행사가 사람이므로 who나 that을 쓴다. (3) 선행사가 동물(a bird)이므로 which나 that을 쓴다.

07 (1) see a doctor: 진찰을 받다 (2) go to a movie: 영화 보러 가다 (3) add A to B: B에 A를 추가하다[더하다]

08 (3) 선행사가 사람과 동물이므로 관계대명사는 that을 쓴다.

09 it은 인칭대명사로 앞에 나온 문장을 받을 수 있다.

10 접속사 that은 think의 목적어가 되는 명사절을 이끈다.

11 add A to B: B에 A를 더하다

12 very는 원급을 수식한다.

13 that은 지시대명사로 앞에 나온 문장을 받을 수 있다.

14 문맥상 '마음을 바꾸면 인생을 바꿀 수 있다'는 뜻이 되어야 한다.

🐰 창의사고력 서술형 문제 p.52

|모범답안|

01 (1) A waiter is someone who serves food in a restaurant.
   (2) A zookeeper is someone who looks after animals in the zoo.

    (3) Dessert is sweet food which is served after a meal.

02 (1) If Andy is free next Sunday, I'll go to a movie with him.

    (2) If my brother doesn't get any better, I'll take him to the hospital.

    (3) If I win the first prize on the test, my mom will buy me an i-Pad.

03 (1) If I go to China, I can see the Great Wall.

    (2) If it is sunny tomorrow, I will go hiking with my friends.

    (3) If I find an abandoned dog on the street, I will bring it to my house.

03 '만약 ~이라면'의 뜻의 if를 활용하여 조건절을 만든다. if가 이끄는 절이 부사절일 때는 미래시제 대신 현재시제를 쓰는 것에 유의한다.

단원별 모의고사   p.53~56

01 ③	02 ④	03 ④	04 ⑤
05 on	06 ③	07 ⑤	08 ⑤
09 Why don't you add some downtime		10 ⑤	
11 ③	12 ③	13 ④	14 tells → tell
	15 ①	16 you stop	17 ③
18 ⑤	19 ④	20 ②	21 ③
22 ⑤	23 ③	24 ⑤	25 ③
26 She will visit it on the third Saturday of the month.			
27 ①	28 ⑤	29 life	30 ②

01 ③은 유의어 관계이고 나머지는 반의어 관계이다.

02 ④는 save(절약하다)의 영영풀이다.

03 focus on: ~에 집중하다 / care for: ~을 좋아하다

04 light: 가벼운; 날이 밝은

05 from now on: 이제부터

06 be planning to: ~할 계획이다

07 충고를 하는 표현이므로 How about -ing?로 바꿔 쓸 수 있다.

08 빈칸에는 요청에 승낙하는 표현이 들어가야 한다. Not at all. (천만에.)은 감사하다는 말에 답하는 표현이다.

09 Why don't you + 동사원형 ~?: ~하는 게 어때?

10 once in a while: 가끔(=now and then)

11 소녀가 몇 시간 동안 공부하는지는 알 수 없다.

12 조건을 나타내는 if 부사절에서는 미래의 일이라도 현재시제를 사용한다.

13 unless: 만약 ~하지 않으면

14 선행사가 three books로 복수이므로 that절의 동사는 복수형

tell이 되어야 한다.

15 앞 문장의 빈칸에는 the famous singer를 선행사로 하는 주격 관계대명사 who가, 뒤 문장에는 a chair를 선행사로 하는 주격 관계대명사 which가 들어가야 알맞다.

16 if ~ not = unless

17 ③ 조건을 나타내는 if절에서는 현재시제가 미래를 대신한다. will leave → leave

18 ⑤ 문장의 주어는 The man이고 who is sitting on the box는 The man을 수식하는 관계대명사절이다. 따라서 동사는 have가 아니라 단수형인 has가 알맞다.

19 if ~ not = unless: 만약 ~하지 않으면

20 on the phone: 전화기로 / from now on: 지금부터 계속해서

21 turn off: ~을 끄다

22 less often: 덜 자주

23 ③ 필자가 전화기를 유용하다고 생각하는지는 알 수 없다.

24 주어진 문장은 집에서 쉬겠다는 뜻이므로 집밖에서의 활동을 서술하는 문장들 다음에 와야 한다.

25 ⓑ, ③ 무료의 ①, ⑤ 한가한 ②, ④ 자유로운

27 at first: 처음에는

28 ① (자격 • 기능 등이) ~로(서), ② 이유, ③ ~한 대로, ④ ~ 함에 따라, ~할수록, ⑤ ~처럼, ~하듯이

29 live의 명사형을 쓴다.

30 focus on: ~에 집중하다

9

Connecting with the World

시험대비 실력평가
p.60

01 ⑤   02 admission   03 ④
04 German   05 ④   06 look around
07 (e)nough 08 ②

01 ⑤는 유의어 관계이고 나머지는 반의어 관계이다.

02 admission fee: 입장료

03 사람들이 자신의 감정, 의견, 생각을 보여주기 위해 말하거나, 글을 쓰거나 또는 하는 것들: 표현(expression)

04 '국가명 : 언어명'의 관계이다. 러시아 : 러시아어 = 독일 : 독일어

05 • 쿠키들은 맛있어 보인다. • 사과는 내가 아주 좋아하는 과일이다. • 우리의 앱은 관광객들에게 유용할 것이다. • 케밥은 전통적인 터키 음식이다.

06 look around: ~을 둘러보다

07 누군가 필요하거나 원하는 만큼 많은: 충분한(enough)

08 what kind of: 어떤 종류의 / focus on: ~에 집중을 하다

서술형 시험대비
p.61

01 (1) special (2) different (3) Spanish (4) Turkish
02 (1) half an hour (2) useful for (3) up (4) out
03 (1) audition (2) meaning (3) landmark
04 (1) way (2) works (3) save
05 (1) right now (2) for example (3) mean by
06 (1) (f)ortune (2) (n)ervous (3) (t)ranslation

01 (1) 가벼운 : 무거운 = 일반적인 : 특별한 (2) 배부른 : 배고픈 = 같은 : 다른 (3), (4) 국가명 : 그 국가의 언어

02 (1) in half an hour: 30분 후에 (2) be useful for: ~에 유용하다 (3) hurry up: 서두르다. (4) find out: ~에 대해 알아내다[알게 되다]

03 (1) audition: 오디션 (2) meaning: 의미 (3) landmark: 랜드마크, 주요 지형지물

04 (1) way: 길, 방법, 방식 (2) work: 일하다, 효과가 있다 (3) save: 저축하다, 절약하다

05 (1) right now: 지금 곧, 당장 (2) for example: 예를 들면 (3) mean by: 의미하다, 뜻하다

06 (1) fortune: 운, 행운 (2) nervous: 긴장한 (3) translation: 번역

교과서 Conversation

핵심 Check
p.62~63

1 (1) Would / please (2) like some / No thanks
  (3) Do you want / full
2 (1) Hurry up / but, mean / I mean, moving
  (2) mean / It means (3) What do you / Good luck

교과서 대화문 익히기

Check(√) True or False
p.64

1 T 2 F 3 T 4 F

교과서 확인학습
p.66~67

Communicate: Listen - Listen and Answer Dialog 1
smells, cooking / making / What / traditional, pieces of / sounds / Would, like / love / you / tastes, should open / like

Communicate: Listen - Listen and Answer Dialog 2
are, going to / look around / how to / map, my / Try to / but, mean by / important, special / try to, that

Communicate: Listen - Listen More
look delicious / Would, like / thanks / Why, so / audition, in half an hour / Break / What, mean / Good luck, expression, Save, for

Communicate: Listen - All Ears
half an hour / have schedule

Communicate: Speak 2
Would you like / No, thanks / how about

My Writing Portfolio - Step 1
our app / Sounds / what to see / give information on / find out, admission fees / how to get / right now / I'm sure

Wrap Up - Listening ⑤
Would, like / What kind of / egg sandwich / thanks / would you like / favorite

Wrap Up - Listening ⑥
Hurry up / what, mean by / time to start / time to go / Let's

01 ④   02 ⑤   03 ⑤   04 ⑤

01 음식을 권할 때는 Would you like some ~?의 표현을 쓴다.

02 What do you mean?: 무슨 뜻이야?

03 No, thanks.는 음식 권유에 거절할 때 쓰인다.

04 빈칸 뒤의 말 '그녀는 모든 것에 대해 알아.'로 보아 빈칸에는 A가 한 말의 의미를 물어보는 표현이 와야 한다.

01 ③   02 ⑤   03 ④   04 ④

05 ①   06 ③   07 ⑤   08 ⑤

09 ②   10 행운을 빌어!   11 she has her audition for the school radio station in half an hour   12 ③

13 ②   14 ②

01 주어진 문장은 '그것은 전통적인 터키 음식이야.'라는 뜻으로 What is it?(그것은 뭐니?)라는 질문의 대답으로 오는 것이 적절하다.

02 음식에 대한 묘사로 문맥상 맛있다는 표현이 들어가야 한다.

03 소년의 응답이 '물론. 나는 좀 먹고 싶어.'라고 한 것으로 보아 빈칸에는 음식을 권유하는 말이 알맞다.

04 ④ 소년이 Abbas에게 식당을 오픈해야 한다고 말한 것이며 Abbas가 새 식당을 열 것인지는 알 수 없다.

05 소녀의 첫 말에 대해 소년이 미안하지만 무슨 뜻이냐고 묻자, 소녀가 '이제 움직이기 시작할 시간이야.'라고 말한 것으로 보아 '출발해.'라는 의미이다.

06 What do you mean by that?: 그게 무슨 뜻이니? = What is the meaning of that?: 그것의 의미가 무엇이니?

07 주어진 문장은 '그것은 재미있는 표현이구나.'라는 의미로, Claire의 마지막 말인 I mean "Good luck." 다음에 오는 것이 자연스럽다.

08 '나는 너무 긴장돼.'라고 말한 것으로 보아 음식 권유에 거절하는 표현이 들어가는 것이 적절하다.

09 in half an hour: 30분 후에

10 Claire는 Break a leg!의 의미가 "Good luck!"이라고 설명해 주고 있다.

11 Claire는 30분 후에 학교 라디오 방송국의 오디션이 있기 때문에 너무 긴장된다고 했다.

12 주어진 문장은 'landmarks도 기억하도록 해라.'라는 의미로 소년이 landmarks가 무슨 뜻인지 묻는 문장 앞에 와야 한다.

13 how to+동사원형: ~하는 방법

14 landmarks가 무슨 의미인지 묻고 그것의 의미에 대해 정의하는 내용이므로 빈칸에는 '의미하다'라는 뜻의 mean이 와야 한다.

01 What do you mean (by that)?

02 (1) Would you like some pizza?

   (2) No, thanks. / No, thank you.

03 (B)reak, (l)eg

04 (D) – (B) – (C) – (A)

05 He's going to look around the city.

06 (A) to find   (B) to remember   (C) that

07 그것은 중요한 장소들 또는 특별한 건물들을 의미한다.

08 He will use a map on his phone.

01 상대방이 한 말을 이해하지 못했을 때 '그게 무슨 뜻이니?'라고 묻는 표현이 알맞다.

02 음식을 권유할 때 사양하는 표현으로 No, thanks. / No, thank you.를 쓴다.

03 Break a leg!: 행운을 빌어!

04 (D) 비빔밥 좀 먹을래? - (B) 아니, 괜찮아. 나는 야채를 좋아하지 않아. - (C) 그럼 피자는 어때? - (A) 응, 부탁해.

05 Kevin은 오늘 도시를 둘러 볼 것이라고 했다.

06 (A) how to+동사원형: ~하는 방법 (B) try -ing: 시험삼아 ~해 보다, try to+동사원형: ~하려고 노력하다 (C) 선행사가 장소를 나타내므로 관계대명사 that이 와야 한다.

07 여자가 I mean important places or special buildings.라고 말했다.

08 전화기에 지도가 있다고 했으므로 전화기의 지도를 이용할 것이다.

교과서 Grammar

1 (1) that   (2) that   (3) whom   (4) which   (5) which

2 (1) where   (2) when   (3) where   (4) how   (5) which

01 (1) when   (2) how   (3) whom   (4) which

02 (1) how to make   (2) want to eat

   (3) how to get   (4) where to go

03 (1) who   (2) whom   (3) which   (4) that

01 (1) when+to부정사: 언제 ~할지 (2) how +to부정사: ~하는 방법 (3) 선행사가 사람이고 목 적격이므로 관계대명사 whom으로 연결한다. (4) 선행사가 사물이고 목적격이므로 관계대명사 which로 연결한다.

02 (1) how+to부정사: ~하는 방법 (2) what+to부정사: 무엇을

11

~할지 (3) how+to부정사: ~하는 방법 (4) where+to부정사: 어디로 ~할지

03 (1) 주격 관계대명사 who가 필요하다. (2) 전치사 다음에는 that을 쓸 수 없다. (3) 사물이 선행사 (a knife)이므로 전치사의 목적어 역할을 하는 목적격 관계대명사 which가 와야 한다. (4) the only가 선행사를 수식하므로 목적격 관계대명사 that이 온다.

시험대비 실력평가　　　　　　　　　p.75~77

01 ②　　　　02 ①　　　　03 ②
04 (1) which → who(m)[that]　(2) that → which
05 to　　　06 ④　　　07 ②　　　08 they
should　　09 ⑤　　　10 that　　11 ①
12 The man gave me all the money that he had.
13 ⑤　　　14 ④　　　15 ③
16 should begin
17 (1) which → who(m)[that]　(2) were → was
18 ②　　　19 ③　　　20 ①　　　21 ②

01 선행사가 사람(the gentleman)이고 동사 met의 목적어 역할을 하므로 who(m)나 that이 와야 한다.

02 '~하는 방법'은 how to ~로 나타낸다.

03 「의문사+to부정사」는 조동사 should를 써서 명사절로 바꿔 쓸 수 있다.

04 (1) 선행사가 사람이므로 knows의 목적어 역할을 하는 who(m) 또는 that을 쓴다.
(2) 관계대명사 that은 전치사 뒤에 올 수 없다.

05 to부정사는 의문사와 함께 쓰여 '~해야 하는지'의 뜻을 나타낸다.

06 ④에서 listened는 자동사이므로 목적어를 취할 때는 전치사 to가 필요하다. (which → to which)

07 ② 동사 eat의 목적어로 what이 왔으므로 뒤에 lunch가 또 올 수 없다. (what → where 또는 lunch → for lunch)

08 「의문사+to부정사」=「의문사+주어+ should+동사원형」

09 목적격 관계대명사는 생략할 수 있다. that은 사물과 사람에 모두 쓸 수 있다.

10 선행사가 사람일 때와 사물일 때 모두 쓸 수 있는 관계대명사는 that이다.

11 how+to부정사: ~하는 방법, what+to부정사: 무엇을 ~ 할지

12 선행사 all the money를 목적격 관계대명사 that이 이끄는 절이 수식한다.

13 ⑤ 「의문사+to부정사」 또는 「의문사+주어+ should+동사원형」 (where should go → where to go 또는 where thay should go)

14 ④ 전치사 다음에는 that을 쓸 수 없다.

15 「의문사+to부정사」 구문으로 첫 번째 문장은 문맥상 '무엇을 입

어야 할지'가 되어야 하므로 what이 알맞고, 두 번째 문장은 '~하는 방법'이라는 의미가 되어야 하므로 how가 알맞다.

16 「의문사+to부정사」 구문은 「의문사+주어+ should+동사원형」으로 바꿔 쓸 수 있다.

17 (1) 선행사가 사람이므로 목적격 관계대명사 who(m)나 that이 와야 한다.
(2) 문장의 주어(The knife)는 단수 명사이므로 be동사는 was가 되어야 한다.

18 목적격 관계대명사는 생략할 수 있다. ②의 who는 앞에 나온 The boy를 수식하는 주격 관계대명사이므로 생략할 수 없다.

19 ⓓ 「who+to부정사」는 어색한 표현이므로, Do you know who will tell me about it?으로 바꿔 쓴다. ⓔ when to finish it은 언제 끝낼지 때에 관한 물음인데, tomorrow와 쓰이면, 때를 나타내는 부사가 중복되어 어색한 문장이 된다.

20 ①의 that은 명사절을 이끄는 접속사로 쓰였고, 나머지는 관계대명사로 쓰였다.

21 ②의 what to read는 동사 is의 보어로 쓰였고, 나머지 「의문사+to부정사」는 모두 목적어로 쓰였다.

서술형 시험대비　　　　　　　　　p.78~79

01 (1) I know the man who(m)[that] you are looking for.
(2) This is the bag which[that] I got from Nancy.
(3) He is the boy who(m)[that] I meet at the bus stop every morning.
02 (1) how　(2) what　(3) which　(4) where
03 that
04 (1) My brother doesn't know where he should go.
(2) Alice doesn't know what she should cook.
(3) Please tell me when I should help you.
05 W(w)hen
06 (1) I bought my sister a blouse (which[that] was) made in France.
(2) Do you know the boy (whom) I met on the street yesterday?
(3) This is the city that is famous for its beautiful buildings.
07 (1) I can't decide what to buy[what I should buy] for my mother's birthday.
(2) Bill didn't tell us where to stay.
08 (1) who(m) [that]　(2) which[that]
09 (1) I didn't know when to leave.
(2) Do you know how to play the guitar?
(3) I don't know where to meet her.
10 (1) I saw a man and his dog that looked very tired.

(2) John with whom I played tennis yesterday is the best player in this town.

(3) This bike which[that] my father bought (for) me last year is my treasure.

(4) My sister ate the ice cream that[which] my mother bought for me.

(5) The house in which we lived two years ago was in Incheon.

11 (1) where to practice (2) when to visit
(3) who(m) to go (4) what to buy

01 목적격 관계대명사는 접속사와 대명사의 역할을 하며, 선행사가 사람일 경우 who(m)나 that, 사물일 경우 which나 that을 쓴다.

02 (1) 방법을 나타낼 때는 「how+to부정사」를 쓴다. (2) '몇시'는 what time을 쓴다. (3) '어느 책'은 which book으로 나타낸다. (4) '이름을 적을 곳'은 장소를 나타내므로 where가 알맞다.

03 선행사가 사람일 때와 사물일 때 모두 쓸 수 있는 관계대명사는 that이다.

04 「의문사+to부정사」 구문을 「의문사+주어+should+동사원형」 구문으로 바꿔 쓸 수 있다.

05 때를 묻는 의문부사 when: 언제 / when to meet: 언제 만날지

06 (1) which was나 that was은 생략할 수 있다. (2) whom은 생략할 수 있다. (3) that이 이끄는 절의 선행사가 단수명사이므로 동사는 is가 되어야 한다

07 (1) '무엇을 사야 할지'의 의미이므로 「의문사+to부정사」 또는 「의문사+주어+ should+동사원형」의 형태로 고쳐야 한다. (2) 「의문사+to부정사」 구문이므로, to 다음에 동사원형 stay가 와야 한다.

08 (1) 선행사가 사람이고 목적격이므로 관계대명사는 who, whom 또는 that을 쓸 수 있다. (2) 선행사가 사물이고 목적격이므로 관계대명사는 which나 that을 쓸 수 있다.

09 (1) 의문사(when)+to leave (2) 의문사(how)+to play the guitar (3) 의문사(where)+to meet her

10 (1) 선행사가 사람과 동물(a man and his dog)이므로 관계대명사 that을 쓴다. (4) 선행사가 사물이므로 관계대명사 that이나 which를 쓴다. (5) 선행사가 사물(the house)이므로, 전치사 in의 목적어 역할을 하는 목적격 관계대명사 which를 쓴다.

11 (3) 목적격 whom 대신 주격 who를 써도 좋다.

교과서
Reading

확인문제 p.80

1 F 2 T 3 T 4 F 5 T

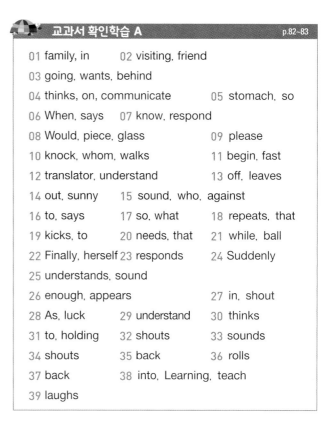

교과서 확인학습 A p.82~83

01 family, in   02 visiting, friend
03 going, wants, behind
04 thinks, on, communicate   05 stomach, so
06 When, says   07 know, respond
08 Would, piece, glass   09 please
10 knock, whom, walks   11 begin, fast
12 translator, understand   13 off, leaves
14 out, sunny   15 sound, who, against
16 to, says   17 so, what   18 repeats, that
19 kicks, to   20 needs, that   21 while, ball
22 Finally, herself 23 responds   24 Suddenly
25 understands, sound
26 enough, appears   27 in, shout
28 As, luck   29 understand   30 thinks
31 to, holding   32 shouts   33 sounds
34 shouts   35 back   36 rolls
37 back   38 into, Learning, teach
39 laughs

교과서 확인학습 B p.84~85

1 Jaden's family is in Florence, Italy.

2 They are visiting Ms. Gambini, his mother's friend.

3 Today his parents are going to museums, but Jaden wants to stay behind.

4 He thinks the translation app on his phone will help him communicate.

5 His stomach growls, so he enters the kitchen.

6 When Ms. Gambini sees Jaden, she says "Buon giorno. Vuoi un pezzo di pane e un bicchiere di latte?"

7 Jaden does not know how to respond.

8 Then the app says, "Good morning. Would you like a piece of bread and a glass of milk?"

9 Jaden answers, "Yes, please."

10 There is a knock on the door, and a woman whom Ms. Gambini invited walks in.

11 The two women begin speaking Italian very fast.

12 So the translator does not understand.

13 Jaden turns off the phone and leaves it on the table.

13

14 He goes out to enjoy the sunny morning.

15 He follows a thumping sound and finds a girl who is kicking a soccer ball against a wall.

16 She turns to him and says, "Buon giono."

17 His phone is in the kitchen, so Jaden does not know what to say.

18 He just repeats the words that the girl said, "Buon giorno."

19 The girl kicks the ball to him.

20 Jaden needs no translator for that.

21 For a while, the two play with the ball.

22 Finally, the girl points at herself and says, "Mi chiamo Rosabella."

23 "My name is Jaden," he responds.

24 Suddenly Rosabella says, "Arrive l'autobus."

25 Jaden understands the words that sound like bus and arrive.

26 Sure enough, a bus appears.

27 Kids in soccer uniforms shout from the windows, "Ciao, Rosabella!"

28 As Rosabella steps onto the bus, Jaden says, "Good luck."

29 She does not understand.

30 So Jaden thinks and says, "Buon, buon …."

31 He points to the soccer ball that she is holding in her hand.

32 Rosabella shouts, "Fortuna! Buona fortuna!"

33 Fortuna sounds like fortune.

34 "Buona fortuna!" he shouts.

35 Rosabella and her friends shout back, "Molte grazie!"

36 The bus rolls away.

37 Jaden goes back to the kitchen.

38 He says into the translation app, "Learning from people is more fun. Can you teach me some Italian, Ms.Gambini?"

39 Ms. Gambini says, "Si," and laughs.

시험대비 실력평가 p.86~89

01 ②　　　　02 ①　　　　03 Will → Would

04 ③　　　　05 ③　　　　06 ①, ③, ④　　07 ②

08 ④　　　　09 He goes out to enjoy the sunny

morning.　　10 ③　　　　11 ④, ⑤　　12 소녀가

자기에게 공을 차는 것　　　　13 herself　　14 ④

15 like　　　16 ⑤　　　　17 ⑤　　　　18 ③

19 ⑤　　　　20 ②　　　　21 rolls　　　22 to

---

23 사람에게서 배우는 것이 더 재미있기 때문이다.

24 ④　　　　25 ②　　　　26 그 제스처는 무엇인가

좋은 것을 의미한다.　　　　27 money　　28 ①

29 ⑤

01 ⓐ 역접의 접속사가 필요하다. ⓑ 결과를 나타내는 접속사가 필요하다.

02 '어떻게 응답해야 할지'의 뜻이 되어야 자연스럽다.

03 Would you like ~?: ~을 드시겠어요?

04 ③ Jaden이 왜 박물관에 가지 않으려 하는지는 알 수 없다.

05 두 여인이 이탈리아어를 아주 빨리 말하기 시작했다는 말 다음에 와야 한다.

06 선행사가 사람으로 목적격이므로 who, whom, that을 쓸 수 있다.

07 turn off: ~을 끄다

08 ⓒ, ④ ~에, ~에 붙여 ① ~에 맞서, ~에 대항하여 ②, ③ ~ 에 반대하여 ⑤ ~와 대조적으로

10 ⓐ의 is는 완전자동사로 1문형을 만든다. ③ 1문형 ① 3문형 ② 2문형 ④ 5문형 ⑤ 4문형

11 선행사가 사물이고 목적격이므로 which나 that을 쓸 수 있다.

12 that은 지시대명사로 앞에 언급된 내용을 받는다.

13 목적어가 자기 자신이므로 재귀대명사를 써야 한다.

14 ④ Jaden은 소녀와 공을 가지고 놀아서 번역 앱이 필요하지 않다.

15 like: ~와 같이, ~처럼 / alike: 아주 비슷한

16 문맥상 '나타나다'가 알맞다.

17 ⓒ, ⑤ ~할 때 ① ~한 대로 ② ~함에 따라 ③ ~이기 때문에 ④ ~이듯이, ~인 것 처럼

18 point to: ~을 가리키다

19 ⑤의 내용은 본문에 언급되지 않았다.

20 ⓑ와 ②는 전치사로 쓰였고, 나머지는 모두 동사로 쓰였다.

21 표면을 따라 움직이다: roll(구르다)

22 teach는 간접목적어를 직접목적어 뒤로 보낼 때 전치사 to를 붙인다.

24 주어진 문장은 같은 사인이 0을 의미한다는 뜻이므로 그것은 아무것도 없음을 의미한다는 문장 앞에 와야 한다.

25 for example: 예를 들면

26 something good: 무엇인가 좋은 것

27 That은 지시대명사로 앞에 나온 명사를 받는다.

28 so: 그래서

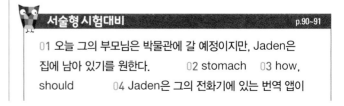

서술형 시험대비 p.90~91

01 오늘 그의 부모님은 박물관에 갈 예정이지만, Jaden은 집에 남아 있기를 원한다.　　02 stomach　　03 how, should　　04 Jaden은 그의 전화기에 있는 번역 앱이

그가 의사소통하는 것을 도와줄 것이라고 생각한다.

05 knocks on[at]　　06 speaking[to speak]

07 that　　08 그의 전화기는 부엌에 있다. 그래서 Jaden은 무슨 말을 해야 할지 모른다.　　09 which

10 For　　11 Jaden understands the words that sound like bus and arrive.　　12 Because the girl kicks the ball to him.　　13 in　　14 steps

15 He points to the soccer ball that she is holding in her hand.　　16 like

---

01 are going to=are going to go to

02 음식이 장으로 옮겨지기 전에 소화되는 신체의 기관: stomach(위)

03 의문사+to부정사는 조동사 should를 써서 바꿔 쓸 수 있다.

05 knock on[at]: ~을 노크하다

06 begin은 목적어로 동명사나 to부정사를 취한다.

07 선행사가 사람이고 주격이므로 who나 that을 쓸 수 있다.

08 what to say=what he should say

09 선행사가 사물이므로 which나 that을 쓸 수 있다.

10 for a while: 잠시 동안

11 sound like: ~처럼 들리다

13 in: ~을 입은

14 발걸음을 어떤 것에 디디거나 어떤 특정한 방향으로 옮기다: step(발걸음을 떼어놓다)

15 point to: ~을 가리키다

16 sound like: ~처럼 들리다

영역별 핵심문제　　p.93~97

01 Turkish　　02 ②　　03 For example[instance]

04 ④　　05 official language　　06 ②

07 (t)ranslation　　08 ④　　09 ②

10 (D) – (B) – (A) – (C)　　11 ③　　12 ④

13 up　　14 ⑤　　15 ④　　16 ⑤

17 출발하다.　　18 ④　　19 ②　　20 whom

21 ④　　22 ④　　23 where to go

24 ④　　25 whether to　26 ③　　27 ③

28 ①, ⑤　　29 ①, ④　　30 His stomach growls, so he enters the kitchen.　　31 how he should

32 audition　　33 ②　　34 ④　　35 Our app　　36 ③　　37 admission　38 useful

39 ⑤

---

01 프랑스 : 프랑스어 = 터키 : 터키어

02 ②는 유의어 관계이고 나머지는 반의어 관계이다.

03 for example[instance]: 예를 들어

04 ④는 waste(낭비하다)의 영영풀이이다.

---

05 official language: 공용어

06 in half an hour: 30분 후에 / walk in: 안으로 들어가다

07 한 언어에서 다른 언어로 옮겨진 글[말]: 번역, 통역 (translation)

08 Would you like some ~?은 How about having some ~?, Why don't you have some ~?으로 바꿔 쓸 수 있다.

09 a busy bee는 '분주한 일꾼, 바쁘게 일하는 사람'이라는 뜻이다.

10 (D) 비빔밥 좀 먹을래? - (B) 응, 부탁해. - (A) 맛이 어때? - (C) 오, 맛있어.

11 'A.S.A.P'가 무슨 의미인지를 묻고 그것의 의미에 대해 정의하는 내용이므로 빈칸에는 '의미하다'라는 뜻의 mean이 적절하다.

12 주어진 질문은 '케이크 좀 먹을래?'라는 뜻으로 ④번을 제외한 나머지는 상대방의 권유를 거절하는 표현이다.

13 hurry up: 서두르다

14 빈칸 뒤의 말 '움직이기 시작할 시간이야라는 의미야'로 보아 빈칸에는 Hit the road가 무슨 뜻인지 묻는 질문이 와야 한다.

15 like: (예를 들어) ~처럼

16 명암, 날씨, 거리, 시간 등을 나타내는 비인칭 주어 it이다. ⑤는 the room을 받는 인칭대명사 it이다.

17 hit the road: 출발하다

18 선행사 the ring이 사물이고 목적격이므로 관계대명사 which[that]가 들어가야 알맞다.

19 '어떻게 ~하는지, ~하는 방법'은 「how+to부정사」를 써서 나타낸다.

20 선행사가 사람(friend)이고 앞에 전치사 to가 있으므로 목적격 관계대명사 whom을 쓴다.

21 ④ 「who+to부정사」 구문은 사용하지 않는다. 대신 Will you tell me who will invite Jack?으로 나타낸다.

22 동사 work는 자동사이므로 목적격 whom을 취하기 위해서는 '~와 함께'라는 의미의 전치사 with가 필요하다.

23 '어디로 가야 할지'는 「의문사 where+to부정사」로 나타낼 수 있다.

24 <보기>와 나머지는 목적격 관계대명사로 쓰였고, ④는 명사절을 이끄는 접속사로 쓰였다.

25 맨 마지막의 or not에 유의한다. '~할 것인지 말 것인지'를 나타내는 말은 whether이고 뒤에 dye(염색하다)라는 동사가 이어지므로 「whether+to부정사」 구문임을 알 수 있다.

26 ③ 관계대명사 that은 전치사(in)의 목적어가 될 수 없다. (that → which)

27 ③은 문맥으로 보아 who가 동사 take의 주어 역할을 하므로 조동사 should가 들어가야 한다. 나머지는 모두 to가 적절하다.

28 ⓐ, ①, ⑤ 명사적 용법 ② 형용사적 용법 ③, ④ 부사적 용법

29 'help+목적어+원형부정사/to부정사'의 형을 취한다.

30 enter는 타동사이므로 전치사 없이 목적어를 취한다.

31 '의문사+to부정사'는 should를 써서 바꿔 쓸 수 있다.

32 감독이나 지휘자가 배우, 댄서, 뮤지션이 연극, 영화, 오케스트

라에 출연할 자질이 있는 지를 결정하기 위해 주어지는 짧은 공연: audition(오디션)

33 문맥상 역접의 접속사 but이 알맞다.

34 뒤에 이어지는 말로 보아 좋은 일이 있기를 바라는 말임을 알 수 있다.

35 It은 인칭대명사로 앞에 나온 단수 명사를 받는다.

36 문맥상 '무엇을 보아야 하는지'가 알맞다.

37 어떤 장소에 들어가는 행위: admission(입장)

38 use: 이용, 유용 / useful: 유용한

39 ⑤ 우리의 앱은 여행자들에게 유용할 것이라고 언급되었다.

단원별 예상문제 p.98~101

01 ④	02 ⑤	03 ②	04 for[For]
05 ⑤	06 ⑤	07 ②	08 Why don't
09 ⑤		10 Here you are.[Here it is.]	
11 traditional	12 ③	13 ⑤	
14 know them → know	15 ②	16 ③	
17 ①	18 ⑤	19 ①, ⑤	20 There is a knock on the door
21 ②, ④			
22 speaking 또는 to speak	23 ④	24 ③	
25 off	26 that	27 ⑤	28 her → herself
29 ④			

01 ④는 국가명이고 나머지는 언어명이다.

02 step onto: ~에 올라타다

03 의도하는 효과나 결과를 갖다: 효과가 있다(work)

04 for a while: 잠깐 / for example: 예를 들면

05 • 출발합시다. • 나는 그곳에 가는 방법을 안다. • 그게 무슨 뜻이니? • 그 소년은 벽에 공을 차고 있다.

07 음식을 권유하고 있다. ②번은 거절을 한 후 '비빔밥을 좀 먹어 보겠다'고 말하고 있으므로 어색하다.

08 Would you like some?은 Why don't you have some?으로 바꿔 쓸 수 있다.

09 Sure.라고 했으므로 음식 권유에 승낙의 표현이 들어가야 한다.

10 Here you are.[Here it is.]는 물건을 건네줄 때 사용하는 표현이다.

11 오랜 시간 동안 변하지 않은 특정 집단의 믿음, 관습 또는 삶의 부분인: 전통적인(traditional)

12 소년이 케밥에 대해서 물어봤으므로, 소년은 케밥을 먹어 본 적이 없다.

13 앞 문장에는 the doll을 선행사로 하는 목적격 관계대명사 which나 that이 들어가고, 뒤 문장에는 the man을 선행사로 하는 목적격 관계대명사 who(m)이나 that이 들어간다.

14 know의 목적어 them은 관계대명사로 바뀌고, 목적격 관계대명사이기 때문에 생략된 형태이다.

15 ②에서 '카메라를 사용하는 방법'은 「의문사+to부정사」 구문으

로 나타내야 한다.

16 ③ 선행사가 사람이고 목적격으로 쓰였으므로 관계대명사 who(m) 또는 that이 알맞다.

17 「의문사+to부정사」 구문을 이용한다.

18 관계대명사 목적격은 생략할 수 있다. ⑤의 who는 주격 관계대명사이므로 생략할 수 없다.

19 a piece[slice] of bread: 빵 한 개 / a glass of milk: 우유 한 잔

20 There is 구문을 이용한다.

21 선행사가 사람이고 목적격이므로 who, whom, that을 쓸 수 있다.

22 begin은 목적어로 동명사나 to부정사를 취한다.

23 ④ Gambini 씨가 초대한 여인이 누구인지는 본문에 언급되지 않았다.

24 주어진 문장은 Jaden needs no translator for that.의 that의 내용이므로 ③에 와야 한다.

25 turn off: ~을 끄다

26 관계대명사 who 대신 that을 쓸 수 있다.

27 접속사 so는 이유를 나타내는 접속사 because나 as를 써서 바꿔 쓸 수 있다.

28 동사의 목적어가 주어 자신이므로 재귀대명사를 써야 한다.

29 ④ Jaden은 소녀가 자기에게 축구공을 차서 대화를 할 필요가 없다.

서술형 실전문제 p.102~103

01 What does that mean?

02 Why don't you have some juice?
   How[What] about drinking some juice? 등

03 What do you mean by that?
   What's the meaning of it? 등

04 How do you say

05 (1) whom everyone in my class
   (2) which I want to watch

06 (1) I couldn't make up my mind which to choose.
   (2) He doesn't know when to study/play and when to play/study.

07 what → which[that]

08 (1) where (2) when (3) what

09 Suddenly 10 that/which

11 in 12 understand

13 She is holding a soccer ball (in her hand).

14 like 15 to

16 She can teach him Italian. / She can teach Italian to him.

01 What does that mean?: 그게 무슨 의미니?

02 음식을 권유하는 표현에는 Do you want ~? / Why don't you have ~? / How[What] about -ing ~? / Would you like ~? 등이 있다.

03 A의 말 Hit the road!에 대해 그게 무슨 뜻이냐고 묻는 상황이다.

04 how do you say ~?는 해당 언어로 어떻게 말하는지 물어볼 때 사용하는 표현이다.

05 (1) 목적격 관계대명사 whom이 이끄는 절이 선행사 a teacher를 수식한다. (2) 목적격 관계대명사 which가 이끄는 절이 선행사 The movie를 수식한다.

06 (1) '어느 것을 ~할 것인지'는 which to ~로 쓴다. make up one's mind: 결심하다 (2) '언제 공부해야/놀아야 하는지'는 when to study/play로 나타낸다.

07 a pen이 선행사이므로 관계대명사는 which나 that을 쓴다.

08 (1) 뒤에 compass가 나왔으므로, 방향에 관한 내용이 와야 한다. 따라서 where to fly가 어울린다. (2) 때에 관한 질문이 뒤따르므로 when to go가 오는 것이 자연스럽다. (3) what to do: 무엇을 할지

09 sudden: 갑작스러운 / suddenly: 갑자기

10 선행사가 사물이고 주격이므로 which나 that을 쓸 수 있다.

11 전치사 in은 '~을 입은, ~을 입고'의 뜻으로 착용을 나타낸다.

12 어떤 사람이 의도하는 것을 알다: understand(이해하다)

14 sound like: ~처럼 들리다

15 go back to: ~으로 돌아가다

창의사고력 서술형 문제 p.104

|모범답안|

01 Enjoy Paris, what to see, opening hours, admission fees, how to get

02 (1) I want to know how to go to the hospital.
(2) I didn't know what to choose.
(3) I didn't decide where to stay during my trip.
(4) I told him when to leave.

03 a new T-shirt, Mission Impossible Ⅲ, pizza, Chu Shinsu
(1) a new T-shirt
(2) want to watch is Mission Impossible Ⅲ
(3) that I want to eat is pizza
(4) I want to meet is Chu Shinsu

단원별 모의고사 p.105~108

01 disappear 02 ④ 03 ④
04 (c)ommunicate 05 ① 06 ⑤

07 ① 08 around 09 ⑤ 10 ⑤
11 (A) too (B) that 12 ③ 13 ④
14 ③ 15 how to cook 16 ④, ⑤
17 ④ 18 ② 19 ④ 20 which
→ that 21 ③ 22 ①, ④ 23 sunny
24 ①, ④ 25 ⑤ 26 ④ 27 ④
28 ③ 29 carefully 30 ④

01 반의어 관계이다. 중요한 : 중요하지 않은 = 나타나다 : 사라지다

02 눈에 잘 띄고 알아보기 쉬운 지상의 물체나 구조물: landmark(주요 지형지물)

03 work: 작동하다, 효과가 있다

04 당신의 아이디어, 감정, 생각 등을 다른 사람들에게 알리고 그들이 그것들을 이해할 수 있도록 하다: 의사소통하다 (communicate)

05 step onto: ~에 올라타다

06 ⑤ 무엇을 먹고 싶은지 묻는 말에 '나는 피자를 먹었다'고 대답하는 것은 어색하다.

07 (A) 이봐, Kate, 떡 좀 먹을래? (C) 그래, 줘. 오! 맛있다. (D) 좀 더 먹을래? (B) 응, 고마워.

08 look around: ~을 둘러보다

09 how to+동사원형: ~하는 방법 /
what do you mean by ~?: ~은 무슨 뜻이니?

10 landmark는 중요한 장소 또는 특별한 건물들을 가리킨다.

11 (A) too: (긍정문에서) ~도(또한/역시) / either: (부정문에서) ~ 도(또한/역시) (B) 선행사가 the places이므로 관계대명사 that[which]가 알맞다.

12 앞 문장은 선행사가 사물이고 주격이므로 which나 that이 알맞고, 뒤 문장은 선행사가 사람이고 목적격이므로 who(m)나 that이 알맞다.

13 ④ make의 목적어가 될 수 있는 말이 있어야 한다.

14 ③은 주격 관계대명사로 쓰인 that이고, 나머지는 모두 목적격 관계대명사로 쓰였다.

15 '요리하는 방법'을 배우고 싶다는 뜻이므로 「how+to부정사」로 나타낼 수 있다.

16 선행사가 the writings로 사물이므로 목적격 관계대명사 that 또는 which가 알맞다.

17 모두 「의문사+to부정사」 구문으로 to가 빈칸에 들어가고, ④는 too ~ to부정사 구문으로 빈칸에 too가 들어간다.

18 ② 소녀의 이름이 Nancy이므로 a girl을 선행사로 하는 소유격 관계대명사 whose가 필요하다.

19 관계대명사 목적격은 생략할 수 있다.

20 선행사 movie를 최상급 형용사가 수식하고 있으므로 관계대명사 that을 써야 한다.

21 두 여인이 이탈리아어를 아주 빨리 말하기 시작했다는 문장 다음에 와야 한다.

22 선행사가 사람으로 목적격일 때는 whom, who, that을 쓸 수 있다.

23 sun: 해, 태양 /
sunny: 화창한

24 선행사가 사람으로 주격일 때는 who나 that을 쓸 수 있다.

25 ⑤ 축구공을 차고 있는 소녀가 누구인지는 언급되지 않았다.

26 ①, ②, ③, ⑤는 모두 the OK sign을 가리키고, ④는 money를 받는다.

27 for example: 예를 들면

28 so: 그래서 / when: ~할 때

29 care의 부사형으로 바꾼다.

30 ④ OK 사인은 프랑스에서는 좋은 의미로 쓰이지 않는다.

Lesson 3

Healthy Life, Happy Life

시험대비 실력평가 p.112

| 01 ② | 02 ② | 03 ④ | 04 attack |
| 05 ⑤ | 06 cell | 07 By the way | 08 ② |

01 나머지는 모두 동사의 행위자를 나타내는 말이고, ②는 '위험'을 뜻하는 단어이다.

02 show up: 나타나다 / be good for: ~에 좋다

03 번식해서 수가 증가하다: 증식하다(multiply)

04 반의어 관계이다. 어려운 : 쉬운 = 방어하다 : 공격하다

05 make it: (모임 등에) 가다, 참석하다

06 모든 생물을 구성하는 아주 작은 부분들의 어느 하나: cell(세포)

07 by the way: 그런데(화제를 바꿀 때 쓰는 표현)

08 plenty of: 많은 / think of: ~을 생각하다

서술형 시험대비 p.113

01 (1) actor (2) cartoonist (3) inventor
02 (1) such as (2) is famous for (3) few days
03 (1) germs (2) digest (3) multiply (4) balanced
04 (1) healthy (2) Luckily (3) dangerous
05 (1) show up (2) good for
　(3) plenty of (4) catch a cold
06 (1) (s)cratch (2) (v)ictim (3) (b)acteria

01 (1), (3)은 '동사 : 행위자' 관계이고, (2)는 '명사 - 행위자' 관계이다.

02 (1) such as: ~과 같은 (2) be famous for: ~으로 유명하다 (3) in a few days: 며칠 후에

03 (1) germ: 세균 (2) digest: 소화시키다 (3) multiply: 증식[번식]하다 (4) balanced: 균형 잡힌

04 (1) healthy: 건강한 (2) luckily: 다행히도 (3) dangerous: 위험한

05 (1) show up: 나타나다 (2) be good for: ~에 좋다 (3) plenty of: 많은 (4) catch a cold: 감기에 걸리다

06 (1) scratch: 긁다 (2) victim: 피해자, 희생자 (3) bacteria: 박테리아

18 정답 및 해설

Conversation

핵심 Check
p.114~115

1 (1) wrong / stomachache　(2) matter / runny nose

　(3) What, problem / have a toothache

2 (1) make it / Sure, then　(2) How about going /
problem　(3) Let's play / Sorry, I can't

교과서 대화문 익히기

Check(√) True or False
p.116

1 T　2 F　3 T　4 F

교과서 확인학습
p.118~119

Communicate: Listen - Listen and Answer Dialog 1

Can, early, don't feel / seems to / have,
stomachache, hurts / Why don't, medicine / already,
didn't help / can, Go see / Sure

Communicate: Listen - Listen and Answer Dialog 2

heard, okay / the doctor, feel better / to hear, By the
way, to talk / should meet, make it / Let's meet, at /
early, late / How about / sounds

Communicate: Listen - Listen More

wrong with / scratching, lost, hair / have the problem /
About, ago / Let, see, have a virus / need to check,
Can, make / fine with / See

Communicate: Listen - All Ears

make / wrong

Communicate: Speak 2 - Talk in pairs

What's wrong / have, sore throat / bad, should drink /
will

Communicate: Speak 2 - Talk in group

Let's / why not / Can you make / with, should, meet /
Let's, at / See you

Wrap Up - Listening ⑤

don't feel / What, problem / have a fever / Let me see,
do / get you some medicine / Thank

Wrap Up - Listening ⑥

thinking of, come with / to go / make it at / fine with /
Let's, at

시험대비 기본평가
p.120

01 ③　　　　02 ④　　　　03 ④　　　　04 ②

01 Can you make it at ~?은 약속 시간을 정할 때 쓰는 표현이다.

02 What's wrong?은 What's the problem?과 바꾸어 쓸 수 있다.

03 B가 동의하고 5시에 만나자고 말했으므로 약속 시간을 정하는
표현인 ④가 알맞다.

04 이어지는 대답으로 보아 상태를 묻는 질문이 알맞다.

시험대비 실력평가
p.121~122

01 ⑤　　　　　02 How[What] about getting　　03 ④
04 stomachache　　　　05 ②　　　　06 ④
07 meet　　08 ②　　　　09 They will meet at the
school gym at ten.　　　　10 ③　　　　11 By the
way　　　12 ④　　　　13 ②　　　　14 late
15 ⑤

01 What seems to be the problem?과 What's the matter
with you?는 '어디가 안 좋으니?'라는 의미이다.

02 Why don't you + 동사원형 ~?은 How[What] about -ing
~?로 바꿔 쓸 수 있다.

03 ⓒ와 ④는 '허가', ①, ②, ⑤는 '가능, 능력', ③은 '추측'을 나
타낸다.

04 위의 또는 위 부근의 통증: 위통, 복통(stomachache)

05 ② 소년은 배가 몹시 아프다고 했다.

06 A가 10시에 만날 수 있는지 묻고 있으므로 빈칸에는 제안을 수
락하는 표현이 알맞다. ④는 제안을 거절하는 표현이다.

07 Can you make it at ten?은 Can we meet at ten?으로 바
꿔 쓸 수 있다.

08 A가 체육관에서 만나자고 했으므로 만날 장소를 정하는 표현인
②가 알맞다.

09 A와 B는 10시에 학교 체육관에서 만날 것이다.

10 종하가 지금은 몸이 나아졌다고 했으므로 몸이 괜찮은지를 묻는
③이 알맞다.

11 by the way: 그런데

12 ④를 제외하고 나머지는 모두 내일 만나자고 제안하는 표현이다.

13 '~하자'고 제안하는 표현은 Let's ~.이다.

14 평소보다 또는 예상되는 때보다 늦게: late(늦게)

15 그들의 과학 과제를 언제까지 끝내야 하는지는 위 대화를 통해 알
수 없다.

01 |모범답안| What's wrong? / What's the problem? /
    What seems to be the problem? 등

02 Why don't you get some rest?

03 meeting

04 Where should we meet?

05 at the school gym

06 matter[problem]

07 Can you make it next Monday?

08 (A) scratching   (B) ago

09 계속해서 자기의 몸을 긁는다. / 털이 빠졌다.

01 증상을 묻는 표현에는 What's wrong? / What's the problem? / What's the matter? / What seems to be the problem? 등이 있다.

02 Why don't you + 동사원형 ~?: ~하는 게 어때?

03 10시에 만날 수 있느냐는 의미이다.

04 Where should we meet?: 우리 어디서 만날까?

05 there는 앞에 나온 at the school gym을 가리킨다.

06 What's wrong with ~?는 어떤 증상이 있는지 물어보는 표현으로 What's the matter with ~? / What's the problem with ~? 등으로 바꿔 쓸 수 있다.

07 make it은 시간이나 장소의 표현과 함께 쓰여 '시간에 맞춰 가다, 도착하다'라는 의미를 갖는다.

08 (A) keep -ing: 계속해서 ~하다 (b) ~ ago: ~ 전에(과거 시제에 쓰임)

09 She keeps scratching herself. Actually, she lost some hair.를 통해서 알 수 있다.

Grammar

1 (1) to understand   (2) It   (3) to exercise   (4) of   (5) for

2 (1) to go   (2) to help   (3) to write with   (4) cold to drink

01 (1) It   (2) to do   (3) to visit   (4) for   (5) of

02 (1) to change   (2) to visit   (3) to offer

03 (1) exercise → to exercise   (2) finish → to finish
    (3) That → It   (4) for → of   (5) of → for

01 (1) 가주어 it이 필요하다. (2), (3) 형용사적 용법의 to부정사가 필요하다. (4) 형용사가 hard이므로 의미상의 주어는 'for+목적격'을 쓴다. (5) 형용사가 kind이므로 의미상의 주어는 'of+목적격'을 쓴다.

02 형용사적 용법의 to부정사를 이용한다.

03 (1), (2) 가주어 It이 있는 구문이므로 동사원형을 to부정사로 바꾼다. (3) 가주어는 It으로 나타낸다. (4) 형용사가 brave이므로 의미상의 주어는 'of+목적격'을 쓴다. (5) 형용사가 easy이므로 의미상의 주어는 'for+목적격'을 쓴다.

01 ③   02 ③   03 ④   04 to write

05 It, to change   06 ①   07 ①

08 Do you want anything to eat? [Do you want to eat anything?]   09 ④   10 ④   11 It is difficult to fix the machine.   12 ②   13 ①

14 ①   15 to   16 ⑤   17 sit → sit on[in]   18 ①   19 ③   20 ③

21 It is pleasant to listen to music.   22 ⑤

23 going → to go

01 ③은 부사적 용법의 to부정사이다. '~하기 위해'로 해석한다. 나머지는 모두 형용사적 용법이다.

02 가주어 It의 진주어로 to부정사가 필요하다.

03 부정대명사 anything을 수식하는 형용사적 용법의 to부정사가 와야 한다.

04 '써야 할 편지들'이라는 뜻으로 명사 letters를 수식하는 to부정사의 형용사적 용법이다.

05 주어로 쓰인 to부정사가 긴 경우, 이를 뒤로 보내고 그 자리에 가주어 it을 쓴다.

06 <보기>의 to read는 앞에 나온 명사 books를 수식하는 형용사적 용법의 to부정사이다. ① 형용사적 용법 ② 명사적 용법 ③ 부사적 용법 ④ 명사적 용법 ⑤ 부사적 용법

07 가주어 – 진주어 구문으로 「It is+형용사+to부정사」 형태가 적절하다.

08 부정대명사를 수식하는 to부정사의 형용사적 용법을 쓴다.

09 ④의 it은 인칭대명사이고 나머지는 가주어 it[It]이다.

10 ④ to going 대신 time을 수식하는 형용사적 용법의 to부정사가 필요하다.

11 '그 기계를 고치는 것은'은 to fix the machine으로 나타낸다.

12 첫 문장은 형용사가 kind이므로 의미상의 주어는 'of+목적격'을 쓴다. 두 번째 문장은 형용사가 natural이므로 의미상의 주어는 'for+목적격'을 쓴다.

13 honest와 wise는 의미상의 주어로 'of+목적격'을 쓴다.

14 It이 가주어이므로 진주어인 to부정사가 와야 한다.

15 don't have to: ~할 필요가 없다 / reason to be angry at: ~에게 화낸 이유

16 ①, ④ 진주어로 쓰인 to부정사 ② hopes는 to부정사를 목적어로 취한다. ③ enough to+동사원형: ~하기에 충분히 …한 ⑤ 사역동사의 목적격보어는 동사원형이 와야 한다.

17 to부정사의 수식을 받는 명사가 전치사의 목적어일 경우 뒤에 전치사가 온다.

18 ①은 '때'를 나타내는 비인칭 주어이다. 나머지는 가주어 it으로 쓰였따.

19 to부정사의 수식을 받는 명사가 전치사의 목적어일 경우 to부정사 뒤에 전치사를 쓴다. ③은 to talk with라고 해야 옳다.

20 ③은 형용사적 용법의 to부정사이고, 나머지는 모두 명사적 용법으로 쓰였다.

21 to부정사로 쓰인 주어가 길거나 의미를 강조하고 싶을 때 가주어 it을 주어 자리에 쓰고 진주어인 to부정사를 문장 뒤로 보낸다.

22 time을 수식하는 to부정사와 「don't have to+동사원형」의 형태가 필요하다.

23 진주어로 to부정사가 와야 한다.

서술형 시험대비   p.130~131

01 to   02 It to

03 (1) It is difficult to learn English.

   (2) He bought a magazine to read on the train.

04 to receive

05 (1) It wasn't easy to visit him every weekend.

   (2) It is an exciting experience to live in another country.

06 (1) She has a strong desire to be a singer.

   (2) We had something to talk about.

   (3) I want a sheet[piece] of paper to write on.

   (4) Please give me something hot to drink.

07 (1) play → to play   (2) of → for

08 (1) It   (2) on   (3) with   (4) to

09 to play with   10 to

11 It, to learn

12 (1) for → of   (2) of → for

13 It's a place to sell many things for 24 hours.

01 앞의 명사를 수식하는 형용사적 용법의 to부정사가 필요하다.

02 가주어 it을 문장 앞에 두고 진주어 to부정사구를 뒤로 보낸다.

03 (1) 가주어 it, 진주어 to부정사 구문이다. (2) '읽을 잡지'이므로 to부정사의 형용사적 용법을 쓴다.

04 가주어인 It의 진주어에 해당하는 to부정사구가 되어야 하므로 to receive로 쓴다.

05 (1) '주말마다 그를 방문하는 것'은 to visit him every weekend로 나타낸다. (2) '다른 나라에서 사는 것'은 to live in another country로 나타낸다.

06 (1), (2) to부정사의 형용사적 용법을 이용해 「명사+to부정사」의 형태로 쓴다. (3) to부정사의 목적어가 있고 to부정사의 동사가 자동사일 때는 전치사가 필요하다. (4) -thing으로 끝나는 부정대명사는 「-thing+형용사+to부정사」의 어순을 따른다.

07 (1) time을 수식하는 to부정사로 바꾼다. (2) important는 의미상의 주어로 'for+목적격'을 쓴다.

08 (1) 가주어 it이 필요하다. (2) '~ 위에' 쓰는 것이므로 전치사 on이 필요하다. (3) '칼을 가지고 로프를 자르는' 것이므로 전치사 with가 필요하다. (4) 형용사적 용법의 to부정사가 온다.

09 '같이 놀 친한 친구가 필요하다.'이므로 my best friend를 꾸며주는 to부정사는 전치사 with와 함께 써야 한다.

10 time을 수식하는 to부정사와 「don't have to+동사원형」의 형태가 필요하다.

11 to learn to ride a bike가 주어인 문장으로, 가주어 it이 앞에 온다. to ride는 learn의 목적어로 쓰인 to부정사이다.

12 (1) 형용사가 stupid이므로 의미상의 주어는 'of+목적격'을 쓴다. (2) 형용사가 necessary이므로 의미상의 주어는 'for+목적격'을 쓴다.

13 to부정사의 형용사적 용법 (a place to sell ~)을 이용한다.

교과서 Reading

확인문제   p.132

1 F   2 T   3 F   4 T   5 T

확인문제   p.133

1 F   2 T   3 T   4 F

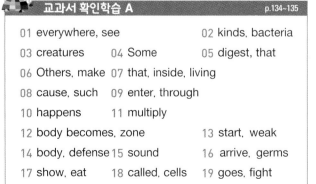

교과서 확인학습 A   p.134~135

01 everywhere, see   02 kinds, bacteria

03 creatures   04 Some   05 digest, that

06 Others, make 07 that, inside, living

08 cause, such   09 enter, through

10 happens   11 multiply

12 body becomes, zone   13 start, weak

14 body, defense 15 sound   16 arrive, germs

17 show, eat   18 called, cells   19 goes, fight

20 few, feel   21 invader, copies, itself

22 smart   23 change, trick

24 several, protect   25 wash, warm

26 diet, healthy   27 exercise, plenty

28 Finally, shots   29 defense, germs

30 steps, victim   31 copies   32 defend

33 meal   34 there, eat   35 Next, send

36 see, another   37 can   38 ready, any

39 up   40 make

교과서 확인학습 B

p.136~137

1 Germs are everywhere, but it is impossible to see them with your eyes.

2 There are two major kinds of germs: bacteria and viruses.

3 Bacteria are very small creatures.

4 Some are good.

5 They can help you digest the food that you eat.

6 Others are bad and can make you sick.

7 Viruses are germs that can only live inside the cells of other living bodies.

8 They cause diseases such as the flu.

9 "Bad" germs can enter your body through your skin, mouth, nose, and eyes.

10 What happens when they invade?

11 The germs multiply in the body.

12 Your body becomes a war zone.

13 You start to feel tired and weak.

14 Luckily, your body has an army of defense.

15 The T cells sound the alarm!

16 The B cells arrive to fight the germs with antibodies.

17 The macrophage cells show up and eat the germs.

18 Together, this army is called the white blood cells.

19 If all goes well, they win the fight.

20 In a few days, you start to feel better.

21 The body remembers the invader, so it cannot make copies of itself again.

22 But the germs are smart, too.

23 They can change form and trick the body.

24 There are several ways to protect yourself from germs.

25 First, wash your hands with soap and warm water.

26 A balanced diet will keep your body strong and healthy.

27 It is also important to exercise regularly and get plenty of sleep.

28 Finally, get the necessary shots.

29 They are the best defense against germs.

30 If you follow these steps, you will not be a victim of "bad" germs.

31 Make more copies of me.

32 It's my job to defend the body.

33 That was a nice meal!

34 Are there any more germs to eat?

35 Next year, I'll send in my cousin.

36 He'll see you then for another fight!

37 What can I do now?

38 I'm ready to fight any germs.

39 We give up.

40 We can't make you sick.

시험대비 실력평가

p.138~141

01 ④   02 ②   03 손대지 마라!

04 ③   05 ⑤   06 ⑤   07 ①

08 ②, ⑤   09 like   10 multiply   11 invader

12 ①   13 ⑤   14 ②   15 ④

16 ③   17 ④   18 another   19 it → itself

20 그들은 형태를 바꿔서 몸을 속일 수 있다

21 ③   22 to protect   23 ②   24 ③

25 ③   26 덤벼.   27 ②   28 규칙적으로 운동하고 잠을 충분히 자는 것   29 나의 사촌도 게임 오버라고?   30 ④   31 Finally

32 ⑤   33 ①

01 주어진 문장은 좋은 박테리아가 있다는 뜻이므로 박테리아가 좋은 일을 하는 문장 앞인 ④에 와야 한다.

02 watch out: 조심하다

03 Hands off!: 손 떼!, 손대지 마!

04 앞뒤 절의 내용이 상반되므로 역접의 접속사 but이 필요하다.

05 선행사가 사물이고 목적격이므로 관계대명사 which나 that을 쓸 수 있다.

06 ⑤ 박테리아는 유익한 것과 해로운 것이 있다.

07 문맥상 '공격하다'가 알맞다.

08 선행사가 사물이고 주격이므로 관계대명사 which나 that을 쓸 수 있다.

09 such as: ~와 같은

10 수나 양이 크게 증가하다: multiply(증식하다, 번식하다)

11 invade: 침략하다 / invader: 침략자, 침입자

12 문맥상 '몸을 방어하다'가 알맞다.

13 ⓒ, ⑤ 부사적 용법 ①, ③, ④ 명사적 용법 ② 형용사적 용법

14 show up: 나타나다

15 T 세포가 어떻게 정보를 발하는지는 언급되지 않았다.

16 game over: 게임 오버, 경기 종료

17 send in: ~을 파견하다

18 뒤에 단수명사가 오므로 another가 알맞다.

19 주어 it의 목적어가 주어 자신이므로 재귀대명사 itself를 써야 한다.

20 change form: 형태를 바꾸다 / trick: 속이다

21 ③ 몸이 자신을 침입한 균을 기억한다고 언급되었다.

22 명사 ways을 수식하는 형용사적 용법의 to부정사이다.

23 protect A from B: B로부터 A를 보호하다

24 ⓒ와 ③은 '~으로'의 뜻으로 수단을 나타낸다. ①, ② ~에게(는) ④ ~에게 ⑤ ~으로(원인)

25 문맥상 '균들과 싸우다'가 알맞다.

26 Bring it on.: 덤벼.

27 ⓒ, ② 5문형 ① 2문형 ③ 1문형 ④ 4문형 ⑤ 3문형

28 It은 가주어로 진주어인 to exercise 이하를 받는다.

29 game over: 게임 오버, 경기 종료.

30 give up: 포기하다

31 final의 부사형 finally로 고친다.

32 against: ~에 대항하여

33 조건의 접속사 if가 알맞다

서술형 시험대비   p.142~143

01 Watch   02 cannot[can't]   03 Others
04 좋은 박테리아는 우리가 먹는 음식을 소화시키는 데 도움이 된다.   05 of   06 enter into → enter
07 나쁜 균들   08 Because the germs multiply in the body.   09 Are there any more germs to eat?
10 defense   11 calling → called   12 며칠 후에 여러분은 기분이 더 좋아지기 시작한다.   13 They sound the alarm.   14 different   15 that
16 snacks   17 with   18 손에 있는 균이 우리의 몸속으로 들어올 수 있기 때문이다.

01 watch out: 조심하다

02 impossible: 불가능한

03 some ~, others ...: 어떤 것들은 ~하고, 또 어떤 것들은 …하다

05 make copies of: ~을 복사[복제]하다

06 enter는 타동사이므로 전치사 없이 목적어를 취한다.

07 they는 앞 문장에 나온 Bad germs를 받는다.

09 Are there ~?의 구문을 쓴다.

10 defend의 명사형으로 고친다.

11 문맥상 진행형이 아니라 수동태가 되어야 한다.

12 in a few days: 며칠 후에 / start to: ~하기 시작하다

14 differ: 다르다 / different: 다른, 여러 가지의

15 선행사가 everything이므로 which보다 that을 더 자주 쓴다.

16 요리하고 먹기에 빠른 간단한 식사: snack(간식)

17 with: ~으로

영역별 핵심문제   p.145~149

01 ④   02 ③   03 dangerous   04 ③
05 ②   06 ②   07 give up   08 ④
09 problem   10 ⑤   11 (C) - (A) - (D) - (B)
12 ①   13 ④   14 약을 먹은 것 15 ③
16 He has a terrible stomachache.   17 ④
18 ①   19 ②   20 it is   21 ③
22 ②   23 ②   24 write → write with
25 ⑤   26 It, to   27 I will do anything to make myself look slimmer. 28 ⑤   29 ②
30 living   31 ③   32 ①   33 그는
그때 또 다른 싸움을 위해 널 만날 거야!   34 ②
35 ③   36 ②   37 ①   38 soap
39 They are on everything that we touch.

01 ④는 '명사 - 명사' 관계인데, 나머지는 '동사 - 행위자' 관계이다.

02 • 이것은 매우 어려운 문제이다. • 성공의 비결은 열심히 일하는 데 있다. • 옛날 지폐는 복제하기 너무 쉽다. • 그녀는 피부에 바이러스가 있다.

03 반의어 관계이다. 쉬운 : 어려운 = 안전한 : 위험한

04 by the way: 그런데 / watch out: 조심하다

05 모든 생물들을 구성하는 아주 작은 부분들의 어느 하나: 세포(cell)

06 at last: 마침내(=finally)

07 give up: 포기하다

08 상대방의 증상을 묻는 표현이 쓰여야 한다.

09 No problem.: 문제없어.(제안에 승낙하는 표현)

10 제안에 거절하는 표현이 와야 한다.

11 (C) 무슨 일 있니? - (A) 목이 아파. - (D) 안됐구나. 너는 물을 좀 마셔야 해. - (B) 알았어, 그럴게.

12 문맥상 약속 정하기 표현이 알맞다. Can you make it at 5?: 5시에 만날 수 있니?

13 What seems to be the problem?은 어떤 증상이 있는지 물어보는 표현으로 What's the matter (with ~)? / What's the problem (with ~)? / Is something wrong (with ~)? 등으로 바꿔 쓸 수 있다.

14 인칭대명사 it은 앞에 나온 get some medicine을 가리킨다.

15 위통이 있는 사람에게 해 줄 수 있는 말은 ③이 알맞다.

16 소년은 배가 몹시 아프다고 했다.

23

17 -thing으로 끝나는 부정대명사를 수식하는 to부정사가 필요하다.

18 가주어 It을 설명하는 진주어 to부정사가 필요하다.

19 형용사가 stupid와 clever이므로 의미상의 주어는 'of+목적격'을 쓴다.

20 뒤에 진주어인 to부정사구가 왔으므로 빈칸에는 가주어인 it과 be동사가 와야 한다.

21 -thing으로 끝나는 부정대명사는 「-thing+형용사+to부정사」의 어순을 취한다.

22 ②는 날씨를 나타내는 비인칭 주어 it이고, 나머지는 to부정사구를 진주어로 하는 가주어 it이다.

23 <보기>와 나머지는 모두 형용사적 용법이고 ②는 부사적 용법이다.

24 to부정사의 수식을 받는 명사가 전치사의 목적어일 경우 뒤에 전치사가 온다.

25 형용사적 용법의 to부정사는 명사나 대명사를 뒤에서 수식하여 형용사처럼 쓰인다. 또한, food는 보통 단수로 쓰인다.

26 To read this book이 주어인 문장으로, 가주어 it이 앞에 온다.

27 anything: 어떤 것이든

28 주어진 문장은 여러분의 몸이 전쟁 지역이 된다는 뜻이므로 피곤하고 약해지는 것을 느낀다는 문장 앞에 와야 한다.

29 균들이 몸을 공격하는 상황이므로 attack이 알맞다.

30 한정적 용법으로 쓰이고 있으므로 living이 와야 한다.

31 때를 나타내는 접속사 when이 알맞다.

32 ① 균은 자신을 복제할 수 있다.

33 another: 또 다른, 다른 하나의

34 so: 그래서

35 문맥으로 보아 '몸을 속이다'가 알맞다.

36 주어진 문장의 too로 보아 전화기와 컴퓨터에 손을 댄다는 말 다음에 와야 한다.

37 접촉해서 '~ 위에'는 on을 쓴다.

38 여러분 자신을 씻거나 또는 때때로 옷을 세탁하기 위해 물과 함께 사용하는 물질: soap(비누)

단원별 예상문제 p.150~153

01 ④ 02 ② 03 inventor 04 ⑤
05 (1) be ready to (2) runny nose, sore throat
06 ① 07 ⑤ 08 ② 09 Can you make it tomorrow? 10 Why don't we
11 ④ 12 ② 13 write → write on
14 It, to 15 ① 16 ③ 17 ⑤
18 ① 19 나는 어떤 균들과도 싸울 준비가 되어 있어. 20 ② 21 regularly 22 ⑤
23 open 24 There are germs on everything that you touch. 25 ② 26 ③ 27 Germ 1의 사촌들도 싸움에 져서 놀랐기 때문이다. 28 ①
29 주사는 균들에 대한 가장 좋은 방어이다. 30 victim

01 ④는 유의어 관계이고 나머지는 반의어 관계이다.

02 give up: 포기하다 / show up: 나타나다

03 그림을 그리다 : 화가 = 발명하다 : 발명가

04 ⑤는 dangerous(위험한)의 영영풀이이다.

05 (1) be ready to: ~할 준비가 되어 있다
   (2) have a runny nose: 콧물이 나다 / have a sore throat: 목이 아프다

06 감기에 걸렸을 때 병원에 가보라고 하는 충고가 어울린다.

07 콘서트에 가자는 A의 제안에 B가 동의를 했으므로, 뒤에는 만나는 시간 약속을 하는 내용이 이어지는 것이 자연스럽다.

08 주어진 문장은 '그 말을 들으니 기쁘다.'는 뜻으로 지금은 나아졌다는 문장 다음에 와야 한다.

09 '시간에 맞춰 가다'는 make it이다. '너는 내일 올 수 있니?'라는 뜻의 의문문을 만든다.

10 Let's ~.는 Why don't we ~?로 바꿔 쓸 수 있다.

11 it이 가주어이므로 진주어인 to부정사가 와야 한다.

12 첫 문장은 형용사가 wise이므로 의미상의 주어는 'of+목적격'을 쓴다. 두 번째 문장은 형용사가 impossible이므로 의미상의 주어는 'for+목적격'을 쓴다.

13 to부정사의 수식을 받는 명사가 전치사의 목적어일 경우 뒤에 전치사가 온다.

14 To finish this homework이 주어인 문장으로 가주어 it이 앞에 온다.

15 ①에서 sit은 자동사이므로 chair를 목적어로 취하기 위해서는 전치사 in이나 on이 필요하다.

16 <보기>와 ③의 It은 가주어이다.
   ①, ④ 비인칭 주어 ②, ⑤ 인칭대명사

17 many places to visit(방문할 많은 장소)에서 to visit은 형용사적 용법의 to부정사로 명사인 many places를 수식한다.

18 ①은 to부정사의 형용사적 용법이고, 나머지는 모두 '~하기 위해서'라는 목적을 나타내는 부사적 용법이다.

19 be ready to: ~할 준비가 되다 / any: (긍정문에서) 어떤 ~이라도

20 Bring it on.: 덤벼라.

21 동사 exercise를 수식하는 부사로 고쳐야 한다.

22 ⓐ, ⑤ 부사적 용법
   ①, ③, ④ 명사적 용법
   ② 형용사적 용법

23 open: 열다 / close: 닫다

24 관계대명사는 선행사가 everything이므로 that을 쓴다.

25 조건을 나타내는 접속사 if가 알맞다.

26 get into: ~으로 들어가다

27 game over: 게임 오버, 경기 종료

28 'make+목적어+목적보어' 구문이다.

29 They는 앞 문장의 the necessary shots를 받는다.

30 다치거나 살해당한 사람: victim(희생자)

서술형 실전문제
p.154~155

01 |모범답안| What's the matter[problem] with you? / Is (there) something wrong with you? / What seems to be the problem? 등

02 I have a sore throat.

03 Let's / make it / afraid. How[What] / See

04 (B)–(C)–(D)–(A)

05 (1) It isn't easy to go down the hill.
   (2) I like the photographs which my little[younger] brother takes.

06 (1) It is difficult for me to park a car.
   (2) It is safe to ride a bike with a helmet.
   (3) It is an exciting experience to live in another country.

07 (1) to go to school
   (2) to have[eat] lunch
   (3) to play on the playground
   (4) to do my homework

08 What   09 yourself   10 with

11 여러분이 비누와 따뜻한 물로 손을 씻고 있기 때문이다.

12 up   13 the necessary shots   14 defense

15 여러분이 이 조치들을 따른다면, 나쁜 균들의 희생자가 되지 않을 것이다.

01 어떤 증상이 있는지 물을 때 사용하는 표현에는 What's wrong with ~? / What's the matter[problem] with ~? / Is (there) something wrong with ~? / What seems to be the problem? 등이 있다.

02 have a sore throat: 목이 아프다

03 Let's ~: ~하자 / make it: 시간에 대다 / I'm afraid I can't.: 나는 할 수 없을 것 같다. / How about ~?: ~은 어떠니? / See you then.: 그때 보자.

04 (B) 무슨 문제 있니? - (C) 음, 이가 아파. - (D) 그것 참 안 됐구나. 치과에 가 보는 게 어때? - (A) 알았어. 그럴게.

05 (1) 「It ~ to부정사」 구문을 이용하여 문장을 완성한다. (2) 관계대명사 which를 이용하여 선행사 the photographs를 수식하도록 한다.

06 to부정사가 이끄는 구가 주어로 오는 경우, to부정사 주어를 문장 뒤로 보내고 그 자리에 It을 쓴다.

07 to부정사의 형용사적 용법을 이용하여 문장을 완성한다.

08 '내가 지금 무엇을 할 수 있는가?'의 뜻이 되어야 자연스럽다.

09 목적어가 주어 자신이므로 재귀대명사를 써야 한다.

10 수단을 나타내는 전치사 with가 알맞다.

12 give up: 포기하다

13 They는 인칭대명사로 앞에 나온 복수명사를 받는다.

14 defend: 방어하다 / defense: 방어

15 follow: 따르다 / step: 단계, 조치

창의사고력 서술형 문제
p.156

|모범답안|

01 (1) I need something to drink.
   (2) I need a chair to sit on[in].
   (3) He needs friends to talk with.

02 (1) It is kind of her to help the poor.
   (2) It is exciting for us to play the game.
   (3) It is boring for me to watch basketball games.
   (4) It is possible for you to finish the work on time.
   (5) It is difficult for foreigners to learn Korean.

03 (1) a movie to watch
   (2) a baseball game to watch
   (3) a piano lesson to take
   (4) four comic books to read

단원별 모의고사
p.157~160

01 ④	02 ④	03 ④	
04 cartoonist	05 of	06 ④	07 ②
08 the school gym, ten, play basketball			09 ③
10 make	11 How[What] about		12 ④
13 ③	14 ③	15 ③	16 to finish
17 ②	18 ⑤		
19 ⓐ to find ⓑ to find		20 ⑤	
21 impossible	22 ③	23 ①, ④	24 ⑤
25 ④	26 ③	27 ⑤	28 called
29 ②	30 ④		

31 Because the body remembers the invader.

01 섭취한 음식물을 신체가 사용할 수 있도록 생리 과정을 거쳐 더 단순한 형태로 변화시키다: 소화시키다(digest)

02 watch out for: ~을 조심하다

03 shot: 주사, (농구나 축구 같은 구기에서) 슛

04 '명사 : 행위자' 관계이다. 예술, 미술 : 예술가, 미술가 / 만화 : 만화가

05 plenty of: 많은 / think of -ing: ~할 생각이다

06 A가 10시에 만날 수 있는지 묻고 있으므로 빈칸에는 제안에 승낙하는 표현인 ④가 알맞다.

07 ②를 제외하고 나머지는 모두 10시에 만나자고 제안하는 표현이다.

08 A와 B는 농구를 하기 위해 이번 토요일 10시에 학교 체육관에서 만날 것이다.

09 ⓐ be thinking of: ~할 생각 중이다 ⓒ be fine with: ~에

25

게는 괜찮다

10 make it: 시간에 대다, 만나다

11 Let's ~.는 How[What] about -ing? / Why don't we ~? 등으로 바꿔 쓸 수 있다.

12 명사 things를 수식하는 형용사적 용법의 to부정사가 와야 한다.

13 문맥상 '함께 여행할 친구를 찾고 있다'는 흐름이 자연스러우므로, 빈칸에는 '~와 함께'에 해당하는 with가 알맞다.

14 기숙사를 사는 것이 아니라, 기숙사에서 사는 것이므로 live 다음에 전치사 in이 필요하다.

15 <보기>의 to eat는 형용사적 용법의 to부정사이다. ①, ②, ⑤ 부사적 용법 ③ 형용사적 용법 ④ 명사적 용법

16 it은 가주어이고, 진주어는 형용사 뒤에 to부정사 형태로 와야 한다.

17 ②의 경우, 두 개의 동사(is, skate)가 같이 쓰일 수는 없다. 가주어 it과 진주어 to부정사구(to skate ~)의 구문으로 만든다.

18 ⑤ -thing이나 -body로 끝나는 부정대명사의 경우 형용사와 to 부정사의 수식을 동시에 받으면 「대명사+형용사+to부정사」의 순서로 써야 한다. something important to tell이 올바르다.

19 가주어 It의 진주어로 to부정사 형태가 필요하다.

20 to부정사의 형용사적 용법이다.

21 possible: 가능한 / impossible: 불가능한

22 some ~, others ...: 어떤 것들은 ~하고, 또 어떤 것들은 …하다

23 help는 목적보어로 원형부정사나 to부정사를 취한다.

24 ⑤ 바이러스가 박테리아보다 더 해롭다는 말은 언급되지 않았다.

25 주어진 문장의 they는 the white blood cells를 받는다.

26 germs를 수식하는 형용사적 용법의 to부정사가 와야 한다.

27 show up: 나타나다(=appear)

28 수동태이므로 'be동사+과거분사'의 형을 취한다.

29 other 뒤에는 복수명사, another 뒤에는 단수명사가 온다.

30 ④ 몸이 기억하는 것은 균의 사촌이 아니라 이번에 침입한 균이다.

Lesson
4

Earth, Our Only Home

01 ③은 -y를 붙여 형용사형을 만드는 단어이고, 나머지는 -ful을 붙여 형용사형을 만드는 단어이다.

02 make a fire: 불을 피우다 / take action: 조치를 취하다

03 어떤 사람의 작업, 수면 등을 방해하다: disturb

04 반의어 관계이다. 어두운 : 밝은 = 자연적인 : 인공적인

05 be familiar with: ~을 잘 알다 / in danger: 위험에 처한

06 빛 오염은 인간과 야생 동물에 심각한 영향을 미칠 수 있다. effect: 영향

07 in fact: 사실(actually)

08 according to: ~에 따르면 / be not supposed to: ~해서는 안 된다

01 (1), (2)는 반의어 관계이다. (1) 같은 : 다른 = 어두운 : 밝은 (2) 쉬운 : 어려운 = 잘못된 : 옳은 / (3), (4)는 유의어 관계이다. (3) 종류 : 종류 = 유명한 : 잘 알려진 (4) 맛있는 : 맛있는 = 쓰레기 : 쓰레기

02 (1) turn down: (볼륨을) 줄이다 (2) millions of: 수백만의 (3) because of: ~ 때문에

03 (1) effect: 영향; 결과 (2) light: 가벼운; 빛 (3) volunteer: 자원봉사자; 자원봉사를 하다

04 (1) 그는 리듬에 맞춰 춤추고 있다. rhythm: 리듬 (2) 우리는 환경을 오염으로부터 보호해야 한다. environment: 환경 (3) 아이들은 쓰레기를 줍고 있다. trash: 쓰레기

05 (1) be over: 끝나다 (2) suffer from: ~로 고통 받다 (3) care about: ~에 관심을 가지다

06 (1) artificial: 인공의, 인위적인 (2) allow: 허락하다 (3) migrate: 이동하다 (4) protect: 보호하다

Conversation
교과서

핵심 Check
p.166~167

1 (1) okay to / No, can't (2) Am, allowed

2 (1) shouldn't use / sorry (2) Don't eat
  (3) No, can't, not supposed to
  (4) take a picutre / allowed[supposed]

교과서 대화문 익히기

Check(√) True or False
p.168

1 F 2 T 3 T 4 F

교과서 확인학습
p.170~171

Communicate: Listen - Listen and Answer Dialog 1

okay to put, bulletin / about / Let, see, Did, make / members, together, about / agree, right now / can, put / ahead

Communicate: Listen - Listen and Answer Dialog 2

are, doing / throwing away / supposed / not / can pollute, put, in danger / see, what, do / must take, care / didn't, be, careful

Communicate: Listen - Listen More

love, place / forgot, didn't bring / on our way / go get / getting dark, should, carefully / Don't / it, to cook / course, not supposed to / care about

Communicate: Listen - All Ears

not supposed to / care more about

Communicate: Speak - Talk in groups

You're not, during / wrong / class rule, shouldn't / remember

My Writing Portfolio - Step 1

Welcome to, listen, follow, supposed, make, sick, to touch, dangerous, Lastly, throw, at, at

Wrap Up - Listening ⑤

is it okay to / plans / favorite, have a concert / by /

problem, be over

Wrap Up - Listening ⑥

look at / What / over there, pick / sorry, didn't know

시험대비 기본평가
p.172

01 ②   02 ②   03 ②   04 ⑤

01 '~해도 되는지' 허가 여부를 물어보는 표현이다.

02 May I ~?는 허락 여부를 묻는 표현이므로 승낙의 표현인 Sure.가 들어가야 한다.

03 허가 여부를 묻는 표현이다. 'Am I allowed to ~?'로 바꾸어 쓸 수 있다.

04 You're not allowed to ~는 허락을 구하는 말에 대한 불허의 표현으로 You're not supposed to ~로 바꿔 쓸 수 있다.

시험대비 실력평가
p.173~174

01 ④   02 ②   03 ④   04 ⑤
05 It is about World Oceans Day.   06 ④
07 ⑤   08 ④   09 away   10 ④
11 ②   12 그것은 물을 오염시키고 사람과 동물들을 위험에 빠뜨릴 수 있기 때문이다. 13 if   14 ②
15 ②

01 주어진 문장은 '음, 지금은 공간이 없다.'라는 뜻으로 '그러면 문에 붙일까요?'라는 질문 앞에 오는 것이 자연스럽다.

02 '제가 ~해도 괜찮나요?'의 뜻으로 허락 여부를 묻는 표현이 들어가야 한다. Is it okay to+동사원형 ~?: ~해도 괜찮겠어요?

03 care about: ~에 관심을 가지다

04 빈칸 뒤의 말로 보아, 문에 포스터를 붙이는 것을 허락하겠다는 뜻인데, ⑤ Maybe next time.은 다음에 허락하겠다는 뜻이므로 어색하다.

05 Q: 그 포스터는 무엇에 관한 것인가? A: 그것은 세계 해양의 날에 대한 것이다.

06 ⓐ는 불허하는 표현이므로 ④와 바꿔 쓸 수 있다.

07 should not: ~해서는 안 된다(금지)

08 주어진 문장은 '그러면 내가 어떻게 해야 하지?'라는 뜻으로 충고를 구하는 표현이므로, '약국에 그것을 가지고 가야 해.'라는 충고의 말 앞에 오는 것이 알맞다.

09 throw away: ~을 버리다

10 You're not supposed to+동사원형 ~.은 '~해서는 안 된다'라는 의미로 금지를 나타낸다.

11 put ~ in danger: ~을 위험에 빠뜨리다

12 It can pollute the water. It can also put people and

animals in danger.를 통해서 알 수 있다.

13 Is it okay to + 동사원형 ~?은 Is it OK if I ~?로 바꿔 쓸 수 있다.

14 by: ~까지

15 No problem.은 당부하기에 수락하는 표현으로 Why not?으로 바꿔 쓸 수 있다.

서술형 시험대비
p.175

01 Is it okay to / you're not supposed to

02 Is it okay if I ~? / Am I allowed to ~? / Can[May] I ~? 등

03 You're not allowed to do that

04 (D) – (A) – (C) – (B)   05 on

06 내가 가서 칫솔 좀 사 올게.   07 to

08 not supposed[allowed / permitted] to

09 She cares about the environment.

01 Is it okay to ~?: ~해도 될까요? / You're not supposed to ~: 너는 ~하면 안 돼.

02 Is it okay to ~?은 허가 여부를 묻는 표현으로 Is it okay If I ~?, Am I allowed to ~?, Can[May] I ~? 등으로 바꿔 쓸 수 있다.

03 You're not allowed to ~.: 너는 ~해서는 안 돼.

04 (D) 쉬는 시간에 공부하면 안 돼. -(A) 그게 뭐가 문젠데? -(C) 새로운 학급 규칙이야. 그렇게 해선 안 돼. (B) 알았어. 규칙을 기억할게.

05 on one's way here: 여기 오는 길에

06 go get = go and get / get = buy

07 '~해도 되나요?'는 「Is it okay+to부정사 ~?」로 나타낼 수 있다.

08 '허락되지 않는다.'의 의미로 not supposed[allowed / permitted] to가 들어가야 한다.

교과서
Grammar

핵심 Check
p.176~177

1 (1) The window was broken by Brian.
  (2) Many poor kids are helped by Mrs. Smith.
  (3) The cars were stopped by the police officer.

2 (1) as tall as your father
  (2) not as long as the yellow one
  (3) as new as mine

시험대비 기본평가
p.178

01 (1) broke, broken   (2) brought, brought
   (3) kept, kept   (4) saw, seen
   (5) spoke, spoken   (6) taught, taught
   (7) wrote, written   (8) stole, stolen
   (9) made, made   (10) knew, known

02 (1) by   (2) was   (3) built   (4) from
   (5) in   (6) were   (7) with

03 (1) run as fast as
   (2) not as[so] delicious as
   (3) as large as Seoul's (population)
   (4) as heavy as mine
   (5) as difficult

01 A-B-C형: break, see, speak, write, steal, know / A-B-B형: bring, keep, teach, make

02 (1) 수동태 문장에서는 행위자 앞에 전치사 by를 쓴다. (2) 역사적 사실을 나타낼 때는 과거시제로 쓴다. (3) build의 과거분사는 built이다. (4) 화학적 변화로 인한 것은 be made from으로 나타낸다. (5) be interested in: ~에 관심이 있다 (6) The children이 복수이므로 were가 알맞다. (7) be satisfied with: ~에 만족하다

03 (1) fast의 정도를 비교하는 것이므로 run as fast as ~가 맞다. (2) as ~ as의 부정문은 not as/so ~ as로 쓴다. (3) 도쿄의 인구와 서울의 인구를 비교하는 것이므로 Seoul은 적절하지 않다. (4) your bag과 my bag을 비교하는 것이므로 me를 mine으로 고친다. (5) 뒤의 비교 대상 앞에 as가 있으므로 동등 비교로 만들어야 한다.

시험대비 실력평가
p.179~181

01 ③   02 ③   03 (1) bigger   (2) long
(3) happiest   04 was invented   05 ②
06 ①   07 ③   08 be fixed   09 ①
10 ⑤   11 made   12 (1) cold   (2) hotter,
than   13 ①   14 ②   15 ②
16 is → be   17 ⑤   18 ⑤   19 ④
20 This refrigerator can be fixed by him.   21 (1) old
  (2) younger   (3) shortest   (4) large   (5) of   (6) could
22 ②

01 케이크가 주어이므로 수동태인 「be동사+과거분사」 형태가 알맞다.

02 ③ catch의 과거분사형은 caught이다.

03 (1) big는 '단모음+단자음'으로 끝난다. (2) as+원급+as의 구문이다. (3) 최상급 구문이다.

04 수동태의 과거형이 되어야 하므로 「be동사의 과거형+과거분사」

로 나타낸다.

05 과거시제 부정문을 수동태로 바꿀 때는 「was[were]+not+과거분사」의 어순으로 쓴다.

06 the same ~ as는 as ~ as로 바꿔 쓸 수 있다.

07 내용상 수동태로 표현해야 하므로 「be동사+과거분사」의 형태로 나타낸다. speak의 과거분사는 spoken이다.

08 능동에서 수동으로 바꿀 때 동사는 「be동사+과거분사」 형태로 쓴다.

09 '…만큼 ~한'의 뜻을 나타내는 동등비교이다.

10 ⑤ 「by+목적격」이 와야 한다.

11 수동태로 과거분사형인 made가 알맞다. 재료의 성질과 형태가 모두 변하는 경우에는 be made from을 쓴다. 반면에, 재료의 성질은 그대로이고, 형태만 변하는 경우에는 be made of를 쓴다.

12 (1) 비교급의 문장을 not as ~ as ...의 문장으로 바꾼다. (2) not as ~ as ...의 문장을 비교급의 문장으로 바꾼다.

13 조동사가 있는 수동태는 「조동사+be+과거분사」의 형태로 쓴다.

14 ②에서 was는 annoyed라는 형용사를 주격보어로 취하는 be동사이며, 나머지는 모두 수동태를 나타내는 be동사이다.

15 첫 번째 문장은 '~만큼 많이'의 동등 비교 표현이고, 두 번째 문장은 'more+원급+than ...'의 비교 표현이다.

16 조동사가 있는 수동태에서는 조동사 뒤에 be동사의 원형인 be가 와야 한다.

17 ⑤ find(찾다, 발견하다) – found – found / found(설립하다) – founded – founded

18 ⑤는 '~할 때'라는 뜻의 접속사이고 나머지는 as ~ as ... 구문의 부사로 쓰였다.

19 ④ 주어가 these wall paintings로 바뀌며 「By+whom(who의 목적격)」이 쓰여야 한다. 동사는 과거 시제이므로 were painted가 알맞다.

20 주어가 냉장고이고 '고쳐지다'라는 수동의 의미를 나타내야 하므로 「주어+조동사+be동사+과거분사+by+목적격」의 수동태 문장으로 써야 한다.

21 (1), (4) as 다음에는 원급이 온다. (2) 비교급 (3) 최상급 (5) of 뒤에는 복수 명사나 복수 대명사가 온다. (6) as+원급 | as+주어+can[could] 구문이다.

22 ②에서 두 번째 as 뒤에 오는 절의 주어가 George로 3인칭 단수이므로 do를 does로 바꾸어야 한다.

서술형 시험대비 p.182~183

01 (1) was broken (2) was written
   (3) appeared (4) are sold

02 was

03 (1) just (2) young (3) twice (4) early

04 (1) drawing → drawn

---

   (2) is invented → was invented
   (3) found → founded
   (4) does → is
   (5) Did → Were

05 (1) faster than (2) as, as
   (3) as old (4) possible

06 (1) Paper money was first invented around the 10th century by Chinese people.
   (2) English is spoken by people in the United States.
   (3) These pictures were taken by Tom yesterday.
   (4) Shells and rice were used as money by Koreans in the past.

07 (1) stolen (2) hit (3) caught (4) broken
   (5) found (6) with (7) to

08 (1) Ella has as many hats as I have.
   (2) This new tool is as useful as the old one.
   (3) Tom drank as much wine as water.

09 (1) Paper boxes were carried by them.
   (2) I was given the book by her.

10 (1) Jimin is not as[so] tall as Taemin.
   (2) Jane isn't as[so] heavy as Kirk.

01 수동태는 「be+과거분사」 형태로 쓴다. 시제와 수의 일치에 주의한다. (3) appear는 수동태로 쓰이지 않는다.

02 수동태에서 be동사는 주어의 수와 시제에 영향을 받는다.

03 (1) 비교 대상의 정도가 완전히 같을 때는 as 앞에 just를 붙인다. (2) '예전만큼 젊지 않다'의 뜻이므로 young이 적절 하다. (3) '몇 배의 ~'는 배수사를 as 앞에 둔다. (4) '동생만 큼 일찍'이므로 early를 쓴다.

04 (1) 주어가 사물이므로, 과거진행형이 아니라 수동태가 되어야 한다. (2) 역사적 사실은 과거시제로 나타낸다. 주어인 비행기가 발명된 것이므로 수동태가 되어야 한다. (3) find(찾다)의 과거 분사는 found이고, found(설립하다)의 과거분사는 founded 이다. 위 문장에서 the company가 발견된 것이 아니고 설립된 것이므로 was founded가 알맞다. (4) 수동태의 부정문이므로 be동사+not+과거분사가 알맞다. (5) 의문문이므로 Be동사+주어+과거분사 ~?가 알맞다.

05 (1) not ... as ~ as는 비교급 구문으로 바꿔 쓸 수 있다. (2) less ~ than ...은 not as ~ as 구문으로 바꿔 쓸 수 있다. (3) the same age는 as old as로 바꿔 쓸 수 있다. (4) as ~ as 주어+can = as ~ as possible

06 수동태는 「주어(+조동사)+be동사+과거분사(+by+목적격)」의 형태로 나타낸다.

07 (1) steal – stole – stolen (2) hit – hit – hit (3) catch – caught – caught (4) break – broke – broken (5) find(찾다)의 과거분사는 found / found(설립하다)의 과거분사는

founded (6) be filled with: ~으로 가득하다 (7) be known to: ~에게 알려져 있다

08 (1) Ella has ~와 I have를 동등 비교한다. (2) This new tool 과 The old one을 동등 비교한다. one은 tool의 반복을 피하기 위해 쓴 부정대명사이다. (3) wine과 water를 비교한다.

09 (1) carry - carried (2) give - given

10 'A는 B보다 덜 ~하다'는 A not as[so] ~ as B로 바꾸어 쓸 수 있다.

교과서 Reading

확인문제   p.184

1 T   2 T   3 F   4 F   5 T

확인문제   p.185

1 F   2 T   3 T   4 F   5 F

교과서 확인학습 A   p.186~187

01 Look, painting 02 created, artist
03 time, look, starry   04 many, lucky
05 fact, world, sky
06 because, pollution   07 familiar, land
08 that, problems, action   09 know, cause
10 Light, wrong, everywhere
11 effects, wildlife
12 report, population, enough
13 Especially, see
14 suffer, because, disturbed   15 threatened
16 migrate, natural, cause   17 millions, hitting
18 easily, since, bright
19 die, draws, ocean   20 Clearly, serious
21 find, solve   22 may, only

교과서 확인학습 B   p.188~189

1 Look at this beautiful painting.
2 It was created by the famous Dutch artist Vincent van Gogh in 1889.
3 In Van Gogh's time, almost everyone could look up and see a wonderful starry night sky.

4 Now, how many of us are as lucky as Van Gogh?
5 In fact, many people in today's world cannot enjoy a starry night sky.
6 This is so because of light pollution.
7 Most of us are familiar with air, water, and land pollution.
8 We know that they are serious problems, and we are taking action to solve them.
9 But did you know that light can also cause pollution?
10 Light pollution—too much light in the wrong place at the wrong time—is almost everywhere around the world.
11 It can have serious effects on humans and wildlife.
12 According to a recent report, about 89% of the world's population lives under skies that are not dark enough at night.
13 Especially in big cities, people often cannot see a starry night.
14 They can also suffer from sleep problems because the natural rhythm of day and night is disturbed by artificial light.
15 Wildlife is threatened by light pollution, too.
16 Birds that migrate or hunt at night find their way by natural light, but light in big cities can cause them to wander off course.
17 Every year millions of birds die after hitting buildings that have bright lights.
18 Sea turtles cannot easily find a place to lay eggs since beaches are too bright at night.
19 Also, many baby sea turtles die because artificial light draws them away from the ocean.
20 Clearly, light pollution is as serious as other forms of pollution.
21 We have to find ways to solve the problem.
22 If we do not, we may see stars only in our dreams or paintings.

시험대비 실력평가   p.190~193

01 ③   02 artist   03 ①   04 오늘날 세계의 많은 사람들이 별이 빛나는 밤하늘을 즐길 수 없는 것
05 ④   06 air, water, and land pollution
07 ③   08 ③, ⑤   09 starry   10 ②
11 artificial   12 세계 인구의 89퍼센트가 밤에 충분히 어둡지 않은 하늘 아 래서 살고 있다는 것   13 ④

| 14 ③ | 15 hitting | 16 ②, ⑤ | 17 ④ |

18 ②　19 We have to find ways to solve the problem.　20 ③　21 ①　22 by

23 우리들 중 많은 사람들은 별이 총총한 멋진 밤하늘을 볼 수 없다.　24 ③　25 ③　26 ②

27 Light pollution　28 ①　29 ⑤

30 disturbed　31 ②

01 주어진 문장은 얼마나 많은 사람이 별이 총총한 하늘을 볼 수 있느냐는 뜻이므로 많은 사람들이 볼 수 없다는 문장 앞인 ③에 와야 한다.

02 art: 미술, 예술 / artist: 미술가, 예술가

03 in fact: 사실

04 This는 앞 문장의 내용을 받는 지시대명사이다.

05 be familiar with: ~에 익숙하다

06 they는 앞 문장의 복수명사를 받는 인칭대명사이다.

07 ③ 빛 오염에 대해 알고 있었느냐고 묻고 있으므로 많은 사람들이 알고 있다고 말할 수 없다.

08 선행사가 사물인 skies이므로 주격 관계대명사로 쓰이는 that이나 which가 올 수 있다.

09 star의 형용사형 starry로 고쳐야 한다.

10 suffer from: ~으로 고통을 받다

11 natural: 자연적인 / artificial: 인공적인

13 'be동사+과거분사'의 수동태가 되어야 한다.

14 cause A to ~: A가 ~하도록 야기하다

15 'after+동명사' 구문이다.

16 문맥상 이유를 나타내는 접속사가 알맞다.

17 ④ 해변이 너무 밝은 이유는 언급되지 않았다.

18 'as+원급+as'의 동등 비교 구문이다.

19 have to ~: ~해야 한다

20 ⓒ와 ⓓ의 may는 '~일지도 모르다'의 뜻으로 약한 추측을 나타낸다.

21 look at: ~을 보다 /
look up: 위를 올려다보다, 쳐다보다

22 'be+과거분사+by ~'의 수동태 구문이다.

23 Van Gogh만큼 운이 좋다는 말은 Van Gogh처럼 멋진 밤하늘을 즐길 수 있다는 의미이다.

24 in fact=as a matter of fact: 사실

25 take action: 조치를 취하다

26 문맥상 '오염을 일으키다'가 자연스러우므로 cause가 알맞다.

27 It은 인칭대명사로 앞 문장에 나온 단수명사를 받는다.

28 according to: ~에 의하면

29 문맥상 이유를 나타내는 접속사가 알맞다.

30 수동태 구문이 되어야 하므로 disturb의 과거분사로 바꾼다.

31 ② 공기, 물, 토양 오염이 왜 심각한지는 언급되지 않았다.

01 threatened　02 but　03 million ➡ millions

04 because[as, since]　05 From

06 volunteers

07 그의 일은 어두워진 후에 거북들이 돌아올 때 시작된다.

08 Because they want to lay eggs on the beach.

09 created

10 almost everyone could look up and see a wonderful starry night sky

11 in　12 enjoy[see], of

13 우리들 대부분은 공기 오염, 물 오염, 토양 오염은 잘 알고 있다.

14 that　15 solve　16 wildlife

17 잘못된 시간에 잘못된 장소에 너무나 많은 빛이 있는 것.

01 수동태 구문이 되어야 하므로 threaten의 과거분사로 바꾼다.

02 상반되는 내용의 두 절을 연결하므로 but이 알맞다.

03 millions of: 수백만의

04 이유를 나타내는 접속사 because, as, since 등을 쓴다.

05 from A to B: A에서 B까지

06 어떤 일을 하도록 강제 받지 않고 자청해서 하다: volunteer(자원 봉사하다)

07 after dark: 어두워진 후에

09 수동태 구문이 되어야 하므로 create의 과거분사로 바꾼다.

10 시제가 과거이므로 can의 과거형 could를 쓴다. night을 수식하는 형용사가 되어야 하므로 star의 형용사형 starry로 바꿔야 한다.

11 in fact: 사실

12 enjoy 대신 see를 쓸 수 있다.

13 most of: ~의 대부분 / be familiar with: ~에 익숙하다, ~을 잘 알고 있다

14 명사절을 이끄는 접속사 that을 쓴다.

15 solution의 동사형 solve로 고친다.

16 야생에 사는 동물들: wildlife(야생 동물)

01 ⑤　02 ④　03 care about　04 natural

05 (m)igrate　06 ③　07 ②　08 ④

09 ③　10 ⑤　11 ①　12 ③

13 ④　14 ②　15 ②　16 He plays tennis as well as Tom.　17 ④

18 ⑤　19 ③　20 ⑤　21 This refrigerator can be fixed by him.　22 ①

23 All kinds of things were used as money.

24 ③　25 ②　26 that[which]　27 ④

28 ②　29 ⑤　30 ②　31 town

01 ⑤는 유의어 관계이고, 나머지는 반의어 관계이다.

02 run away: 도망가다 / throw away: 버리다

03 care about: ~에 관심을 가지다

04 반의어 관계이다. 쉬운 : 어려운 = 인공적인 : 자연적인

05 migrate: 이동하다

06 • 규칙을 따르세요. • 그는 그의 칫솔을 가져오지 않았다. • 그녀는 게시판에 포스터를 붙일 것이다. • 너는 꽃을 꺾어서는 안 돼. / feed: 먹이를 주다

07 식사 때 다 먹지 않고 남은 음식: 남은 음식(leftover)

08 금지의 표현은 명령문 「Don't+동사원형 ~.」을 사용하거나 조동사 shouldn't를 사용하여 표현할 수 있다.

09 B의 응답은 허가 여부에 대한 응답이므로 Is it okay if ~?의 형태로 물어봐야 한다.

10 ⑤ 허가를 구하는 표현이 적절하다. Do you mind ~?에 대해 거절할 때는 Yes로 답해야 한다.

11 '~해도 되니?'라고 허락을 요청할 때는 「Is it okay if 주어+ 동사 ~?」를 쓴다.

12 ⓑ should: ~해야 한다 ⓒ Can[May] I ~?: 제가 ~해도 되나요?

13 ④ 세계 해양의 날이 언제인지는 알 수 없다.

14 ② take의 과거분사는 taken이다.

15 태어난 것은 과거의 일이므로 수동태의 과거시제 문장이 되어야 한다. be born: 태어나다

16 '~만큼 잘'은 as well as로 나타낸다.

17 ④ be filled with: ~로 가득 차 있다

18 ⑤ appear는 자동사이므로 수동태가 아니라 능동태로 쓰여야 한다.

19 「as+형용사+a(n)+명사+as ~」의 어순이므로 as great a statesman as ~가 되어야 한다.

20 ⑤ 행위의 주체가 일반인이거나 굳이 말하지 않아도 알 수 있는 경우에는 'by+목적격'을 생략할 수 있다.

21 주어가 냉장고이고 '고쳐지다'라는 수동의 의미를 나타내야 하므로 「주어+조동사+be동사+과거분사+by+목적격」의 수동태 문장으로 써야 한다.

22 just the same ~ as는 just as ~ as로 바꿔 쓸 수 있다.

23 사물이 주어이므로 수동태를 사용한다.

24 수동태 문장은 「be+과거분사」로 나타낸다. 주어 Honey가 3인칭 단수이므로 be동사는 is를 사용한다.

25 They can also suffer ...의 They는 문맥상 people을 받으므로 ②에 들어가야 한다.

26 주어가 사물이고 주격이므로 that이나 which가 와야 한다.

27 문맥상 빛 오염에 의해 '위협을 받는다'가 알맞다.

28 ⓒ, ② ~으로, ~에 의해(수단) ① ~ 옆에(장소나 위치) ③ ~ 까지(시간) ④ ~ 단위로(단위) ⑤ ~을 지나

29 ⑤ 인공의 빛은 길을 찾는 데 방해가 된다.

30 주어진 문장은 Lucas가 자원 봉사를 한다는 내용이므로 그의 일을 설명하는 문장 앞에 와야 한다.

31 사람들이 살고 일하며 많은 거리와 건물들이 있는 장소로 마을보다 더 크다: town(읍, 소도시)

32 from A to B: A에서 B까지

33 turn off: ~을 끄다

34 ② 얼마나 많은 바다 거북이가 그 마을에 오는지는 알 수 없다.

단원별 예상문제 p.202~205

01 ⑤	02 (e)nough	03 ③	04 In[in]
05 ①	06 ②	07 ③	08 ⑤
09 to	10 ⑤	11 It will be over by about 8:00.	
12 ②	13 ④	14 as much as he used to	
15 Who used shells and rice as money?		16 ②	17 ①
18 ①	19 ②	20 ③	21 fish
22 They live in southern Africa.			23 ④
24 ⑤	25 hit → hitting		26 ②
27 ③, ⑤	28 It , clear	29 ④	

01 ⑤는 명사에 -ful을 붙여 형용사형을 만드는 단어이고 <보기>와 나머지는 명사에 -y를 붙여 형용사형을 만드는 단어 들이다.

02 enough: 충분한

03 ③은 pet(애완동물)의 영영풀이이다.

04 in fact: 사실 / put ~ in danger: ~을 위험에 빠뜨리다

05 take care of: ~을 처리하다 / because of: ~ 때문에

06 B의 답변으로 보아, 빈칸에는 금지를 나타내는 should not을 사용한 문장이 들어가야 한다.

07 ③ Certainly.는 허락을 나타내는 표현인데, 뒤에 이어지는 말은 가지고 오지 않았다고 했으므로 어울리지 않는다.

08 빈칸에는 허락을 구하는 표현이 들어가야 어울린다. ⑤ Do you mind if I ~?도 허락을 구하는 표현이지만 '~하는 것을 꺼리세요?'의 뜻이므로 Yes, you can.으로 대답할 수 없다.

09 Is it okay to ~?: ~해도 될까요? / be going to: ~할 것이다

10 빈칸 다음의 말로 보아 당부하기에 수락하는 표현이 알맞다. ⑤는 당부하기에 거절하는 표현이다.

11 콘서트는 약 8시쯤 끝날 것이다.

12 '~에 의해 발명되었다'의 의미이므로 by가 적절하다.

13 <보기>의 was는 수동태를 나타내는 be동사이다. ④는 형용사 disappointed를 보어로 취하는 be동사이다.

14 '예전만큼 많이'는 as much as he used to로 나타낸다.

15 먼저 평서문으로 고치면 Shells and rice were used as money by someone.이 된다. 여기서 능동태로 변환하고 다시 의문문으로 바꾼다.

16 ② letters가 복수이므로 was는 were가 되어야 한다.

17 첫 번째 문장은 '~만큼 많은'의 동등 비교 표현이고, 두 번째는 비교급을 강조하는 much가 적절하다.

18 이 문장의 목적어인 this cake를 앞으로 보내고, 동사 made를 was made로 바꾼다.

19 ②의 by는 '~까지(는)'의 의미이고, 나머지는 '~에 의해'라는 의미로 쓰였다.

20 suffer from: ~으로 고통 받다

21 물에 살며 꼬리와 지느러미를 가지고 있는 생물: fish(물고기)

23 '~에 의해, ~으로'의 뜻으로 행위자나 수단을 나타내는 전치사 by가 알맞다.

24 cause는 목적보어로 to부정사를 취한다.

25 이 문장에서의 after는 전치사이므로 hit을 동명사로 고쳐야 한다.

26 ⓔ, ② 형용사적 용법 ①, ⑤ 명사적 용법 ③, ④ 부사적 용법

27 이유를 나타내는 접속사로는 because, as, since 등이 있다.

28 clearly는 문장 수식 부사로 It is clear that으로 바꿔 쓸 수 있다.

29 ④ 밤에 왜 해변이 너무 밝은지는 알 수 없다.

서술형 실전문제 p.206~207

01 you're not permitted to

02 Is it okay if I eat this grape juice?

03 you're not allowed to do that /
   you're not permitted to do that 등

04 (C) – (A) – (D) – (B)

05 (1) My bicycle was fixed by Tom.
   (2) Our school was founded in 1976.

06 (1) Meg sings as well as you (do).
   (2) This street is just as wide as that one.
   (3) Seoul Tower is about three times as high as this tower.
   (4) I can't[cannot] cook as well as my sister.

07 (1) This song is not[isn't] liked by everybody. /
   Is this song liked by everybody?
   (2) My computer wasn't used by Alice. /
   Was my computer used by Alice?

08 lay   09 on

10 His work starts when turtles arrive after dark.

11 (q)uiet   12 painting

13 우리들은 별이 총총한 멋진 밤하늘을 볼 수 있는 사람이 많지 않다.

14 because of

---

01 You're permitted to ~.: 너는 ~해서는 안 된다.

02 Is it okay if I ~?: 제가 ~해도 되나요?

03 You're not supposed to do that.은 상대방의 요청을 불허

하는 표현으로 You're not allowed to do that. / You're not permitted to do that. / You shouldn't do that. / You can't do that. 등으로 바꿔 쓸 수 있다.

04 (C) 이봐요, 표지판을 보세요! - (A) 무슨 표지판이요?- (D) 저쪽에 있는 거요. 여기서 꽃을 따면 안 돼요. - (B) 아, 미안해요. 전 몰랐어요.

05 (1) 수동태의 과거형: was[were]+과거분사+by+목적격 (2) be founded: 설립되다

06 as ~ as ...는 동등 비교를 나타낸다.

07 능동태의 시제가 과거형이므로 수동태는 was used가 되어야 한다. 부정문은 be동사 뒤에 not을 붙여 만들고, 의문문은 be동사를 문장의 맨 앞으로 보내고 문장의 끝에 물음표를 붙여 만든다.

08 lie: 놓여 있다, 눕다 / lay: 놓다, (알을) 낳다

09 on weekends: 주말에

10 after dark: 어두워진 후에

11 소리가 거의 나지 않는: quiet(조용한)

12 paint: 그리다 / painting: 그림

13 이 문장의 lucky는 별을 볼 수 있는 행운을 의미한다.

14 because 다음에는 절이 오고, because of 다음에는 명사(구)가 온다.

창의사고력 서술형 문제 p.208

|모범답안|

01 Sure, go ahead. / Why not? / No problem. / That's fine with me. / I'm afraid not. / Certainly not. / No, I'm sorry. / Not for any reason. 등

02 (1) Zootopia was directed by Byron Howard.
   (2) The Scream was painted by Edward Munch.
   (3) Anne of Green Gables was written by Lucy Maud Montgomery.
   (4) iPhone was made by Steve Jobs.
   (5) The Starry Night was painted by Vincent van Gogh.

03 (1) I am as popular as Kathy.
   (2) I run as fast as my brother does.
   (3) I study as hard as you do.
   (4) I am not as diligent as Frank.

---

03 「as+형용사/부사의 원급+as」와 「not as+형용사/부사의 원급+as」의 구문을 활용하여 자신의 입장에서 자유롭게 써 보도록 한다.

01 ⑤	02 ④	03 starry	04 ⑤
05 ②	06 ⑤	07 ④	08 ②
09 ②	10 ②	11 이곳에서 꽃을 꺾으면 안	
되는 것	12 ①	13 ⑤	14 ④
15 ②	16 as, as	17 ⑤	18 ③
19 ①	20 ③	21 not, easy	22 ①
23 familiar	24 ④	25 Yes, it can.	26 ①
27 natural	28 ③	29 ⑤	

30 바다거북들은 밤에 해변이 너무 밝기 때문에 알을 낳을 장소를 쉽게 찾을 수 없다.   31 artificial   32 Light in big cities does.

01 ⑤는 명사형이고 나머지는 형용사형이다.

02 turn down: (소리를) 낮추다

03 starry: 별이 총총한

04 be familiar with: ~을 잘 알다 / according to: ~에 따르면

05 ② be over: 끝나다

06 TV를 켜도 되느냐는 질문에 숙제를 하는 중이라고 했으므로 거절하는 표현이 적절하다. ⑤를 제외하고는 모두 승낙하는 표현이다.

07 불허하는 말이므로 ④와 바꾸어 쓸 수 있다.

08 ②를 제외하고는 모두 허가 여부를 묻는 표현이다. ②는 어디서 그것을 발견했는지 말해 줄 것을 부탁하는 표현이다.

09 B가 춥다고 했으므로 승낙의 표현이 와야 한다. Would you mind if ~?로 묻는 경우 부정으로 답해야 승낙의 표현이 된다.

10 you're not supposed to는 금지를 나타내는 표현으로 ①, ③, ④, ⑤와 바꿔 쓸 수 있다. You don't have to ~는 '너는 ~할 필요가 없다'는 의미이다.

12 주어가 books이므로 수동태(be+p.p.)로 써야 한다.

13 must be chosen을 수식해야 하므로 부사 형태가 알맞다.

14 주어가 you이므로 be동사는 are가 온다. be interested in: ~에 관심이 있다

15 수동태 문장은 「be동사+과거분사」의 어순으로 쓴다. be동사가 있으므로 빈칸에는 invite의 과거분사만 오면 된다.

16 less ~ than ...은 not as ~ as 구문으로 바꿔 쓸 수 있다. less ~ than ... ...보다 적은 ~

17 hold의 과거분사는 held이다.

18 'Romeo and Juliet'은 책 이름이므로 단수로 취급하고 과거에 쓰여진 것이므로 was written으로 고쳐야 한다.

19 ① 두 번째 as 뒤에 오는 절의 주어가 Mike로 3인칭 단수이므로 do를 does로 바꾸어야 한다.

20 ③ 수동태이므로 write의 과거분사가 알맞다. (wrote → written)

21 '...만큼 ~하지 않다'는 not as ~ as로 나타낸다.

22 be covered with: ~로 덮여 있다 / be known for: ~로 알려

지다[유명하다]

23 어떤 사람이나 어떤 것을 알아보거나 또는 잘 아는: familiar(익숙한, 잘 아는)

24 목적을 나타내는 to부정사의 부사적 용법이다.

26 주어진 문장은 야생 동물이 빛 오염에 위협을 받는다는 뜻이므로 그 구체적인 예들을 서술하는 문장 앞에 온다.

27 nature: 자연 / natural: 자연의, 자연적인

28 앞뒤의 절의 내용이 상반되므로 상반의 접속사 but이 와야 한다.

29 선행사가 사물이고 주격인 관계대명사는 that이나 which가 쓰인다.

30 a place to lay eggs: 알을 낳을 장소 / since: ~이기 때문에

31 자연적으로 일어나지 않고 예를 들면 과학이나 기술을 써서 인간에 의해 만들어진: artificial(인공의, 인조의)

Laugh Out Loud

教科書
Reading

확인문제
p.216

1 T 2 F 3 F 4 T 5 T 6 F

확인문제
p.217

1 T 2 F 3 T 4 F 5 T 6 F

교과서 확인학습 A
p.218~219

01 Clock, Talks 02 invited, to, one evening

03 was proud of, in, comic books

04 In, had, metal dish   05 asked, What's

06 special, talks, proudly   07 If, hit, the time

08 hit, with   09 made, loud

10 Suddenly, on the other side, shouted, crazy

11 It's, at, go to bed   12 Flat

13 university   14 in, on

15 come back early, because

16 got up late, make

17 being late, decided to tell, got, tire

18 that, bad luck, allowed, to, on

19 When, to take, on, put, different 20 As, sat down

21 global warming

22 a piece of cake, continued   23 answer

24 Which   25 Special

26 One day, to buy

27 How much, one

28 costs, pet shop

29 Why, expensive

30 special one, play the piano   31 What about

32 because, jump rope   33 what about

34 responded, costs

35 surprised, does, do

36 said, other, call

교과서 확인학습 B
p.220~221

1 A Clock That Talks

2 Dean invited his friends to his room one evening.

3 He was proud of everything in his room: a nice bed, many comic books, and a new computer.

4 In the corner, he also had a very big metal dish.

5 A friend asked, "What's that big dish?"

6 "Oh, that's my special clock. It talks," Dean replied proudly.

7 "If you hit the dish, you'll know the time."

8 Then he hit the dish with his hand.

9 It made a really loud noise.

10 Suddenly, his sister who was on the other side of the wall shouted, "Are you crazy?

11 It's eleven o'clock at night. Time to go to bed!"

12 A Flat Tire

13 Jessie and Nicole are university friends.

14 They visited Jessie's grandma in Florida on Saturday.

15 They planned to come back early on Monday because they had a big test that afternoon.

16 But they got up late and could not make it to the test.

17 They needed a good excuse for being late, so they decided to tell the professor that their car got a flat tire.

18 The professor agreed that it was just bad luck and allowed them to take the test on Wednesday.

19 When they came to take the test on Wednesday morning, the professor put Jessie and Nicole in different rooms.

20 As they sat down, they read the first question.

21 For 5 points, explain global warming.

22 It was a piece of cake to them. Then, the test continued.

23 For 95 points, answer the question.

24 Which tire?

25 A Special Parrot

26 One day Abril went to a pet shop to buy a parrot.

27 "How much is this blue one?" she asked.

28 "It costs $2,000," said the pet shop owner.

29 "Why is it so expensive?" asked Abril.

30 "This parrot is a very special one. It can play the piano!"

31 "What about the green one?" she asked.

32 "It costs $5,000 because it can play the piano, paint pictures, and jump rope."

33 "Then what about the red one?" Abril asked.

34 The owner responded that it costs $10,000.

35 She was surprised and asked, "What does it do?"

36 "I don't know," said the owner, "but the other two birds call it 'teacher.'"

서술형 실전문제
p.222~223

01 (1) surprised (2) global (3) excuse (4) special

02 (1) a piece of (2) get up late (3) one evening

03 (1) flat (2) shout (3) owner (4) invite

04 (1) You had better not go out because a typhoon is coming.
　　(2) He is the only friend that[who/whom] I have.

05 (1) to go (2) to sweep

06 (1) If (2) when (3) Though

07 of　　08 there was　09 (s)pecial　10 that

11 She was on the other side of the wall.

12 parrot　　13 about　　14 that　　15 surprised

16 It can play the piano.

01 (1) surprised: 놀란 (2) global: 지구의 (3) excuse: 변명, 핑계 거리 (4) special: 특별한

02 (1) a piece of cake: 식은 죽 먹기 (2) get up late: 늦잠을 자다 (3) one evening: 어느 날 저녁

03 (1) 충분한 공기가 없는: flat(펑크 난) (2) 뭔가를 아주 크게 말하다: shout(외치다) (3) 어떤 것을 소유한 사람: owner(주인) (4) 누군가에게 파티, 결혼식, 식사 등에 오라고 부탁하다: invite(초대하다)

04 (1) because는 이유를 나타내는 접속사이다. (2) 선행사가 사람인 목적격 관계대명사이다.

05 let과 make는 사역동사이므로 목적보어로 원형부정사를 취하고, allow와 force는 목적보어로 to부정사를 취한다.

06 though는 양보, when은 때, if는 조건을 나타낸다.

07 be proud of: ~을 자랑스럽게 여기다

08 there was: ~이 있었다

09 어떤 사람이나 어떤 것보다 더 좋거나 더 중요한: special(특별한)

10 선행사가 사람이고 주격이므로 who나 that을 쓸 수 있다.

12 one은 부정대명사로 앞에 나온 단수명사를 받는다.

13 What about ~?: ~은 어때요?

14 명사절을 이끄는 접속사 that이 알맞다.

15 사람이 놀란 것이므로 과거분사형의 형용사를 쓴다.

단원별 예상문제
p.224~228

01 ④	02 ③	03 ②	04 is proud of
05 (e)xcuse	06 ②	07 same	
08 ⑤	09 to	10 ③	11 ④
12 ②	13 ④	14 ②	15 ③
16 ④	17 ②, ⑤	18 ③	19 being
20 let, take	21 ⑤	22 ①	23 proudly
24 ③	25 of	26 ⑤	27 ④
28 ①	29 owner	30 ④	31 ⑤
32 ④	33 ④	34 ②	35 ①
36 ④	37 ⑤	38 그것은 그들에게 아주 쉬웠다.	

01 ④는 유의어 관계이고 나머지는 반의어 관계이다.

02 뭔가를 명료하게 또는 쉽게 이해하도록 해 주다: explain(설명하다)

03 flat: 펑크 난, 편평한

04 be proud of: ~을 자랑스러워하다

05 실수, 그릇된 행동 따위의 구실로 대는 이유: excuse(변명, 핑계 거리)

06 on the other side of: ~의 반대편에 / laugh out loud: 큰 소리로 웃다

07 반의어 관계이다. 다른 : 같은 = 시끄러운 : 조용한

08 • 그것은 비용이 얼마나 들죠? • 그는 망치로 못을 쳤다. • 그는 시험을 칠 것이다. • 우리는 이 땅을 태양의 섬이라 부른다.

09 앞의 명사를 수식하는 형용사적 용법의 to부정사가 필요하다.

10 ③은 부사적 용법의 to부정사이다. '~하기 위해'로 해석한다. 나머지는 모두 형용사적 용법이다.

11 ④는 간접목적어와 직접목적어를 취하는 4형식 문장이다. 나머지는 목적어와 목적격보어를 취하는 5형식 문장이다.

12 손은 두 개이므로 나머지 한 손은 the other로 나타낸다.

13 ④ 5형식에서 동사 see는 목적격보어로 분사나 동사원형을 취한다. to play → playing[play]

14 선행사가 사람이고 주격이므로 관계대명사 who가 들어가야 알맞다.

15 '~하면'이라는 조건의 접속사가 필요하다.

16 조건을 나타내는 if절은 미래의 의미이더라도 현재시제로 써야 한다.

17 이유를 나타내는 접속사 because나 as가 알맞다.

18 make it: 시간에 대다, 해내다

19 전치사 for의 목적어이므로 동명사가 되어야 한다.

20 allow와 let은 둘 다 '~하게 허용하다'의 뜻이지만, allow는 목적보어로 to부정사, let은 목적보어로 원형부정사를 취한다.

21 ⑤ 95점짜리 문제는 쉽지 않았다.

22 be proud of=take pride in: ~을 자랑스럽게 여기다

23 동사 replied를 수식하므로 부사형이 되어야 한다.

24 문맥상 조건을 나타내는 접속사가 알맞다.

25 suddenly=all of a sudden: 갑자기

26 위 글은 Dean의 재미있는 행동을 서술한 글이다.

27 문맥상 '비싼'이 알맞다.

28 as는 이유를 나타내는 접속사로도 쓰인다.

29 own: 소유하다 / owner: 소유자

30 ⓓ, ④ 5문형 ① 3문형 ② 2문형 ③ 1문형 ⑤ 4문형

31 ⑤ 빨간 앵무새가 하는 일은 본문에 언급되지 않았다.

32 일찍 일어날 계획이었다는 말 다음에 와야 한다.

33 ⓐ, ④ 명사적 용법 ①, ③ 형용사적 용법 ②, ⑤ 부사적 용법

34 a good excuse for+동명사: ~에 대한 좋은 핑계

35 결과를 나타내는 접속사 so가 알맞다.

36 allow는 목적보어로 to부정사를 취한다.

37 문맥상 각각 다른 방에서 시험을 치르는 것이 알맞다.

38 a piece of cake: 아주 쉬운, 식은 죽 먹기

교과서 파헤치기

Lesson 1

01 성적	02 백, 100	03 추가하다
04 한가한[휴식] 시간	05 다른, 또 다른	06 휴식을 취하다
07 매주의, 주간의	08 초(반), 시작	
09 예의 바르게 행동하다		10 낭비; 낭비하다
11 탄생, 출생	12 달성하다, 성취하다	
13 지루한	14 하지만, 그러나	15 등제, 규제
16 이상한	17 다운로드하다, 내려받다	
18 친환경적인, 환경 친화적인		19 운동하다
20 ~사이에, ~중간에		21 관리하다
22 배부른	23 목표	24 습관
25 스트레스가 많은	26 인기있는	27 무거운
28 죽음, 사망	29 역사적인, 역사상의	
30 문자메세지를 보내다		31 어려운; 열심히
32 잡지	33 유용한	34 지저분한
35 무료의; 자유로운	36 완벽한, 완전하	37 기술
38 가끔	39 일렬로 서다	40 우울해 보이다
41 ~에 주력하다, ~에 집중하다		
42 이제부터, 지금부터는		43 잠깐, 잠시동안
44 ~를 미치게 하다	45 약간의 휴식을 취하다	
46 시작하다, 출발을 하다		

01 heavy	02 historical	03 behave
04 relax	05 text	06 messy
07 magazine	08 useful	09 perfect
10 skill	11 popular	12 death
13 hard	14 underpants	15 another
16 weekly	17 app	18 beginning
19 hundred	20 birth	21 downtime
22 achieve	23 bored	24 however
25 control	26 strange	27 download
28 eco-friendly	29 exercise	30 between
31 manage	32 full	33 grade
34 goal	35 habit	36 stressful
37 waste	38 get some rest	

39 care for	40 for an hour	41 jump rope
42 because of	43 each other	44 from now on
45 in front of	46 clean up	

1 achieve, 달성하다, 성취하다   2 useful, 유용한

3 eco-friendly, 환경 친화적인   4 relax, 휴식을 취하다

5 beginning, 초(반), 시작   6 messy, 지저분한

7 death, 죽음, 사망   8 strange, 이상한

9 downtime, 한가한[휴식] 시간   10 waste, 낭비하다

11 popular, 인기 있는   12 goal, 목표

13 text, 문자메시지를 보내다

14 behave, 예의 바르게 행동하다   15 habit, 습관

16 stressful, 스트레스가 많은

Communicate: Listen - Listen and Answer Dialog 1

special goal for / win, national / What about / like to manage / achieve your goal / planning, daily, weekly / Sounds

Communicate: Listen - Listen and Answer Dialog 2

for a mimute / Sure / working on, weekly / Good for, little / Have a look, advice / a lot of / planning to / Why don't, downtime / relax, while

Communicate: Listen - Listen More

like to visit / plant, together / What kind / I'm planning to / be fun / heard, going, should bring / will / put on, before / problem, on

Communicate: Listen - Listen and Complete

How, goal / like to visit

My Speaking Portfolio

1 be an eco-friendly / walk to school

2 to pass, take online classes, going, a lot of

3 have a goal, grades, planning to, regularly, solve

Wrap Up - Listening ❸

are going to / planning to, with / sounds, any plans / visit, seafood / be fun Enjoy

Wrap Up - Listening ❹

look down, problem / science, don't have / Why don't you read / magazines / can get, that way

Communicate: Listen - Listen and Answer Dialog 1

G: Kevin, do you have a special goal for the year?

B: Yeah, I want to win a gold medal in the national swimming contest.

G: Cool!

B: What about you, Minsol?

G: I'd like to manage my time better.

B: How would you achieve your goal?

G: I'm planning to make a daily and weekly schedule.

B: Sounds good.

Communicate: Listen - Listen and Answer Dialog 2

G: Can I talk with you for a minute, Minsu?

B: Sure. What is it?

G: I'm working on my weekly schedule.

B: Really? Good for you, little sister.

G: Here. Have a look and give me some advice.

B: Hmm, you have a lot of study time.

G: Yeah, I'm planning to study hard.

B: Why don't you add some downtime?

G: Downtime?

B: Yeah, I mean you need to relax once in a while.

Communicate: Listen - Listen More

W: Hi, Jongha.

B: Hello, Grandma. I'd like to visit you this Saturday.

W: That'll be great. We can plant some vegetables together.

B: Really? What kind of vegetables?

W: This time, I'm planning to plant some tomatoes and peppers.

B: Wow! That'll be fun.

W: What kind of books do you read?

B: I heard it's going to be sunny this Saturday. You should bring your cap.

W: Why don't you put on sunscreen before you leave?

B: No problem. I'll see you on Saturday.

W: Okay. Bye.

Communicate: Listen - Listen and Complete

M: 1 How would you achieve your goal?

2 I'd like to visit you this Saturday.

My Speaking Portfolio

1 G: Hello, I'm Nayeon. I'd like to be an eco-friendly person. I'm planning to walk to school every day.

2 B1: Hi, I'm Junho. My goal for the year is to pass the Korean History Test. I'm planning to take online classes. I'm also going to watch a lot of historical

dramas on TV.

3 Hi, I'm Hojin. I have a goal for the year. I want to get good grades in math. I'm planning to review math lessons regularly. I'm also going to solve 20 math problems every day.

Wrap Up - Listening ❸

B: What are you going to do this weekend, Mina?

G: I'm planning to visit Yeosu with my aunt.

B: That sounds great. Do you have any plans in Yeosu?

G: Well, we'll visit Yeosu Expo Park and eat some seafood.

B: That'll be fun. Enjoy your weekend.

Wrap Up - Listening ❹

G: You look down, Yunsu. What's the problem?

B: I have a science project, and I don't have any ideas.

G: Why don't you read science magazines in the library?

B: Science magazines?

G: Sure. You can get some great ideas that way.

본문 TEST Step 1　　　　　　　　p.09~10

01 Beginning, is stressful　　02 How, get, to

03 asked, popular, for　　04 Let's, hard, easy

05 That, Hard, Change　　06 Messy, clean up

07 bring, stuff, messy　　08 don't worry

09 much, than　10 always, drives, crazy

11 that, member, your　　12 to, care, other

13 on, or, behave, put　　14 cannot easily, list

15 Things, Are, to　16 change, every, hundred

17 between, and　18 means, Birth, Death

19 change your　20 sound strange

21 may, that, perfect

22 add, however, even

23 thought, at, another　　24 As, mind, life

25 on, that, try, better　　26 Top, for

27 asked, readers, for

본문 TEST Step 2　　　　　　　　p.11~12

01 Beginning, is stressful　　02 get off, start

03 popular, for ideas　　04 Are, to change

05 Let's, that, hard, easy

06 Messy, clean, up

07 stuff, gets messy　　08 don't worry

09 cleaner than　10 is always, drives, crazy

11 that, a member of

12 have to, care for

13 late, behave, put, on　　14 easily change

15 That, to Change

16 change, every, day　　17 between, and

18 Choice, Birth, Death　　19 can change

20 sound strange

21 may, that, perfect

22 add, however, better than

23 thought, at first, another

24 As, If, mind, life

25 Focus on, try to, better than　　26 Top, for

27 asked, readers, for

본문 TEST Step 3　　　　　　　　p.13~14

1 새 학년을 시작하는 것은 많은 학생들에게 스트레스를 준다.

2 어떻게 하면 우리는 좋은 출발을 할 수 있을까?

3 Teen Today는 유명한 웹툰 작가인 Raccoon 97에게 아이디어를 물었다.

4 바꾸기 어렵거나 쉽게 바꿀 수 있는 것들에 대해 생각해 보자.

5 바꾸기 어려운 것들

6 너의 지저분한 방_ 너는 방을 깨끗이 치운다.

7 그런 다음 새로운 물건을 가져오면 곧 다시 지저분해진다.

8 하지만 걱정하지 마.

9 네 방은 내 방보다 훨씬 더 깨끗해.

10 너의 가족_ 너의 가족 중에는 항상 너를 미치게 하는 사람이 있다.

11 그나 그녀가 여전히 너의 가족 구성원이라는 것을 기억해라.

12 너는 함께 살아야 하고 서로 돌봐야 한다.

13 선생님의 명단에 있는 너의 이름_ 만약 네가 늦거나 예의 바르게 행동하지 않는다면, 너의 선생님은 너의 이름을 그나 그녀의 명단에 올릴 것이다.

14 너는 명단을 쉽게 바꿀 수 없다.

15 바꾸기 쉬운 것들

16 너의 팬티_ 만약 네가 매일 팬티를 갈아입으면, 너의 엄마는 너에게 입이 닳도록 말하지 않을 거야.

17 "인생은 B와 D 사이의 C이다."

18 그것은 "인생은 탄생과 죽음 사이의 선택이다."를 의미한다.

19 너의 친구들_ 너는 네 친구들을 바꿀 수 있다.

20 이상하게 들리는가?

21 너는 네가 완벽한 수의 친구들을 가지고 있다고 생각할지도 모른다.

22 하지만 새로운 친구를 목록에 추가하면 이전보다 훨씬 더 기분이 좋아질 것이다.

23 너의 마음_ 너는 처음에는 이런 것을 생각했고, 지금은 또 다른 것을 생각한다.

24 괜찮다. 누군가 말했듯이, "마음을 바꿀 수 있다면, 인생을 바꿀 수 있어."

25 "바꾸기 쉬운 일에 집중하고, 어제보다 오늘을 더 좋게 만들려고 노력해. 행운을 빌어!"

26 올해의 5대 계획

27 우리는 200명의 Teen Today 독자들에게 "올해의 계획은 무엇인가?"라고 물었다.

---

1 Beginning a new school year is stressful to many students.

2 How can we get off to a good start?

3 Teen Today asked Raccoon 97, a popular webtoon artist, for ideas.

4 Let's think about things that are hard to change or easy to change.

5 Things That Are Hard to Change

6 Your Messy Room_ You clean it up.

7 Then you bring new stuff into it, and it soon gets messy again.

8 But don't worry

9 Your room is much cleaner than mine.

10 Your Family_ There is always someone in your family who drives you crazy.

11 Remember that he or she is still a member of your family.

12 You just have to live together and care for each other.

13 Your Name on Your Teacher's List_ If you are late or do not behave, your teacher will put your name on his or her list.

14 You cannot easily change the list.

15 Things That Are Easy to Change

16 Your Underpants_ If you change them every day, your mom will not tell you one hundred and one times.

17 "Life is C between B and D."

18 It means "Life is Choice between Birth and Death."

19 Your Friends_ You can change your friends.

20 Does it sound strange?

21 You may think that you have the perfect number of friends.

22 If you add a new friend to the list, however, you

---

will feel even better than before.

23 Your Mind_ You thought one thing at first, and now you think another thing.

24 That is okay. As someone said, "If you can change your mind, you can change your life."

25 "Focus on the things that are easy to change, and try to make today better than yesterday. Good luck!"

26 Top 5 Plans for the Year

27 We asked 200 Teen Today readers, "What are your plans for the year?"

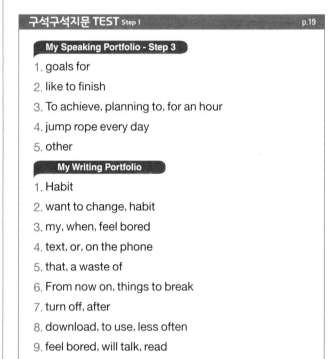

My Speaking Portfolio - Step 3

1. goals for
2. like to finish
3. To achieve, planning to, for an hour
4. jump rope every day
5. other

My Writing Portfolio

1. Habit
2. want to change, habit
3. my, when, feel bored
4. text, or, on the phone
5. that, a waste of
6. From now on, things to break
7. turn off, after
8. download, to use, less often
9. feel bored, will talk, read

My Speaking Portfolio - Step 3

1. "I have two goals for the year.
2. First, I'd like to finish a 10 km marathon.
3. To achieve this goal, I'm planning to run for an hour every day.
4. Also, I'm going to jump rope every day.
5. The other goal is ……"

My Writing Portfolio

1. My Phone Habit
2. I want to change my phone habit.
3. I use my phone when I feel bored.
4. I text my friends or play games on the phone.
5. I know that it is a waste of time.

---

6. From now on, I will do two things to break the habit.

7. I will turn off my phone after 10 p.m.

8. I will also download a phone control app to use my phone less often.

9. If I feel bored, I will talk to my family or read comic books.

Lesson
2

01 기억하다
02 남겨 두다, 저축하다
03 위
04 갑자기
05 의사소통하다
06 문화
07 맛있는
08 마침내
09 중요한
10 반복하다
11 외치다, 소리치다
12 따라가다
13 특별한
14 주요 지형지물, 랜드마크
15 다른
16 쿵쾅거리는
17 입장료
18 유명한
19 번역, 통역
20 환상적인
21 ～을 뜻하다[의미하다]
22 꼬르륵거리다
23 긴장한
24 제의하다, 권하다
25 운, 행운
26 나타나다
27 의미
28 그러나
29 정보
30 공용어
31 표현
32 개장 시간
33 대답[응답]하다
34 효력이 있다
35 전통의, 전통적인
36 조심스럽게, 신중히
37 ～에 유용하다
38 ～에 대해 알아내다[알게 되다]
39 잠깐, 잠시 동안
40 ～을 둘러보다
41 지금 곧, 당장
42 ～에 올라타다
43 어떤 종류의

01 traditional
02 respond
03 famous
04 translation
05 fantastic
06 stomach
07 communicate
08 finally
09 follow
10 important
11 repeat
12 shout
13 special
14 arrive
15 laugh
16 different
17 remember
18 save
19 suddenly
20 thumping
21 enough
22 admission fee
23 country
24 culture
25 meaning
26 nervous
27 fortune
28 information
29 expression
30 pass
31 understand
32 work
33 audition
34 carefully
35 appear
36 translator
37 focus on
38 for example
39 for a while
40 hurry up
41 what kind of
42 right now
43 look around

1 famous, 유명한   2 work, 효력이 있다   3 pass, 합격하다

4 repeat, 반복하다   5 enough, 충분한   6 fortune, 운, 행운

7 save, 남겨 두다, 저축하다   8 information, 정보

9 offer, 제의하다   10 landmark, 주요 지형물, 랜드마크

11 nervous, 긴장한   12 respond, 대답[응답]하다

13 communicate, 의사소통하다   14 translation, 번역

15 culture, 문화   16 expression, 표현

Communicate: Listen - Listen and Answer Dialog 1

smells, are, cooking / making / traditional, pieces of, stick / sounds, delicious / Would, like / love / you / tastes, should open / glad, like

Communicate: Listen - Listen and Answer Dialog 2

are, going to / look around / how to find / on my phone / Try to remember / what, mean by / important, special / try to, that

Communicate: Listen - Listen More

look delicious / Would, like / thanks, nervous / Why, so / audition for, in half / What, mean / Good luck, expression, Save, for

Communicate: Listen - All Ears

in half an hour / busy schedule

Communicate: Speak 2

Would you like / thanks, vegetables / how about, please

My Writing Portfolio - Step 1

name, app / Sounds / focuses on, to see / information, famous / find out, opening, admission / how to get / download, right now / sure, like

Wrap Up - Listening ❺

Would, like / What kind of / egg sandwich / No, thanks, don't / would you like / my favorite fruit

Wrap Up - Listening ❻

Hurry up / what, mean by / it's, start moving / time to go / Let's hit

Communicate: Listen - Listen and Answer Dialog 1

B: It smells nice. What are you cooking, Uncle Abbas?

M: I'm making kebab.

B: Kebab? What is it?

M: It's a traditional Turkish food. We have small pieces of meat and vegetables on a stick.

B: Oh, it sounds delicious.

M: Would you like some?

B: Sure. I'd love some.

M: Here you are.

B: It tastes great. You should open your own restaurant!

M: Thanks. I'm glad you like it.

Communicate: Listen - Listen and Answer Dialog 2

W: What are you going to do today, Kevin?

B: I'm going to look around the city.

W: Do you know how to find your way?

B: Sure. I have a map on my phone!

W: Okay. Try to remember landmarks, too.

B: I'm sorry, but what do you mean by "landmarks"?

W: I mean important places or special buildings.

B: All right. I will try to remember the places that I see.

Communicate: Listen - Listen More

G: Hey, Jongha!

B: Hi, Claire. Those cookies look delicious.

G: Would you like some?

B: No, thanks. I'm too nervous.

G: Why are you so nervous?

B: I have my audition for the school radio station in half an hour.

G: Oh, really? Break a leg!

B: Break a leg? What do you mean?

G: I mean "Good luck."

B: That's a funny expression. Thanks! Save some cookies for me, okay?

Communicate: Listen - All Ears

M: 1 The train will leave in half an hour.

   2 I have a busy schedule this week.

Communicate: Speak 2

A: Would you like some bibimbap

B: No, thanks. I don't like vegetables.

A: Then how about pizza?

B: Yes, please.

My Writing Portfolio - Step 1

G: Look. The name of our app is Enjoy Paris !

B: Enjoy Paris ? Sounds interesting!

G: This app focuses on what to see in Paris.

B: Does it give information on famous museums and theaters?

G: Yes. You can find out about opening hours and admission fees.

B: Fantastic.

G: It also tells you how to get there.

B: Oh, I'll download it right now!

G: I'm sure you'll like it.

Wrap Up - Listening ❺

B: Would you like some sandwiches?

G: What kind of sandwich?

B: Ham and egg sandwich.

G: No, thanks. I don't eat eggs.

B: Then, would you like some apple pie?

G: Okay. Apples are my favorite fruit.

Wrap Up - Listening ❻

G: Hurry up, everyone. Hit the road!

B: I'm sorry, but what do you mean by that?

G: I mean it's time to start moving.

B: Like, "It's time to go"?

G: Yes.

B: Great! Let's hit the road.

본문 TEST Step 1 — p.28~29

01 family, in   02 are visiting, his
03 going, wants, behind
04 thinks, on, communicate   05 stomach, so
06 When, sees, says
07 not, how, respond
08 Would, piece, glass
09 answers, please
10 knock, whom, walks
11 women begln, fast
12 translator, understand   13 off, leaves on
14 out to, sunny   15 thumping, who, against
16 turns, says   17 in, so, what
18 repeats, that, said   19 kicks, to
20 needs no, that
21 while, with, ball
22 Finally, at herself   23 My, responds
24 Suddenly, says
25 understands, sound like   26 Sure, appears
27 in, shout from   28 As, onto, luck
29 does, understand   30 thinks, says

---

31 to, that, holding
32 shouts, fortuna   33 sounds like
34 he shouts   35 her, back   36 rolls away
37 goes back   38 into, more, teach
39 says, laughs

본문 TEST Step 2 — p.30~31

01 family, in, Italy 02 are visiting, his mother's
03 are going to, stay behind
04 translation, on, help, communicate
05 growls, so, enters
06 When, sees, says   07 how to respond
08 Would, like, a lot of   09 answers, please
10 knock on, whom, walks in
11 women, speaking, fast
12 translator, understand.
13 turns off, leaves, on   14 goes out to enjoy
15 follows, thumping, who is kicking, against
16 turns to, says   17 so, what to say
18 repeats, that   19 kicks, to him
20 needs, translator
21 For a while, with   22 points at herself
23 My name responds   24 Suddenly, says
25 understands, sound like
26 enough, appears   27 in, shout from
28 As, steps onto
29 does not understand
30 So, thinks, says
31 points to , is holding   32 shouts
33 sounds like   34 shouts   35 shout back
36 rolls away   37 goes back to
38 says into, Learning, more, teach me some Italian
39 says, laughs

본문 TEST Step 3 — p.32~33

1 Jaden의 가족은 이탈리아 플로렌스에 있다.

2 그들은 그의 어머니의 친구인 Gambini 씨를 방문하고 있다.

3 오늘 그의 부모님은 박물관에 갈 예정이지만, Jaden은 집에 남고 싶어 한다.

4 그는 자신의 전화기에 있는 번역 앱이 의사소통을 하는 데 도움이 될 것이라고 생각한다.

5 그는 배가 꼬르륵거려서 부엌으로 들어간다.

6 Jaden은 어떻게 대답해야 할지 모른다.

7 그러자 앱이 "좋은 아침입니다. 빵 한 개와 우유 한 잔 드시겠어요?"

8 문을 두드리는 소리가 들리고 Gambini 씨가 초대한 한 여자가 안으로 들어온다.

9 두 여자는 아주 빨리 이탈리아어를 말하기 시작한다.

10 그래서 번역 앱은 이해하지 못한다.

11 Jaden은 전화기를 끄고 그것을 탁자 위에 둔다.

12 그는 화창한 아침을 즐기기 위해 밖으로 나간다.

13 그는 쿵쿵거리는 소리를 따라가다 벽에 축구공을 차고 있는 소녀를 발견한다.

14 그의 전화기는 부엌에 있어서 Jaden은 뭐라고 말해야 할지 모른다.

15 그는 단지 소녀가 말한 말들인 "Buon giorno"를 반복한다.

16 소녀는 그에게 공을 찬다. Jaden은 그것 때문에 번역 앱이 필요하지 않다.

17 잠시 동안, 두 사람은 공을 가지고 논다.

18 마침내, 그 소녀는 자신을 가리키며 "Mi chiamo Rosabella."라고 말한다.

19 "내 이름은 Jaden이야."라고 그가 대답한다.

20 Jaden은 '버스'와 '도착하다'라는 단어와 비슷한 소리가 나는 단어를 알아듣는다.

21 아니나 다를까, 버스 한 대가 나타난다.

22 축구 유니폼을 입은 아이들이 창문에서 "Ciao, Rosabella!"라고 외친다

23 Rosabella가 버스에 오를 때, Jaden은 "행운을 빌어요."라고 말한다. 그녀는 이해하지 못한다.

24 그는 그녀가 손에 들고 있는 축구공을 가리킨다.

25 Fortuna는 '행운'처럼 들린다.

26 Rosabella와 그녀의 친구들은 "Molte grazie!"라고 다시 외친다.

27 버스가 굴러간다

28 Jaden은 부엌으로 돌아간다.

29 그는 번역 앱에 말한다. "사람들에게서 배우는 것은 더 재미있습니다. 이탈리아어 좀 가르쳐 주실 수 있나요, Gambini 씨?"

30 Gambini 씨는 "Si,"라고 말하고는 웃는다

1 Jaden's family is in Florence, Italy.

2 They are visiting Ms. Gambini, his mother's friend.

3 Today his parents are going to museums, but Jaden wants to stay behind.

4 He thinks the translation app on his phone will help him communicate.

5 His stomach growls, so he enters the kitchen.

6 When Ms. Gambini sees Jaden, she says "Buon giorno. Vuoi un pezzo di pane e un bicchiere di latte?"

7 Jaden does not know how to respond.

8 Then the app says, "Good morning. Would you like a piece of bread and a glass of milk?"

9 Jaden answers, "Yes, please."

10 There is a knock on the door, and a woman whom Ms. Gambini invited walks in.

11 The two women begin speaking Italian very fast.

12 So the translator does not understand.

13 Jaden turns off the phone and leaves it on the table.

14 He goes out to enjoy the sunny morning.

15 He follows a thumping sound and finds a girl who is kicking a soccer ball against a wall.

16 She turns to him and says, "Buon giono."

17 His phone is in the kitchen, so Jaden does not know what to say.

18 He just repeats the words that the girl said, "Buon giorno."

19 The girl kicks the ball to him.

20 Jaden needs no translator for that.

21 For a while, the two play with the ball.

22 Finally, the girl points at herself and says, "Mi chiamo Rosabella."

23 "My name is Jaden," he responds.

24 Suddenly Rosabella says, "Arrive l'autobus."

25 Jaden understands the words that sound like bus and arrive.

26 Sure enough, a bus appears.

27 Kids in soccer uniforms shout from the windows, "Ciao, Rosabella!"

28 As Rosabella steps onto the bus, Jaden says, "Good luck."

29 She does not understand.

30 So Jaden thinks and says, "Buon, buon …."

31 He points to the soccer ball that she is holding in her hand.

32 Rosabella shouts, "Fortuna! Buona fortuna!"

33 Fortuna sounds like fortune.

34 "Buona fortuna!" he shouts.

35 Rosabella and her friends shout back, "Molte grazie!"

36 The bus rolls away.

37 Jaden goes back to the kitchen.

38 He says into the translation app, "Learning from people is more fun. Can you teach me some Italian, Ms.Gambini?"

39 Ms. Gambini says, "Si," and laughs.

구석구석지문 TEST Step 1   p.38

My Speaking Portfolio - Step 1

1. Our Travel
2. of, app
3. focuses, to see
4. on, admission fees
5. how to get
6. usueful for

Wrap Up - Reading

1. meanings, cultures
2. For, means, right
3. something good
4. means, cultures
5. also, good
6. however, in
7. nothing, gesture
8. When, should, carefully

구석구석지문 TEST Step 2   p.39

My Speaking Portfolio - Step 1

1. Our Travel App
2. The name of our app is Enjoy Paris.
3. It focuses on what to see in Paris.
4. It gives information on opening hours and admission fees of museums and theaters.
5. It also tells you how to get there.
6. Our app will be useful for travelers.

Wrap Up - Reading

1. Gestures can have different meanings in different cultures.
2. For example, the "OK sign" means "okay" or "all right" in many countries.
3. The gesture means something good.
4. It means "money" in some cultures.
5. That is also something good.
6. The same sign, however, means "O" in France.
7. It means there is nothing, so it is not a very happy gesture.
8. When we travel, we should use gestures carefully.

단어 TEST Step 1   p.40

01 어려운	02 약속	03 공격하다, 공격
04 박테리아, 세균	05 세포	06 생물
07 다른	08 소화하다, 소화시키다	
09 부러지다	10 운동하다	11 위험한
12 항체	13 방어하다	14 약
15 증식[번식]하다	16 방어	17 불가능한
18 침입하다	19 대식 세포	20 균형 잡힌, 안정된
21 위통, 복통	22 주요한, 중대한	23 피부
24 규칙적으로	25 긁다, 할퀴다	26 건강한
27 열	28 기억하다	29 세균, 미생물
30 마지막으로, 마침내		31 성공
32 끔찍한, 소름끼치는		33 다행이도
34 필요한	35 ~에 좋다	36 많은
37 ~와 같은	38 마침내, 드디어	
39 A를 B로부터 보호하다		40 그런데
41 포기하다	42 며칠 후에	43 ~으로 유명하다

단어 TEST Step 2   p.41

01 stomachache	02 attack	03 bacteria
04 actually	05 several	06 shot
07 skin	08 antibody	09 cell
10 creature	11 different	12 digest
13 exercise	14 dangerous	15 defend
16 finally	17 appointment	18 germ
19 impossible	20 invade	21 defense
22 fever	23 luckily	24 macrophage
25 balanced	26 break	27 major
28 nccessary	29 regularly	30 medicine
31 virus	32 victim	33 multiply
34 scratch	35 success	36 at last
37 be famous for	38 be ready to	39 by the way
40 give up	41 plenty of	42 show up
43 watch out		

단어 TEST Step 3   p.42

1 successc, 성공   2 defend, 방어하다
3 appointment, 약속   4 major, 주요한, 중대한
5 bacteria, 박테리아, 세균   6 cell, 세포

7 multiply, 증식[번식]하다   8 shot, 주사

9 germ, 세균, 미생물   10 invade, 침입하다

11 balanced, 균형잡힌, 안정된   12 luckily, 다행히도

13 scratch, 긁다, 할퀴다   14 flu, 독감

15 victim, 피해자, 희생자   16 digest, 소화하다, 소화시키다

대화문 TEST Step 1

p.43~44

Communicate: Listen - Listen and Answer Dialog 1

Can, early, don't feel / seems to, problem / terrible stomachache, hurts / Why don't you, nurse's office / already, didn't help / can, Go see / Sure

Communicate: Listen - Listen and Answer Dialog 2

heard, sick, okay / went to, feel better / Good to, By the way, to talk / should meet, make it / Let's meet, at / early, sleep late / How about / sounds

Communicate: Listen - Listen More

wrong with / keeps scratching, lost / have the problem / About, ago / Let, see, has a virus, you some medicine / neet to, Can make, it / fine with / See you

Communicate: Listen - All Ears

make it / wrong with

Communicate: Speak 2 - Talk in pairs

What's, with / have, sore throat / too bad, should drink / I will

Communicate: Speak 2 - Talk in group

Let's play / why not / make it at / fine with, should, meet / Let's, meet / See, there

Wrap Up - Listening ⑤

don't feel / seems to be / have a fever / Let me see, have a fever, get, medicine / Thank you

Wrap Up - Listening ⑥

thinking of going, come with / want to go / Can, make / fine with / Let's meet at

---

대화문 TEST Step 2

p.45~46

Communicate: Listen - Listen and Answer Dialog 1

B: Can I go home early, Ms. Song? I don't feel so good.

W: What seems to be the problem?

B: I have a terrible stomachache. It really hurts.

W: Why don't you get some medicine at the nurse's office.

B: I already did. But it didn't help.

W: Okay. You can go. Go see a doctor, okay?

B: Sure. Thanks.

Communicate: Listen - Listen and Answer Dialog 2

B: Hello, Sora.

G: Hi, Jongha. I heard you were sick. Are you okay now?

B: Yes, I went to the doctor, and I feel better now.

G: Good to hear that. By the way, I called you to talk about our science project.

B: Yeah, we should meet. Can you make it tomorrow?

G: Okay. Let's meet at Simpson's Donuts at nine.

B: At nine? That's too early. I sleep late on the weekend.

G: How about 10 then?

B: That sounds fine.

Communicate: Listen - Listen More

M: Hi, Minsol. What's wrong with your dog?

G: She keeps scratching herself. Actually, she lost some hair.

M: When did she first have the problem?

G: About three days ago.

M: Let me see. (pause) She has a virus on her skin. I'll give you some medicine.

G: Thank you.

M: I need to check your dog again. Can you make it next Monday?

G: That's fine with me.

M: Okay. See you.

Communicate: Listen - All Ears

M: 1 Can you make it next Friday?

　　2 What's wrong with your cat?

Communicate: Speak 2 - Talk in pairs

A: What's wrong with you?

B: I have a sore throat.

A: That's too bad. You should drink some water.

B: Okay, I will.

Communicate: Speak 2 - Talk in group

A: Let's play basketball this Saturday.

B: Sure, why not?

A: Can you make it at ten?

B: That's fine with me. Where should we meet?

A: Let's meet at the school gym.

B: Okay. See you there.

Wrap Up - Listening ⑤

B: Mom, I don't feel well.

W: What seems to be the problem?

B: I think I have a fever.

W: Really? Let me see. Umm, you do have a fever. I'll get you some medicine.

B: Thank you, Mom.

G: I'm thinking of going to the Comics Museum tomorrow. Will you come with me?
B: I really want to go.
G: Can you make it at 11?
B: That's fine with me.
G: Okay. Let's meet at the subway station.

본문 TEST Step 1 p.47~48

01 everywhere, it, with
02 are, kinds, bacteria
03 Bacteria, creatures
04 Some, good
05 can, digest, that
06 Others, make
07 that, inside, living
08 cause, such
09 enter, through, skin
10 happens, invade
11 multiply, body
12 becomes, zone
13 feel, weak
14 body, defense
15 sound alarm
16 arrive, germs with
17 macrophage, up, eat
18 Together, called, cells
19 goes, fight
20 In, few, feel
21 invader,copies, itself
22 smart, too
23 change, trick
24 several, protect, from
25 wash, with, warm
26 diet, keep, healthy
27 It, exercise, plenty
28 Finally, shots
29 defense, germs
30 follow, steps, victim
31 Make, copies
32 my, defend
33 was, meal
34 there, eat
35 Next, send
36 see, another
37 What can
38 ready, any
39 give up
40 make, sick

본문 TEST Step 2 p.49~50

01 everywhere, impossible to see
02 major kinds, bacteria, viruses
03 are, creatures
04 Some, good
05 help you digest
06 Others, make, sick
07 germs, inside, other living bodies
08 cause, such as
09 can enter, through, skin mouth
10 happens, invade
11 multiply, body
12 becomes, zone
13 feel, tired, weak

14 Luckily, army of defense
15 sound, alarm
16 to fight, germs, antibodies
17 macrophage, show up
18 white blood cells
19 goes well, win
20 few days, feel better
21 invader, cannot make, copies
22 But, smart, too
23 change form
24 several ways to protect
25 wash, with soap
26 keep, strong, healthy
27 important to exercise, plenty of
28 Finally, necessary shots
29 defense against
30 steps, be a victim
31 Make. copies of
32 job to defend
33 nice meal
34 more germs to eat
35 send in
36 for another fight
37 What, do
38 I'm ready to
39 give up
40 make you sick

본문 TEST Step 3 p.51~52

1 세균은 어디에나 있지만 눈으로 세균을 보는 것은 불가능하다.
2 세균에는 두 가지 주요한 종류가 있다: 박테리아와 바이러스이다.
3 박테리아는 매우 작은 생물이다.
4 어떤 것들은 좋다.
5 그것들은 당신이 먹는 음식을 소화하는 데 도움을 줄 수 있다.
6 다른 것들은 나쁘고 당신을 아프게 할 수 있다.
7 바이러스는 다른 살아있는 몸의 세포 안에서만 살 수 있는 세균이다.
8 그들은 독감과 같은 질병을 일으킨다.
9 '나쁜' 세균은 피부, 입, 코, 눈을 통해 몸에 들어갈 수 있다.
10 그들이 침입하면 어떻게 되는가?
11 세균은 몸속에서 증시한다.
12 당신의 몸은 전쟁 지역이 된다.
13 당신은 피곤하고 약해지기 시작한다.
14 다행히도, 당신의 몸은 방어 군대를 가지고 있다.
15 T세포가 경보를 발한다!
16 B세포는 항체로 세균과 싸우기 위해 도착한다.
17 대식 세포가 나타나서 세균을 먹는다.
18 이 군대는 함께 백혈구라고 부른다.
19 모든 것이 잘되면 싸움에서 이긴다.
20 며칠 후면 당신은 회복되기 시작한다.
21 몸은 침입자를 기억하므로 다시 복제할 수 없다.
22 하지만 세균들도 영리하다.
23 그들은 형태를 바꿀 수 있고 몸을 속일 수 있다.

24 세균으로부터 당신 자신을 보호하는 몇 가지 방법이 있다.

25 먼저 비누와 따뜻한 물로 손을 씻어라.

26 균형 잡힌 식단은 당신의 몸을 튼튼하고 건강하게 해줄 것이다.

27 규칙적으로 운동하고 충분한 잠을 자는 것도 중요하다.

28 마지막으로 필요한 주사를 맞아라.

29 그것들은 세균을 막는 최고의 방어이다.

30 만약 당신이 이 단계를 따른다면, 당신은 "나쁜" 세균의 희생자가 되지 않을 것이다.

31 나를 더 복제해 주세요.

32 몸을 지키는 게 내 일이야.

33 정말 맛있는 식사였어!

34 먹을 세균이 더 있니?

35 내년에는 내 사촌을 보낼게.

36 그때 그가 또 싸우려고 널 보게 될 거야!

37 나는 어떤 세균과도 싸울 준비가 되어 있어.

38 우리는 널 아프게 할 수 없어.

---

1 Germs are everywhere, but it is impossible to see them with your eyes.

2 There are two major kinds of germs: bacteria and viruses.

3 Bacteria are very small creatures.

4 Some are good.

5 They can help you digest the food that you eat.

6 Others are bad and can make you sick.

7 Viruses are germs that can only live inside the cells of other living bodies.

8 They cause diseases such as the flu.

9 "Bad" germs can enter your body through your skin, mouth, nose, and eyes.

10 What happens when they invade?

11 The germs multiply in the body.

12 Your body becomes a war zone.

13 You start to feel tired and weak.

14 Luckily, your body has an army of defense.

15 The T cells sound the alarm!

16 The B cells arrive to fight the germs with antibodies.

17 The macrophage cells show up and eat the germs.

18 Together, this army is called the white blood cells.

19 If all goes well, they win the fight.

20 In a few days, you start to feel better.

21 The body remembers the invader, so it cannot make copies of itself again.

22 But the germs are smart, too.

23 They can change form and trick the body.

24 There are several ways to protect yourself from germs.

25 First, wash your hands with soap and warm water.

26 A balanced diet will keep your body strong and healthy.

27 It is also important to exercise regularly and get plenty of sleep.

28 Finally, get the necessary shots.

29 They are the best defense against germs.

30 If you follow these steps, you will not be a victim of "bad" germs.

31 Make more copies of me.

32 It's my job to defend the body.

33 That was a nice meal!

34 Are there any more germs to eat?

35 Next year, I'll send in my cousin.

36 He'll see you then for another fight!

37 What can I do now?

38 I'm ready to fight any germs.

39 We give up.

40 We can't make you sick.

My Speaking Portfolio - Step 1

1. Less, More
2. dangerous, play
3. to out
4. Healthy
5. Eating, good
6. important, enough

Around the World

1. Mexican painter
2. famous, unique
3. cartoonist, character
4. great, writer
5. spent, writing
6. director
7. inventor, created

Think and Write

1. use, to touch
2. touch
3. close, with, too

4. are, that

5. with, get into

6. what should

7. Wash, with

구석구석지문 TEST Step 2   p.58

My Speaking Portfolio - Step 1

1. Sit Less, Move More

2. It is dangerous to play online games too much.

3. It is time to go out and exercise.

4. Stay Healthy

5. Eating too many snacks is not good for your health.

6. It is important to eat enough fruit and vegetables.

Around the World

1. Frida Kahlo was a Mexican painter[artist].

2. She is famous for her unique paintings.

3. Charles Schulz was a cartoonist who created the famous character Charlie Brown.

4. Park Gyeongri was a great Korean writer.

5. She spent 25 years writing Toji.

6. James Cameron is the director of the movie, Avatar .

7. Jang Yeongsil was a(n) inventor[scientist] who created water clocks.

Think and Write

1. Every day you use your hands to touch different things.

2. You touch your phone and computer.

3. You open and close doors with your hands, too.

4. There are germs on everything that you touch.

5. If you eat snacks with your hands, the germs on your hands can get into your body.

6. Then what should you do?

7. Wash your hands with soap!

단어 TEST Step 1   p.59

01 야생 동물	02 잘못된, 틀린	03 남은 음식
04 오염	05 인공의, 인위적인	06 밝은
07 주의 깊은	08 창조[창작]하다	09 음량, 볼륨
10 (꽃을) 꺾다	11 방해하다	12 영향, 결과
13 충분히; 충분한	14 허락하다	15 리듬
16 거의	17 환경	18 주의 깊게
19 특히, 특별히	20 유명한	21 분명히
22 ~을 따르다	23 위협하다, 위태롭게 하다	
24 인간, 사람	25 마지막으로	26 이동하다, 이주하다
27 해결하다	28 자연의, 자연적인	29 보호하다
30 규칙	31 심각한	32 별이 총총한
33 쓰레기	34 자원 봉사로 일하다; 자원 봉사자	
35 먹이를 주다	36 ~에 따르면	
37 ~에 익숙하다, ~을 잘 알다		
38 ~을 처리하다, ~을 돌보다		39 ~에 관심을 가지다
40 영향을 주다	41 위험에 처한	42 사실
43 ~을 버리다		

단어 TEST Step 2   p.60

01 threaten	02 human	03 lastly
04 lay	05 everywhere	06 migrate
07 solve	08 protect	09 recent
10 leftover	11 pollution	12 artificial
13 bright	14 careful	15 wildlife
16 create	17 effect	18 almost
19 environment	20 carefully	21 natural
22 especially	23 famous	24 rule
25 serious	26 starry	27 toothbrush
28 trash	29 volunteer	30 feed
31 volume	32 pick	33 disturb
34 wrong	35 rhythm	36 care about
37 according to	38 take action	39 turn down
40 in danger	41 suffer from	42 be familiar with
43 millions of		

단어 TEST Step 3   p.61

1 starry, 별이 총총한   2 artificial, 인공의, 인위적인

3 create, 창조[창작]하다   4 lay, (알을) 낳다

5 pollution, 오염   6 feed, 먹이를 주다   7 rhythm, 리듬

8 disturb, 방해하다 9 wildlife, 야생 동물
10 effect, 영향 11 environment, 환경
12 migrate, 이동하다 13 protect, 보호하다
14 trash, 쓰레기 15 leftover, 남은 음식
16 volume, 음량

대화문 TEST Step 1 p.62~63

Communicate: Listen - Listen and Answer Dialog 1

okay to put, bulletin board / about, Oceans Day / Let, see, Did, make / members, together, should care more about / agree, right now / can, put, on / Go ahead

Communicate: Listen - Listen and Answer Dialog 2

are, doing / throwing away unused medicine / not supposed to / not / can pollute, also put, in danger / see, what should, do / must take, care / didn't, be more careful

Communicate: Listen - Listen More

love, place / forgot, didn't bring / saw, on our way / go get, toothbrushes / getting dark, should drive carefully / Don't worry / it okay to cook / course, not supposed to throw away / care about, environment

Communicate: Listen - All Ears

not supposed to / should care more about

Communicate: Speak - Talk in groups

You're not supposed to, during / wrong with / class rule, shouldn't / remember the rule

My Writing Portfolio - Step 1

Welcome to, listen, follow, supposed to feed, make, sick, not supposed to touch, dangerous, Lastly, don't throw, at, Enjoy, at

Wrap Up - Listening ⑤

is it okay to go out / What, plans / favorite, is going to have a concert / come home by / problem, be over

Wrap Up - Listening ⑥

look at / What / over there, not supposed to pick / sorry, didn't know

대화문 TEST Step 2 p.64~65

Communicate: Listen - Listen and Answer Dialog 1

G: Is it okay to put a poster on the bulletin board, Mr. Cha?

M: A poster?

G: Here. It's a poster about World Oceans Day.

M: Let me see. It's a great poster. Did you make it?

G: My club members made it together. I think people should care more about our oceans.

M: I agree. Well, we don't have space right now.

G: Then can I put it on the door?

M: Sure. Go ahead.

Communicate: Listen - Listen and Answer Dialog 2

G: What are you doing, Minsu?

B: I'm throwing away unused medicine.

G: Well, you're not supposed to do that.

B: Why not?

G: It can pollute the water. It can also put people and animals in danger.

B: I see. Then what should I do?

G: You must take it to a drugstore. They'll take care of it.

B: Oh, I didn't know that. I'll be more careful.

Communicate: Listen - Listen More

G: Wow! I love this place, Dad.

M: Oh, I forgot something. I didn't bring our toothbrushes.

G: I saw a store on our way here.

M: Okay. I'll go get some toothbrushes.

G: Sure. It's getting dark. You should drive carfully.

M: Don't worry.

G: Dad, is it okay to cook some ramyeon?

M: Of course. But you're not supposed to throw away any leftovers.

G: I know that. I really care about the environment.

Communicate: Listen - All Ears

M: 1. You're not supposed to do that.

2. People should care more about our oceans.

Communicate: Speak - Talk in groups

A: You're not supposed to study during breaks.

B: What's wrong with that?

A: It's a new class rule. You shouldn't do that.

B: Okay. I'll remember the rule.

My Writing Portfolio - Step 1

M: Welcome to K-Zoo. Please listen carefully and follow the rules. First, you're not supposed to feed the animals. It can make them sick. And you're not supposed to touch the animals. It can be very dangerous. Lastly, don't throw stones or trash at them. Enjoy your time at K-Zoo. Thank you.

Wrap Up - Listening ⑤

G: Dad, is it okay to go out with my friends this Saturday?

M: What are your plans?

G: Well, my favorite singer is going to have a concert at Olympic Park.

M: Okay, but come home by 9 o'clock.

G: No problem. The concert will be over by about 8:00.

Wrap Up - Listening ⑥

W: Hey, look at the sign!

B: What sign?

W: The one over there. You're not supposed to pick flowers here.

B: Oh, I'm sorry. I didn't know that.

---

14 suffer from, because, disturbed

15 is threatened by, too

16 migrate, by natural light, cause, wander off course

17 millions of birds , after hitting

18 easily, place to lay, since, bright

19 die, draws, away from, ocean

20 Clearly, serious, other forms

21 have to find, solve

22 If, do not, may see, only

본문 TEST Step 1   p.66~67

01 Look, painting
02 created, artist, in

03 time, look, starry
04 many, are, as

05 fact, world, sky

06 because, pollution

07 Most, familiar, land

08 that, problems, action

09 know, light, cause

10 Light, wrong, everywhere

11 effects on, wildlife

12 report, population, enough

13 Especially, often, see

14 suffer, because, disturbed
15 threatened, too

16 migrate, natural, cause

17 millions, hitting, that

18 easily, since, bright

19 die, draws, ocean

20 Clearly, serious, forms

21 have, find, solve
22 If, may, only

본문 TEST Step 2   p.68~69

01 Look at, painting

02 was created by, artist

03 time, look up, wonderful starry night sky

04 many, are lucky as

05 fact, world, sky

06 because, light pollution

07 are familiar with, land pollution

08 that, problems, are taking action to solve

09 know, cause pollution

10 Light, wrong place, wrong time, everywhere

11 serious effects on, wildlife

12 According to, report, population, dark enough

13 Especially, often cannot see

본문 TEST Step 3   p.70~71

1 이 아름다운 그림을 보세요.

2 그것은 1889년에 유명한 네덜란드 미술가 빈센트 반 고흐에 의해 만들어졌습니다.

3 반 고흐의 시대에는 거의 모든 사람들이 위를 쳐다보고 멋진 별이 빛나는 밤하늘을 볼 수 있었습니다.

4 이제, 우리들 중 얼마나 많은 사람이 반 고흐만큼 운이 있을까요?

5 사실, 오늘날 세계의 많은 사람들은 별이 빛나는 밤하늘을 즐길 수 없습니다.

6 이것은 빛의 오염 때문에 그렇습니다.

7 우리 대부분은 공기, 물, 토양 오염에 익숙합니다.

8 우리는 그것들이 심각한 문제라는 것을 알고 있으며, 그것들을 해결하기 위해 조치를 취하고 있습니다.

9 하지만 여러분은 빛이 오염도 일으킬 수 있다는 것을 알고 있었나요?

10 빛의 오염—잘못된 시간에 잘못된 장소에서의 너무 많은 빛—은 전 세계의 거의 모든 곳에 있습니다.

11 그것은 인간과 야생동물에게 심각한 영향을 미칠 수 있습니다.

12 최근 보고서에 따르면, 세계 인구의 약 89%가 밤에 충분히 어둡지 않은 하늘 아래서 살고 있습니다.

13 특히 대도시에서는 별이 빛나는 밤을 종종 볼 수 없습니다.

14 그들은 또한 인공적인 빛에 의해 낮과 밤의 자연적인 리듬이 방해를 받기 때문에 수면 문제로 고통을 겪을 수도 있습니다.

15 야생동물도 빛의 오염으로 위협받고 있습니다.

16 밤에 이동하거나 사냥하는 새들은 자연광을 통해 길을 찾지만, 대도시의 빛은 길을 벗어나도록 할 수 있습니다.

17 매년 수백만 마리의 새들이 밝은 불빛이 있는 건물에 부딪치고서 죽습니다.

18 바다거북들은 밤에 해변이 너무 밝기 때문에 알을 낳을 장소를 쉽게 찾을 수 없습니다.

19 또한, 많은 아기 바다거북들은 인공 빛이 그들을 바다에서 멀어지게 하기 때문에 죽습니다.

20 분명히, 빛 오염은 다른 형태의 오염만큼이나 심각합니다.

21 우리는 그 문제를 해결할 방법을 찾아야 합니다.

22 만약 우리가 하지 않으면, 우리는 우리의 꿈이나 그림에서만 별을 볼 수 있을지 모릅니다.

1 Look at this beautiful painting.

2 It was created by the famous Dutch artist Vincent van Gogh in 1889.

3 In Van Gogh's time, almost everyone could look up and see a wonderful starry night sky.

4 Now, how many of us are as lucky as Van Gogh?

5 In fact, many people in today's world cannot enjoy a starry night sky.

6 This is so because of light pollution.

7 Most of us are familiar with air, water, and land pollution.

8 We know that they are serious problems, and we are taking action to solve them.

9 But did you know that light can also cause pollution?

10 Light pollution—too much light in the wrong place at the wrong time—is almost everywhere around the world.

11 It can have serious effects on humans and wildlife.

12 According to a recent report, about 89% of the world's population lives under skies that are not dark enough at night.

13 Especially in big cities, people often cannot see a starry night.

14 They can also suffer from sleep problems because the natural rhythm of day and night is disturbed by artificial light.

15 Wildlife is threatened by light pollution, too.

16 Birds that migrate or hunt at night find their way by natural light, but light in big cities can cause them to wander off course.

17 Every year millions of birds die after hitting buildings that have bright lights.

18 Sea turtles cannot easily find a place to lay eggs since beaches are too bright at night.

19 Also, many baby sea turtles die because artificial light draws them away from the ocean.

20 Clearly, light pollution is as serious as other forms of pollution.

21 We have to find ways to solve the problem.

22 If we do not, we may see stars only in our dreams or paintings.

My Writing Portfolio - Step 1

1. African
2. Home, southern
3. fish
4. Size, up to be
5. Life span
6. in danger
7. suffer from sea pollution
8. catch, fish, don't have enough

Have Fun Together

1. not supposed to
2. shouldn't feed
3. get sick
4. look at
5. not supposed to touch
6. take, trash home
7. shouldn't leave
8. rule
9. supposed to pick, or
10. it's, but, isn't allowed in
11. turn down
12. supposed to play, loudly
13. not supposed to fish

My Writing Portfolio - Step 1

1. African penguin
2. Home : southern Africa
3. Food: fish
4. Size : grows up to be 60-70 cm
5. Life span : 10-30 years
6. Why are they in danger ?
7. Sometimes they suffer from sea pollution .
8. Also, people catch too many fish, and African penguins don't have enough food.

Have Fun Together

1. Excuse me. You're not supposed to make a fire and cook here.
2. In this park, you shouldn't feed wild animals.
3. They can get sick, you know.

4. Please look at the sign.

5. It says you're not supposed to touch the birds.

6. Will you please take your trash home?

7. You shouldn't leave it in the mountains.

8. That's the rule here.

9. Excuse me. You're not supposed to pick flowers or fruits.

10. I understand it's hot, but swimming isn't allowed in this national park.

11. Will you turn down the volume please?

12. You're not supposed to play music loudly.

13. Excuse me. You're not supposed to fish here.

단어 TEST Step 1   p.78

01 교수	02 사다	
03 ~라고 부르다, 전화하다		04 계속하다
05 허락하다	06 ~때문에	07 놀란
08 (값·비용이) ~이다[들다]		09 다른
10 자랑스럽게	11 접시, 요리	12 일찍
13 시계	14 만화책	15 모든 것
16 계획하다, 의도하다		17 변명, 핑계 거리
18 설명하다	19 벽	20 바람이 빠진, 펑크 난
21 지구 온난화	22 치다, 때리다	23 대학
24 초대하다	25 줄넘기하다	26 미친, 정신이상인
27 결정하다	28 갑자기	29 시끄러운
30 특별한	31 외치다, 소리치다	32 금속
33 주인	34 대답하다	35 대답(응답)하다
36 식은 죽 먹기	37 ~에 늦다	38 ~을 자랑으로 여기다
39 ~의 반대편에(는)	40 돌아오다	41 늦잠을 자다
42 시험을 보다	43 큰 소리로 웃다	

단어 TEST Step 2   p.79

01 buy	02 call	03 surprised
04 professor	05 expensive	06 respond
07 invite	08 jump rope	09 wall
10 proudly	11 early	12 different
13 continue	14 allow	15 flat
16 reply	17 special	18 global warming
19 metal	20 everything	21 university
22 point	23 noise	24 crazy
25 decide	26 suddenly	27 explain
28 owner	29 loud	30 shout
31 corner	32 excuse	33 hit
34 cost	35 laugh out loud	36 go to bed
37 be proud of	38 on the other side of	
39 come back	40 get up late	41 on Saturday
42 be late for	43 take a test	

단어 TEST Step 3   p.80

1 flat, 펑크 난   2 expensive, 값비싼   3 noise, 소음

4 shout, 외치다, 소리치다   5 crazy, 미친   6 owner, 주인

7 continue, 계속하다   8 dish, 접시   9 suddenly, 갑자기

10 cost, (값·비용이) ~이다[들다]   11 explain, 설명하다

12 invite, 초대하다   13 professor, 교수

14 excuse, 변명, 핑계 거리   15 respond, 응답하다

16 university, 대학

01 Clock, Talks   02 invited, to, one

03 proud, in, comic   04 In, had, dish

05 asked, What's 06 special, talks, proudly

07 If, hit, time   08 hit, with   09 made, loud

10 on, shouted, crazy   11 It's, at, bed

12 Flat Tire   13 university friends

14 in, on   15 back, because, had

16 got, late, make

17 being, decided, got

18 that, allowed, to

19 When, take, put   20 As, down, first

21 global warming

22 piece, cake, continued   23 points, answer

24 Which tire   25 Special Parrot 26 One, to buy

27 How much, one   28 costs, pet shop

29 Why, expensive

30 special one, play   31 about, one

32 costs, because, jump

33 about, one, asked

34 responded, costs

35 surprised, asked   36 said, other, call

01 Clock, Talks   02 invited, to, one evening

03 was proud of, in, comic books, new computer

04 In, had, metal dish

05 asked, What's, big dish

06 special, talks, proudly   07 If, hit, the time

08 hit, with his hand

09 made, loud noise

10 Suddenly, on the other side of, shouted, Are, crazy

11 It's, at, Time go to bed   12 Flat Tire

13 are university friends

14 visited, in, on Saturday

15 come back early, because, big test

16 got up late, make it to

17 for being late, decided to tell, got, flat tire

18 agreed that, bad luck, allowed, to take

19 When, came to take, on, put, different rooms

20 As, sat down   21 explain global warming

22 a piece of cake, continued   23 answer

24 Which   25 Special

26 One day, went to, to buy

27 How much, one, asked

28 costs, pet shop owner

29 Why, so expensive

30 special one, play the piano   31 What about

32 because, can play, paint, jump rope

33 what about   34 responded, costs

35 surprised, does, do

36 said, other two birds call

1 말하는 시계

2 어느 날 저녁 Dean은 친구들을 자기 방으로 초대했다.

3 그는 방에 있는 모든 것 즉, 멋진 침대, 많은 만화책들, 그리고
새 컴퓨터를 자랑스러워했다.

4 구석에 그는 커다란 금속 접시도 가지고 있었다.

5 한 친구가 "저 큰 접시는 뭐니?"라고 물었다.

6 "아, 저건 내 특별한 시계야. 그건 말을 해." Dean이 자랑스럽게
대답했다.

7 "접시를 치면, 시간을 알게 될 거야."

8 그리고 나서 그는 손으로 접시를 쳤다.

9 그것은 정말 큰 소리를 냈다.

10 갑자기 벽 반대편에 있던 그의 누나가 소리쳤다. "너 미쳤니?"

11 밤 11시야. 잘 시간이야!"

12 펑크 난 타이어

13 Jessie와 Nicole은 대학 친구이다.

14 그들은 토요일에 플로리다에 계시는 Jessie의 할머니를
방문했다.

15 그들은 월요일 오후에 큰 시험이 있기 때문에 그날 일찍 돌아올
계획이었다.

16 하지만 그들은 늦게 일어나서 시험에 맞춰 올 수 없었다.

17 그들은 지각한 것에 대한 좋은 핑계 거리가 필요해서 교수에게
차의 타이어에 펑크가 났다고 말하기로 결정했다.

18 교수는 그것이 단지 불운이라는 것에 동의했고 수요일에
그들이 시험을 볼 수 있도록 허락했다.

19 수요일 아침에 그들이 시험을 보러 왔을 때, 교수는 Jessie와
Nicole을 다른 방에 들어가게 했다.

20 그들은 앉아서 첫 번째 문제를 읽었다.

21 5점짜리, 지구 온난화를 설명하시오.

22 그것은 그들에게 식은 죽 먹기였다. 그리고 나서, 시험은 계속되었다.

23 95점짜리, 질문에 답하시오.

24 어느 타이어였는가?

25 특별한 앵무새

26 어느 날 Abril은 앵무새를 사러 애완동물 가게에 갔다.

27 "이 파란 앵무새는 얼마죠?" 그녀가 물었다.

28 "이것은 2,000달러예요." 애완동물 가게 주인이 말했다.

29 "왜 그렇게 비싸죠?" Abril이 물었다.

30 "이것은 아주 특별한 앵무새입니다. 피아노를 칠 수 있어요!"

31 "초록색 앵무새요?" 그녀가 물었다.

32 "이것은 피아노를 치고, 그림을 그리고, 줄넘기를 할 수 있기 때문에 5,000달러입니다."

33 "그럼 빨간 앵무새는요?" Abril이 물었다.

34 주인은 10,000달러라고 대답했다.

35 그녀는 놀라서 물었다. "그것은 뭘 할 수 있죠?"

36 "모르겠어요, 하지만 다른 두 새들이 그것을 '선생님'이라고 불러요."라고 주인이 말했다.

---

1 A Clock That Talks

2 Dean invited his friends to his room one evening.

3 He was proud of everything in his room: a nice bed, many comic books, and a new computer.

4 In the corner, he also had a very big metal dish.

5 A friend asked, "What's that big dish?"

6 "Oh, that's my special clock. It talks," Dean replied proudly.

7 "If you hit the dish, you'll know the time."

8 Then he hit the dish with his hand.

9 It made a really loud noise.

10 Suddenly, his sister who was on the other side of the wall shouted, "Are you crazy?

11 It's eleven o'clock at night. Time to go to bed!"

12 A Flat Tire

13 Jessie and Nicole are university friends.

14 They visited Jessie's grandma in Florida on Saturday.

15 They planned to come back early on Monday because they had a big test that afternoon.

16 But they got up late and could not make it to the test.

17 They needed a good excuse for being late, so they decided to tell the professor that their car got a flat tire.

18 The professor agreed that it was just bad luck and allowed them to take the test on Wednesday.

19 When they came to take the test on Wednesday morning, the professor put Jessie and Nicole in different rooms.

20 As they sat down, they read the first question.

21 For 5 points, explain global warming.

22 It was a piece of cake to them. Then, the test continued.

23 For 95 points, answer the question.

24 Which tire?

25 A Special Parrot

26 One day Abril went to a pet shop to buy a parrot.

27 "How much is this blue one?" she asked.

28 "It costs $2,000," said the pet shop owner.

29 "Why is it so expensive?" asked Abril.

30 "This parrot is a very special one. It can play the piano!"

31 "What about the green one?" she asked.

32 "It costs $5,000 because it can play the piano, paint pictures, and jump rope."

33 "Then what about the red one?" Abril asked.

34 The owner responded that it costs $10,000.

35 She was surprised and asked, "What does it do?"

36 "I don't know," said the owner, "but the other two birds call it 'teacher.'"

MEMO

적중 100 + 특별부록

Plan B

우리학교 최신기출

천재 · 이재영 교과서를 배우는

학교 시험문제 분석 · 모음 · 해설집

전국단위 학교 시험문제 수집 및 분석
출제 빈도가 높은 문제 위주로 선별
문제 풀이에 필요한 상세한 해설

중2-1
영어

천재 · 이재영

◎ 선택형 문항의 답안은 컴퓨터용 수정 싸인펜을
사용하여 OMR 답안지에 바르게 표기하시오.
◎ 서술형 문제는 답을 답안지에 반드시 검정
볼펜으로 쓰시오.
◎ 총 28문항 100점 만점입니다. 문항별 배점
은 각 문항에 표시되어 있습니다.

[전북 ㅇㅇ중]

1. 다음 빈칸에 들어갈 말로 가장 알맞은 것은? (3점)

A: Why don't you add some downtime?
B: Downtime?
A: Yeah, I mean you need to _____ once
in a while.

① study   ② change   ③ manage
④ relax   ⑤ behave

[관악구 ㅇㅇ중]

2. 다음 중 밑줄 친 단어의 뜻이 나머지와 <u>다른</u> 것은? (2점)

① My mom <u>drives</u> 10km to work.
② The lazy sisters didn't want to <u>drive</u> to
their home.
③ You should <u>drive</u> slowly in a school zone.
④ The loud noise <u>drives</u> me crazy.
⑤ He is planning to <u>drive</u> to Seoul.

[경북 ㅇㅇ중]

3. 다음 괄호 안의 문장과 같은 뜻이 되도록 단어를 배
열할 때, 일곱 번째로 오는 단어는? (3점)

• "(바꾸기 쉬운 것들에 초점을 맞추어라), and try
to make today better than yesterday. Good
luck!"

that / on / focus / are / to / the /
change / easy / things

① that   ② on   ③ are
④ easy   ⑤ to

[경기 ㅇㅇ중]

4. 다음 대화 후 Sumi가 할 일로 가장 알맞은 것은?
(4점)

Sumi: Can I talk with you for a minute,
Alex?
Alex: Sure. What is it?
Sumi: I'm working on my weekly schedule.
Alex: Really? Good for you, little sister.
Sumi: Here. Have a look and give me some
advice.
Alex: Hmm, you have a lot of study time.
Sumi: Yeah, I'm planning to study hard.
Alex: Why don't you add some break time?
I mean you need to relax once in a
while.
Sumi: Okay, I will.

① giving advice
② planning to study hard
③ adding more studying hours
④ studying very hard to get good scores
⑤ setting more break time on her weekly
schedule

[대전 ㅇㅇ중]

5. 다음 대화의 흐름상 빈칸에 가장 적절하지 <u>않은</u> 것
은? (3점)

A: What are you planning to do on April
Fool's Day?
B: _____

① Nothing special. How about you?
② I'm planning to go to the ballpark.
③ Well, I just want to play soccer with my
friends.
④ I took a piano lesson once a week in April.
⑤ I'm going to play a trick on our homeroom
teacher.

6. 다음 대화의 내용과 일치하지 <u>않는</u> 것은? (4점)

(The phone rings.)   W: woman, B: boy
W: Hi, Jongha.
B: Hello, Grandma. I'd like to visit you this Saturday.
W: That'll be great. We can plant some vegetables together.
B: Really? What kind of vegetables?
W: This time, I'm planning to plant some tomatoes and peppers.
B: Wow! That'll be fun.
W: I heard it's going to be sunny this Saturday. You should bring your cap.
B: Okay, I will.
W: Why don't you put on sunscreen before you leave?
B: No problem. I'll see you on Saturday.
W: Okay. Bye.

① This is the conversation between Jongha and his grandma.
② Grandma will visit Jongha this Saturday.
③ Grandma tells Jongha a special plan.
④ Jongha likes his grandma's offer.
⑤ Jongha will prepare for his cap and sunscreen before leaving for his grandma's.

7. 다음 대화의 빈칸에 들어갈 말로 가장 자연스러운 것은? (3점)

A: I'm planning to go to the ballpark this Friday.
B: _____

① Nothing special. How about you?
② You should take your baseball glove.
③ Why don't you ride a bike?
④ Let's help that girl.
⑤ How about playing soccer?

8. 다음 중 대화가 <u>어색한</u> 것은? (4점)

① A: What are you planning to eat?
   B: I'm planning to eat rice and meat.
② A: What are you going to do tomorrow?
   B: I'll stay home if it rains tomorrow.
③ A: Do you have a special goal for the year?
   B: Yeah, I want to win a gold medal in the Olympics.
④ A: Why don't you read a science magazine in the library?
   B: That's a good idea.
⑤ A: How will you achieve your goal?
   B: Yes, I will. I'm planning to make a daily schedule.

9. 자연스러운 대화가 되도록 순서대로 배열한 것은? (4점)

Meg: Ray, do you have a special goal for the year?
Ray: Yeah, I want to win a gold medal in the national swimming contest.
Meg: Cool!

(A) I'd like to manage my time better.
(B) What about you, Meg?
(C) How would you achieve your goal?
(D) I'm going to make a daily and weekly schedule.

Ray: Sounds good.

① (A)-(B)-(D)-(C)
② (B)-(A)-(C)-(D)
③ (B)-(D)-(A)-(C)
④ (C)-(B)-(A)-(D)
⑤ (D)-(A)-(C)-(B)

[10~11] 다음 대화를 읽고 물음에 답하시오.

> *(The phone rings.)*
> W: Hi, Jongha.
> B: Hcllo, Grandma. I'd like to visit you this Saturday.
> W: That'll be great. We can plant some vegetables together.
> B: Really? What kind of vegetables?
> W: This time, I'm planning to plant some tomatoes and peppers.
> B: Wow! That'll be fun.
> W: I heard it's going to be sunny this Saturday. You should bring your cap.
> B: Okay, I will.
> W: <u>출발하기 전에 선크림을 바르는 게 어떠니?</u>
> B: No problem. I'll see you on Saturday.
> W: Okay, Bye.

10. 위 대화의 밑줄 친 우리말을 영어로 옮긴 것으로 적절하지 <u>않은</u> 것은? (4점)

① You should put on sunscreen before you leave.

② Why do you put on sunscreen before you leave?

③ What about putting on sunscreen before you leave?

④ Why don't you put on sunscreen before you leave?

⑤ I think you should put on sunscrccn before you leave.

11. 위 대화를 읽고 답할 수 <u>없는</u> 것은? (4점)

① Will Jongha bring his cap?

② What are they going to plant?

③ What will Jongha do this Saturday?

④ Does Jongha like to eat vegetables?

⑤ How will the weather be this Saturday?

12. 다음 중 어법이 맞는 문장은? (3점)

① If I see a big spider, I will catch it.

② You will get angry if I will mix black and white.

③ I call my best friend if I need someone tomorrow.

④ If I will have time, I will go for a walk.

⑤ If I will have two concert tickets, I go to the concert with my grandpa.

13. 다음 빈칸에 공통으로 들어갈 알맞은 것은? (3점)

> • I want to live in a house _____ has a swimming pool.
> • The girl _____ is carrying an umbrella is my sister.

① what   ② who   ③ how

④ that   ⑤ which

14. 다음 중 어법상 바른 문장은? (3점)

① I know a man who speak five languages.

② Jane lives in a house who is 30 years old.

③ A giraffe is an animal which has a long neck.

④ Thomas likes stories which has happy endings.

⑤ The girl that is carrying some shopping bags are my cousin.

[15~18] 다음 글을 읽고 물음에 답하시오.

Beginning a new school year (A)_____ stressful to many students. How can we get (B)_____ to a good start? *Teen Today* asked Raccoon 97, a popular webtoon artist, for ideas.

Let's think about things ⓐthat are hard to change or easy to change.

Things That Are Hard to Change

Your Messy Room: You clean it up. Then you bring new stuff into it, and it soon gets messy again. But don't worry. ⒶYour room is much cleaner than mine.

Your Family: ⒷThere is always someone in your family who drives you crazy. Remember that he or she is still a member of your family. ⒸYou just have to live together and care for each other.

Your Name on Your Teacher's List: ⒹIf you are late or do not behave, your teacher will put your name on his or her list. You cannot easily change the list. ⒺThe list of addresses need to be updated until the end of the semester.

15. 위 글의 (A)와 (B)에 들어갈 말이 순서대로 바르게 짝지어진 것은? (4점)

	(A)	(B)
①	is	start
②	is	off
③	is	of
④	are	of
⑤	are	off

16. 위 글의 Ⓐ~Ⓔ 중 글의 전체 흐름과 관계가 없는 문장은? (4점)

① Ⓐ ② Ⓑ ③ Ⓒ ④ Ⓓ ⑤ Ⓔ

17. 위 글의 내용과 일치하는 것은? (4점)

① Your teacher's list can be easily changed.
② Traveling with your family is always awesome.
③ Studying in a messy room helps us concentrate.
④ Your teachers always record information about students who are late or misbehave.
⑤ At the beginning of the school year, students are busy preparing for a new start.

18. 위 글의 밑줄 친 ⓐthat과 쓰임이 <u>다른</u> 것은? (3점)

① Look at the cat that has blue eyes.
② A kangaroo is an animal that lives in Australia.
③ The man that is eating hamburger is my best friend.
④ We grew up with respect for the teacher that taught us.
⑤ Many people proved that BTS is the best K-pop group.

19. 다음 문장의 흐름에 맞지 <u>않는</u> 것은? (3점)

ⓐMinsol decided to have some downtime every weekend. ⓑShe is planning to do some exercise like playing tennis or bike riding. She is also going to see a movie with her friends. ⓒShe will visit the art center to enjoy a free concert on the second Saturday of the month. ⓓOn some weekends, she will stay home and get some rest. ⓔOn Sundays, she will study math and science for two hours.

① ⓐ ② ⓑ ③ ⓒ ④ ⓓ ⑤ ⓔ

[20~21] 다음 글을 읽고 물음에 답하시오.

Things That Are Easy to Change

Your Underpants_ If you change them every day, your mom will not tell you one hundred and one times.

Your Friends_ You can change your friends. Does it sound strange? You may think that you have the perfect number of friends. If you add a new friend to the list, however, you will feel better than before.

Your Mind_ You thought one thing at first, and now you think another thing. That is okay. As someone said, "If you can change your mind, you can change your life."

"Focus on the things that are easy to change, and ⓐ오늘을 어제보다 더 좋게 만들기 위해 노력하라. Good luck!"

20. 위 글의 밑줄 친 ⓐ를 다음 주어진 단어를 모두 이용하여 영어로 옮길 때 5번째 올 단어는? (4점)

(better, make, than, to, today, try, yesterday)
→ _____ _____ _____ _____
_____ _____ _____

① to   ② make   ③ than
④ better   ⑤ yesterday

21. 위 글의 내용과 일치하는 것은? (3점)

① 속옷을 갈아입는 것은 쉬운 일이다.
② 완벽한 친구를 갖는 것이 중요하다.
③ 친구의 숫자는 적으면 적을수록 좋다.
④ 바꾸기 어려운 것에 집중하면 인생이 바뀐다.
⑤ 속옷을 매일 갈아입으면 엄마가 잔소리를 하신다.

22. 다음 글의 흐름상 다음 문장이 들어갈 곳으로 가장 적절한 곳은? (4점)

From now on, I will try to do something to break my bad habit.

I want to change my phone habit. I use my phone when I feel bored. (A) I text my friends or play games on the phone. (B) I know that it is a waste of time. (C) I will turn off my phone after 10 p.m. (D) I will also download a phone control app to use my phone less often. (E) If I really feel bored, I will listen to the music or read comic books.

① (A)   ② (B)   ③ (C)   ④ (D)   ⑤ (E)

23. 다음 글의 Minsol이 주말에 downtime으로 할 계획이 아닌 것은? (4점)

Minsol decided to have some downtime every weekend. She is planning to do some exercise like inline skating or bike riding. She is also going to see a movie with her friends. She will visit the art center to enjoy a free concert on the third Saturday of the month. On some weekends, she will stay home and get some rest.

① 영화 보기   ② 자전거 타기
③ 집에서 휴식 취하기   ④ 무료 음악회 즐기기
⑤ 미술 작품 감상하기

24. 다음 우리말과 일치하도록 if를 이용하여 영어 문장을 완성하시오. (5점)

• 만약 네가 늦게 일어나면, 너는 버스를 놓칠 거야.

답: _____

[25~27] 다음 글을 읽고 물음에 답하시오.

Beginning a new school year is stressful to many students. How can we get off to a good start? *Teen Today* asked Raccoon 97, a popular webtoon artist, for ideas.
Let's think about things that are hard to change or easy to change.

Things That Are Hard to Change

Your Messy Room_ You clean it up. Then you bring new stuff into it, and it soon gets messy again. But don't worry. Your room is (A)_____ cleaner than mine.

Your Family_ There is always someone in your family (B)_____ drives you crazy. Remember (C)_____ he or she is still a member of your family. You just have to live together and care for each other.

Your Name on Your Teacher's List_ If you are late or do not behave, your teacher will put your name on his or her list. You cannot easily change the list.

25. 위 글의 빈칸 (A)에 들어가기에 어법상 <u>어색한</u> 것은? (3점)

① even　　② much　　③ very
④ far　　⑤ a lot

26. 위 글의 (B), (C)에 알맞은 말끼리 짝지어진 것은? (4점)

　　(B)　　　　(C)
① who　　　　what
② who　　　　that
③ which　　　what
④ which　　　that
⑤ that　　　　what

27. 위 글의 내용을 다음과 같이 요약할 때 <u>어색한</u> 것은? (4점)

ⓐStarting the school year is stressful, but here are some helpful ideas. ⓑSome things are hard to change. ⓒChanging your messy room is hard. ⓓYour family is hard to change, too. ⓔYou also can easily change the name on your teacher's list.

① ⓐ　　② ⓑ　　③ ⓒ　　④ ⓓ　　⑤ ⓔ

28. 다음 글의 내용과 가장 일치하는 것은? (4점)

There are three things to change easily in your life. First, you can change your underpants easily. If you change them every day, your mom will not tell you one hundred and one times. Second, you can change your friends easily. You may think that you have the perfect number of friends. If you add a new friend to the list, however, you will feel even better than before. The last thing that you can change easily is your mind. You may think one at first, and later another thing. That is okay. As someone said, "If you can change your mind, you can change your life."

① It is not easy to change your mind.
② It takes a lot of time to change your mind.
③ When you make more friends, you will feel better.
④ You don't need more friends because your friends are perfect now.
⑤ It is not important to change your underpants every day.

◎ 선택형 문항의 답안은 컴퓨터용 수정 싸인펜을
  사용하여 OMR 답안지에 바르게 표기하시오.
◎ 서술형 문제는 답을 답안지에 반드시 검정
  볼펜으로 쓰시오.
◎ 총 27문항 100점 만점입니다. 문항별 배점
  은 각 문항에 표시되어 있습니다.

[관악구 ○○중]

1. 다음 중 단어의 관계가 나머지와 <u>다른</u> 것은?   (2점)

① different – easy   ② boring – interesting
③ full – hungry   ④ messy – clean
⑤ heavy – light

[전북 ○○중]

2. 다음 빈칸에 들어갈 말이 순서대로 바르게 짝지어
   진 것은?   (3점)

• I was really tired, so I took a rest _____
  a while.
• You should focus _____ studying.

① for – on   ② to – away
③ of – for   ④ for – for
⑤ to – on

[전북 ○○중]

3. 다음 대화의 빈칸에 들어갈 말로 가장 적절한 것은? (3점)

A: What are you going to do this weekend,
   Mina?
B: I'm planning to visit Yeosu with my aunt.
A: That sounds great. _____
B: Well. we'll visit Yeosu Expo Park and eat
   some seafood.
A: That'll be fun. Enjoy your weekend.

① Can I go with you?
② Do you have any plans in Yeosu?
③ How are you planning to go there?
④ When are you going to leave there?
⑤ How long are you planning to stay there?

[경기 ○○중]

4. 다음 대화 중 가장 자연스러운 것은?   (4점)

① A: I have a headache.
   B: I am going to the hospital to meet her.
② A: Would you like some pizza?
   B: Yes, please. I am full enough.
③ A: Could you bring me some water?
   B: I drink water every day.
④ A: Could you talk with me for a while?
   B: Yes, I don't have time to talk with you.
⑤ A: What are you planning to do this weekend?
   B: I am planning to watch a movie with
      my mom.

[부산 ○○중]

5. 다음에 이어질 대화의 순서가 알맞은 것은?   (4점)

A: Do you have a special goal for the year?
B: _____
A: _____
B: _____
A: _____

ⓐ I'm planning to run every morning.
ⓑ I'd like to be healthier.
ⓒ Cool! How would you like to achieve your
   goal?
ⓓ Sounds good.

① ⓑ-ⓒ-ⓐ-ⓓ   ② ⓑ-ⓒ-ⓓ-ⓐ
③ ⓑ-ⓐ-ⓒ-ⓓ   ④ ⓐ-ⓒ-ⓑ-ⓓ
⑤ ⓐ-ⓓ-ⓒ-ⓑ

[6~7] 다음 대화를 읽고 물음에 답하시오.

Minsol: Can I talk with you for a minute, Minsu?
Minsu: Sure. What is it?
Minsol: I'm working on my weekly schedule.
Minsu: Really? Good for you, little sister.
Minsol: Here. Ⓐ_____
Minsu: Hmm, you have a lot of study time.
Minsol: Yeah, I'm planning to study hard.
Minsu: Why don't you add some downtime?
Minsol: Downtime?
Minsu: Yeah, I mean you need to relax once in a while.
Minsol: Oh, I see.

6. 위 대화의 빈칸 Ⓐ에 들어갈 말로 가장 알맞은 것은?

(4점)

① I'm planning to lose weight.
② Don't worry. I do not need any help.
③ Have a look and give me some advice.
④ I want to join the school dancing contest.
⑤ Let's go on a picnic and eat some snacks.

7. 위 대화의 내용과 일치하는 것은?　　　(4점)

① Minsol plans to play a lot.
② Minsol is Minsu's older sister.
③ Minsu wants Minsol to take a rest.
④ Minsu is working on his weekly schedule.
⑤ Minsol already knew the meaning of downtime.

8. 다음 대화의 상황에 맞게 충고나 권유하는 표현을 사용하여 대화를 완성하시오.　　　(5점)

A: I have a fever.
B: _____

답: _____

[9~10] 다음 대화를 읽고 물음에 답하시오.

G: Kevin, do you have a special goal for the year? (A)
B: Yeah, I want to win a gold medal in the national swimming contest. What about you, Minsol?
G: I'm working on my weekly schedule to manage my time better. (B)
B: Sounds good. (C)
G: Here. Have a look and give me some advice.
B: Hmm, you have a lot of study time. (D)
G: What do you mean?
B: I mean you need to relax once in a while. (E)

9. 위 대화의 (A)~(E) 중 주어진 문장이 들어가기에 가장 적절한 곳은?　　　(4점)

Why don't you add some downtime?

① (A)　② (B)　③ (C)　④ (D)　⑤ (E)

10. 위 대화을 읽고 알 수 있는 내용이 아닌 것 2개는?　　　(4점)

① Minsol needs some tips from Kevin.
② They are talking about their goals.
③ Kevin hopes to get a good result in the swimming contest.
④ Kevin thinks Minsol has a perfect schedule.
⑤ Minsol is talking with Kevin in the swimming pool.

11. 다음 대화의 (A)~(E) 중에서 다음 표현이 들어갈 곳은? (3점)

Good for you, little sister.

A: Can I talk with you for a minute, Minsu?
B: Sure. What is it?
A: I'm working on my weekly schedule. (A)
B: Really? (B)
A: Here. Have a look and give me some advice. (C)
B: Hmm, you have a lot of study time.
A: Yeah, I'm planning to study hard. (D)
B: Why don't you add some downtime? (E)
A: Downtime?
B: Yeah, I mean you need to relax once in a while.

① (A)　② (B)　③ (C)　④ (D)　⑤ (E)

12. Why is Yunsu down? (4점)

A: You look down, Yunsu. What's the problem?
B: I have a science project, and I don't have any ideas.
A: Why don't you read science magazines in the library?
B: Science magazines?
A: Sure. You can get some great ideas that way.

① He is going to buy a science magazine.
② He did not bring his science homework.
③ He didn't get a good grade on the science test.
④ He does not have any ideas for the science project.
⑤ He could not find good science magazines in the library.

13. 다음 중 어법이 맞는 문장은? (4점)

① Does they sound strange?
② You may think which you have the perfect number of friends.
③ If you will can change your mind, you can change your life.
④ You thought one thing at firstly, and now you think another thing.
⑤ If you add a new friend to the list, however, you will feel much better than before.

14. 다음 중 어법상 어색한 문장을 두 개 고르면? (3점)

① I saw a girl who was wearing a red scarf.
② Look at the car which is going really fast.
③ The boy which dances well is my boyfriend.
④ An orange is a fruit who has a lot of vitamin C.
⑤ Sarah was wearing a T-shirt that was too big for her.

15. 다음 중 that의 쓰임이 다른 하나는? (4점)

① I want to live in a house that has a garden.
② Mr. Parker is a farmer that grows orange trees.
③ I want to travel to the countries that are safe.
④ He is a boy that speaks five languages.
⑤ You may think that you have the perfect number of friends.

[16~18] 다음 글을 읽고 질문에 답하시오.

Beginning a new school year is stressful to many students. How can we ⓐget off to a good start? *Teen Today* asked Raccoon 97, a popular webtoon artist, for ideas.

ⓑThings That Are Hard to Change

ⓒYour Messy Room_ You clean it up. Then you bring new stuff (A)_____ it, and Ⓐit soon gets messy again. But don't worry. Your room is (B)_____ cleaner than mine.

Your Family_ There is always someone in your family who is not close to you. ⓓRemember that he or she is still a member of your family. You just have to live together and care (C)_____ each other.

Your Name on Your Teacher's List_ If you are late or do not behave, your teacher will put your name on his or her list. ⓔYou can easily change the list.

16. 위 글에서 밑줄 친 부분 ⓐ~ⓔ 중 내용상 어색한 것은? (4점)

① ⓐ　② ⓑ　③ ⓒ　④ ⓓ　⑤ ⓔ

17. 위 글의 Ⓐit이 가리키는 것으로 가장 알맞은 것은? (3점)

① the messy room　② your room
③ new stuff　④ Raccoon 97's room
⑤ cleaning your room

18. 위 글의 빈칸 (A)~(C)에 들어갈 알맞은 말로 짝지어진 것은? (4점)

	(A)	(B)	(C)
①	on	better	for
②	on	much	with
③	into	more	with
④	into	more	for
⑤	into	much	for

[19~20] 다음 글을 읽고 물음에 답하시오.

Your Underpants_ If you ⓐchange them every day, your mom will not tell you one hundred and one times.
Your Friends_ You can change your friends. Does it sound ⓑstrangely? You may think ⓒwhich you have the perfect number of friends. If you add a new friend to the list, however, (A)_____.
Your Mind_ You thought one thing at first, and now you think another thing. That is okay. ⓓAs someone said, "If you can change your mind, you can change your life."
"Focus on the things ⓔwhich is easy to change, and try to make today ⓕmuch better than yesterday. Good luck!"

19. 위 글의 밑줄 친 ⓐ~ⓕ 중 어법상 옳은 것만을 있는 대로 고른 것은? (4점)

① ⓐ, ⓓ　　② ⓑ, ⓒ　　③ ⓒ, ⓕ
④ ⓐ, ⓑ, ⓔ　　⑤ ⓐ, ⓓ, ⓕ

20. 위 글의 빈칸 (A)에 들어갈 말로 가장 적절한 것은? (4점)

① you will be a lonely person
② you will feel even happier than before
③ your life may be worse than yesterday
④ you will be disappointed at your friends
⑤ you may realize that you don't need many friends

[21~22] 다음 글을 읽고 물음에 답하시오.

Teen Today asked Raccoon 97, a popular webtoon artist, for ideas about getting off to a good start.

Things That Are Hard to Change

1. Your Messy Room_ You clean it up. Then you bring new stuff into it, and it soon gets messy again. But don't worry. Your room is ⓐmuch cleaner than mine.

2. Your Family_ There is always ⓑsomeone in your family who drive you crazy. Remember that he or she is still a member of your family. You just ⓒhave to live together and care for each other.

3. Your Name on Your Teacher's List_ When you are late for school or you make a lot of noise during classes, your teacher will put your name on his or her list. You cannot easily change the list.

Things That Are Easy to Change

1. Your Friends_ You can change your friends. Does it ⓓsound strange? You may think that you have the perfect number of friends. When you add a new friend to the list, you can feel better than before.

2. Your Mind_ You thought one thing at first, and now you think ⓔanother thing. That is okay. As someone said, "If you can change your mind, you can change your life."

"Focus on the things that are easy to change, and try to make today better than yesterday. Good luck!"

---

21. 위 글의 Racoon 97의 말을 가장 잘 이해한 사람은? (4점)

① Mei: Racoon 97 always keeps his room clean.
② Rosa: You can change your family members easily.
③ Kate: Focus on the things that are not hard to change.
④ Fred: Getting off to a good start is the goal for the year for everyone.
⑤ Mateo: If your name is on your teacher's list, it means you are a perfect student at school.

22. 위 글에서 밑줄 친 ⓐ~ⓔ 중 어법상 옳지 않은 것은? (4점)

① ⓐ   ② ⓑ   ③ ⓒ   ④ ⓓ   ⑤ ⓔ

23. 다음 글의 빈칸 (A)~(E)에 알맞지 않은 것은? (4점)

My phone habit
I want to change my phone habit. I use my phone when I feel bored. I (A)_____ my friends or play games on the phone. I know that it is a (B)_____ of time. From now on, I will do two things to (C)_____ the habit. I will turn off my phone after 10 p.m. I will also (D)_____ a phone control app to use my phone (E)_____ often. If I feel bored, I will talk to my family or read comic books.

① (A) text   ② (B) waste
③ (C) break   ④ (D) download
⑤ (E) more

[24~26] 다음 글을 읽고 물음에 답하시오.

Beginning a new school year is stressful to many students. How can we get (A)_____ to a good start? *Teen Today* asked Raccoon 97, a popular webtoon artist, (B)_____ ideas.

Let's think about things ⓐthat are hard to change or easy to change.

Things That Are Hard to Change

Your Messy Room_ You clean it up. Then you bring new stuff (C)_____ it, and it soon gets messy again. But don't worry. Your room is much cleaner than mine.

Your Family_ There is always someone in your family who drives you crazy. Remember that he or she is still a member of your family. You just have to live together and care for each other.

Your Name on Your Teacher's List_ If you are late or do not behave, your teacher will put your name on his or her list. You cannot easily change the list.

24. 위 글의 내용으로 보아 대답할 수 없는 질문은?

(4점)

① Who is Raccoon 97?

② What is stressful to many students?

③ Why is it hard to change your messy room?

④ How many students are there on your teacher's list?

⑤ What should you do to someone in your family who drives you crazy?

25. 위 글의 (A)~(C)에 알맞은 단어로 옳게 짝지어진 것은?

(3점)

	(A)	(B)	(C)
①	off	for	under
②	for	on	into
③	off	for	into
④	for	on	for
⑤	with	to	for

26. 위 글의 밑줄 친 ⓐ와 쓰임이 같은 것은? (3점)

① That's why Mr. Jones doesn't want to see her.

② I don't think that she will come to the meeting.

③ Look at that building which my grandfather built.

④ The problem is that we don't have enough money.

⑤ She was wearing the T-shirt that was too big for her.

27. 다음 글의 내용과 일치하지 않는 것은? (4점)

1. Hello, I'm Nayeon. I'd like to be an eco-friendly person. I'm planning to walk to school every day this year.
2. Hi. I'm Junho. My goal for the year is to pass the Korean History Test. I'm planning to take online classes. I'm also going to watch a lot of historical dramas on TV.
3. Hi. I'm Hojin. I have a goal for the year. I want to get good grades in math. I'm planning to review math lessons regularly. I'm also going to solve 20 math problems every day.

① The three people are talking about their goal for the year.

② Nayeon will save energy by going to school on foot.

③ Junho will take the online history test.

④ Junho will see many historical TV dramas.

⑤ Hojin will study math regularly.

반		점수	
이름			

문항수 : 선택형(27문항) 서술형(1문항)   20 . . .

[광주 ○○중]

1. 다음 문장의 빈칸에 들어갈 가장 알맞은 말을 <보기>에서 고른 것은? (3점)

<보기>
ⓐ fortune   ⓑ translation   ⓒ thumping
ⓓ landmark   ⓔ museum

• The most famous _____ in New York City is the Statue of Liberty.

① ⓐ   ② ⓑ   ③ ⓒ   ④ ⓓ   ⑤ ⓔ

[부산 ○○중]

2. 다음 중 각 나라에서 쓰이는 언어가 <u>잘못</u> 짝지어진 것은? (2점)

	나라	언어
①	French	France
②	Spain	Spanish
③	China	Chinese
④	Greece	Greek
⑤	Vietnam	Vietnamese

[대구 ○○중]

3. 다음 밑줄 친 부분 중 어휘의 쓰임이 <u>어색한</u> 것은? (3점)

① We should put <u>all the stuff</u> in the blue box.
② His parents went shopping, but he <u>stayed behind</u>.
③ The <u>translator</u> helped me communicate in German.
④ <u>For a while</u>, they played with the sand on the beach.
⑤ The neighbors open a flea market every Saturday as a <u>daily event</u>.

[인천 ○○중]

4. 다음 빈칸 (A)에 공통으로 들어갈 말은? (4점)

W: What are you going to do today, Kevin?
B: I'm going to look around the city.
W: Do you know how to find your way?
B: Sure. I have a map on my phone!
W: Okay. Try to remember (A)_____, too.
B: I'm sorry, but what do you mean by "(A)_____"?
W: I mean important places or special buildings.
B: All right. I will try to remember the places that I see.

① maps   ② signs
③ landmarks   ④ application
⑤ information

[인천 ○○중]

5. 다음 대화의 빈칸 (A), (B)에 들어갈 말이 알맞게 짝지어지지 <u>않은</u> 것은? (4점)

A: (A)_____
B: What do you mean by that?
A: It means (B)"_____"

	(A)	(B)
①	Hit the road.	It's time to go.
②	Let's call it a day.	Let's stop working.
③	I'm on cloud nine.	I'm very happy.
④	I'm under the weather.	I'm slightly sick.
⑤	Don't beat around the bush.	Speak indirectly.

[6~7] 다음 대화를 읽고 물음에 답하시오.

> Hey, Tony. What's up? You look so nervous.
> ⓐ Oh, really? Break a leg!
> ⓑ It means "Good luck."
> ⓒ Hi, Jen. I have my audition for the school radio station this afternoon.
> ⓓ Break a leg? _____
> ⓔ That's a funny expression. Thanks!

6. 위 대화에서, 주어진 문장에 이어질 대화를 순서대로 배열한 것은? (4점)

① ⓐ-ⓑ-ⓔ-ⓓ-ⓒ
② ⓒ-ⓐ-ⓑ-ⓓ-ⓔ
③ ⓒ-ⓐ-ⓓ-ⓑ-ⓔ
④ ⓓ-ⓑ-ⓒ-ⓐ-ⓔ
⑤ ⓓ-ⓑ-ⓔ-ⓒ-ⓐ

7. 위 대화의 흐름상 빈칸에 들어갈 표현으로 가장 알맞은 것은? (3점)

① What does that mean?
② Do you know what to say?
③ What do you know about it?
④ How do you say that in Korean?
⑤ Do you understand what I mean?

8. 다음 대화의 빈칸에 들어갈 말로 가장 적절한 것은? (4점)

> A: Would you like some *bibimbap*?
> B: Yes, please.
> A: _____
> B: Oh, it tastes great.

① Isn't it too spicy?
② What do you want to eat?
③ Do you want some more?
④ How do you like it?
⑤ Do you eat a lot of *bibimbap*?

[9~10] 다음 대화를 읽고 물음에 답하시오.

> B: It smells ⓐnicely. What are you cooking, Uncle Abbas?
> M: I'm making kebab.
> B: Kebab? What is it?
> M: It's a traditional ⓑTurkish food. We have small pieces of meat and vegetables on a stick.
> B: Oh, it sounds ⓒdelicious.
> M: Would you like some?
> B: Sure. I'd love some.
> M: Here you are, Andy.
> B: It tastes ⓓgreat. You should open your own restaurant!
> M: Thanks. I'm ⓔgladly you like it.

9. 위 대화의 밑줄 친 부분 중 옳은 것들로 묶인 것은? (4점)

① ⓐ, ⓒ
② ⓐ, ⓑ, ⓒ
③ ⓑ, ⓒ, ⓓ
④ ⓐ, ⓑ, ⓓ, ⓔ
⑤ ⓑ, ⓒ, ⓓ, ⓔ

10. 위 대화의 내용과 일치하는 것을 모두 고른 것은? (4점)

> ⓐ Uncle Abbas is cooking kebab.
> ⓑ Andy wants to eat kebab.
> ⓒ Andy already knew how to make kebab.
> ⓓ Andy thinks Uncle's kebab is delicious.

① ⓐ
② ⓐ, ⓑ
③ ⓐ, ⓑ, ⓒ
④ ⓐ, ⓑ, ⓓ
⑤ ⓐ, ⓑ, ⓒ, ⓓ

11. 대화의 빈칸에 들어갈 말로 알맞은 것은? (3점)

> A: What do you mean by "_____"?
> B: I mean Korean mixed rice with meat and vegetables.

① pizza
② *pajeon*
③ noodle
④ *bibimbap*
⑤ landmark

12. 다음 A와 B의 대화 중 <u>어색한</u> 것은?　(3점)

① A: What do you mean by "landmark?"
　 B: I mean an important place like a park.

② A: Hit the road. We have a long way to go.
　 B: All right. Let's dig a big hole now.

③ A: You have an audition today. Break a leg!
　 B: Oh, thank you.

④ A: You should work out regularly.
　 B: I know. I try to exercise three times a week.

⑤ A: Tell me your birthday, and I'll tell you your fortune.
　 B: My fortune?
　 A: I mean I will tell you what would probably happen to you in the future.

13. 다음 대화의 흐름상 ⓐ~ⓔ 중에서 <u>어색한</u> 것은?　(4점)

A: It smells nice. What are you cooking. Uncle Abbas?
B: ⓐI'm making kebab.
A: Kebab? What is it?
B: ⓑIt's a traditional Turkish food. We have small pieces of meat and vegetables on a stick.
A: Oh, ⓒit sounds delicious.
B: Would you like some?
A: Sure. ⓓI'd love some.
B: Here you are.
A: ⓔIt tastes terrible. You should open your own restaurant!
B: Thanks. I'm glad you like it.

① ⓐ　② ⓑ　③ ⓒ　④ ⓓ　⑤ ⓔ

14. 다음 중 어법상 바르게 쓰인 것은?　(3점)

① I met an old lady that like reading books.

② I know some students that he taught them.

③ The movie that I watch yesterday was great.

④ My uncle that I like most live near my house.

⑤ I like the book that my friend bought for me.

15. 다음 (A)와 (B)에 알맞은 것은?　(3점)

Jimin: Do you know (A)_____ to go to the park?
Minji: We can take the subway.
Jimin: Can you tell me (B)_____ to leave the park?
Minji: Why don't we leave at nine?

	(A)	(B)
①	which	when
②	how	what
③	where	when
④	how	when
⑤	how	where

16. 다음 문장과 의미가 같은 문장은?　(3점)

• Can you teach me some Italian?

① Can you teach some Italian for me?

② Can you teach some Italian to me?

③ Can you teach some Italian of me?

④ Can you teach some Italian into me?

⑤ Can you teach some Italian with me?

[17~21] 다음 글을 읽고 물음에 답하시오.

Jaden's family is in Florence, Italy. They are visiting Ms. Gambini, his mother's friend. Today his parents are going to museums, but Jaden wants to stay behind. He thinks the translation app on his phone will help him communicate.

(A) After breakfast, there is a knock on the door, and a woman ⓐ_____ Ms. Gambini invited walks in. The two women begin speaking Italian very fast. So the app does not understand it.

(B) His stomach growls, so he enters the kitchen. When Ms. Gambini sees Jaden, she says, "**Buon giorno. Vuoi un pezzo di pane e un bicchiere di latte?**" Jaden does not understand it. Then the app says, "Good morning. Would you like a piece of bread and a glass of milk?" Jaden says into the translation app, "Yes, please." The app says in Italian "**Si.**"

(C) Suddenly Rosabella says, "**Arriva l'autobus.**" Jaden understands the words that sound like *bus* and *arrive*. Sure enough, a bus appears.

(D) So Jaden turns off the phone and leaves it on the table. He goes out to enjoy the sunny morning. He follows a thumping sound and finds a girl ⓑ_____ is kicking a soccer ball against a wall. She turns to him and says, "**Buon giorno.**"

(E) His phone is in the kitchen, so Jaden does not know what to say. He just repeats the words ⓒ_____ the girl said, "**Buon giorno.**" The girl kicks the ball to him. Jaden needs no translator for that. For a while, the two play with the ball. Finally, the girl points at herself and says, "**Mi chiamo Rosabella.**" "My name is Jaden." he responds.

Kids in soccer uniforms shout from the windows, "**Ciao, Rosabella!**" As Rosabella steps onto the bus, Jaden says, "Good luck." She does not understand. So Jaden thinks and says, "**Buon, buon ....**" He points to the soccer ball that she is holding in her hand.

Rosabella shouts, "**Fortuna! Buona fortuna!**" **Fortuna** sounds like *fortune*. "**Buona fortuna!**" he shouts. Rosabella and her friends shout back, "**Molte grazie!**" The bus rolls away. Now he thinks that (<u>사람들로부터 이탈리아어를 배우는 것이 더 재미있다</u>).

17. 위 글 (A)~(E)를 순서대로 바르게 연결한 것은? (4점)

① (B)-(D)-(C)-(A)-(E)
② (B)-(A)-(D)-(E)-(C)
③ (D)-(E)-(A)-(C)-(B)
④ (B)-(A)-(D)-(C)-(E)
⑤ (C)-(B)-(E)-(D)-(A)

18. 위 글의 이탈리아어의 의미를 <u>잘못</u> 해석한 것은? (4점)

① Si. - Yes.
② Buon giorno. - Good morning.
③ Arriva l'autobus. - The bus arrives.
④ un bicchiere di latte - a cup of coffee
⑤ Mi chiamo Rosabella. - My name is Rosabella.

19. 위 글의 ⓐ~ⓒ에 들어갈 말로 맞게 짝지어진 것은? (4점)

	ⓐ	ⓑ	ⓒ
①	whom	who	which
②	that	that	whom
③	that	who	who
④	who	that	who
⑤	who	whom	that

20. 위 글의 내용과 일치하지 <u>않는</u> 것은?　　(4점)

① Jaden uses a translation app on his phone to understand Italian.

② Jaden can understand some Italian words that sound like English words.

③ Jaden can understand Italian by guessing the meaning of the gestures.

④ Finally, Jaden knows that he can't communicate without his phone.

⑤ When people speak very fast, his translation app cannot understand it.

21. 주어진 단어만 모두 이용하여 다음 문장을 영어로 쓰시오. (필요시 어형을 바꾸시오.)　　(5점)

<보기>
is, fun, Italian, more, learn, people, from

Now he thinks that _____.
(이제 그는 사람들로부터 이탈리아어를 배우는 것이 더 재미있다고 생각한다.)

답: _____

22. 다음 빈칸에 들어갈 말로 알맞은 것은?　　(3점)

The name of our app is *Enjoy Paris*. It focuses on what to see in Paris. It gives information on _____. It also tells you how to get there. Our app will be useful for travelers.

① top 5 plans of students for this year

② the color and number of buses and taxis

③ many dos and don'ts you have to know in the library

④ opening hours and admission fees of museums and theaters

⑤ service and protection that police officers offer in the famous places

[23~24] 다음을 읽고 물음에 답하시오.

Kids in soccer uniforms shout from the windows, "**Ciao, Rosabella!**" As Rosabella steps onto the bus, Jaden says, "Good luck." ⓐ<u>She</u> does not understand. So Jaden thinks and says, "**Buon, buon ....**" ⓑ<u>He</u> points to the soccer ball (A)<u>that</u> ⓒ<u>she</u> is holding in her hand.   Rosabella shouts, "**Fortuna! Buona fortuna!**" **Fortuna** sounds like *fortune*. "**Buona fortuna!**" he shouts. Rosabella and her friends shout back, "**Molte grazie!**" The bus rolls away.   Jaden goes back to the kitchen. He says into the translation app, "Learning from people is more fun. Can you teach ⓓ<u>me</u> some Italian, Ms. Gambini?"   ⓔ<u>She</u> says, "**Si**," and laughs.

23. 위 글의 밑줄 친 (A)와 쓰임이 같은 것은?　　(4점)

① Mr. Parker is a farmer <u>that</u> grows orange trees.

② Jaden needs no translator for <u>that</u>.

③ An orange is a fruit <u>that</u> has a lot of vitamin C.

④ The snack <u>that</u> I ate at night was Hawaiian pizza.

⑤ You may think <u>that</u> you have the perfect number of friends.

24. 위 글의 밑줄 친 ⓐ~ⓔ 중 가리키는 대상이 <u>잘못</u> 짝지어진 것은?　　(3점)

① ⓐ She → Rosabella

② ⓑ He → Jaden

③ ⓒ she → Rosabella

④ ⓓ me → Jaden

⑤ ⓔ She → Rosabella

[25~26] 다음 글을 읽고 물음에 답하시오.

ⓐThere is a knock on the door, and a woman that Ms. Gambini invited walk in, ⓑ The two women begin to speak Italian very fast. So the translator does not understand. Jaden turns off the phone and leaves it on the table. He goes out to enjoy the sunny morning. ⓒHe follows a thumping sound and finds a girl that is kicking a soccer ball against a wall. She turns to him and says, "**Buon giorno.**"
ⓓHis phone is in the kitchen, so Jaden does not know what to say. He just repeats the words the girl said, "**Buon giorno.**" The girl kicks the ball to him. Jaden needs no translator for that. For a while, the two play with the ball. ⓔFinally, the girl points at her and says, "**Mi chiamo Rosabella.**" "My name is Jaden," he responds. Suddenly Rosabella says, "**Arriva l'autobus.**" ⓕJaden understands the words what sound like *bus* and *arrive.*

25. 위 글의 밑줄 친 ⓐ~ⓕ 중 어법상 맞는 문장을 있는 대로 모두 고른 것은? (4점)

① ⓐ, ⓑ
② ⓒ, ⓕ
③ ⓑ, ⓒ, ⓓ
④ ⓒ, ⓓ, ⓔ
⑤ ⓐ, ⓒ, ⓔ, ⓕ

26. 위 글을 읽고 답할 수 <u>없는</u> 질문은? (4점)

① Why doesn't the translator work perfectly?
② Which Italian word sounds like *arrive* to Jaden?
③ Which English words does Rosabella understand?
④ Why does Jaden repeat the words the girl said?
⑤ What language do the visitor and Ms. Gambini speak?

27. 다음 글의 흐름으로 보아, 주어진 문장이 들어가기에 알맞은 곳은? (4점)

That is also something good.

Gestures can have different meanings in different cultures. For example, the "OK sign" means "okay" or "all right" in many countries. (A) The gesture means something good. (B) It means "money" in some cultures. (C) The same sign, however, means "0" in France. (D) It means there is nothing, so it is not a very happy gesture. (E) When we travel, we should use gestures carefully.

① (A) ② (B) ③ (C) ④ (D) ⑤ (E)

28. 아래 휴대폰 앱과 그 앱을 소개하는 글에서 알 수 <u>없는</u> 내용은? (3점)

The name of our app is *Enjoy Paris*. It focuses on what to see in Paris. It gives information on opening hours and admission fees of museums and theaters. It also tells you how to get there. Our app will be useful for travelers.

① 박물관 연락처
② 박물관 입장료
③ 호텔의 숙박료
④ 극장 개장 시간
⑤ 박물관 가는 방법

◎ 선택형 문항의 답안은 컴퓨터용 수정 싸인펜을 사용하여 OMR 답안지에 바르게 표기하시오.
◎ 서술형 문제는 답을 답안지에 반드시 검정 볼펜으로 쓰시오.
◎ 총 32문항 100점 만점입니다. 문항별 배점은 각 문항에 표시되어 있습니다.

[관악구 ○○중]

1. 밑줄 친 부분의 우리말로 알맞지 않은 것은? (2점)

① Ms. Holiday steps onto the bus. (~에 올라타다)
② The train rolls away fast in front of me. (지나가다, 굴러가다)
③ His parents went shopping, but he stayed behind. (남아 있었다)
④ They sometimes have an argument, but they care for each other. (좋아한다)
⑤ Once in a while, the girl and the boy played with sand on the beach. (잠시 동안)

[대구 ○○중]

2. 다음 짝지어진 단어들의 쓰임이 나머지 넷과 다른 것은? (2점)

① Thai - Swiss
② Italy - Canada
③ Korea - Russia
④ England - Spain
⑤ Portugal - Vietnam

[부산 ○○중]

3. 대화의 빈칸에 들어갈 말로 어색한 것은? (3점)

A: What are you cooking, Brian?
B: I'm making kebab. Would you like some?
A: _____

① Sure, I'd love some.
② Yes, thank you.
③ Yes, I'm very full.
④ No thanks. I don't eat meat.
⑤ No, thank you. I'm not hungry.

[관악구 ○○중]

4. 다음 대화 중 가장 어색한 것은? (2점)

① A: Did you decide where to go: Fun World or Surprise Land?
   B: Ycs, lct's go to Surprise Land.
② A: Do you know how to get there?
   B: I did not know which to choose.
③ A: What will you ride first?
   B: I can't decide what to ride first.
④ A: We can have gimbap, hamburgers, or pizza for lunch.
   B: I can't choose which to eat.
⑤ A: Tell me when to leave the park.
   B: Why don't we leave at nine?

[인천 ○○중]

5. 다음 대화의 내용과 일치하는 것은? (3점)

B: It smells nice. What are you cooking, Uncle Abbas?
M: I'm making kebab, Kevin.
B: Kebab? What is it?
M: It's a traditional Turkish food. We have small pieces of meat and vegetables on a stick.
B: Oh, it sounds delicious.
M: Would you like some?
B: Sure. I'd love some.
M: Here you are.
B: It tastes great. You should open your own restaurant!
M: Thanks. I'm glad you like it.

① Abbas lives in Turkey.
② Kevin is Abbas's uncle.
③ Abbas has his own restaurant.
④ Abbas is good at making kebab.
⑤ Ingredients in kebab are turkey and rice.

[6~7] 다음 대화를 읽고 물음에 답하시오.

A: Look. ⓐThe name of our app is *Enjoy Paris*!

B: *Enjoy Paris*? Sounds interesting!

A: ⓑThis app focuses on what to see in Paris.

B: Does ⓒit give information on famous museums and theaters?

A: Yes. You can find out about opening hours and admission fees.

B: Fantastic.

A: ⓓIt also tells you how get there.

B: ⓔOh, I'll download it right now!

6. 위 대화의 'Enjoy Paris'에 대한 설명으로 어색한 것은? (3점)

① 여행 정보를 안내하는 웹 사이트이다.

② 박물관과 극장의 입장료를 알려 준다.

③ 박물관과 극장에 가는 길을 알려 준다.

④ 박물관과 극장에 대한 정보를 제공한다.

⑤ 주로 파리에서 볼거리에 대한 정보를 제공한다.

7. 위 글의 밑줄 친 ⓐ~ⓔ 중 문법적으로 어색한 부분이 있는 것은? (3점)

① ⓐ　　② ⓑ　　③ ⓒ　　④ ⓓ　　⑤ ⓔ

8. 다음 대화를 읽고 주어진 괄호 속의 단어를 포함하여 우리말 해석에 맞게 쓰시오. (3점)

Woman: What are you going to do today, Kevin?

Boy: I'm going to look around the city.

Woman: Do you know [how / find] the way? (길을 어떻게 찾는지는 알고 있니?)

Boy: Sure. I have a map on my phone!

답: _____

[9~10] 다음 대화를 읽고 물음에 답하시오.

Hi, Jongha. What's up? You look so nervous.

(A) It means "Good luck."

(B) Oh, really? Break a leg!

(C) That's a funny expression. Thanks!

(D) Break a leg? _____

(E) Hi, Claire. I have my audition for the school radio station in half an hour.

9. 위 대화를 순서대로 배열한 것은? (3점)

① (A)-(B)-(E)-(D)-(C)

② (C)-(A)-(B)-(D)-(E)

③ (C)-(A)-(D)-(B)-(E)

④ (D)-(B)-(C)-(A)-(E)

⑤ (E)-(B)-(D)-(A)-(C)

10. 위 대화의 흐름상 밑줄 친 부분에 들어갈 표현으로 가장 알맞은 것은? (3점)

① Do you know what to say?

② What does that mean?

③ What do you know about it?

④ Do you understand what I mean?

⑤ How do you say that in Korean?

11. 다음 대화의 빈칸에 들어갈 말로 어색한 것은? (3점)

A: What are you cooking, Uncle Abbas?

B: I'm making kebab. Would you like some?

A: No, thanks. _____

① I'm full.

② I'd love some.

③ I'm not hungry.

④ I don't eat meat.

⑤ I don't like kebab.

[12~13] 다음 대화를 읽고 물음에 답하시오.

G: It smells nice. What are you cooking. Abbas?

M: I'm making kebab.

G: Kebab? What is it?

M: It's a traditional Turkish food. We have meat and vegetables ⓐ_____ a stick.

G: Oh, it sounds delicious.

M: Would you like some, Clarie?

G: No, thanks. I have to go now.

M: What are you going to do today?

G: I'm going to look ⓑ_____ the city.

M: Can you find your way?

G: Well. I'm nervous but I will use a map ⓒ_____ on my phone.

M: Oh, really? ⓓ_____ a leg!

G: What do you mean?

M: I mean "Good luck."

G: That's a funny expression. Thanks! ⓔ _____ some Kebab for me, okay?

12. 위 대화의 ⓐ~ⓔ의 빈칸에 들어갈 말로 적절하지 않은 것은? (3점)

① ⓐ on
② ⓑ around
③ ⓒ application
④ ⓓ Shake
⑤ ⓔ Save

13. 위 대화를 읽고 답할 수 있는 질문이 아닌 것은? (4점)

① What time did Abbas cook kebab?
② Why doesn't Claire eat the food?
③ What is Claire planning to do today?
④ What will Claire use to find her way?
⑤ What kind of ingredients did Abbas use for making kebab?

14. 빈칸에 들어갈 말로 알맞지 않은 것은? (3점)

A: Look. The name of our app is *Enjoy Paris*!
B: *Enjoy Paris*? Sounds interesting!
A: Our app focuses on _____.

① what to eat in Paris
② what to serve at the party
③ how to get to museums
④ where to stay in Paris
⑤ what to see in Paris

15. 다음 중 어법상 어색한 것은? (3점)

① Jude is the librarian which I should thank.
② The movie which I saw last night was great.
③ I'm doing the homework that my teacher gave me.
④ I want to live in a house which has a beautiful kitchen.
⑤ He wants to travel to countries which have great mountains.

16. 다음 중 관계대명사 용법이 어색한 것은? (3점)

① *Interspace* is the movie which we will see tomorrow.
② The director is the woman whom we saw at the restaurant.
③ Ann was the person whose I met on the way home.
④ The book which I read on the bus was a movie magazine.
⑤ The snack which I ate at night was Hawaiian pizza.

[17~20] 다음 글을 읽고 물음에 답하시오.

Jaden's family is in Florence, Italy. They are visiting Ms. Gambini, his mother's friend. Today his parents are going to museums, but Jaden wants to ⓐstay behind. He thinks ⓑthe translation app on his phone will help him (A)[communicate / communicating]. ⓒHis stomach growls, so he enters the kitchen. When Ms. Gambini sees Jaden, she says, "**Buon giorno. Vuoi un pezzo di pane e un bicchiere di latte**?" Jaden does not know ⓓhow to respond. Then the app says, "Good morning. ㉠빵 한 조각과 우유 한 잔 할래?" Jaden answers, "Yes please."
There is a knock on the door, and a woman (B)[which / whom] Ms. Gambini invited ⓔwalks in. The two women begin (C)[spoke / speaking] Italian very fast. So the translator does not understand.

17. 위 글의 내용과 일치하는 것은? (3점)

① Jaden의 가족은 이탈리아에 살고 있다.
② Gambini씨는 Jaden의 엄마 친구이다.
③ 오늘 Jaden은 박물관에 갈 예정이다.
④ Jaden은 이탈리아말을 잘한다.
⑤ Jaden이 빵과 우유를 Gambini씨에게 권한다.

18. 위 글의 괄호 (A), (B), (C) 안에서 문맥에 맞는 낱말로 가장 적절한 것은? (3점)

	(A)	(B)	(C)
①	communicate	which	spoke
②	communicate	whom	speaking
③	communicate	which	speaking
④	communicating	whom	spoke
⑤	communicating	which	speaking

19. 위 글의 밑줄 친 ⓐ~ⓔ의 우리말 설명이 어색한 것은? (3점)

① ⓐ stay behind: 뒤에 남다
② ⓑ the translation app: 번역 앱
③ ⓒ His stomach growls: 그는 배가 아프다
④ ⓓ how to respond: 어떻게 대답해야 할지
⑤ ⓔ walks in: 안으로 들어오다

20. 위 글의 밑줄 친 ㉠의 우리말을 영어로 바르게 옮긴 것은? (3점)

① Do you have a bread piece and a milk glass?
② Do you have a piece of bread and a glass of milk?
③ Would you like a piece bread and a glass milk?
④ Would you like a bread piece and a milk glass?
⑤ Would you like a piece of bread and a glass of milk?

21. 다음 글의 빈칸에 들어갈 말로 알맞은 것을 두 개 고르면? (3점)

Kids in soccer uniforms shout from the windows, "**Ciao, Rosabella!**" _____ Rosabella steps onto the bus, Jaden says, "Good luck." She does not understand. So Jaden thinks and says, "**Buon, buon ....**" He points to the soccer ball that she is holding in her hand.

① As   ② For a while
③ For example   ④ Though
⑤ When

[22~25] 다음 글을 읽고 물음에 답하시오.

His phone is in the kitchen, so Jaden does not know ⓐ무엇을 말해야 할지. He just repeats the words that the girl said, "**Buon giorno.**" The girl kicks the ball to him. (A) Jaden needs no translator for that. (B) For a while, the two play with the ball. Finally, the girl points at herself and says, "**Mi chiamo Rosabella.**" "My name is Jaden," he responds.

Suddenly Rosabella says, "**Arriva l'autobus.**" Jaden understands the words that sound like *bus* and *arrive*. (C)

Kids in soccer uniforms shout from the windows, "**Ciao, Rosabella!**" As Rosabella steps onto the bus, Jaden says, "Good luck." (D) She does not understand. So Jaden thinks and says, "**Buon, buon ....**" He points the soccer ball that she is holding in her hand. (E) Rosabella shouts, "**Fortuna! Buona fortuna!**" **Fortuna** sounds like *fortune*. "**Buona fortuna!**" he shouts. Rosabella and her friends shout back, "**Molte grazie!**" The bus rolls away.

22. 위 글의 (A)~(E) 중 주어진 문장이 들어가기에 가장 알맞은 곳은? (4점)

Sure enough, a bus appears.

① (A) ② (B) ③ (C) ④ (D) ⑤ (E)

23. 위 글의 이탈리아어 표현 중 Jaden이 그 뜻을 이해했는지 여부를 알 수 없는 것은? (3점)

① Arriva ② Molte grazie!
③ l'autobus ④ Buona fortuna!
⑤ Mi chiamo Rosabella.

24. 위 글의 내용과 일치하지 않는 것은? (3점)

① Jaden의 전화기는 부엌에 있다.
② Jaden은 영어를 못하는 소녀를 만난다.
③ Jaden과 Rosabella는 공을 가지고 논다.
④ Jaden은 이탈리아어를 하지 못한다.
⑤ Jaden은 축구 유니폼을 입은 아이들이 타고 있는 버스에 올라탄다.

25. 위 글의 밑줄 친 ⓐ의 우리말을 say를 이용하여 영어로 쓰시오. (3점)

답: _____

[26~27] 다음 글을 읽고 물음에 답하시오.

There is a knock on the door, and a woman that Ms. Gambini invited walks in. (A) The two women begin speaking Italian very fast. (B) Jaden turns ⓐ_____ the phone and leaves it on the table. (C) He goes out to enjoy the sunny morning. (D) He follows a thumping sound and finds a girl who is kicking a soccer ball ⓑ_____ a wall. (E) She turns ⓒ_____ him and says, "**Buon giorno.**"

26. 위 글의 ⓐ~ⓒ에 알맞은 단어로 옳게 짝지어진 것은? (3점)

	ⓐ	ⓑ	ⓒ
①	to	on	off
②	off	against	to
③	on	against	of
④	off	behind	of
⑤	on	behind	to

27. 위 글의 (A)~(E) 중, 주어진 문장이 들어가기에 알맞은 곳은? (3점)

So the translator does not understand.

① (A) ② (B) ③ (C) ④ (D) ⑤ (E)

[28~29] 다음 글을 읽고 물음에 답하시오.

Jaden's family is in Florence, Italy. They are visiting Ms. Gambini, his mother's friend. Today his parents are going to museums, but Jaden wants to stay behind. ⓐHe thinks the translation app on his phone will help him communicating.

His stomach growls, so he enters the kitchen. When Ms. Gambini sees Jaden she says, **"Buon giorno. Vuoi un pezzo di pane e un bicchiere di latte?"** ⓑJaden does not know how respond. Then the app says, "Good morning. ⓒWould you like a piece of breads and a glass of milk? Jaden answers, "Yes, please."

ⓓThere is a knock on the door, and a woman Ms. Gambini invited walks in. ⓔThe two women begins speaking Italian very fast. So the translator does not understand. Jaden turns off the phone and leaves it on the table.

28. 위 글의 내용과 가장 일치하는 것은? (3점)

① Ms. Gambini is Jaden's friend.

② Jaden and his parents live in Korea.

③ Jaden wants to go to the museum with his parents.

④ Jaden and Ms. Gambini communicate by a translation app.

⑤ When the two women speak Italian very fast, the translation app can understand.

29. 위 글의 밑줄 친 ⓐ~ⓔ 중 문법적으로 바른 문장은 몇 개인가? (3점)

① 없음 ② 1개 ③ 2개 ④ 3개 ⑤ 4개

[30~31] 다음 글을 읽고 물음에 답하시오.

Kids in soccer uniforms shout from the windows, **"Ciao, Rosabella!"** As Rosabella steps onto the bus, Jaden says, "Good luck." She does not understand. So Jaden thinks and says, **"Buon, buon ...."** He points to the soccer ball that she is holding in her hand. Rosabella shouts, **"Fortuna! Buona fortuna!"** **Fortuna** sounds like *fortune*. **"Buona fortuna!"** he shouts. Rosabella and her friends shout back, **"Molte grazie!"** The bus rolls away.

Jaden goes back to the kitchen. He says into the translation app, "(A)사람들로부터 배우는 게 더 재미있다. Can you teach me some Italian, Ms. Gambini?"

30. 위 글을 읽고 답할 수 없는 질문은? (4점)

① What are kids wearing?

② What is Rosabella holding in her hand?

③ Who is saying "Good luck" to Rosabella?

④ Where will Rosabella and her friends play soccer?

⑤ What does Jaden want to learn from Ms. Gambini?

31. 위 글의 밑줄 친 (A)의 우리말을 〈보기〉의 단어들을 반드시 이용하여 영어 문장으로 쓰시오. (5점)

〈보기〉
learning, from, more

답: _____

32. 다음 괄호 안의 단어를 바르게 배열하여 문장을 완성하시오. (5점)

(get / to / how / there)

답: Do you know _____?

2학년 영어 1학기 기말고사(3과) 1회

문항수 : 선택형(27문항) 서술형(4문항)   20 . . .

◎ 선택형 문항의 답안은 컴퓨터용 수정 싸인펜을 사용하여 OMR 답안지에 바르게 표기하시오.
◎ 서술형 문제는 답을 답안지에 반드시 검정 볼펜으로 쓰시오.
◎ 총 31문항 100점 만점입니다. 문항별 배점은 각 문항에 표시되어 있습니다.

[경북 ○○중]

1. 다음 중 영어의 우리말 해석이 바르게 된 것은? (3점)

① Hands off. → 손들어.

② Don't give up. → 포기하지 마.

③ Bring it on. → 그것을 데려와.

④ Make a copy of it. → 그것을 이용해.

⑤ What's the matter? → 무엇이 중요하니?

[전북 ○○중]

2. 다음 중 짝지어진 관계가 옳지 않은 것은? (2점)

① translate → translator

② invent → inventor

③ cartoon → cartooner

④ science → scientist

⑤ direct → director

[충북 ○○중]

3. 다음 중 짝지어진 두 사람의 대화가 자연스럽지 않은 것은? (3점)

① A: What's wrong with your dog?
   B: That's too bad.

② A: I cut my finger.
   B: You should put a Band-Aid on it.

③ A: Can you make it at 9?
   B: That's fine with me.

④ A: I heard you were sick. Are you okay?
   B: Yes, I feel better now.

⑤ A: Let's play basketball this Saturday.
   B: Sorry, I can't. Maybe next time.

[강동구 ○○중]

4. 다음 빈칸에 들어갈 표현으로 적절하지 않은 것은? (3점)

A: _____
B: I have a terrible headache.

① What makes you think so?

② What problem do you have?

③ What seems to be the problem?

④ What's wrong with you?

⑤ Is there anything wrong with you?

[관악구 ○○중]

5. 다음 중 의미가 자연스러운 문장의 개수는? (4점)

• Most children are afraid of getting shots.
• There was plenty of food in the fridge.
• The fence will attack the sheep from wolves.
• The dentist told him to have a checkup nearly.
• He joined the arm after he graduated from high school.

① 1개   ② 2개   ③ 3개

④ 4개   ⑤ 5개

[경기 ○○중]

6. 다음 밑줄 친 말의 의도로 가장 적절한 것은? (2점)

A: Let's play badminton on Saturday.
B: Sure, why not?
A: Can you make it at 10 a.m.?
B: Okay. Let's meet at the subway station.

① to order   ② to thank   ③ to suggest

④ to explain   ⑤ to apologize

[7~9] 다음 대화를 잘 읽고 물음에 답하시오.

M: Hi, Minsol. What's wrong (A)[to / with] your dog?

G: She keeps (B)[to scratch / scratching] herself. Actually, she lost some hair.

M: When did she first have the problem?

G: About three days ago.

M: Let me see. She has a virus (C)[in / on] her skin. I'll give you some medicine.

G: Thank you.

M: I need <u>to check</u> your dog again. How about next Monday?

G: That's fine (D)[to / with] me.

M: Okay. See you.

7. 위 대화를 읽고 답할 수 <u>없는</u> 질문은? (3점)

① What is the name of Minsol's dog?

② What problem does the dog have?

③ Who will bring the dog here again?

④ When did the dog start to scratch herself?

⑤ When is Minsol going to visit here again?

8. 위 대화의 밑줄 친 <u>to check</u>와 어법상 쓰임이 같은 것은? (2점)

① I stopped <u>to take</u> a rest for a while.

② I want <u>to say</u> hello to your grandmother.

③ The students were very happy <u>to hear</u> that.

④ Would you please give me a chair <u>to sit</u> on?

⑤ His friend came here <u>to learn</u> many things.

9. 위 대화의 괄호 (A)~(D) 안에서 내용상 들어갈 알맞은 말끼리 짝지어진 것은? (4점)

	(A)	(B)	(C)	(D)
①	with	scratching	on	with
②	with	to scratch	in	to
③	with	scratching	in	with
④	to	to scratch	in	to
⑤	to	scratching	on	with

10. 다음 대화문을 읽고 아래 질문에 대한 답으로 가장 적절한 것은? (3점)

B: Can I go home early, Ms. Song? I don't feel so good.

W: What seems to be the problem?

B: I have a terrible stomachache. It really hurts.

W: Why don't you get some medicine at the nurse's office?

B: I already did. But it didn't help.

W: Okay. You can go. Go see a doctor, okay?

B: Sure. Thanks.

B: Boy W: Ms. Song

Q: What is the boy going to do after the dialog?

① He will go to the nurse's office.

② He will have a terrible stomachache.

③ He will take some medicine.

④ He will go see a doctor.

⑤ He will go to school.

11. 다음 대화의 빈칸에 들어갈 말로 가장 알맞은 것은? (3점)

A: Hello, Bright Eyes. How may I help you?

B: Hi. I want to make a(n) _____ for tomorrow.

① shot   ② trick   ③ attack

④ address   ⑤ appointment

12. 다음 대화가 자연스럽게 이어질 수 있도록 (A)~(F)
를 순서대로 가장 바르게 배열한 것은?　　　(4점)

A: Can I go home early, Ms. Song? I don't
feel so good.

(A) Okay. You can go. Go see a doctor, okay?
(B) I have a terrible stomachache. It really
hurts.
(C) I already did. But it didn't help.
(D) What seems to be the problem?
(E) Sure. Thanks.
(F) Why don't you get some medicine at the
nurse's office?

① (B)-(D)-(E)-(A)-(F)-(C)
② (D)-(B)-(F)-(C)-(A)-(E)
③ (D)-(A)-(E)-(C)-(B)-(F)
④ (F)-(B)-(A)-(E)-(D)-(C)
⑤ (F)-(C)-(D)-(B)-(E)-(A)

14. 다음 중 어법상 어색한 것은?　　　(4점)

① I have a letter to write on.
② They can help you to digest the food.
③ Do you have any crayons to draw with?
④ The body remembers the invader, so it cannot
make copies of itself again.
⑤ I want to go abroad to study English with
Jessica, who is my best friend.

15. 다음 〈보기〉에 밑줄 친 'it'의 쓰임과 같은 것은?
　　　(3점)

＜보기＞
• It is important to exercise regularly.

① It was hard to solve the problem.
② What day is it today?
③ They built it in a few days.
④ It was a windy day.
⑤ It is five o'clock. Let's go home.

13. 다음 주어진 단어를 사용하여 아래 빈칸에 조언하
는 말을 쓰시오.　　　(3점)

A: What's wrong with you?
B: I have a stomachache.
A: That's too bad. _____
B: Okay. Thanks a lot.

| should | you | medicine | some | take |

답: _____

16. 다음의 ⓐ~ⓕ 중 어법상 어색한 문장의 개수는?
　　　(3점)

ⓐ It's my job to defense the body.
ⓑ It's dangerous to be in the sun.
ⓒ I need some time to sing and dance.
ⓓ We need something to eating or drink.
ⓔ It's hard to making burgers all day long.
ⓕ If you follow these steps, you will not
be a victim of "bad" germs.

① 1개　　　② 2개　　　③ 3개
④ 4개　　　⑤ 5개

[17~19] 다음 글을 읽고 물음에 답하시오.

Germs are everywhere, but to see them with your eyes is not possible. There are two major kinds of germs: bacteria and viruses. Bacteria are very small creatures. ⓐSome are good because they can help you digest the food that you eat. ⓑYou should digest well to live a happy and healthy life. ⓒOthers are bad and can make you sick. ⓓViruses are different kinds of germs that cause diseases such as the flu. ⓔThey can live only inside the cells of other living bodies.
"Bad" germs can enter your body through your skin, mouth, nose, and eyes. What happens when they invade?

17. 위 글의 주제로 가장 적절한 것은? (4점)
① 주요한 종류의 세균과 그들의 특징
② 세균이 우리 몸에 침입하는 방법
③ 세균들이 불러일으키는 병의 종류
④ 박테리아의 다양한 종류와 그 역할
⑤ 세균이 침입했을 때 몸속에서 일어나는 일들

18. 위 글의 내용과 일치하는 것은? (3점)
① We can see germs with our eyes.
② Viruses can help us digest the food better.
③ Viruses live outside the cells of creatures.
④ Not all kinds of germs are bad for the health.
⑤ Cells can cause diseases such as the flu.

19. 위 글의 밑줄 친 ⓐ~ⓔ 중, 글의 흐름상 어색한 것은? (3점)
① ⓐ　② ⓑ　③ ⓒ　④ ⓓ　⑤ ⓔ

[20~22] 다음 글을 읽고 질문에 답하시오.

The germs (A)_____ in the body. Your body becomes a war zone. You start to feel tired and weak. Luckily, your body has an army of defense. The T cells sound the alarm! The B cells arrive to fight the germs with antibodies. The macrophage cells show up and eat the germs. Together, this army is called the white blood cells. If all goes well, they win the fight. In a few days, you start to feel better. The body remembers the invader, so ⓐit cannot make copies of itself again.
　*macrophage cells: 대식세포 **antibodies: 항체

20. 위 글의 빈칸 (A)에 들어갈 알맞은 단어는? (3점)
① balance　　　② produce
③ reduce　　　④ multiply
⑤ break down

21. 위 글의 내용과 일치하지 않는 것은? (4점)
① 세균이 들어오면 T세포가 경보를 울린다.
② 세균이 들어오면 대식세포가 항생제를 가지고 나타난다.
③ B세포는 세균과 싸우는 역할을 한다.
④ T세포, B세포, 대식세포를 백혈구라 부른다.
⑤ 우리의 몸에는 방어군이 존재한다.

22. 위 글의 밑줄 친 ⓐit이 가리키는 것을 모두 고르면? (2개) (3점)
① the germ　　　② B cell
③ macrophage cell　④ your body
⑤ the invader

[23~25] 다음 글을 읽고 물음에 답하시오.

> Luckily, your body has an army of defense. T 세포가 경보를 울린다. (A) The B cells arrive to fight the germs with antibodies. (B) The macrophage cells show up and eat the germs. (C) Together, this army is called the white blood cells. If all goes well, they win the fight. (D)
> The body remembers the invader, so it cannot make copies of itself again. (E) But the germs are smart, too. They can change the form and trick the body.

23. 위 글의 (A)~(E) 중 다음 문장이 들어가기에 가장 알맞은 곳은?   (3점)

> In a few days, you start to feel better.

① (A)   ② (B)   ③ (C)   ④ (D)   ⑤ (E)

24. 위 글의 내용과 일치하지 않는 것은?   (3점)

① 몸에는 방어군이 없다.
② B세포는 항체로 세균과 싸운다.
③ 대식세포는 세균을 먹는다.
④ 몸은 침입자를 기억한다.
⑤ 세균은 형태를 바꿔 몸을 속일 수 있다.

25. 위 글의 밑줄 친 우리말을 주어진 단어를 배열하여 영어 문장으로 쓰시오.   (5점)

T cells	the	alarm	the	sound

답: _____

[26~27] 다음 글을 읽고 물음에 답하시오.

> ⓐ너 자신을 세균으로부터 보호할 몇 가지 방법이 있다.
> First, wash your hands with soap and warm water. A balanced diet will keep your body strong and healthy. It is also important to exercise regularly and get enough sleep. Finally, get the necessary shots. They are the best defense against germs. If you follow these steps, you will not be a victim of "bad" germs.

26. 위 글의 밑줄 친 ⓐ의 우리말을 괄호 안의 단어들을 모두 이용하여 영어 문장으로 바꿔 쓰시오. (단, 'There'로 문장을 시작할 것.)   (5점)

> There (ways / are / protect / several / from / to / germs / yourself).

There _____.

> <채점 기준>
> - 어순이 틀리면 부분 점수 없음.
> - 어순이 맞더라도 빠진 단어가 있으면 개수만큼 감점.

27. 위 글에서 제시한 세균으로부터 우리 자신을 보호하는 방법에 해당되지 않는 것은?   (3점)

① 손 잘 씻기   ② 충분한 수면
③ 식사량 줄이기   ④ 규칙적인 운동
⑤ 필수 예방 접종

[28~29] 다음 글을 읽고 물음에 답하시오.

Germs are everywhere, but it is impossible to see them with your eyes. There are two major kinds of germs: bacteria and viruses. Bacteria are very small creatures. Some are good. They can help you digest the food that you eat. (A)[The other / Others] are bad and can make you sick.

Viruses are germs that can only live inside the cells of other living bodies. They cause diseases such as the flu.

"Bad" germs can enter your body (B)[into / through] your skin, mouth, nose, and eyes. What happens when they invade? The germs multiply in the body. Your body becomes a war zone. You start to feel tired and weak. Luckily, your body has an army of defense. The T cells sound the alarm! The B cells arrive to fight the germs with antibodies. The macrophage cells show up and eat the germs. Together, this army is called the white blood cells. If all goes well, they win the fight. In a few days, you start to feel better. The body remembers the invader, so it cannot make copies of (C)[it / itself] again. But the germs are smart, too. They can change form and trick the body.

29. 위 글의 내용과 일치하는 것은?　　　(4점)

① Germs are not able to change their forms.

② Viruses can help you digest the food that you eat.

③ When germs enter your body, you start to feel strong.

④ The T cells fight the germs with antibodies in your body.

⑤ The white blood cells fight against germs as an army of defense.

[30~31] 다음 글을 읽고 물음에 답하시오.

There are several ways (A)_____.
First, wash your hands with soap and warm water. Second, a balanced diet will keep your body strong and healthy. Third, it is also important to exercise regularly and get plenty of sleep. Finally, get the necessary shots. They are the best defense against germs. If you follow these steps, you will not be a ⓐ희생자 of bad germs.

30. 위 글의 밑줄 친 ⓐ희생자의 의미에 맞는 한 단어를 쓰시오.　　　(2점)

답: _____

28. 위 글의 괄호 (A)~(C)에 들어갈 말이 가장 알맞게 짝지어진 것은?　　　(3점)

	(A)	(B)	(C)
①	Others	through	itself
②	The other	through	itself
③	Others	through	it
④	Others	into	it
⑤	The other	into	it

31. 위 글의 내용을 토대로 빈칸 (A)에 적절한 것은?　　　(3점)

① to protect yourself from germs

② to clean your hands and body

③ to lose your weight and be healthy

④ to overcome sleep problems

⑤ to solve the environment problem

2학년 영어 1학기 기말고사(3과) 2회

문항수 : 선택형(30문항)　서술형(1문항)　　20 . . .

◎ 선택형 문항의 답안은 컴퓨터용 수정 싸인펜을 사용하여 OMR 답안지에 바르게 표기하시오.
◎ 서술형 문제는 답을 답안지에 반드시 검정 볼펜으로 쓰시오.
◎ 총 31문항 100점 만점입니다. 문항별 배점은 각 문항에 표시되어 있습니다.

[관악구 ○○중]

1. 다음 단어의 관계가 알맞지 않은 것은?　　(2점)

① sail → sailor
② invent → inventor
③ paint → painter
④ direct → director
⑤ translate → translater

[경북 ○○중]

2. 다음 빈칸에 들어갈 수 없는 단어는?　　(3점)

• Amy is very interested in growing plants. So she wants to be a(n) _____ .
• Frida Kahlo was a Mexican _____ . She is famous for her unique paintings.
• James Cameron is the _____ of the movie, *Avatar*.
• The _____ forgot his lines while he was acting on the stage.
• Jang Yeongsil was a(n) _____ who created water clocks.

① actor　　② painter　　③ director
④ dentist　　⑤ inventor

[전북 ○○중]

3. 다음 빈칸에 들어갈 말로 어색한 것은?　　(2점)

A: What's wrong with you?
B: _____

① I have a terrible headache.
② I think you look good.
③ I have a runny nose.
④ I broke my leg.
⑤ I cut my finger.

[종로구 ○○중]

4. 다음 A의 질문에 대한 B의 응답으로 어울리지 않는 것은?　　(3점)

A: What are you planning to do this Saturday?
B: _____

① I am going to visit my grandma.
② Nothing special. How about you?
③ I am planning to go to the ballpark.
④ I will go for a hike with my friends.
⑤ I am watching a basketball game now.

[경북 ○○중]

5. 다음 대화의 빈칸 (A)에 들어갈 수 없는 문장은?　(3점)

B: Can I go home early, Ms. Song? I don't feel so good.
W: (A)_____
B: I have a terrible stomachache. It really hurts.
W: Why don't you get some medicine at the nurse's office?
B: I already did. But it didn't help.
W: Okay. You can go. Go see a doctor, okay?
B: Sure. Thanks.

① What is the problem?
② What's wrong with you?
③ What seems to be the problem?
④ What's the matter with you?
⑤ What are you going to do?

[6~7] 다음 대화를 읽고 물음에 답하시오.

> M: Hi, Minsol. What's wrong with your dog?
> G: She keeps (A)_____ herself. Actually, she lost some hair.
> M: When did she fist have the problem?
> G: About three days ago.
> M: Let me (B)_____. (*pause*) She has a virus on her skin. I'll give you some medicine.
> G: Thank you.
> M: I need to check your dog again. Can you make it next Monday?
> G: That's fine with me.
> M: Okay. See you.

6. 위 대화의 빈칸 (A), (B)에 들어갈 알맞은 말로 짝지 어진 것은? (3점)

	(A)	(B)
①	scratched	see
②	scratching	see
③	to scratch	to see
④	scratched	to see
⑤	scratching	seeing

7. 위 대화에서 민솔이의 개에 관한 내용과 일치하지 않는 것은? (3점)

① 개가 피부를 계속 긁는다.
② 개가 털이 좀 빠졌다.
③ 개에게 약이 필요하다.
④ 약 3주 전에 처음으로 증상이 생겼다.
⑤ 개는 다음 주 월요일에 다시 진찰받아야 한다.

8. 다음 대화의 밑줄 친 make와 의미가 같은 것은? (4점)

> A: Can you <u>make</u> it at nine?
> B: That's fine with me.

① A: I want to eat some pizza.
   B: I'll <u>make</u> it for you.
② A: Who can <u>make</u> this cake?
   B: I don't know.
③ A: He <u>makes</u> me shoes every year.
   B: Wow, he has a good skill.
④ A: Do you think she can come here on time?
   B: I think she can <u>make</u> it.
⑤ A: How beautiful this dress is.
   B: My friend <u>made</u> it for me.

9. 다음 대화의 A에 대한 내용으로 적절한 것은? (3점)

> A: Hello, Sora.
> B: Hi, Jongha. I heard you were sick. Are you okay now?
> A: Yes, I went to the doctor, and I feel better now.
> B: Good to hear that. By the way, I called you to talk about our science project.
> A: Yeah, we should meet. Can you make it tomorrow?
> B: Okay. Let's meet at Simpson's Donuts at nine.
> A: At nine? That's too early. I sleep late on the weekend.
> B: How about 10 then?
> A: That sounds fine.

① 소라가 아프다는 소식을 들었다.
② 소라를 병원까지 데려다 주었다.
③ 소라와 함께 과학 프로젝트를 한다.
④ 소라와 도너츠 가게에서 일한다.
⑤ 소라와 9시에 만나기로 했다.

10. 자연스러운 대화가 되도록 순서대로 바르게 배열한 것은? (3점)

A: Let's go to the library this Sunday.
B: Sure, why not?
ⓐ Okay. See you there.
ⓑ Can you make it at ten?
ⓒ Let's meet at the bus stop.
ⓓ That's fine with me. Where should we meet?

① ⓐ-ⓑ-ⓒ-ⓓ
② ⓑ-ⓓ-ⓐ-ⓒ
③ ⓑ-ⓓ-ⓒ-ⓐ
④ ⓒ-ⓓ-ⓑ-ⓐ
⑤ ⓓ-ⓒ-ⓑ-ⓐ

11. 다음 중 동사와 그 과거분사형이 올바른 것은? (2점)

(A) grow → grown	(B) have → haven
(C) hit → hit	(D) drink → drunk
(E) sing → song	(F) sit → sit

① (A), (B), (C)
② (A), (C), (D)
③ (A), (D), (F)
④ (B), (C), (D), (F)
⑤ (C), (D), (E), (F)

12. 다음 밑줄 친 말에 알맞은 것은? (4점)

Every day you use your hands to touch different things. You touch your phone and computer. You open and close doors with your hands, too. There are germs on everything that you touch. If you eat snacks with your hands, the germs on your hands can 들어가다 your body. Then what should you do? Wash your hands with soap!

① put in
② put on
③ put off
④ get off
⑤ get into

13. 다음 빈칸에 들어갈 말로 알맞은 것은? (3점)

• It will be nice _____ a TV actor.

① become
② became
③ becomes
④ for becoming
⑤ to become

14. 다음 중 어법상 옳지 않은 문장은? (4점)

① I have some books read.
② She has many friends to talk to.
③ Do you still have some work to do?
④ The lady has children to take care of.
⑤ He bought some snacks to eat in the bus.

15. 다음 글의 밑줄 친 ⓐ~ⓔ 중 어법상 알맞지 않은 문장은? (4점)

ⓐNobody likes getting shots because they hurt. But we know that we must get the necessary shots to stay healthy. How do the painful shots protect us from diseases?
Shots protect you by giving you only a tiny piece of a germ. ⓑGiving a whole germ would give a disease to you. But giving only tiny part of the germ does not make you sick. Instead, just the opposite happens. ⓒYour body responds the vaccine by making antibodies. ⓓAntibodies fight the disease if you ever come in contact with that germ. ⓔWe call this process of protecting our body from a disease "immune system."

① ⓐ
② ⓑ
③ ⓒ
④ ⓓ
⑤ ⓔ

[16~18] 다음 글을 읽고 물음에 답하시오.

"Bad" germs can enter your body through your skin, mouth, nose, and eyes. What happens when they invade?
The germs multiply in the body. Your body becomes a war zone. You start to feel tired and weak. Luckily, your body has an army of defense. The T cells sound the alarm! The B cells arrive to fight the germs with antibodies. The macrophage cells show up and eat the germs. Together, this army (A)_____ the white blood cells. If all goes well, they win the fight. In a few days, you start to feel better. The body remembers the invader, so it cannot make copies of itself again.
But the germs are smart, too. They can change form and trick the body.

16. 위 글의 빈칸 (A)에 들어갈 알맞은 말은? (3점)
① called
② calls
③ call
④ is called
⑤ was called

17. 위 글을 읽고 다음 말을 하는 것은 누구일까? (3점)

That was a nice meal! Are there any more germs to eat?

① the T cells
② the B cells
③ antibodies
④ germs
⑤ the macrophage cells

18. 위 글의 내용과 일치하는 것은? (4점)
① Germs cannot change form and trick the body.
② Before the germs multiply in your body, you feel tired and weak.
③ The T cells fight germs that entered your body with antibodies.
④ The B cells sound the alarm when the bad germs enter your body.
⑤ Germs can get into a person through different parts of the body.

[19~20] 다음 글을 읽고, 물음에 답하시오.

Germs are everywhere, but it is impossible ⓐto see them with your eyes. There are two major kinds of germs: bacteria and viruses. Bacteria are very small creatures. Some are good. They can help you digest the food ⓑ_____ you eat. Others are bad and can make you sick. Viruses are germs ⓒ_____ can only live inside the cells of other living bodies. They cause diseases such as the flu.

19. 위 글의 밑줄 친 ⓐ와 어법상 쓰임이 다른 것은? (3점)
① It is not easy to change the custom.
② It is necessary to do the homework.
③ It is important to keep the promise.
④ It is time to go to bed.
⑤ It is difficult to finish my work by tomorrow.

20. 위 글의 ⓑ와 ⓒ에 공통으로 들어갈 말은? (3점)
① to
② if
③ who
④ for
⑤ that

[21~23] 다음 글을 읽고 물음에 답하시오.

There are two major kinds of germs: bacteria and viruses. Bacteria ⓐis very small. Some are good. They can help you digest the food that you eat. Others are bad and can make you sick. Viruses are germs which can only live (A)[inside / outside] the cells of other living bodies. They can not survive out of the cells of other living bodies. They cause diseases such as the flu. "Bad" germs can ⓑenter into your body through your skin, mouth, nose, and eyes. What happens when they (B)[evade / invade]? The germs multiply in the body. Your body becomes a war zone. You start to feel tired and weak. Luckily, your body has an army of (C)[defense / offence]. The T cells sound the alarm! The macrophage cells show up ⓒto eat the germs. Together, this army is ⓓcalled the white blood cells. If all goes well, they win the fight. In a few days, you start to feel ⓔbetter.

21. 위 글의 제목으로 가장 적절한 것은? (4점)

① Benefits of Good Bacteria
② How to Fight against COVID-19
③ Influence of the War: Life and Death
④ The War Inside: Germs vs. the White Blood Cells
⑤ What You Have to Do to Keep You Safe from Viruses

22. 위 글의 밑줄 친 ⓐ~ⓔ 중, 어법상 어색한 것만을 고른 것은? (4점)

① ⓐ, ⓑ   ② ⓐ, ⓒ   ③ ⓑ, ⓔ
④ ⓒ, ⓓ   ⑤ ⓓ, ⓔ

23. 위 글의 괄호 (A), (B), (C) 안에서 문맥에 맞는 낱말로 가장 적절한 것은? (3점)

	(A)	(B)	(C)
①	inside	evade	defense
②	inside	evade	offence
③	inside	invade	defense
④	outside	evade	defense
⑤	outside	invade	offence

[24~25] 다음 글을 읽고 물음에 답하시오.

There are several ways (A)to protect yourself from germs. First, wash your hands with soap and warm water. A balanced diet will keep your body strong and healthy. It is also important to exercise regularly and get plenty of sleep. Finally, get the necessary shots. They are the best defense against germs. If you follow (B)these steps, you will not be a victim of "bad" germs.

24. 위 글의 밑줄 친 (A)와 용법이 같은 것은? (3점)

① It's time to leave.
② It's fun to learn to swim.
③ It's my job to defend the body.
④ People wanted to protect their village.
⑤ I called you to talk about our science project.

25. 위 글의 밑줄 친 (B)에 해당되지 <u>않는</u> 것은? (3점)

① 충분한 수면   ② 적당히 살 빼기
③ 규칙적인 운동   ④ 비누로 손 씻기
⑤ 필수 예방 접종

[26~30] 다음 글을 읽고 물음에 답하시오.

Germs are everywhere, but it is impossible to see them with your eyes.
There are two major kinds of germs: bacteria and viruses. Bacteria are very small ⓐcreatures. Some are good. They can (A)(you, help, digest) the food that you eat. Others are bad and can make you sick.
Viruses are germs that can only live inside the cells of other living bodies. They cause diseases such as the flu.
"I'm in! (B)Time to attack!" "Yay! Success!"
"Bad" germs can enter your body through your skin, mouth, nose, and eyes. What happens when they ⓑinvade?
"Make more copies of me. Now!"
The germs ⓒmultiply in the body. Your body becomes a war zone. You start to feel tired and weak.
"We have an invader! Come quickly."
Luckily, your body has an army of ⓓdefense. The T cells ⓔsound the alarm!

26. 위 글의 (A)(you, help, digest)의 순서를 의미에 맞게 재배열하시오. (3점)

답: _____

27. 위 글의 밑줄 친 ⓐ~ⓔ 뜻이 적절하게 연결되지 않은 것은? (4점)

① ⓐ creature: 생명체
② ⓑ invade: 침략하다
③ ⓒ multiply: 증식하다
④ ⓓ defense: 공격
⑤ ⓔ sound the alarm: 경보를 울리다

28. 위 글의 내용과 다른 문장은? (3점)

① All bacteria are bad for your health.
② Germs can get into a person through different parts of the body.
③ Germs are too small to look at with your eyes.
④ The flu can be caused by viruses.
⑤ When the germs make copies in your body, you become exhausted.

29. 위 글의 내용을 토대로 글의 제목으로 적절한 것은? (4점)

① How to Digest Food
② Germs and Defense System in Your Body
③ Copies of Computer Viruses
④ Successful Animal Army
⑤ Types of Viruses: T Cells and Germs

30. 위 글의 (B)Time to attack의 to부정사 용법과 다르게 쓰인 것은? (3점)

① Please bring some snacks to eat on the train.
② My hobby is to collect stamps.
③ She is the person to solve the problem.
④ There are some ways to lose weight.
⑤ I need someone to take care of my kids.

31. 다음 글의 흐름상 밑줄 친 ⓐ~ⓔ 중 어색한 것은? (4점)

There are several ways to keep yourself from germs. ⓐFirst, wash your hands with soap and warm water. A balanced diet will keep your body strong and healthy. ⓑThe flu is a common disease these days. ⓒIt is also important to exercise regularly and get plenty of sleep. Finally, get the necessary shots. ⓓThey are the best defense against germs. ⓔIf you follow these steps, you will not be a victim of "bad" germs.

① ⓐ　② ⓑ　③ ⓒ　④ ⓓ　⑤ ⓔ

◎ 선택형 문항의 답안은 컴퓨터용 수정 싸인펜을 사용하여 OMR 답안지에 바르게 표기하시오.
◎ 서술형 문제는 답을 답안지에 반드시 검정 볼펜으로 쓰시오.
◎ 총 32문항 100점 만점입니다. 문항별 배점은 각 문항에 표시되어 있습니다.

[강동구 ㅇㅇ중]

1. 단어의 의미가 바르지 않은 것은?   (3점)

① suffer - feel pain

② wildlife - wild animals and plants

③ recent - happening a long time ago

④ migrate - move from one place to another

⑤ pollution - making the environment unclean

[강동구 ㅇㅇ중]

2. 짝지어진 두 단어의 관계가 잘못된 것은?   (2점)

① luck - lucky

② beauty - beautiful

③ mess - messy

④ wonder - wonderful

⑤ harm - harmy

[마포구 ㅇㅇ중]

3. 영영풀이가 틀린 하나를 고르면?   (3점)

① attack: to try to hurt using violence

② defend: to protect something against criticism

③ pollution: the process of making the environment clean

④ creature: any large or small living thing that can move independently

⑤ digest: to change food in your stomach into substances that your body can use

[충북 ㅇㅇ중]

4. 다음 대화문에서 밑줄 친 문장 중 흐름상 가장 어색한 것은?   (3점)

A: Wow! I love this place.
B: Oh, ⓐI forgot something. I didn't bring our toothbrushes.
A: ⓑI saw a store on our way here.
B: Okay. I'll go get some toothbrushes.
A: Sure. It's getting dark. ⓒYou should drive carefully.
B: Don't worry.
A: ⓓIs it okay to cook some *ramyeon*?
B: Of course. But you're not supposed to throw away any leftovers.
A: I know that. ⓔI don't really care about the environment.

① ⓐ   ② ⓑ   ③ ⓒ   ④ ⓓ   ⑤ ⓔ

[강동구 ㅇㅇ중]

5. 다음 대화를 읽고, 아래 질문에 대한 답을 본문에서 찾아 영어 문장으로 쓰시오.   (5점)

G: What are you doing, Minsu?
B: I'm throwing away unused medicine.
G: Well, you're not supposed to do that.
B: Why not?
G: It can pollute the water. It can also put people and animals in danger.
B: I see. Then what should I do?
G: You must take it to a drugstore. They'll take care of it.
B: Oh, I didn't know that. I'll be more careful.

Q: Why should we not throw away unused medicine?

Because _____

and _____.

[6~9] 다음 대화를 읽고 물음에 답하시오.

Girl: Is ⓐit okay to put a poster on the school bulletin board, Mr. Cha?

Man: A poster?

Girl: Here. ⓑIt's a poster about World Oceans Day.

Man: Let me see. ⓒIt's a great poster. Did you make ⓓit?

Girl: My school club members made ⓓit together. I think people should care more about our oceans.

Man: I agree. Well, we don't have space right now.

Girl: Then can I put ⓔit on the door?

Man: Sure. (A)_____

6. 위 대화의 밑줄 친 It[it] 중에서 가리키는 대상이 나머지 넷과 다른 것은? (3점)

① ⓐ　　② ⓑ　　③ ⓒ　　④ ⓓ　　⑤ ⓔ

7. 위 대화의 남자와 소녀의 관계로 가장 적절한 것은? (3점)

① 의사 – 환자
② 고객 – 직원
③ 교사 – 학생
④ 관객 – 안내원
⑤ 시민 – 환경운동가

8. 위 대화의 내용과 일치하지 않는 것은? (3점)

① 소녀는 게시판에 포스터를 붙이려고 한다.
② 포스터는 세계 해양의 날에 대한 것이다.
③ 동아리 회원들이 함께 포스터를 제작하였다.
④ 게시판에 공간이 생기면 포스터를 붙일 것이다.
⑤ 소녀는 사람들이 해양에 더 관심을 가져야 한다고 생각한다.

9. 위 대화의 빈칸 (A)에 들어갈 말로 가장 적절한 것은? (2점)

① No way.
② Go ahead.
③ Absolutely not.
④ She was great.
⑤ You will miss it.

10. 다음 중 짝지어진 대화가 의미상 어색한 것은? (3점)

① A: What are you doing?
　B: I'm throwing away unused medicine.

② A: Can I put a poster on the door?
　B: Sure. Go ahead.

③ A: It's a poster about World Oceans Day.
　B: Let me see. It's a great poster.

④ A: Is it okay to hang my hat on the wall?
　B: Of course.

⑤ A: You must take unused medicine to a drugstore.
　B: I just painted it.

11. 다음 중 허락을 구하는 표현으로 적절한 것은? (3점)

① Can you do me a favor?
② Will you open the window?
③ Are you going to ride a bike?
④ Is it okay to put up a poster?
⑤ Why don't you go see a doctor?

12. 다음 우리말을 영어로 옮길 때 들어가야 할 알맞은 한 단어를 쓰시오. (2점)

All the schools in Korea started the online classes in spring because of the coronavirus. However, the students were not _____ with them. (그 학생들은 그것에 친숙하지 않았다.)

답: _____

13. 다음 문장의 의미와 일치하게 주어진 단어를 모두 활용하여 재배열하시오. (3점)

- 수학은 과학만큼 재미있다.
  (Math, as, science, as, fun, is)

조건
1. 내용을 생략하거나 추가하지 마시오.

답: _____

14. 다음 문맥상 빈칸에 들어갈 말로 알맞은 것은? (3점)

Lucas lives in Mon Repos, a small town in Queensland, Australia. From November to late March, sea turtles visit the town and lay eggs on the beach. Lucas volunteers at the turtle center on weekends. His work starts when turtles arrive after dark. He walks around the beach and says to people, "Please turn off the light, and be quiet." After work, Lucas feels proud because turtles _____.

① protect
② protected
③ are protected
④ was protected
⑤ have protected

15. 다음 중 문법상 옳은 문장은? (3점)

① Is this room cleaned Jack?
② The machine was fixed my father.
③ Parties will be held at the guest house.
④ This bread baked by the famous baker.
⑤ This computer is use my mother.

16. 다음 주어진 〈조건〉에 맞춰 우리말에 맞게 영어 문장으로 쓰시오. (5점)

<조건>
1. 주어진 낱말을 한 번씩만 활용하시오.
   English / many / cut / smart / fruit
2. (1)에는 as를 이용한 원급 비교 표현을, (2)에는 수동태를 이용하시오.

(1) 나의 영어 선생님은 그녀만큼 똑똑하다.
(2) 많은 과일들이 그에 의해서 잘라졌다.

(1) _____
(2) _____

17. 다음 중 어법상 어색한 것으로 짝지어진 것은? (3점)

ⓐ Today is as not hot as yesterday.
ⓑ An elephant is not so big as a whale.
ⓒ He can play handball as good as his brother.
ⓓ My friends can speak English as well as me.
ⓔ Jenny is as taller as Jiho is.

① ⓐ, ⓒ, ⓓ
② ⓐ, ⓒ, ⓔ
③ ⓑ, ⓒ, ⓓ
④ ⓑ, ⓓ, ⓔ
⑤ ⓒ, ⓓ, ⓔ

[18~21] 'light pollution'에 관한 글 〈가〉와 이를 [대화문]으로 재구성한 글 〈나〉를 읽고 물음에 답하시오.

〈가〉

Look at this beautiful painting. It was ㉠[created / creating] by the famous Dutch artist Vincent van Gogh in 1889. In Van Gogh's time, almost everyone could look up and see a wonderful starry night sky. (A)_____, how many of us are as ㉡[lucky / luckily] as Van Gogh? (B)_____, many people in today's world cannot enjoy a starry night sky. This is ㉢[so / that] because of light pollution.

〈나〉

Sumi: Look at this painting.

Ben: Wow, it is so beautiful. *The Starry Night*? Who painted it?

Sumi: ⓐVincent van Gogh did.

Ben: I think I know who he is. He is an artist who was ⓑborn in the Netherlands, right?

Sumi: You're right. He was a Dutch artist. He painted this painting ⓒin 1889.

Ben: In 1889? There were ⓓso many stars at night in Vincent's time.

Sumi: You know what? We still have as many stars as in his time, but (C)_____ _____.

Ben: Is it because of light pollution?

Sumi: Yeah. Light pollution makes it ⓔdifficult for us to enjoy stars at night.

18. 글 〈가〉의 흐름상 빈칸 (A)와 (B)에 들어갈 표현으로 가장 적절한 것은? (4점)

	(A)	(B)
①	Now	In fact
②	But	So
③	Then	But
④	Finally	Always
⑤	Especially	However

19. 글 〈가〉의 흐름상 괄호 ㉠~㉢에 들어갈 어법에 맞는 표현을 바르게 짝지은 것은? (4점)

	㉠	㉡	㉢
①	created	luckily	so
②	created	lucky	so
③	creating	lucky	that
④	created	luckily	that
⑤	creating	luckily	so

20. 대화의 흐름상 〈나〉의 밑줄 친 ⓐ~ⓔ 중 어색한 것은? (3점)

① ⓐ ② ⓑ ③ ⓒ ④ ⓓ ⑤ ⓔ

21. 대화 〈나〉의 흐름상 빈칸 (C)에 들어갈 표현으로 가장 적절한 것은? (3점)

① we have more stars in the present
② we have to paint starry night skies
③ we should find a green energy source
④ we cannot see many of them at night
⑤ we are as lucky as Vincent van Gogh

22. 다음 글의 제목으로 가장 적절한 것은? (3점)

According to a recent report, about 80% of the world's population lives under skies that are not dark enough at night. Especially in big cities, people often cannot see a starry night. They can also suffer from sleep problems because the natural rhythm of day and night is disturbed by artificial light.

① What is Light Pollution?
② We Should Do Something
③ Vincent van Gogh Was Lucky
④ Wildlife Also Suffers from Light Pollution
⑤ Why Is Light Pollution Bad for People?

[23~24] 다음 글을 읽고 물음에 답하시오.

 Look at this beautiful painting. The famous Dutch artist Vincent van Gogh created it in 1889. In Van Gogh's time, almost everyone could look up and see a wonderful starry night sky. Now, how many of us are as lucky as Van Gogh? In fact, many people in today's world cannot enjoy a starry night sky. This is so because of light pollution.

23. 위 글의 밑줄 친 This가 의미하는 것으로 알맞은 것은? (3점)

① 반 고흐가 이 아름다운 그림을 그리게 된 배경
② 반 고흐의 시절에 사람들이 별을 많이 볼 수 있었던 것
③ 지금의 세상에 사는 많은 사람들이 별이 가득한 밤하늘을 즐길 수 없는 것
④ 요즘 세상의 사람들이 별이 빛나는 멋진 밤하늘을 즐기고자 하는 것
⑤ 반 고흐가 살았던 시절과 지금의 세상 사람들이 밤하늘을 즐기는 방식

24. 위 글의 흐름상 빈칸에 들어가기에 알맞은 말을 한 단어의 영어로 쓰시오. (2점)

Today, many people cannot see _____ at night.

답: _____

25. 다음 단락의 제목으로 가장 알맞은 것은? (4점)

Most of us are familiar with air, water, and land pollution. We know that they are serious problems, and we are taking action to solve them. But did you know that light can also cause pollution? Light pollution – too much light in the wrong place at the wrong time – is almost everywhere around the world. It can have serious effects on humans and wildlife.

① What Is Light Pollution?
② We Should Do Something
③ Why Is Light Pollution Bad for People?
④ People Are Taking Action for Light Pollution
⑤ Air, Water, and Land Pollution Are Serious Problems

[26~27] 다음 글을 읽고 물음에 답하시오.

Wildlife ⓐis threatened to light pollution, too. Birds that migrate or hunt at night find their way by natural light, but light in big cities can cause them ⓑwandering off course. Every year millions of birds die ⓒafter hitting buildings that have bright lights. Sea turtles cannot easily find a place ⓓto lay eggs ⓔsince beaches are too bright at night. Also, many baby sea turtles die because artificial light draws them away from the ocean.

26. 위 글에서 어법상 어색한 것끼리 짝지어진 것은? (3점)

① ⓐ, ⓑ
② ⓒ, ⓓ
③ ⓐ, ⓑ, ⓒ
④ ⓐ, ⓒ, ⓓ
⑤ ⓐ, ⓒ, ⓓ, ⓔ

27. 위 글을 읽고 내용을 잘못 이해한 학생은? (3점)

① Jenny: 빛 공해는 야생동물을 위협하고 있어.
② Amy: 대도시의 빛 때문에 새들은 더 잘 이동할 수 있어.
③ Jimmy: 매년 수 백 마리의 새들이 밝은 조명의 건물과 충돌한 후 죽어.
④ Tony: 밤에 이동하는 새들은 자연의 빛에 의존해서 길을 찾아.
⑤ Willy: 해변이 밤에 너무 밝아서 바다거북들이 알을 낳을 장소를 찾기가 힘들어.

[28~31] 다음 글을 읽고 물음에 답하시오.

Most of us ⓐare familiar with air, water, and land pollution. We know that they are serious problems, and we ⓑare taking action to solve them. But did you know that light can also cause pollution? Light pollution – too much light in the wrong place at the wrong time – is almost everywhere around the world. It can ⓒhave serious effects on humans and wildlife. ⓓAccording to a recent report, about 80% of the world's (A)_____ lives under skies (B)that are not dark enough at night. Especially in big cities, people often cannot see a starry night. They can also ⓔsuffer from sleep problems because (C)artificial light disturbs the natural rhythm of day and night.

28. 위 글의 밑줄 친 ⓐ~ⓔ 중 의미의 연결이 바르지 못한 것은? (3점)

① ⓐ: ~을 잘 알고 있다
② ⓑ: 조치를 취하고 있다
③ ⓒ: 심각한 영향을 끼치다
④ ⓓ: ~에 따르면
⑤ ⓔ: ~에 익숙하다

29. 위 글의 빈칸 (A)에 들어갈 단어로 알맞은 것은? (다음 영영풀이를 참고할 것.) (3점)

the number of people who live in a particular area

① action   ② effect   ③ wildlife
④ population   ⑤ pollution

30. 위 글의 밑줄 친 (B)that과 쓰임이 같은 것은? (3점)

① I didn't know that.
② I love that place, Dad.
③ I think that he is very handsome.
④ We know that they are serious problems.
⑤ Birds that migrate or hunt at night find their way by natural light.

31. 위 글의 밑줄 친 (C)를 수동태 문장으로 바르게 바꾼 것은? (3점)

① the natural rhythm of day and night was disturbed to artificial light.
② the natural rhythm of day and night is disturbed by artificial light.
③ the natural rhythm of day and night are disturbed in artificial light.
④ the natural rhythm of day and night were disturbed by artificial light.
⑤ the natural rhythm of day and night has disturbed to artificial light.

32. 다음 글의 제목으로 가장 적절한 것은? (4점)

Wildlife is threatened by light pollution, too. Birds that migrate or hunt at night find their way by natural light, but light in big cities can cause them to wander off course. Every year millions of birds die after hitting buildings that have bright lights. Sea turtles cannot easily find a place to lay eggs since beaches are too bright at night. Also, many baby sea turtles die because artificial light draws them away from the ocean.

① What Is Light Pollution?
② We Should Be Something
③ Light Pollution Threatens Wildlife
④ Birds Migrate or Hunt at Night
⑤ Why Do Many Baby Sea Turtles Die?

◎ 선택형 문항의 답안은 컴퓨터용 수정 싸인펜을
사용하여 OMR 답안지에 바르게 표기하시오.
◎ 서술형 문제는 답을 답안지에 반드시 검정
볼펜으로 쓰시오.
◎ 총 29문항 100점 만점입니다. 문항별 배점
은 각 문항에 표시되어 있습니다.

[경북 ○○중]

1. 다음 중 숙어와 뜻이 <u>잘못</u> 연결된 것을 고르시오.

(2점)

① according to: ~에 따르면
② be familiar with: ~와 가족이 되다
③ be supposed to: ~하기로 되어 있다
④ draw ~ away from: …을 ~으로부터 떼어놓다
⑤ put ~ in danger: ~을 위험에 빠뜨리다

[마포구 ○○중]

2. 다음 빈칸에 들어갈 수 <u>없는</u> 단어 하나를 고르면?

(4점)

- I am still looking for my dog, but I am _____.
- I stayed up late last night, so I feel _____ now.
- Eating too much _____ food is not good for your health.
- Amy helped me with my homework, and I feel very _____ to her.

① salty ② sleepy ③ hopeful
④ thankful ⑤ forgetful

[경남 ○○중]

3. 다음 중 나머지 넷과 의도가 <u>다른</u> 하나는? (3점)

① Why don't you put on sunscreen?
② You're not supposed to run around.
③ You should not make a fire here.
④ Don't throw trash into the river.
⑤ You're not allowed to sit here.

[전북 ○○중]

4. 다음 중 증상에 대한 조언으로 가장 <u>어색한</u> 것은?

(3점)

① A: I have a sore throat.
   B: You should drink warm water.
② A: I broke my leg.
   B: You should get an X-ray taken of your leg.
③ A: I have a fever.
   B: You should put ice on your forehead.
④ A: I have a runny nose.
   B: You should blow your nose.
⑤ A: I have a stomachache.
   B: You should put a bandaid on it.

[경북 ○○중]

5. 대화가 자연스럽게 이어지도록 할 때, (A), (B)에 들어갈 말로 바르게 짝지어진 것은? (3점)

G: Wow! I love this place, Dad.
M: Oh, I forgot something. I didn't bring our toothbrushes.
G: I saw a store on our way here.
M: Okay. I'll go get some toothbrushes.
G: Sure. It's getting dark. You should drive carefully.
M: Don't worry.
G: Dad, (A)_____ cook some *ramyeon*?
M: Of course. But (B)_____ throw away any leftovers.
G: I know that. I really care about the environment.

	(A)	(B)
①	is it okay to	you are not supposed to
②	are you sure to	you should
③	can I	you must
④	why do you	you shouldn't
⑤	do I have to	you have to

6. 다음 응답에 대한 질문으로 가장 적절한 것은? (3점)

A: _____
B: Sorry, you can't. It's not grape juice. It's wine.

① Does this grape juice taste good?
② How is it going?
③ Is it okay to drink this grape juice?
④ What should I do?
⑤ Can you make it at ten?

7. 다음 밑줄 친 말의 의도로 알맞은 것은? (3점)

A: Excuse me, sir. <u>You're not supposed to touch animals here.</u>
B: Oh, I'm so sorry.

① 금지   ② 추천   ③ 격려
④ 위로   ⑤ 초대

8. 다음 대화 중 어색한 부분을 고르면? (4점)

A: Wow! I love this place, Dad.
B: Oh, ⓐ<u>I forgot something.</u> I didn't bring our toothbrushes.
A: ⓑ<u>I saw a store on our way here.</u>
B: Okay. I'll go get some toothbrushes.
A: Sure. ⓒ<u>It's getting dark.</u> You should drive carefully.
B: Don't worry.
A: Dad, is it okay to cook some *ramyeon*?
B: ⓓ<u>Not at all.</u> But you're not supposed to throw away any leftovers.
A: I know that. ⓔ<u>I really care about the environment.</u>

① ⓐ   ② ⓑ   ③ ⓒ   ④ ⓓ   ⑤ ⓔ

[9~10] 다음 대화를 읽고 물음에 답하시오.

Anne: Is it okay to eat the apple pie?
Aunt Marilla: Sure. (A)_____
Anne: Thank you. It smells good.
Aunt Marilla: Yes, it will taste good, too.
Anne: Thank you so much. By the way, is it okay to (B)_____?
Aunt Marilla: Sorry, you can't. It is raining outside. I am afraid that raindrops will come into the room.

9. 위 대화의 흐름상 빈칸 (A)에 들어갈 말로 가장 <u>어색한</u> 것은? (3점)

① Why not?
② No problem.
③ Help yourself.
④ As you please.
⑤ I don't think so.

10. 위 대화의 흐름상 빈칸 (B)에 들어갈 말로 가장 적절한 것은? (3점)

① use the fan
② feed the cat
③ water the plant
④ open the window
⑤ hang this hat on the wall

11. 다음 〈보기〉에 이어 자연스러운 대화가 되도록 바르게 배열한 것은? (4점)

<보기>
What are you doing, Minsu?

ⓐ Oh, I didn't know that. I'll be more careful.
ⓑ Well, you're not supposed to do that.
ⓒ I'm throwing away unused medicine.
ⓓ It can pollute the water. It can also put people and animals in danger.
ⓔ Why not?

① <보기> → ⓐ → ⓓ → ⓒ → ⓑ → ⓔ
② <보기> → ⓐ → ⓓ → ⓔ → ⓒ → ⓑ
③ <보기> → ⓒ → ⓐ → ⓔ → ⓑ → ⓓ
④ <보기> → ⓒ → ⓑ → ⓔ → ⓐ → ⓓ
⑤ <보기> → ⓒ → ⓑ → ⓔ → ⓓ → ⓐ

12. 다음 글의 밑줄 친 ⓐ~ⓔ 중, 어법상 어색한 것은? (4점)

A Clock That Talks
Dean invited his friends to his room one evening. He was proud of everything in his room: a nice bed, many comic books, and a new computer. In the corner, he also had a very big metal dish. A friend asked, "What's that big dish?" "Oh, that's my special clock. It ⓐtalks," Dean replied ⓑproudly. "If you hit the dish, you ⓒknow the time." Then he hit the dish with his hand. It made a really loud noise. Suddenly, his sister ⓓwho was on the other side of the wall shouted, "Are you crazy? It's eleven o'clock at night. Time ⓔto go to bed!"

① ⓐ   ② ⓑ   ③ ⓒ   ④ ⓓ   ⑤ ⓔ

13. 다음 중 어법상 옳은 것은? (2점)

① The cheese was eaten by the mice.
② The seat was took by an elderly man.
③ The jungle were destroyed by a big fire.
④ The students were clean the science room.
⑤ The movie were directed by a famous director.

14. 다음 (A)~(C)에 들어갈 말이 바르게 짝지어진 것은? (4점)

Look at this beautiful painting. The famous Dutch artist Vincent van Gogh (A)_____ it in 1889. In Van Gogh's time, almost everyone could look up and see a wonderful starry night sky. Now, how many of us are as (B)_____ as Van Gogh? In fact, many people in today's world cannot enjoy a starry night sky. This is so (C)_____ light pollution.

	(A)	(B)	(C)
①	created	lucky	because of
②	was created	lucky	because
③	was created	lucky	because of
④	was created	luck	because of
⑤	created	luck	because

15. 다음 빈칸에 공통으로 들어갈 것은? (2점)

• In Korea, baseball is _____ popular _____ soccer.

① so   ② if   ③ as
④ in   ⑤ to

[16~20] 다음 글을 읽고 물음에 답하시오.

Look at this beautiful painting. The famous Dutch artist Vincent van Gogh created it in 1889. In Van Gogh's time, almost everyone could look up and see a wonderful starry night sky. Now, how many of us can see it? In fact, many people in today's world cannot enjoy it. This is so ⓐ[because / because of] light pollution.

Most of us are familiar with air, water, and land pollution. (A) We know that they are serious problems, and we are taking action to solve them. (B) But did you know that light can also cause pollution? (C) Light pollution – too much light in the wrong place at the wrong time – is almost everywhere around the world. (D)

According to a report, about 80% of the world's population lives under skies that are not ⓑ[enough dark / dark enough] at night. (E) Especially in big cities, people often cannot see a starry night.

They can also ⓒ[suffer / be suffered] from sleep problems because (가)artificial light disturbs the natural rhythm of day and night.

16. 위 글을 통해 대답할 수 없는 것은? (4점)

① Where was Vincent van Gogh from?
② What does light pollution mean?
③ What do people do to solve problems of pollution?
④ Why can't today's people enjoy a starry night sky?
⑤ Why can't people in big cities sleep well?

17. 위 글에서 다음 주어진 문장이 들어갈 위치로 가장 적절한 곳은? (3점)

It can have serious effects on humans.

① (A)　② (B)　③ (C)　④ (D)　⑤ (E)

18. 위 글의 괄호 ⓐ, ⓑ, ⓒ 안에 들어갈 표현으로 알맞게 연결된 것은? (3점)

	ⓐ	ⓑ	ⓒ
①	because of	dark enough	suffer
②	because	enough dark	suffer
③	because of	enough dark	suffer
④	because	enough dark	be suffered
⑤	because of	dark enough	be suffered

19. 위 글의 내용을 아래와 같이 요약할 때, 빈칸 (A), (B)에 들어갈 단어로 알맞은 것은? (4점)

Now, many people in big cities experience the (A)＿＿＿＿＿＿ in a few ways since artificial light has bad (B)＿＿＿＿＿＿ on them.

	(A)	(B)
①	difficulty	influences
②	problem	causes
③	pain	reasons
④	pleasure	effects
⑤	happiness	problems

20. 위 글의 밑줄 친 (가)를 수동태를 이용하여 같은 의미의 문장으로 바꾸어 쓰시오. (단, 행위자를 생략하지 말 것.) (5점)

답: ＿＿＿＿＿＿＿＿＿＿＿＿＿＿＿＿＿＿

[21~22] 다음 글을 읽고 물음에 답하시오.

Most of us are familiar with air, water, and land (A)_____. We know that they are serious problems, and we are taking action to solve them. But did you know that light can also cause (A)_____? Light (A)_____ – too much light in the wrong place at the wrong time – is almost everywhere around the world. It can have serious effects on humans and wildlife.

(B)_____ a recent reports, about 80% of the world's population (C)_____ under skies that are not (D)_____ at night. Especially in big cities, people often cannot see a starry night. They can also (E)_____ sleep problems because the natural rhythm of day and night (F)_____ artificial light.

21. 위 글의 빈칸 (A)에 공통으로 들어갈 말로 알맞은 것은?　　　　　　　　　　　　　(3점)

① pollution　　② population　　③ migrate

④ disturb　　　⑤ threaten

22. 위 글의 (B)~(F)에 차례대로 들어갈 말로 바르게 짝지어진 것은?　　　　　　　　(4점)

① (B) According for

② (C) lives

③ (D) enough dark

④ (E) suffer of

⑤ (F) are disturbed by

[23~24] 다음 글을 읽고 물음에 답하시오.

ⓐLight pollution threatens wildlife, too. Birds that migrate or hunt at night find their way by natural light, but light in big cities can cause them to wander off course. Every year millions of birds die after hitting buildings that have bright lights.

Sea turtles cannot easily find a place to lay eggs since beaches are too bright at night. Also, many baby sea turtles die because artificial light draws them away from the ocean.

Clearly, light pollution is as serious as other forms of pollution. We have to find ways to solve the problem. If we do not, we may see stars only in our dreams or paintings.

23. 위 글의 내용을 바르게 이해한 사람은?　　(4점)

① Amy: We should turn on the lights for birds.

② Clara: Artificial light helps baby sea turtles.

③ Tom: Sea turtles like bright beaches to lay eggs.

④ Che: Air pollution is more serious than light pollution.

⑤ Andy: Light pollution causes many problems to wildlife.

24. 위 글의 밑줄 친 ⓐ를 수동태로 바르게 바꾼 것은?　　　　　　　　　　　　　　(3점)

① Wildlife is threaten by light pollution

② Light pollution was threaten by wildlife

③ Wildlife is threatened by light pollution

④ Light pollution is threatened with wildlife

⑤ Wildlife was threatened by light pollution

[25~28] 다음 글을 읽고 물음에 답하시오.

Look at this beautiful painting. It was created by the famous Dutch artist Vincent van Gogh in 1889. (A) In Van Gogh's time, almost everyone could look up and see a wonderful starry night sky.
Now, ㉠우리들 중 몇 명이 반 고흐만큼 운이 좋을까? (how / of / us / be / as / many / lucky / Van Gogh) In fact, many people in today's world cannot enjoy a starry night sky. (B) This is so ⓐ_____ light pollution.
Most of us are familiar ⓑ_____ air, water, and land pollution. (C) We know that they are serious problems, and we are taking action to solve them. (D) Light pollution — too much light in the wrong place at the wrong time — is almost everywhere around the world. (E) It can have serious effects on humans and wildlife.
According to a recent report, about 80% of the world's population lives under skies that are not dark enough at night. Especially in big cities, people often cannot see a starry night. They can also suffer ⓒ_____ sleep problems because ㉡the natural rhythm of day and night is disturbed by artificial light.

26. 위 글의 (A)~(E) 중 다음 주어진 문장이 들어가기에 가장 적절한 곳은? (4점)

But did you know that light can also cause pollution?

① (A) ② (B) ③ (C) ④ (D) ⑤ (E)

27. 위 글의 밑줄 친 ㉠의 우리말과 의미가 같도록 주어진 단어를 모두 또는 중복 사용하여 9 단어로 된 영어 문장을 완성하시오. (I'm, don't와 같은 줄임말은 사용하지 않고, be동사는 적절히 변형하여 써야 함. Van Gogh는 한 단어로 취급함. 대·소문자 구분 및 철자 오류 시 감점.) (5점)
→ _____

28. 위 글의 밑줄 친 ㉡의 문장을 의미가 같도록 능동태를 사용한 영어 문장으로 고쳐 쓰시오. (I'm, don't와 같은 줄임말은 사용하지 않고, 동사는 적절히 변형하여 써야 함. 대·소문자 구분 및 철자 오류 시 감점. 10 단어) (5점)
→ _____

25. 위 글의 내용상 빈칸 ⓐ~ⓒ에 들어갈 말로 알맞게 짝지어진 것은? (3점)

	ⓐ	ⓑ	ⓒ
①	because	with	to
②	because	to	from
③	because of	with	to
④	because of	to	from
⑤	because of	with	from

29. 다음 글의 빈칸에 들어갈 Lucas의 기분으로 알맞은 것은? (3점)

Lucas lives in Mon Repos, a small town in Queensland, Australia. From November to late March, sea turtles visit the town and lay eggs on the beach. Lucas volunteers at the turtle center on weekends. His work starts when turtles arrive after dark. He walks around the beach and says to people, "Please turn off the light, and be quiet." After work, Lucas feels _____ because turtles are protected.

① worried ② proud ③ scared
④ nervous ⑤ disappointed

정답 및 해설

Lesson 1 (중간)

01 ④	02 ④	03 ④	04 ⑤	05 ④	06 ②	07 ②
08 ⑤	09 ②	10 ②	11 ④	12 ①	13 ④	14 ③
15 ②	16 ⑤	17 ④	18 ⑤	19 ⑤	20 ④	21 ①
22 ③	23 ⑤					

24 If you get up late, you will miss the bus.

25 ③	26 ②	27 ⑤	28 ③

01 downtime이 '휴식 시간'이라는 뜻이므로 relax가 적절하다.

02 ④번은 '(아무를) ~한 상태로 만들다'라는 뜻이며 나머지는 '운전하다'라는 뜻이다.

03 우리말을 영작하면 'Focus on the things that are easy to change'이므로 easy가 일곱 번째로 오는 단어이다.

04 마지막에 Sumi가 'Okay, I will.'이라고 했으므로 ⑤번이 적절하다.

05 계획을 묻는 질문에 지난 일을 언급하는 것은 어색하다.

06 Jongha가 'I'd like to visit you this Saturday.'라고 했다.

07 야구장에 갈 계획이라는 말에 야구 장갑을 가져가라는 조언이 적절하다.

08 목표를 어떻게 이룰지 묻는 말에 '그렇게 하겠다.'는 대답은 어색하다. 'Yes, I will.'이라는 말이 없으면 가능하다.

09 목표를 묻는 질문에 답하자 멋지다고 한 후에 (B)에서 상대방(Meg)은 어떤지 묻고 (A)에서 답하고 (C)에서 방법을 묻자 (D)에서 방법을 답하는 순서가 자연스럽다.

10 'Why don't you ~?', '(I think) You should ~', 'How[What] about ~?' 등의 표현을 이용하여 '충고'나 '제안', '권유' 등을 할 수 있다.

11 Jongha가 야채 먹는 것을 즐겨하는지는 대화를 읽고 알 수 없다.

12 ② will mix → mix
③ call → will call
④ will have → have
⑤ will have → have, go → will go

13 사물인 a house와 사람인 The girl 둘 다 선행사로 취할 수 있는 것은 that이다.

14 ① I know a man who speaks five languages. ②

Jane lives in a house which is 30 years old. ④ Thomas likes stories which have happy endings. ⑤ The girl that is carrying some shopping bags is my cousin.

15 (A) 동명사가 주어이므로 단수 is, (B) get off to a start: 시작하다

16 선생님의 명단에 있는 이름이 바꾸기 어렵다는 것인데 주소를 언급하는 것은 어색하다.

17 'If you are late or do not behave, your teacher will put your name on his or her list.'라고 했다.

18 ⑤번은 접속사이지만 ⓐ와 나머지는 모두 주격 관계대명사이다.

19 민솔이가 downtime(휴식 시간)을 갖기로 했다는 내용인데 ⓔ는 일요일에 공부하기로 했다는 것으로 흐름에 맞지 않다.

20 우리말을 영작하면 'Try to make today better than yesterday.'이다.

21 ①번의 내용이 바꾸기 쉬운 것으로 맨 처음에 나온다.

22 휴대 전화 사용 습관을 바꾸겠다는 글로 주어진 문장은 '나쁜 습관을 깨뜨리겠다'는 것으로 나쁜 습관을 나열한 후 결심의 내용을 언급하기 시작하는 문장 앞에 오는 것이 적절하다.

23 무료 공연(free concert)을 즐기기 위해 예술 회관에 갈 것이라고 했지만 미술 작품을 감상하겠다는 내용은 없다.

24 조건의 부사절에서는 미래시제라 해도 현재시제로 나타낸다.

25 비교급은 even, much, far, a lot, still 등으로 강조한다.

26 (B) someone이 선행사이므로 who나 that, (C) 목적어로 쓰이는 명사절을 이끄는 접속사 that이 적절하다.

27 'You cannot easily change the list.'라고 했다.

28 'If you add a new friend to the list, however, you will feel even better than before.'라고 했다.

Lesson 1 (중간)

01 ①	02 ①	03 ②	04 ⑤	05 ①	06 ③	07 ③

08 Why don't you go to see a doctor? 등

09 ④	10 ④, ⑤		11 ②	12 ④	13 ⑤
14 ③, ④		15 ⑤	16 ⑤	17 ②	18 ④	19 ⑤
20 ②	21 ③	22 ②	23 ⑤	24 ④	25 ③	26 ⑤
27 ③						

01 ①번은 둘 다 형용사로 의미상 아무런 관련이 없지만 나머

지는 모두 '반의어'이다. ③번의 'full'이 '배부른'의 뜻으로 쓰일 수 있음에 유의한다.

02 for a while: 잠깐, 잠시 동안, focus on: ~에 초점을 맞추다

03 뒤에서 계획을 말하고 있으므로 계획을 묻는 것이 자연스럽다.

04 ⑤번은 주말 계획을 묻자 엄마와 영화를 보려 한다는 대답으로 자연스럽다.

05 특별한 목표가 있는지 묻는 주어진 말에 이어 ⓑ에서 건강해지고 싶다고 말하고 ⓒ에서 어떻게 이룰지 방법을 묻자 ⓐ에서 매일 달리기를 할 거라는 계획을 말하는 순서이다.

06 뒤에서 의견을 말하고 있으므로 의견을 묻거나 조언을 구하는 말이 적절하다.

07 Minsu가 'Why don't you add some downtime?'이라고 했다.

08 'Why don't you ~?', 'I think you should ~' 'How about ~?' 등을 이용해 '병원에 가보라.'는 등의 말을 쓴다.

09 주어진 문장은 충고해 주는 말이다. 의미를 잘 몰라 그 의미를 묻고 있는 (D) 앞이 적절하다.

10 ④ Kevin은 Minsol에게 downtime을 추가하라고 했다. swimming contest에서 금메달을 받고 싶다는 언급은 있지만 두 사람이 수영장에서 대화하고 있는지는 알 수 없다.

11 주어진 표현은 잘했다고 '칭찬'하는 것이므로 (B)에 들어가는 것이 적절하다.

12 무슨 문제인지 묻는 질문에 'I have a science project, and I don't have any ideas.'라고 했다.

13 ① Does → Do ② which → that ③ will → 삭제 ④ firstly → first

14 ③ The boy who[that] dances well is my boyfriend. ④ An orange is a fruit which[that] has a lot of vitamin C.

15 ①~④ 주격 관계대명사 ⑤ 접속사

16 '바꾸기 어려운 것'들을 나열하고 있으므로 can을 cannot으로 바꿔야 한다.

17 ⓐ의 it은 '여러분의 방'을 가리킨다.

18 (A) bring A into B: A를 B로 가져오다 (B)에는 비교급을 수식하는 much, (C) care for: ~을 좋아하다, ~을 보살피다

19 ⓑ strangely → strange, ⓒ which → that, ⓔ which is → which are

20 친구가 한 명 더 추가된 것에 알맞은 말은 ②번 외에는 없다.

21 'Focus on the things that are easy to change'라고 했다.

22 주어가 someone이므로 drives가 되어야 한다.

23 휴대전화에 대한 나쁜 습관을 고치려는 것이므로 more를 less로 바꾸는 것이 적절하다.

24 선생님의 명단에 몇 명의 학생들이 있는지는 알 수 없다.

25 (A) get off to a start: 시작하다
(B) ask A for B: A에게 B를 부탁[요청]하다
(C) bring A into B: A를 B로 가져오다

26 ⓐ와 ⑤: 관계대명사 ① 지시대명사 ②, ④ 접속사 ③ 지시형용사

27 test → classes

Lesson 2 (중간)

01 ④	**02** ①	**03** ⑤	**04** ③	**05** ⑤	**06** ③	**07** ①
08 ④	**09** ③	**10** ④	**11** ③	**12** ③	**13** ⑤	**14** ⑤
15 ④	**16** ②	**17** ②	**18** ④	**19** ①	**20** ④	

21 learning Italian from people is more fun

22 ④	**23** ④	**24** ⑤	**25** ③	**26** ③	**27** ③	**28** ③

01 landmark: 랜드마크, 주요 지형지물

02 French: 프랑스어 France: 프랑스

03 every Saturday라고 했으므로 weekly가 되어야 한다.

04 중요한 장소나 특별한 건물을 말하는 거라고 했으므로 landmark가 적절하다.

05 Don't beat around the bush.는 Speak directly.를 의미한다.

06 긴장돼 보인다는 주어진 문장에 이어 ⓒ 오디션이 있다고 하고 ⓐ Break a leg!이라고 하자 ⓓ 무슨 뜻인지 묻자 ⓑ 행운을 빈다는 말이라고 설명하고 ⓔ 고맙다고 하는 순서이다.

07 뒤에서 뜻을 설명해 주고 있으므로 ①번이 적절하다.

08 '정말 맛있어요.(tastes great)'라고 답하고 있으므로 맛이 어떤지 묻는 ④번이 적절하다.

09 ⓐ smells의 보어로 형용사 nice
ⓔ be동사의 보어로 형용사 glad

10 Andy는 케밥이 무엇인지 몰라 묻고 있다.

11 B가 설명하는 것으로 보아 '비빔밥'이다.

12 갈 길이 멀다며 '출발하자'는 말에 알았다며 '큰 구덩이를 파자'는 말은 어색하다. hit the road.: 여행을 떠나다, 돌아가다, 출발하다

13 뒤에서 '식당을 여셔야 할 것 같아요!'라고 하는 것으로 보아 'terrible'을 'great' 정도로 바꾸는 것이 적절하다.

14 ① like → liked ② them 삭제
③ watch → watched ④ live → lives

15 (A) go는 자동사이므로 which는 올 수 없고 the park가 있으므로 where도 안 된다.
(B) the park가 leave의 목적어로 나와 있으므로 what과 where는 안 된다.

16 teach는 간접목적어를 직접목적어 뒤로 보낼 때 전치사 to를 써야 한다.

17 번역 앱이 있어 도움이 될 거라고 생각해서 Jaden이 집에 남는 글에 이어 (B) 앱의 도움을 받고 (A) 손님이 와서 빠른 이탈리아어로 해서 앱이 이해를 못하고 (D) 앱이 도움이 안 되어 놓고 나와 한 소녀를 발견하고 (E) 전화기가 부엌에 있어서 소녀 말을 따라 하고 (C) 버스가 도착하고 헤어지는 주어진 글로 이어지는 순서가 자연스럽다.

18 이탈리아어 'latte'는 '우유'를 의미한다.

19 ⓐ a woman을 선행사로 하는 목적격 관계대명사로 who[whom/that] ⓑ a girl을 선행사로 하는 주격 관계대명사로 who[that] ⓒ the words를 선행사로 하는 목적격 관계대명사로 which[that]가 적절하다.

20 전화기의 앱이 없이도 Rosabella와 의사소통을 했다.

21 learning으로 주어를 쓰고 Italian from people을 목적어로 쓴 후, be동사 is를 쓰고 보어로 more fun을 쓴다.

22 빈칸 다음에 나온 there에 어울리는 것을 찾는다.

23 (A)와 ④: 목적격 관계대명사 ①, ③ 주격 관계대명사 ② 지시대명사 ⑤ 접속사

24 ⓔ의 She는 Ms. Gambini를 가리킨다.

25 ⓐ walk → walks,
ⓔ her → herself,
ⓕ what → that

26 Rosabella가 어떤 영어 단어를 이해하는지는 알 수 없다.

27 주어진 문장의 That이 가리키는 것이 (C) 앞 문장의 내용이며 also로 비슷한 내용이 앞에 나왔어야 하므로 (C)가 적절하다.

28 지문이나 앱 화면 상에서 호텔의 숙박료가 얼마인지는 찾을 수 없다.

Lesson 2 (중간) 2회

01 once in a while: 가끔[이따금]

02 ①번은 국가명이 아니지만 (Thai: 타이 사람, 타이 말, 타이 말[사람]의 - Swiss: 스위스 사람, 스위스의) 나머지는 모두 국가명이다.

03 권유하는 말에 'Yes'라고 한 후 배부르다는 말은 어색하다.

04 어떻게 그곳에 가는지 물었는데 어떤 것을 선택할지 몰랐다는 답은 어색하다.

05 'You should open your own restaurant!'이라고 칭찬하는 것으로 보아 ④번이 적절하다.

06 웹 사이트가 아니라 앱이다.

07 'how+to부정사'의 형태로 목적어가 되어야 한다.

08 how+to부정사: 어떻게 ~할지, ~하는 법

09 긴장되어 보인다는 주어진 말에 이어 (E)에서 오디션이 있다고 말하고 (B)에서 'Break a leg!'이라고 행운을 빌고 (D)에서 'Break a leg!'의 의미를 묻고 (A) '행운을 빈다'는 의미를 설명하고 (C)에서 감사를 전하는 순서가 적절하다.

10 이어서 'Break a leg!'의 의미를 설명하므로 무슨 의미인지를 묻는 것이 적절하다.

11 모두 권유하는 말에 대해 '거절'하는 내용이지만 ②번은 '허락'하는 내용이다.

12 Break a leg!: 행운을 빌어. Shake a leg!: 빨리빨리 시작해라[움직여라]!

13 Abbas가 케밥을 몇 시에 만들었는지는 알 수 없다.

14 모두 앱의 이름에 맞게 파리에 관련되었지만 ②번은 파티에서 무엇을 제공할지에 중점을 두고 있다는 의미로 어색하다.

15 Jude is the librarian who[whom/that] I should thank.

16 Ann was the person who[whom/that] I met on the way home. 목적격 관계대명사가 필요하다. whose는 소유격이다.

17 Ms. Gambini와 his mother's friend는 동격이다.

18 (A) help의 목적격보어로 동사원형이나 to부정사가 나온

다. (B) a woman을 선행사로 하는 목적격 관계대명사가 필요하므로 whom. (C) begin의 목적어로 동명사 speaking.

19 growl은 '꼬르륵 소리가 나다'라는 뜻이다.

20 Would you like ~?: ~을 드시겠습니까? a piece of bread: 빵 한 조각 a glass of milk: 우유 한 잔

21 시간의 부사절을 이끄는 접속사가 적절하다.

22 Sure enough(아니나 다를까)로 보아 bus가 언급된 다음에 나오는 것이 적절하다.

23 Jaden은 '버스'와 '도착하다'라는 단어와 비슷한 소리가 나는 단어를 알아듣는다. 'Fortuna'는 '행운'이라는 단어처럼 소리난다. Mi chiamo Rosabella.에는 '내 이름은 Jaden이야.'라고 했다. Molte grazie!에 대해서는 언급이 없다.

24 Jaden이 아니라 Rosabella가 버스에 올라탄다.

25 what+to부정사: 무엇을 ~해야 할지, 무엇을 ~할지

26 ⓐ turn off: 끄다 ⓑ against: ~을 향하여, 충돌하여 ⓒ turn to: ~로 돌아서다

27 So로 번역 앱이 따라잡지 못한 것이 결과임을 나타내므로 (B)가 적절하다.

28 Ms. Gambini가 말했을 때 Jaden은 어떻게 대답해야 할지 몰랐는데 앱에서 번역된 말이 나왔다.

29 ⓐ communicating → communicate ⓑ how respond → how to respond ⓒ breads → bread ⓔ begins → begin

30 Rosabella와 친구들이 어디서 축구를 할지는 알 수 없다.

31 동명사 learning을 주어로 하여 쓴다.

32 how+to부정사: 어떻게 ~할지

Lesson 3 (기말)   1회

01 ② **02** ③ **03** ① **04** ① **05** ② **06** ③ **07** ①
08 ② **09** ① **10** ④ **11** ⑤ **12** ②
13 You should take some medicine.   **14** ① **15** ①
16 ③ **17** ① **18** ④ **19** ② **20** ④ **21** ②
22 ①, ⑤   **23** ④ **24** ①
25 The T cells sound the alarm.
26 There are several ways to protect yourself from germs.
27 ③ **28** ① **29** ⑤ **30** victim   **31** ①

01 give up: 포기하다 ① 손 떼. ③ 덤벼. ④ 그것을 복사해. ⑤ 무슨 일이야?

02 cartoon → cartoonist

03 개한테 무슨 문제가 있는지 묻는 말에 '너무 안됐다.'는 대답은 어색하다.

04 모두 무슨 일인지 묻는 질문이지만 ①번은 왜 그렇게 생각하는지 이유를 묻는 질문이다.

05 순서대로 3번째 attack → protect, 4번째 nearly → regularly, 5번째 arm → army

06 'Let's ~.'는 '~하자.'라는 뜻으로 무엇을 '제안'할 때 쓰인다.

07 민솔의 개 이름이 무엇인지는 나와 있지 않다.

08 to check와 ②번은 명사적 용법이다. ①, ③, ⑤: 부사적 용법 ④ 형용사적 용법

09 (A) is wrong with ~: ~에게 잘못되다
(B) keep의 목적어로 scratching
(C) on skin: 피부에
(D) is fine with : ~은 괜찮다

10 'Go see a doctor, okay?'라는 말에 'Sure. Thanks.'라고 했다.

11 'for tomorrow'로 보아 make an appointment(예약하다)가 적절하다.

12 몸이 안 좋다는 말에 이어 (D) 문제가 무엇인지 묻고 (B) 복통이 심하다고 답하고 (F) 보건실에서 약을 좀 먹으라고 하자 (C) 이미 먹었는데 도움이 안 된다고 하자 (A) 가라고 하면서 병원에 가라고 하자 (E) 알았다며 감사하는 순서가 적절하다.

13 배가 아프다고 했으므로 약을 먹으라는 조언을 할 수 있다. should가 있으므로 should를 이용한다.

14 'to write on'에서 편지 위에 쓰는 것이 아니라 편지를 쓰는 것이므로 on을 삭제해야 한다.

15 <보기>와 ①번의 it은 가주어이다. ②, ④, ⑤ 비인칭 주어 ③ 인칭대명사

16 ⓐ defense → defend ⓓ to eating → to eat ⓔ to making → to make

17 두 가지 종류의 주요 세균이 있다면서 박테리아와 바이러스에 대해 설명하고 있는 글이다.

18 'Some are good.(어떤 박테리아는 이롭다.)'이라고 했다.

19 이로운 박테리아를 설명하다가 갑자기 '소화를 잘 시켜야 건강하게 산다'는 말은 어색하다.

20 세균이 몸 안에서 증식해서 우리의 몸이 교전 지역이 되고 피곤하고 힘이 없어지는 것을 느끼기 시작한다.

21 항생제를 가지고 나타나는 것은 B세포이다.

22 ⓐ의 it은 침입자(the invader), 즉 세균(the germ)을 가리킨다.

23 '며칠 있으면, 당신은 회복되기 시작한다.'라는 주어진 문장은 몸속의 군대가 싸움에서 이긴 결과이므로 (D)에 들어가는 것이 적절하다.

24 우리 몸에는 백혈구라는 방어군이 있다.

25 sound the alarm: 경보를 울리다

26 There 다음에 be동사 are를 쓰고 be동사의 보어로 'several ways'를 쓴 후, 'to protect'를 형용사적 용법으로 'several ways'를 뒤에서 수식하게 쓰고 'protect'의 목적어로 yourself를 쓴다. from germs를 마지막에 쓰면 된다.

27 균형 잡힌 식사에 대한 언급은 있지만 식사량에 관한 언급은 없다.

28 (A) Some(일부는)에 어울리는 것은 Others(다른 일부는)이다. The other는 남아 있는 전체를 말할 때 쓴다. (B) 세균들이 피부, 입, 코, 그리고 눈을 '통해' 몸에 들어갈 수 있다. (C) 주어와 같은 대상이므로 재귀대명사 itself가 적절하다.

29 백혈구 세포들이 방어군으로 세균과 싸운다.

30 victim: 희생(자), 피해자, 조난자

31 손을 씻고, 균형 잡힌 식사를 하고, 규칙적으로 운동하고 잠을 많이 자고 예방 접종을 하는 것 등은 우리 몸을 건강하게 하고 세균으로부터 보호하는 방법이다.

Lesson 3 (기말)

01 ⑤	02 ④	03 ②	04 ⑤	05 ⑤	06 ②	07 ④
08 ④	09 ③	10 ③	11 ②	12 ⑤	13 ⑤	14 ①
15 ③	16 ④	17 ⑤	18 ⑤	19 ④	20 ⑤	21 ④
22 ①	23 ③	24 ①	25 ②	26 help you digest		
27 ④	28 ①	29 ②	30 ②	31 ②		

01 translater가 아니라 translator가 되어야 한다.

02 순서대로 farmer, painter, director, actor, inventor가 들어간다.

03 무슨 문제인지 묻는 질문에 '멋져 보여.'라는 대답은 어색하다.

04 '계획'을 묻는 질문에 지금 하고 있는 것을 답하는 것은 어울리지 않는다.

05 배가 아프다고 하는 것으로 보아 무슨 문제가 있는지 묻는 질문이 적절하다. ⑤번은 무엇을 하려고 하는지 '예정'을 묻는 질문이다.

06 (A) keep의 목적어로 동명사가 나와 '계속 ~하다'라는 의미를 갖는다. (B) 사역동사 Let의 목적격보어로 동사원

형이 적절하다.

07 'About three days ago.'라고 했다.

08 주어진 대화와 ④번의 'make it'은 '시간에 대다' 정도의 의미를 갖지만 나머지는 모두 '만들다'라는 뜻이다.

09 'I called you to talk about our science project.'라고 했다.

10 ⓑ 10시가 어떤지 묻고 ⓓ 좋다며 어디서 만날지 묻자 ⓒ 버스 정류장에서 만나자는 말에 ⓐ 그렇게 하자는 순서로 이어진다.

11 (B) have → had, (E) sing → sung, (F) sit → sat

12 get into: ~에 들어가다

13 가주어 It이 있으므로 진주어로 to부정사가 적절하다.

14 read → to read. to read로 앞에 나온 some books를 수식하도록 해야 한다.

15 'responds to'가 되어야 한다. 여기서 respond는 자동사로 쓰였으므로(반응[감응]하다) 전치사 to가 필요하다.

16 'this army'가 무엇을 부르는 것이 아니라 우리가 this army를 부르는 것으로 수동태로 쓰이는 것이 적절하므로 is called가 되어야 한다.

17 세균을 먹는 것은 대식세포(the macrophage cells)이다.

18 "Bad" germs can enter your body through your skin, mouth, nose, and eyes.라고 했다.

19 ④번은 '형용사적 용법'이지만 ⓐ와 나머지는 진주어이다.

20 사물을 선행사로 하는 관계대명사 that이 적절하다.

21 세균이 몸에 침투해 들어오면 백혈구가 맞서 싸운다는 내용이므로 ④번이 적절하다.

22 ⓐ bacteria는 복수이므로 are(단수형은 bacterium), ⓑ enter는 타동사이므로 전치사 into가 필요 없다.

23 (A) 바이러스는 다른 생명체의 세포 안에서만 살므로 inside가 적절하다. (B) 그것들이 '침입할' 때이므로 invade가 적절하다. evade: (적·공격 등을 교묘히) 피하다 (C) defense가 적절하다. offence: 위법[범법] 행위, 범죄

24 (A)와 ①: 형용사적 용법 ②, ③, ④ 명사적 용법 ⑤ 부사적 용법

25 '적당히 살 빼기'는 언급되지 않았다.

26 help의 목적어로 you가 나오고 목적격보어로 동사원형 digest를 쓴다.

27 defense: 방어

28 'Some are good.'이라고 했다.

29 세균의 침투와 우리 몸에서의 방어 체계에 대한 글이다.

30 ②: 명사적 용법 (B)와 나머지: 형용사적 용법

31 세균으로부터 자신을 보호하는 글에서 감기는 요즘 흔한 질병이라는 문장은 어색하다.

Lesson 4 (기말)

01 recent: happening a short time ago(최근의)

02 harm - harmful

03 pollution: damage that is caused to water, air, and so on by dirty or harmful material(오염)

04 남은 음식을 버리지 말라는 말에 알고 있다고 했으므로 don't를 삭제하는 것이 적절하다.

05 'It can pollute the water. It can also put people and animals in danger.'라고 했다.

06 ⓐ는 가주어이지만 나머지는 모두 poster를 가리킨다.

07 'the school bulletin board', 'school club members' 등으로 보아 '교사 – 학생'의 관계이다.

08 'Then can I put it on the door?'에 'Sure.'라고 했다.

09 '허락'을 구하는 말에 'Sure.'라고 '허락'했으므로 'Go ahead.'가 적절하다.

10 '사용하지 않은 약을 약국으로 가져가야 한다.'는 말에 '그것을 방금 그렸다.'는 응답은 어색하다.

11 ①, ② '부탁'하는 표현 ③ '예정'을 묻는 표현 ④ '허락'을 구하는 표현 ⑤ '충고'나 '권유'하는 표현

12 be familiar with: ~을 잘 알고 있다, ~에 친숙하다

13 'as+형용사/부사+as+비교 대상'으로 두 대상의 특성이 동등한 정도임을 나타낸다.

14 Lucas가 '불을 끄고 조용히 하라.'고 말하는 것은 거북이를 보호하기 위해서이므로 거북이가 '보호받기' 때문에 자랑스러움을 느낀다고 할 수 있다.

15 ① Jack → by Jack ② my father → by my father ④ baked → was baked ⑤ use → used by

16 (1) 'as+형용사/부사+as+비교 대상' (2) 주어가 복수이고 과거시제이므로 'were cut by'로 쓰는 것에 주의한다.

17 ⓐ is as not → is not as, ⓒ good → well, ⓔ taller → tall

18 (A)에는 오늘날의 상황을 언급하므로 Now가, (B)에는 방금 한 말에 대해 자세한 내용을 덧붙일 때 쓰는 In fact가 적절하다.

19 ㉠ 수동태이므로 과거분사 ㉡ are의 보어로 형용사 ㉢ is의 보어로 이미 언급된 것을 다시 가리키는 말 so가 적절하다.

20 'Dutch artist'라고 했다.

21 고흐 당시나 지금이나 별은 많지만 지금은 빛 공해로 인해 별들을 볼 수 없다.

22 빛 공해 때문에 별을 볼 수 없고 수면 문제 등으로 고통받고 있다는 내용이다.

23 앞 문장의 내용을 가리키고 있다.

24 'many people in today's world cannot enjoy a starry night sky'라고 했다. starry: 별이 많은

25 빛도 문제가 될 수 있다며 빛 공해에 대해 말하고 있다.

26 ⓐ to → by, ⓑ wandering → to wander

27 'light in big cities can cause them to wander off course'라고 했다.

28 suffer from: ~로 고통 받다, ~ 때문에 고생을 하다

29 '특정 지역에 사는 사람들의 수'는 인구이다.

30 (B)와 ⑤는 주격 관계대명사이다. ① 지시대명사 ② 지시형용사 ③, ④: 접속사

31 능동태의 목적어인 'the natural rhythm of day and night'를 주어로 쓰고, 동사 disturbs를 'is disturbed'로 바꾼 후 주어인 'artificial light'를 'by+목적격'으로 쓴다.

32 빛 공해로 야생 생물이 위협받고 있다는 내용이다.

Lesson 4 (기말)

01 be familiar with: ~을 잘 알고 있다

02 순서대로 hopeful, sleepy, salty, thankful이 들어가야 한다.

03 ①번은 '~하는 게 어때'라는 '제안'이나 '권유'의 의도이지만 나머지는 모두 '금지'를 나타낸다.

04 배가 아프다는데 거기에 반창고를 붙이라는 것은 어색하다.

05 (A) '허가'를 구하는 표현이 적절하다. (B) '금지'를 나타내는 표현이 적절하다.

06 '금지'의 답이 이어지므로 '허가'를 구하는 질문이 적절하다.

07 'be not supposed to'는 '금지'하는 표현으로 쓰인다.

08 'Not at all.(별말씀을요.)'은 남의 감사를 정중히 받아들이거나 무엇에 동의할 때 쓰는 말이다. 이어지는 말로 보아 'Of course.' 정도의 '허가'의 표현이 적절하다.

09 'Sure.'라고 '허락'을 한 후에 '그렇게 생각하지 않는다.'는 말을 덧붙이는 것은 어색하다.

10 밖에 비가 오고 있고 방에 빗방울이 들어올까 봐 허락하지 않았으므로 ''창문을 열어도' 될까요?'라고 허락을 구하는 질문이 적절하다.

11 무엇을 하는지 묻는 <보기>에 이어 ⓒ 약을 버리고 있다고 답하고 ⓑ 그렇게 하면 안 된다고 금지하자 ⓔ 이유를 묻고 ⓓ 이유를 말해주고 ⓐ 알았다고 답하는 순서가 적절하다.

12 If의 조건절에서 미래의 일은 현재시제로 나타내지만 주절이므로 미래시제로 나타내야 한다. will know가 적절하다.

13 ② took → taken ③ were → was
④ were clean → cleaned ⑤ were → was

14 (A) Gogh가 주어로 능동태 (B) be동사의 보어로 형용사 (C) 뒤에 '구'가 이어지므로 because of가 적절하다.

15 'as+형용사/부사+as+비교 대상'으로 두 대상의 특성이 동등한 정도임을 나타낸다.

16 공해를 해결하기 위해 사람들이 하는 것은 언급되지 않았다.

17 주어진 문장의 It이 (D) 앞 문장의 내용이므로 (D)가 적절하다.

18 ⓐ 뒤에 '구'가 이어지므로 because of ⓑ enough는 형용사나 부사 뒤에 쓰인다. ⓒ suffer from: ~로 고통 받다, ~ 때문에 고생을 하다

19 대도시에서 많은 사람들이 인공적인 빛이 나쁜 영향을 미치기 때문에 고통받고 있다는 내용이므로 (A)에는 difficulty나 problem 또는 pain이 적절하고 (B)에는 influences나 effects가 적절하다.

20 능동태의 목적어인 'the natural rhythm of day and night'를 주어로 쓰고, 동사 disturbs를 'is disturbed'로 바꾼 후 주어인 'artificial light'를 'by+목적격'으로 쓴다.

21 '심각한 문제'이며 '사람과 야생 생물에게 심각한 영향을 끼칠 수 있는 것'은 '오염'이다.

22 (B) According to (D) dark enough (E) suffer from (F) is disturbed by

23 빛 공해가 많은 문제를 일으키고 있다는 내용의 글이다.

24 능동태의 목적어 wildlife를 주어로 하고, 동사 threatens를 is threatened로 바꾼 후 능동태의 주어 Light pollution을 'by+목적격'으로 쓴다.

25 ⓐ 뒤에 '구'가 이어지므로 because of ⓑ be familiar with: ~을 잘 알고 있다, ~에 친숙하다 ⓒ suffer from: ~로 고통 받다, ~ 때문에 고생을 하다

26 주어진 문장의 But으로 (D) 앞의 문장과 상반되며 (D) 다음에 빛 공해에 대한 언급이 계속되므로 (D)가 적절하다.

27 의문사 how로 시작하여 many of us를 주어로 하고 be동사는 복수 주어이므로 are로 고치고 'as lucky as Van Gogh'의 형태로 쓴다.

28 수동태의 'by artificial light'를 by를 삭제하고 주어로 한 후 동사 'is disturbed'는 'disturbs'로 바꾸고 주어인 'the natural rhythm of day and night'를 목적어로 쓴다.

29 자원봉사를 하는 Lucas는 일을 마친 후에 거북이들이 보호받기 때문에 '자랑스러움'을 느낄 것이다.

MEMO